O MUNDO DE SOFIA

Também de Jostein Gaarder:

Anna e o planeta
Através do espelho
A biblioteca mágica de Bibbi Bokken
O castelo do príncipe sapo
O castelo nos Pirineus
O dia do curinga
Ei! Tem alguém aí?
Eu me pergunto...
A garota das laranjas
Juca e os anões amarelos
O livro das religiões (edição de bolso)
Maya (edição de bolso)
Mistério de Natal
O pássaro raro
O vendedor de histórias
Vita Brevis: a carta de Flória Emília para Aurélio Agostinho (edição de bolso)

JOSTEIN GAARDER

O mundo de Sofia
Romance da história da filosofia

Tradução do norueguês
Leonardo Pinto Silva

Copyright © 1991 by Jostein Gaarder
e H. Aschehoug & Co. (W. Nygaard), Oslo

Esta tradução foi publicada com o apoio financeiro de NORLA.

O selo Seguinte pertence à Editora Schwarcz S.A.

Grafia atualizada segundo o Acordo Ortográfico da Língua Portuguesa de 1990, que entrou em vigor no Brasil em 2009.

Título original
Sofies Werden

Capa
Sabine Dowek

Revisão técnica
Maíra de Cinque Pereira da Costa

Preparação
Márcia Copola

Índice remissivo
Luciano Marchiori

Revisão
Renata Lopes Del Nero
Luciane Helena Gomide

Dados Internacionais de Catalogação na Publicação (CIP)
(Câmara Brasileira do Livro, SP, Brasil)

Gaarder, Jostein
O mundo de Sofia : romance da história da filosofia / Jostein Gaarder ; tradução do norueguês Leonardo Pinto Silva. — 1ª ed. — São Paulo : Companhia das Letras, 2012.

Título original: Sofies Werden.
ISBN 978-85-359-2189-2

1. Filosofia – História – Ficção 2. Romance norueguês I. Título.

12-11893   CDD-839.823

Índice para catálogo sistemático:
1. Romances : Literatura norueguesa 839.823

34ª reimpressão

Todos os direitos desta edição reservados à
EDITORA SCHWARCZ S.A.
Rua Bandeira Paulista, 702, cj. 32
04532-002 — São Paulo — SP
Telefone: (11) 3707-3500
www.seguinte.com.br
contato@seguinte.com.br

/editoraseguinte
@editoraseguinte
Editora Seguinte
editoraseguinteoficial

Este livro não teria sido possível sem o estímulo e incentivo de Siri Dannevig. Agradeço também a Maiken Ims, que leu os originais e fez observações valiosas. Sou não menos grato a Trond Berg Eriksen pelos comentários bem-humorados e pelo sólido apoio técnico ao longo de muitos anos.

Aquele que depois de três milênios não é capaz de se ter na própria conta estará fadado a viver uma vida de ignorância.
Goethe

Sumário

13 O Jardim do Éden
... no fim das contas, algo teria que ter surgido a partir do nada...

22 A cartola
... a única coisa de que necessitamos para ser filósofos é a capacidade de nos admirarmos com as coisas...

34 Os mitos
... um instável embate de forças entre o bem e o mal...

41 Os filósofos da natureza
... nada pode surgir do nada...

55 Demócrito
... o brinquedo mais genial do mundo...

61 O destino
... os "adivinhos" tentam prever algo que na verdade é imprevisível...

71 Sócrates
... mais sábio é aquele que sabe que não sabe...

87 Atenas
... das ruínas erguiam-se várias construções imponentes...

94 Platão
... um anseio de regressar à verdadeira morada da alma...

110 O Chalé do Major
... a garota no espelho piscou os dois olhos...

120 Aristóteles
... um homem organizado e metódico, que queria classificar os conceitos humanos...

138 O helenismo
... uma centelha do fogo...

157 Os cartões-postais
... estou me impondo uma forte censura...

166 Dois perímetros culturais
... só assim você evitará ficar flutuando no vácuo...

182 A Idade Média
... percorrer só um trecho do caminho não é o mesmo que seguir na direção errada...

206 A Renascença
... ó criatura divina vestida em trajes humanos...

236 O Barroco
... da mesma matéria de que são feitos os sonhos...

253 Descartes
... ele queria remover o entulho antes de construir sua casa nova...

267 Espinosa
... Deus não é um titereiro...

277 Locke
... tão limpa e vazia quanto uma lousa antes de o professor entrar na classe...

288 Hume
... atira-o então às chamas...

304 Berkeley
   ... *como um planeta ao redor de um sol flamejante...*
310 Bjerkely
   ... *um antigo espelho mágico que sua bisavó comprara de uma cigana...*
328 O Iluminismo
   ... *de como fabricar agulhas ao modo de fundir canhões...*
348 Kant
   ... *o céu estrelado acima de mim e a lei moral dentro de mim...*
370 O Romantismo
   ... *o caminho permeado de mistérios conduz ao nosso interior...*
389 Hegel
   ... *o que é mais sensato prevalecerá...*
402 Kierkegaard
   ... *a Europa caminha para a bancarrota...*
416 Marx
   ... *um espectro ronda a Europa...*
435 Darwin
   ... *um barco que navega pela vida com um carregamento de genes...*
461 Freud
   ... *o desejo mesquinho e egoísta oculto dentro dela...*
480 Nosso próprio tempo
   ... *o homem está condenado a ser livre...*
505 A festa no jardim
   ... *um corvo branco...*
520 Contraponto
   ... *duas ou mais melodias ressoando ao mesmo tempo...*
541 A grande explosão
   ... *nós também somos poeira estelar...*
553 Índice remissivo

O Jardim do Éden

*... no fim das contas, algo teria
que ter surgido a partir do nada...*

Sofia Amundsen voltava da escola para casa. O primeiro trecho do caminho ela fez com Jorunn. Elas conversavam sobre robôs. Jorunn dizia que o cérebro humano era como um computador sofisticado. Sofia não sabia ao certo se concordava. Um homem não deveria ser mais que uma máquina?

Cada uma tomou seu próprio rumo ao passarem pelo supermercado. Sofia morava no final de uma vila e tinha que andar quase o dobro que Jorunn para chegar em casa. Era como se fosse o fim do mundo, porque atrás do seu jardim não havia nenhuma outra casa, só o começo da floresta.

Ela dobrou a rua Kløver,* que no fim fazia uma curva fechada apelidada de Curva do Capitão. Somente aos sábados e domingos era comum ver gente por lá.

Era um dia do início de maio. Em alguns dos jardins os lírios-amarelos já floresciam sob as árvores de frutas. As bétulas haviam ganhado uma camada esverdeada de folhas.

Não era curioso como tudo começava a despertar e crescer naquela época do ano? Como era possível que quilos e quilos de uma

---

* No original, Kløverveien, "rua dos Trevos". Todas as notas que aparecem no livro são do tradutor.

camada verde pudessem brotar de uma terra erma assim que o clima ficava mais quente e os últimos traços de neve desapareciam?

Sofia espiou a caixa de correio ao abrir o portão do seu jardim. Em geral havia um monte de folhetos publicitários, além de envelopes grandes destinados à sua mãe. Ela costumava deixar uma pilha deles na mesa da cozinha antes de subir para o quarto e começar a fazer a lição de casa.

Para seu pai chegavam apenas algumas correspondências do banco de vez em quando, mas, também, ele não era um pai qualquer. O pai de Sofia era capitão de um enorme petroleiro e ficava afastado a maior parte do ano. Quando estava em casa, algumas semanas alternadas, calçava pantufas e se dedicava a alegrar a vida de Sofia e da mãe dela. Mas, quando partia para alto-mar, sua ausência era muito sentida.

Hoje havia apenas uma cartinha na caixa de correio — e era destinada a Sofia.

"Sofia Amundsen", estava escrito no pequeno envelope. "Rua Kløver, 3." Era tudo, não havia remetente. Nem mesmo selo.

Assim que fechou o portão atrás de si, ela abriu o envelope. A única coisa que encontrou foi uma pequena folha, não maior que o envelope que a continha. Na folha estava escrito *Quem é você?*

Nada além disso. A mensagem não tinha saudação nem assinatura, somente aquelas três palavras escritas à mão seguidas de um grande ponto de interrogação.

Ela tornou a olhar o envelope. Sim — a carta era mesmo para ela. Mas quem a havia colocado na caixa de correio?

Sofia apressou o passo, entrou na casa pintada de vermelho e trancou a porta. Como de costume, Sherekan, o gato, disparou do meio dos arbustos, pulou os degraus da entrada e conseguiu se enfiar pela porta antes que ela se fechasse.

— Rom, rom, rom! — ronronou ele.

Quando a mãe de Sofia se irritava por algum motivo, chamava o lugar onde viviam de *menagerie*, uma espécie de minizoológico particular. Muito apropriado. Sofia era muito feliz com a sua coleção de animais. Primeiro ela ganhou um aquário de peixinhos ornamentais: Gulltop, Rødhette e Svartepetter. Depois vieram os periquitos Smitt e Smule, a tartaruga Govinda e por fim Sherekan, um gato malhado. Ela ganhara todos aqueles bichos como uma espécie de compensação pelo fato de a mãe sempre chegar tarde do trabalho e o pai ficar viajando tanto pelo mundo.

Sofia se livrou da mochila e encheu uma tigela com ração para Sherekan. Em seguida, sentou-se num banquinho da cozinha segurando a misteriosa carta.

Quem é você?

Óbvio que ela sabia. Ela era Sofia Amundsen, claro, mas quem era essa pessoa? Isso ela não havia descoberto direito ainda.

E se por acaso ela tivesse outro nome? Anne Knutsen, por exemplo. Ela seria *outra* pessoa então?

De repente ela lembrou que o pai primeiro quis que ela se chamasse Synnøve. Sofia tentou se imaginar cumprimentando outras pessoas, estendendo a mão e se apresentando como Synnøve Amundsen, mas não, não combinava. Seria sempre outra garota, completamente diferente, se apresentando.

Então ela se levantou do banquinho e foi até o banheiro, levando na mão a carta misteriosa. Deteve-se diante do espelho e se olhou fixamente nos olhos.

— Eu sou Sofia Amundsen — disse.

A garota no espelho não esboçou a menor reação. Não importava o que Sofia fizesse, ela fazia exatamente o mesmo. Sofia fez um movimento rápido, mas a outra garota era tão rápida quanto ela.

— Quem é você? — perguntou Sofia.

Não obteve resposta, mas num breve instante se pegou em dúvida sobre quem teria feito a pergunta, se ela ou seu reflexo.

Então encostou o dedo indicador no espelho e disse:

— Você sou eu.

Como continuava sem resposta, inverteu a frase e disse:

— Eu sou você.

Sofia Amundsen nunca estava totalmente satisfeita com a sua aparência. Diziam com frequência que tinha lindos olhos amendoados, mas ela estava certa de que isso era porque tinha o nariz muito pequeno ou a boca demasiado grande. Além disso, as orelhas eram muito próximas dos olhos. E o pior de tudo eram os cabelos lisos demais: impossível arrumá-los. O pai costumava acariciá-los e a chamava de "garota de cabelos de linho", como na melodia de Claude Debussy. Ele só dizia isso porque não estava condenado a ter por toda a vida cabelos pretos bem lisos. Nos cabelos de Sofia não adiantava passar spray nem gel.

Às vezes ela achava sua aparência tão estranha que julgava ter nascido deformada. A mãe mencionava que tivera um parto difícil. Mas era o parto que determinava a aparência de uma pessoa?

Não era estranho que Sofia não soubesse quem realmente era? Não era também esquisito o fato de ela não conseguir determinar sua própria aparência? Isso lhe havia sido imposto, sem escolha. Talvez ela pudesse escolher seus amigos, mas não seu próprio ser. Ela nem mesmo escolhera ter nascido humana.

O que é um homem?

Sofia ergueu os olhos e viu novamente a garota no espelho.

— Acho que vou subir para fazer a lição de ciências — disse ela, como que para se desculpar por deixá-la ali. E no instante seguinte já estava no corredor.

"Não, acho que vou dar uma volta no jardim", pensou.

— Rom, rom, rom!

Sofia afastou o gato para fora e fechou a porta atrás de si.

Foi quando, parada na entrada de casa com a misteriosa carta na mão, teve uma sensação estranha. Era como se ela fosse uma boneca que de repente, por meio de um passe de mágica, despertasse para a vida.

Não era estranho passar a fazer parte do mundo agora, como personagem de uma aventura tão maravilhosa?

Sherekan saltitou pelo caminho e se enfiou entre uns densos arbustos de groselheiras. Um gato muito vivo aquele, com uma energia vibrante que fluía dos bigodes brancos até a ponta da cauda, passando pelo corpo esguio. Ele também estava ali no jardim, mas não tinha nenhuma consciência disso, diferentemente de Sofia.

Depois de pensar que estava ali, também ocorreu a Sofia que um dia ela não estaria mais.

"Eu estou no mundo agora", pensou. "Mas um dia terei partido."

Existiria vida após a morte? O gato também não tinha a menor ideia de como responder a essa pergunta.

Não fazia muito tempo que a avó paterna de Sofia morrera. Durante seis meses, quase diariamente ela se pegava sentindo saudade da avó. Não era injusto que a vida terminasse assim?

Parada na trilha de pedriscos em meio ao jardim, ela se pôs a pensar, desconfiada. Tentou se concentrar no fato de existir agora, esquecendo que um dia deixaria de estar ali. Mas isso era de todo impossível. Assim que pensava na sua existência, automaticamente imaginava que sua vida teria um fim. Ao mesmo tempo, lhe ocorria o contrário: primeiro ela teve uma forte sensação de que um dia deixaria de existir, e logo percebeu quão infinitamente maravilhosa é a vida. Eram duas faces da mesma moeda, uma moeda que ela não parava de virar. Quanto maior e mais brilhante era um lado, maior e mais brilhante também era o outro. Vida e morte eram os dois lados da mesma coisa.

"Não é possível imaginar que existimos sem imaginar que um dia vamos morrer", pensou ela. "Da mesma forma, é impossível imaginar que morreremos sem ao mesmo tempo pensar no quão fantástica e única é a vida."

Sofia lembrou que a avó dissera algo parecido quando soube que estava doente. "Agora, sim, compreendo como a vida é rica", ela disse.

Não era triste que as pessoas tivessem primeiro que ficar doentes para depois perceber como a vida é bela? Ou então que tivessem que encontrar uma carta misteriosa na caixa de correio?

Talvez ela devesse ir até lá de novo conferir se não havia outras cartas. Sofia correu até a caixa de correio e levantou a tampa verde. Ela tremeu da cabeça aos pés ao ver outro envelope, idêntico ao anterior. Será que verificara direito que a caixa estava vazia quando retirou o primeiro envelope?

Nesse envelope também estava escrito o seu nome. Ela o rasgou e tirou dali um bilhete branco igualzinho ao primeiro.

De onde vem o mundo?, perguntava o bilhete.

"Não faço a menor ideia", pensou Sofia. "Ninguém faz, não

é?" E ainda assim Sofia achou que a pergunta era importante. Pela primeira vez ela achou que não era possível estar neste mundo sem se *perguntar* de onde ele vinha.

As cartas misteriosas a deixaram de um jeito que ela resolveu ir para o seu esconderijo, um lugar supersecreto para onde ia quando estava bem brava, cansada ou feliz. Hoje estava apenas confusa.

A casa vermelha ficava no meio de um grande jardim. Havia canteiros de flores, arbustos de bagas, diferentes árvores frutíferas, um vasto gramado com um balanço, e um pequeno gazebo que seu avô construíra para sua avó depois de ela perder um bebê de apenas algumas semanas de vida. A pobre criança se chamava Marie. Numa lápide estava escrito "Pequena Marie, que veio até nós, deixou sua lembrança e logo partiu".

Num canto do jardim, atrás dos arbustos de framboesas, havia uma folhagem densa, onde não cresciam frutos nem flores. Na verdade, era uma velha sebe que demarcava a fronteira do jardim com a floresta, mas, como ninguém se preocupara em podá-la nos últimos vinte anos, ela crescera e se transformara num matagal indevassável. A avó de Sofia costumava dizer que a sebe tornava mais difícil a vida das raposas, que durante a guerra costumavam caçar as galinhas que ficavam rondando livremente pelo jardim.

Para os demais, a velha sebe era tão inútil quanto o viveiro de coelhos que havia na frente do jardim, porém não para Sofia. Mas era apenas porque ninguém conhecia o segredo que ela guardava.

Sofia já nem tinha na memória o dia em que descobrira uma passagem estreita no meio da sebe. Ela se arrastava por entre galhos e folhas e ia dar numa clareira entre os arbustos. Era como uma pequena cabana. E ela podia ter certeza de que ninguém a encontraria ali.

Levando na mão os dois envelopes, Sofia correu pelo jardim, se pôs de quatro e se esgueirou pelo vão na sebe. Era uma clareira tão grande que ela quase podia ficar em pé ali dentro, mas ela preferiu sentar sobre as raízes bem grossas no chão. Dali podia observar o que se passava lá fora através de frestas entre as folhas e galhos. Embora nenhuma dessas frestas fosse maior que uma moeda de cinco coroas, Sofia tinha uma visão perfeita de todo o jardim. Quando era pequena, ela gostava de ficar lá observando o movimento do pai e da mãe à sua procura entre as árvores.

Sofia sempre achou que o jardim era um mundo inteiro para ela. Toda vez que ouvia falar do Jardim do Éden mencionado no mito da criação, ela se lembrava de estar sentada no seu esconderijo observando seu próprio paraíso.

De onde vem o mundo?

Como ela poderia saber? Sofia tinha ciência de que a Terra era apenas um pequeno planeta no universo. Mas de onde vinha o próprio universo?

Podia-se, é claro, pensar que o universo era algo que sempre existira, portanto não seria necessário achar uma resposta para aquela questão. Mas esse *algo* poderia ter sempre existido? Dentro dela crescia uma rejeição a essa ideia. Pois o universo tinha, de algum modo, que ter surgido a partir de alguma coisa.

Mas, se o universo subitamente tivesse surgido a partir de outra coisa, essa outra coisa também teria que ter surgido de mais outra coisa. Sofia sentia que estava apenas roçando um problema maior. No fim das contas, algo teria que ter surgido a partir do nada. Mas isso fazia sentido? Não seria também impossível imaginar que o universo sempre existira?

Na escola ensinavam que Deus havia criado o mundo, e agora Sofia procurava acalmar sua mente achando que aquela era a melhor explicação para o problema. Mas logo ela retomou o pensamento. Podia muito bem lidar com a ideia de que Deus havia criado o universo, mas e quanto ao próprio Deus? Ele havia criado a Si mesmo, do nada? De novo, algo dentro dela rejeitava aquilo. Apesar de Deus conseguir criar um homem atrás de outro, Ele jamais conseguiria criar a Si mesmo *antes* de ter se tornado "um ser" capaz de criar outro. Logo, só restava uma possibilidade: Deus sempre existiu. Mas essa possibilidade ela já afastara. Tudo que existia tinha que ter tido um começo.

— Droga!

Ela abriu os dois envelopes novamente.

Quem é você?
De onde vem o mundo?
Que perguntas mais espinhosas! E quem enviara aquelas cartas? Isso era quase tão misterioso quanto elas próprias.
Quem teria arrancado Sofia do seu cotidiano e a teria posto diante dos grandes enigmas do universo?

Pela terceira vez ela foi até a caixa de correio.
Agora, sim, o carteiro tinha trazido a correspondência diária. Sofia apanhou uma pilha gorda de anúncios, jornais e duas cartas para a mãe. Havia também um cartão-postal — e nele a foto de uma praia com uma larga faixa de areia. Ela olhou o verso, que trazia um selo da Noruega e o carimbo "Batalhão da ONU". Seria do seu pai? Mas ele não estaria do outro lado do planeta? Além disso, aquela não era a caligrafia dele.
Sofia sentiu o coração bater mais rápido ao ler a quem o cartão se destinava. "Hilde Møller Knag, a/c Sofia Amundsen. Rua Kløver, 3..." O resto do endereço estava correto. No cartão estava escrito:

Querida Hilde,
Meus parabéns pelos seus quinze anos. Como você sabe, quero lhe dar um presente que a ajude a crescer como pessoa. Desculpe-me por enviar o cartão por intermédio de Sofia. Foi mais fácil assim.
Beijos,
Papai.

Sofia correu de volta para casa e entrou na cozinha. Ela sentia uma tempestade se formando dentro dela.
Quem era aquela tal de Hilde que completaria os mesmos quinze anos com apenas um mês de diferença do seu próprio aniversário?
Sofia imediatamente pegou a lista telefônica. Havia muitos sobrenomes Møller, alguns Knag também. Mas ninguém naquele catálogo volumoso se chamava Møller Knag.
Ela tornou a examinar o misterioso cartão. Sim, sem dúvida — era autêntico, tinha tanto selo quanto carimbo.

Por que um pai enviaria um cartão de aniversário para o endereço de Sofia quando estava mais que evidente que era destinado a outro lugar? Que pai trataria de fazer com que sua própria filha recebesse um cartão destinado a outra pessoa? O que ele queria dizer com "mais fácil assim"? E, principalmente, como ela conseguiria encontrar a tal de Hilde?

E assim Sofia ganhou mais um problema para remoer. Ela tentou novamente organizar seus pensamentos.

Em poucas horas de uma única tarde ela foi confrontada com três enigmas. O primeiro: quem deixou os dois envelopes na caixa postal. O segundo eram as perguntas difíceis que aquelas cartas traziam. E o terceiro enigma era a identidade de Hilde Møller Knag, e por que o cartão destinado a uma desconhecida foi endereçado primeiro a Sofia.

Ela estava certa de que os três enigmas estavam relacionados de alguma forma, porque até aquele dia levara uma vida absolutamente normal.

A cartola

... a única coisa de que necessitamos para ser filósofos é a capacidade de nos admirarmos com as coisas...

Sofia estava certa de que o remetente das cartas anônimas, fosse quem fosse, iria entrar em contato com ela novamente. Até ali ela decidiu que não diria nada a ninguém sobre aquelas cartas.

Na escola, estava difícil se concentrar no que dizia o professor. Sofia começou a achar que ele só dizia coisas sem importância. Por que não falava sobre o que é um ser humano — ou sobre o que é o mundo, ou ainda como o mundo tinha surgido?

Ela sentiu algo que jamais experimentara: tanto na escola como em toda parte as pessoas estavam ocupadas com coisas pequenas e ordinárias. Mas havia questões maiores e mais difíceis, cujas respostas eram mais importantes do que as matérias comuns da escola.

Alguém teria as respostas para aquelas perguntas? De qualquer forma, Sofia achava que era mais importante refletir sobre elas que decorar a conjugação de verbos irregulares.

Quando a sirene tocou depois da última aula, ela saiu tão rápido que Jorunn teve que correr pelo jardim da escola para alcançá-la.

Passado um instante, Jorunn disse:

— Vamos jogar baralho hoje à noite?

Sofia deu de ombros.

— Acho que não estou mais a fim de jogos de cartas.
Jorunn parecia ter caído das nuvens.
— Não?! Então que tal badminton?
Sofia olhou para o chão e depois para a amiga.
— Acho que não estou mais a fim nem de badminton.
— Tudo bem.
Sofia notou um certo amargor no tom de voz de Jorunn.
— Então você poderia me dizer o que de repente se tornou tão importante?
Sofia balançou a cabeça com vigor.
— É... é segredo.
— Hum... Você está é apaixonada!
As duas continuaram caminhando por um tempo sem dizer nada. Quando passaram pelo campo de futebol, Jorunn disse:
— Eu vou atravessar o campo.
Atravessar o campo. Era o caminho mais rápido para a casa de Jorunn, mas ela só pegava esse atalho quando tinha que se apressar para encontrar uma visita ou tinha hora marcada no dentista.

Sofia ficou triste porque sentiu que havia magoado a amiga. Mas o que ela poderia ter respondido? Que de repente começara a se preocupar com quem era e com a origem do mundo, e que não tinha mais tempo para jogar badminton? Sua amiga iria entender?

Por que será que era tão difícil lidar com essas questões tão importantes e, ao mesmo tempo, tão comuns?

Ela sentiu o coração bater mais forte ao abrir a caixa de correio. A princípio viu apenas uma correspondência do banco e alguns envelopes amarelos maiores para a mãe. Puxa! Sofia queria tanto receber uma carta nova do remetente desconhecido.

Assim que fechou o portão, descobriu seu próprio nome num dos envelopes maiores. No verso, lia-se: *Curso de filosofia. Manuseie com muito cuidado.*

Sofia correu até o vão de entrada, deixando a mochila cair na escada. Empurrou as outras cartas para debaixo do capacho, deu a volta pelo quintal e procurou abrigo no esconderijo. O envelope grande seria aberto lá dentro.

Sherekan correu atrás dela. Ele podia ficar. Ela estava certa de que o gato não iria denunciá-la.

Dentro do envelope havia três folhas datilografadas, presas por um clipe. Sofia começou a ler.

O QUE É FILOSOFIA?

Querida Sofia,
Os homens têm passatempos diferentes. Alguns colecionam moedas ou selos antigos, outros se ocupam de trabalhos manuais, outros, ainda, aproveitam a maior parte do seu tempo livre para praticar um determinado esporte.

Muitos também gostam de ler. Mas existem grandes diferenças nessas leituras. Alguns leem somente jornais ou revistas em quadrinhos, outros gostam de ler romances, enquanto outros preferem livros sobre assuntos diversos, como astronomia, vida selvagem ou descobertas tecnológicas.

Se me interesso por cavalos ou pedras preciosas, não posso pretender que os outros tenham os mesmos interesses. Se acompanho com entusiasmo as transmissões esportivas pela TV, devo contar com o fato de que outras pessoas podem achar isso entediante.

Mas não existe algo que interessa a todo mundo? Não existe alguma coisa que afeta a todos — independente de quem sejam ou onde vivam? Sim, querida Sofia, existem algumas perguntas comuns a todos os homens. E é dessas perguntas que trata este curso.

O que é a coisa mais importante da vida? Se perguntamos a alguém que está passando fome, a resposta é a comida. E, se fazemos a mesma pergunta a alguém que está passando frio, a resposta é o calor. E, se perguntamos a alguém que está se sentindo só ou abandonado, a resposta deve ser a companhia de outras pessoas.

Mas e se todas essas necessidades estiverem satisfeitas? Ainda existe algo de que todo mundo precisa? Os filósofos acham que sim. Eles acham que as pessoas não podem viver só de pão. Claro que todos necessitamos de comida. Todos necessitamos de amor e de cuidado também. Mas existe mais uma coisa de que todos necessitamos. Precisamos descobrir quem somos e por que vivemos.

Interessar-se pelo porquê da vida não é um interesse "casual", como colecionar selos. Quem se interessa por perguntas assim está se ocupando de algo que as pessoas vêm discutindo desde quando começamos a habitar este planeta. Como surgiram o universo, o planeta e a vida são questões maiores do que quem ganhou mais medalhas de ouro nas Olimpíadas passadas.

A melhor maneira de se aproximar da filosofia é elaborar algumas questões filosóficas:
Como o mundo foi criado? Existe algum propósito ou significado nos acontecimentos? Existe vida após a morte? Como conseguiremos achar respostas para essas perguntas? E principalmente: como devemos viver?
Perguntas como essas sempre foram feitas por pessoas de todas as épocas. Não conhecemos nenhuma cultura que não tivesse se preocupado em saber quem são as pessoas e de onde vem o mundo.
No fundo, não há tantas questões filosóficas para fazermos. Nós já fizemos algumas das mais importantes. Mas a história nos mostra muitas respostas diferentes para cada uma das perguntas que fazemos.
Portanto, é mais fácil chegar às questões filosóficas do que respondê-las.
Da mesma forma, hoje em dia cada um deve encontrar suas próprias respostas para as mesmas perguntas. Não é possível encontrar numa enciclopédia se Deus existe ou se há vida após a morte. As enciclopédias também não nos dizem como devemos viver. Ler como pensam outras pessoas, no entanto, pode nos ajudar quando precisamos elaborar nosso próprio juízo sobre a vida.
A busca dos filósofos pela verdade pode talvez ser comparada com uma história policial. Alguém acha que Andersen é o assassino, outros acham que é Nielsen ou Jepsen. Na realidade, a polícia pode solucionar um mistério criminal rapidamente, após um dia de investigações. Pode-se imaginar, também, que um mistério assim jamais será solucionado. Mas mistérios sempre têm uma solução.
Embora possa ser difícil responder a uma pergunta, pode-se também argumentar que essa pergunta tem uma — e apenas uma — resposta certa. Ou há algum correspondente da vida após a morte ou não há.

Muitos enigmas ancestrais têm sido solucionados pela ciência. Antigamente um grande enigma era saber como seria o lado escuro da Lua. Não se chegava a uma resposta através da discussão, mas através da imaginação de cada um. Porém, hoje sabemos precisamente como é o lado escuro da Lua. Não é mais possível "acreditar" que há pessoas morando lá ou que a Lua é um grande queijo esburacado.

Um dos antigos filósofos gregos, que viveu há mais de dois mil anos, dizia que a filosofia consistia na capacidade de admiração do homem. Para ele, os homens achariam a vida algo tão único que as tais perguntas ocorreriam naturalmente.

É como quando presenciamos um truque de mágica: não conseguimos dizer como aquilo que vimos aconteceu. Então perguntamos: como pôde o mágico transformar um par de lenços de seda brancos num coelhinho vivo?

Para muitas pessoas, o mundo é tão incompreensível quanto o truque do mágico que tirou um coelhinho de uma cartola que estaria vazia.

No caso do coelhinho, sabemos que o mágico apenas nos iludiu. E é justamente porque ele conseguiu nos iludir que queremos descobrir como fez seu truque. Mas, quando nos referimos ao mundo, é um pouco diferente. Sabemos que o mundo não é um truque nem uma ilusão, pois vivemos aqui e fazemos parte dele. No fundo, nós é que somos como o coelhinho que foi tirado da cartola. A diferença entre nós e o coelhinho branco é que ele não sabe que está participando de um número de mágica. Conosco é outra história. Temos consciência de que somos parte de algo misterioso e ansiamos por descobrir como tudo pode ser explicado.

PS. Quanto ao coelhinho branco, talvez seja melhor compará-lo ao universo inteiro. Nós que moramos aqui somos os bichinhos minúsculos que habitam a base da pelagem do coelho. Mas os filósofos tentam subir a partir dali até a ponta dos pelos mais finos, a fim de poder encarar o mágico bem dentro dos olhos.

Você está acompanhando, Sofia? Vamos continuar.

Sofia estava totalmente embevecida. Se ela estava acompa-

nhando? Ela não conseguia nem lembrar se havia prendido o fôlego durante a leitura.
Quem teria trazido a carta? Quem? Quem?
Não poderia ser a mesma pessoa que enviara o cartão de aniversário para Hilde Møller Knag, pois o cartão tinha selo e carimbo. O envelope amarelo foi deixado diretamente na caixa de correio, do mesmo jeito que os dois envelopes brancos.
Sofia olhou o relógio. Já eram quinze para as três. Sua mãe voltaria do trabalho dali a duas horas.
Ela se esgueirou para fora do esconderijo e correu até a caixa de correio. Alguém teria deixado algo mais lá dentro?
Sofia encontrou outro envelope amarelo com seu nome escrito. Olhou ao redor, mas não viu ninguém. Correu até o limite do jardim e espiou a trilha que penetrava na floresta. Ali também, nenhuma alma.
Em seguida pareceu ouvir galhos estalando floresta adentro. Não tinha certeza do que era, nem fazia sentido, se houvesse mesmo alguém tentando fugir dela, ficar perseguindo apenas ruídos.
Sofia se trancou dentro de casa, deixou cair no chão a mochila e a correspondência para a mãe. Correu para o seu quarto, pegou uma lata de biscoitos que estava cheia de pedras ornamentais, esvaziou-a no chão e colocou os dois envelopes lá dentro. Em seguida correu para fora de casa carregando a lata. Antes, porém, deu um pouco de ração para Sherekan.
— Rom, rom, rom!
Quando finalmente voltou para o esconderijo, abriu os envelopes e retirou mais algumas folhas datilografadas. E começou a ler.

UM SER FORMIDÁVEL

Cá estamos nós de novo. Como você sabe, este pequeno curso de filosofia virá em pequenas doses. Aqui vão mais algumas considerações iniciais.

Eu já disse que a única coisa de que necessitamos para ser filósofos é a capacidade de nos admirarmos com as coisas? Se não, digo agora: A ÚNICA COISA DE QUE NECESSITAMOS PARA SER FILÓSOFOS É A CAPACIDADE DE NOS ADMIRARMOS COM AS COISAS.

Qualquer criança pequena tem essa capacidade. É só do que elas precisam. Após alguns meses na barriga da mãe, são lançadas numa nova realidade, totalmente diferente. Mas depois, ao crescerem, parece que essa capacidade vai desaparecendo. Por que será? Será que Sofia Amundsen saberia a resposta?

Veja bem: se um bebê pudesse falar, ele certamente diria algo sobre o maravilhoso mundo aonde acabou de chegar. E, embora bebês não falem, nós podemos ver como eles apontam para tudo em volta e agarram com curiosidade todos os objetos que estão ao seu alcance.

Depois, quando vêm as primeiras palavras, o bebê para e diz "Au-au!" toda vez que vê um cachorro. Podemos vê-lo dando pulinhos no carrinho, sacudindo a mamadeira: "Au-au! Au-au!". Nós, que já carregamos alguns anos nas costas, não ficamos muito empolgados com tanta alegria. "Sim, é um au-au", dizemos, do alto da nossa experiência, "agora fique quietinho no carrinho." Não nos entusiasmamos mais. Já vimos outros cachorros.

Talvez essa cena precise se dar mais algumas centenas de vezes antes que a criança consiga passar por um cachorro — ou por um elefante, ou por um hipopótamo — sem tanta comoção. Mas, bem antes de começar a falar direito — e muito antes de aprender a pensar filosoficamente —, a criança já terá se habituado ao mundo.

Acho isso uma pena, se você quer saber minha opinião.

O que importa para mim, querida Sofia, é que você não esteja entre aqueles que dão o mundo por visto. Só por uma questão de garantia vamos então fazer dois exercícios antes de começarmos o curso de filosofia propriamente dito.

Imagine-se dando um passeio pela floresta. De repente, no meio do caminho você bate o olho numa nave espacial. Da nave sai um pequeno marciano, que fica parado, olhando para você...

O que você pensaria? Bem, tanto faz. Mas alguma vez você já se deu conta de que também *é* uma marciana?

Claro, não seria sensato imaginar que você um dia vai topar com algum habitante de outro planeta. Nem sabemos se existe vida em outros planetas. Mas pode acontecer de você topar consigo mesma.

Pode acontecer de um belo dia você interromper o que está fazendo e perceber a si mesma de um jeito totalmente novo. Quem sabe isso não acontece exatamente durante esse passeio pela floresta?

Eu sou um ser formidável, você poderá pensar. Sou um animal misterioso...

É como se você acordasse de anos de hibernação. Quem sou eu?, você pergunta. Você sabe que vive num planeta que dá voltas pelo universo. Mas o que é o universo?

Se você se imaginar desse modo, terá descoberto algo tão misterioso quanto o marciano que mencionamos no início. Você não terá apenas encontrado mais um ser no universo. Você saberá no seu íntimo que também é um ser formidável.

Está acompanhando, Sofia? Vamos fazer outro exercício.

Um belo dia o pai, a mãe e o pequeno Thomas, de dois para três anos, estão todos juntos na cozinha tomando o café da manhã. Então a mãe sai da mesa, vai até a bancada e... bem, no mesmo instante o pai começa a flutuar próximo ao teto, enquanto Thomas assiste a tudo sentadinho.

O que você acha que Thomas iria dizer? Talvez apontasse para seu pai e dissesse: "Olha, o papai está voando".

Certamente Thomas ficaria maravilhado, e com razão. Mas o pai faz tantas coisas estranhas que aquele voo acima da mesa do café não seria tão especial aos olhos do pequeno Thomas. Todo dia ele se barbeia com um aparelhinho engraçado, outras vezes ele sobe no telhado e mexe na antena da TV, outras, ainda, enfia a cabeça debaixo do capô do carro e sai de lá com a cara toda pintada de preto.

E aí é a vez da mãe. Ela ouviu o que Thomas disse e se vira resoluta. Como você acha que ela reagiria ao ver o pai de Thomas flutuando acima da mesa?

Ela derrubaria o vidro de geleia no chão e daria um grito de pavor. Talvez até precisasse de tratamento médico depois que o pai aterrissasse na cadeira novamente. (O pai, aliás, já deveria ter aprendido a se comportar direito à mesa.)

Por que será que Thomas e sua mãe têm reações tão diferentes? O que você acha?

Tudo é uma questão de hábito. (Grave bem isso!) A mãe aprendeu que homens não conseguem voar. Thomas, ainda não. Ele ainda não está bem certo do que é possível ou não neste mundo.

Mas e o próprio mundo, Sofia? Você acha que *ele* é possível? O mundo está aí, flutuando livremente pelo universo!

O mais triste de tudo é que, à medida que crescemos, vamos rapidamente perdendo a capacidade de nos maravilharmos com o mundo. E assim perdemos algo muito importante — e alguns filósofos tentam nos despertar para isso novamente. Pois algo dentro de nós nos diz que a vida é um grande enigma. Isso é uma coisa que vivenciamos muito antes de aprender a pensar sobre isso.

Serei mais preciso: ainda que as questões filosóficas digam respeito a todos os homens, nem todos se tornam filósofos. Por diferentes motivos, a maioria fica tão presa ao cotidiano que a admiração pela vida é relegada ao segundo plano. (Eles se agarram bem forte ao pelo do coelho, se acomodam por lá e assim vivem o resto das suas vidas.)

Para as crianças, o mundo — e tudo o mais que existe aqui — é algo novo, que causa estranhamento. Não funciona assim com os adultos. A maioria considera o mundo uma coisa banal.

E é exatamente aí que entram os filósofos. Um filósofo jamais se acostuma com o mundo. Para ele, ou para ela, o mundo continua a ser surpreendente — sim, um lugar repleto de enigmas e mistérios. Filósofos e crianças têm esse ponto em comum.

Você pode muito bem dizer que nesse aspecto um filósofo se comporta como uma criança durante toda a sua vida.

A escolha é sua, querida Sofia.

Você é uma criança que ainda não cresceu o suficiente para se tornar "acostumada ao mundo"? Ou é uma filósofa capaz de jurar que isso jamais vai acontecer com você?

Se você apenas balançar a cabeça e não se reconhecer nem como criança nem como filósofa, terá sido porque já está tão acostumada com o mundo que ele não mais a surpreende. Pois esse é um caminho muito perigoso! E é por isso que você está recebendo este curso de filosofia, por medida de segurança. Não quero que justamente você se torne, de uma hora para outra, uma pessoa apática ou indiferente. Quero que você tenha uma vida instigante.

O curso é inteiramente grátis. Portanto, você não tem direito à devolução da matrícula caso desista de fazê-lo. Óbvio que você tem todo o direito de interromper o curso, caso deseje fazê-lo. Nesse caso, apenas deixe um aviso para mim na caixa de correio. Uma rã viva seria um bom aviso. Mas que seja uma rã verde,* para não matar o carteiro de susto.

Resumindo: um coelho branco é retirado de uma cartola. Como é um coelho enorme, esse truque leva bilhões de anos para acontecer. Na ponta dos pelinhos nascem todas as crianças. E como elas se encantam com esse truque de mágica! Mas, à medida que envelhecem, elas vão afundando lentamente para a base dos pelos do coelho. E por lá ficam. Tão confortáveis que jamais ousarão subir de volta para a ponta dos pelos. Somente os filósofos ousam retomar essa jornada perigosa rumo à fronteira da linguagem e da existência.

Alguns deles escorregam e despencam no caminho, mas outros se agarram bem aos pelos do coelho e lá do alto gritam para serem ouvidos pelos que ficaram ali embaixo, acomodados na pelagem macia do coelho, refestelando-se com boa comida e bebida.

— Senhoras e senhores — gritam eles —, estamos flutuando pelo espaço!

Mas ninguém ali presta atenção no que gritam os filósofos.

— Puxa, mas que gente mais barulhenta! — dizem.

E seguem conversando como antes: será que você poderia me passar a manteiga? Qual é o saldo da poupança que temos no banco hoje? Quanto está o quilo do tomate? Você viu que a Lady Di vai ter mais um bebê?

Quando a mãe de Sofia chegou em casa no fim da tarde, encontrou a filha em estado de choque. A caixa com as cartas do misterioso filósofo tinha ficado bem guardada no esconderijo. Sofia tentou começar a fazer a lição de casa, mas só conseguiu ficar ali sentada refletindo sobre o que lera.

* Na Noruega, as caixas de correio são verdes.

Tanta coisa que ela jamais havia imaginado! Ela não era mais uma criança — mas também ainda não era uma adulta. Sofia teve a impressão de estar começando a afundar na densa pelagem do coelho que fora tirado da cartola do universo. Mas agora o filósofo a interrompera. Ele — ou seria ela? — agarrou Sofia pelo pescoço e a arrastou até a ponta dos pelos, onde ela estava quando nasceu. E lá em cima, bem na extremidade dos pelinhos, ela novamente pôde enxergar o mundo como se fosse a primeira vez.

O filósofo a salvara. Nenhuma dúvida quanto a isso. O remetente desconhecido daquelas cartas a resgatara da apatia do cotidiano.

Quando sua mãe chegou em casa por volta das cinco horas, Sofia a levou até a sala e fez com que ela sentasse numa poltrona.

— Mamãe, você não acha que viver é muito esquisito? — ela disse.

A mãe ficou tão desconcertada que não sabia o que responder. Normalmente Sofia estava fazendo a lição quando ela chegava.

— Sim, quer dizer, às vezes.

— Às vezes? Eu estou perguntando se você não acha estranho o simples fato de o mundo existir!

— Que é isso, Sofia? Não precisa falar assim.

— Por que não? Quer dizer que você acha o mundo uma coisa completamente normal?

— Mas claro que sim. Bem... em geral, sim.

Sofia se deu conta de que os filósofos tinham razão. Os adultos davam o mundo por visto. Eles estavam irremediavelmente entregues ao cotidiano, girando em torno de si próprios como frangos assados no espeto.

— Não é nada disso! É só porque você ficou tão acostumada com o mundo que ele não é mais capaz de lhe causar surpresa.

— Como assim? Não estou entendendo.

— Estou dizendo que você está acomodada demais com o mundo. Em outras palavras, virou uma ignorante.

— Não, senhora. Você não pode falar comigo desse jeito, Sofia!

— Então vou dizer de outra forma. Você está muito bem acomodada nas profundezas do pelo de um coelho branco que neste exato instante acaba de ser tirado da enorme cartola preta do universo. E já, já você vai pôr as batatas para cozinhar. Depois vai ler o jornal, cochilar meia horinha e ver o telejornal.

A mãe perdeu a expressão de preocupação que tinha no rosto. De fato ela foi direto para a cozinha e pôs as batatas no fogo. Pouco depois estava de volta à sala, e agora foi ela quem fez Sofia sentar na poltrona.

— Nós temos que ter uma conversa — disse.

Pelo tom de voz, Sofia pressentiu que era sério.

— Você não está metida com esse negócio de drogas, está, mocinha?

Sofia começou a rir, mas ela sabia bem o porquê dessa pergunta justo agora.

— Você está louca? — respondeu. — Drogas só servem para deixar as pessoas ainda mais malucas.

E, depois disso, naquele dia nada mais foi dito, nem sobre drogas nem sobre coelhos brancos.

Os mitos

*... um instável embate de forças
entre o bem e o mal...*

Não havia cartas na caixa de correio na manhã seguinte. Sofia ficou entediada o tempo inteiro na escola, tomando um cuidado extra para parecer mais animada perante Jorunn durante o recreio. No caminho de volta para casa elas começaram a fazer planos para acampar assim que a floresta estivesse mais seca.

De novo ela se deteve diante da caixa de correio. Primeiro abriu uma pequena carta com um carimbo do México. Era um cartão do seu pai. Ele tinha saudade de casa e pela primeira vez havia conseguido derrotar seu imediato numa partida de xadrez. Fora isso, já tinha quase acabado de ler os quase vinte quilos de livros que levara consigo depois das férias de inverno.

E ali, bem ali, havia ainda um envelope amarelo com o nome dela escrito! Sofia despejou a mochila e as correspondências em casa e correu para o esconderijo. Ela retirou várias folhas escritas à máquina e começou a ler.

O MUNDO VISTO ATRAVÉS DA MITOLOGIA

Olá, Sofia! Temos muito sobre o que falar, então vamos continuar logo o curso.

Por filosofia queremos dizer uma maneira completamente nova de pensar que surgiu na Grécia aproximadamente em 600 a.C. Antes disso eram as várias religiões que davam às pessoas as respostas para as perguntas que elas faziam. Essas explicações religiosas foram transmitidas de geração em geração através dos *mitos*. Um mito é uma narrativa que pretende explicar pela visão dos deuses a vida como ela é.

Em todo o mundo, ao longo de milênios, uma profusão de mitos floresceu como resposta às questões filosóficas. Os filósofos gregos tentaram mostrar às pessoas que essas respostas não eram confiáveis.

Para compreender o pensamento dos primeiros filósofos, nós devemos compreender o que seria uma visão mitológica do mundo. Não é preciso ir tão longe, até a Grécia, para isso. Vamos tomar algumas concepções mitológicas da Escandinávia como exemplo.

Você certamente já ouviu falar de *Tor* e seu martelo. Antes de o cristianismo chegar à Noruega, os habitantes daqui acreditavam que Tor cruzava os céus numa carruagem puxada por dois bodes. A palavra "trovão" — "torden" em norueguês — quer dizer exatamente "o ruído de Tor". Em sueco, trovão é "åska", referindo-se à "jornada dos deuses" pelo céu.

Quando troveja e relampeja, geralmente também chove, um fenômeno vital para os camponeses da era dos vikings. Por isso Tor passou a ser adorado como deus da fertilidade.

A resposta mitológica para a origem da chuva era o agitamento do martelo de Tor. Quando chovia, as sementes brotavam e a plantação crescia na lavoura.

Era um mistério por que as plantas cresciam nos campos e davam frutos. Mas tinha a ver com a chuva, disso os camponeses estavam certos. Portanto, todos acreditavam que tinha a ver com Tor. Isso fez dele um dos deuses mais importantes da Europa Setentrional.

Tor era importante também por outro motivo, que tinha a ver com a harmonia do mundo.

Os vikings imaginavam habitar um mundo que era uma ilha constantemente ameaçada por perigos externos. À parte habitada desse mundo eles chamavam *Midgard*, que significa algo como "reino do meio". Em Midgard também ficava *Åsgard*, a morada dos deuses. Além das fronteiras de Midgard ficava *Utgard*, isto é, o "reino de fora", onde viviam os perigosos trolls, sempre tentando destruir o mundo com seus truques sujos. Costumamos nos referir a esses monstros malignos como "forças do caos". Tanto nas religiões nórdicas antigas como na maioria das outras culturas as pessoas acreditavam num instável embate de forças entre o bem e o mal.

Uma maneira de os trolls destruírem Midgard seria raptar *Frøya*, a deusa da fertilidade. Se conseguissem, nada iria crescer nos campos e as mulheres não poderiam ter filhos. Logo, era fundamental que os deuses os mantivessem sempre sob controle.

Aqui também Tor desempenhava um papel importantíssimo. Seu martelo não apenas trazia a chuva, mas era uma arma poderosa na luta contra as perigosas forças do mal. O martelo lhe dava um poder quase infinito. Ele podia, por exemplo, atirá-lo nos trolls e matá-los. Ele nem se preocupava com a possibilidade de perdê-lo, porque o martelo era como um bumerangue, e sempre retornava às suas mãos.

Essa era a *explicação mitológica* para o funcionamento da natureza e para a luta permanente entre o bem e o mal. E era justamente de explicações mitológicas como essa que os filósofos queriam se ver livres.

Mas não é apenas de explicações que estamos falando.

As pessoas não podiam ficar de braços cruzados esperando os deuses aparecerem quando catástrofes como secas ou doenças contagiosas as ameaçassem. As pessoas precisavam elas mesmas participar na luta contra o mal. Isso acontecia através de uma variedade de cerimônias religiosas, ou *rituais*.

O principal ritual religioso na Antiguidade nórdica era o *sacrifício*. Fazer um sacrifício para determinado deus aumentaria o poder dele. As pessoas deveriam, por exemplo, fazer sacrifícios para que os deuses fossem fortes o bastante para vencer as forças do mal. Isso era feito imolando-se um animal para determinado deus. Para Tor, acredita-se que era comum se sacrificarem bodes. Para *Odin* acontecia de serem feitos sacrifícios humanos.

O mito mais conhecido na Noruega chegou até nós através do poema *Trymskvida*. Ele nos conta que Tor se deitou, adormeceu e, ao despertar, viu que seu martelo desaparecera. Tor ficou tão furioso que suas mãos se agitaram e sua barba estremeceu. Junto com seu companheiro *Loke* ele foi até Frøya e lhe pediu emprestadas as asas para que Loke pudesse voar até Jotunheim, o lar dos trolls, e descobrir se eles é que haviam roubado o martelo de Tor. Lá chegando, Loke encontrou-se com *Trym*, o rei dos trolls, que se gabava de ter escondido o martelo de Tor oitenta quilômetros debaixo da terra. E disse mais: os deuses só teriam o martelo de volta caso ele se casasse com Frøya.

Você está acompanhando, Sofia? Os bons deuses estavam enfrentando uma situação terrível, um drama envolvendo uma chantagem. Os trolls agora tinham em seu poder a arma mais importante dos deuses, uma situação inaceitável. Enquanto estivessem de posse do martelo de Tor, os trolls deteriam todo o poder sobre os deuses e sobre o mundo dos homens. Em troca do martelo eles exigiam Frøya. Mas essa troca seria impossível: se os deuses entregassem a deusa da fertilidade — a protetora de toda forma de vida —, o verde do campo iria perecer e os deuses e os homens também. A situação é um impasse completo. Se você imaginar um grupo terrorista que ameaça explodir uma bomba atômica no meio de Londres ou Paris caso suas exigências não sejam atendidas, vai certamente perceber o que eu quero dizer.

O mito nos ensina mais adiante que Loke retorna a Åsgard e pede a Frøya que se vista de noiva, pois ela deverá casar-se com o rei dos trolls (infelizmente, infelizmente!). Frøya fica furiosa e diz que as pessoas vão pensar que ela é ousada demais caso se case logo com um troll.

Então o deus *Heimdal* tem uma ideia luminosa. Ele sugere que o próprio Tor se vista de noiva, prendendo os cabelos e pendurando pedras no lugar dos seios, de modo a parecer uma mulher. Naturalmente, Tor não fica lá muito animado com a sugestão, mas acaba reconhecendo que a única possibilidade de os deuses reaverem o martelo é seguir o plano de Heimdal.

No fim, Tor se veste de noiva e Loke o acompanha como dama de honra. "Enviaremos duas mulheres para os trolls", diz o zombeteiro Loke.

Usando uma linguagem mais moderna, poderíamos dizer que Tor e Loke são o "comando antiterrorista" dos deuses. Disfarçados de mulheres, eles vão se infiltrar na fortaleza dos trolls e reaver o martelo de Tor.

Assim que os dois chegam a Jotunheim, os trolls começam a preparar a festa de casamento. Só que durante a festa a noiva — isto é, Tor — devora um boi inteiro e oito salmões. E também bebe três barris de cerveja. Isso deixa Trym boquiaberto, e quase arruína o disfarce do comando antiterrorista. Mas Loke consegue contornar a perigosa situação que se armava. Ele conta que Frøya não tinha comido nos últimos oito dias, tão ansiosa estava para chegar a Jotunheim.

Quando Trym tenta erguer o véu e beijar a noiva, ele nota o olhar irado de Tor e se detém. Mais uma vez Loke contorna a situação. Ele conta que a noiva estava sem dormir havia oito noites, tal era sua alegria com o casamento. Trym ordena então que busquem o martelo e o ponham no colo da noiva durante a cerimônia.

Logo que Tor recebeu o martelo, ele deu uma bela gargalhada, conta o poema. Primeiro ele matou Trym e depois o restante dos habitantes de Jotunheim. E, desse modo, o drama dos terroristas teve um desfecho feliz. Novamente Tor — o Batman ou o James Bond dos deuses — derrotava as forças do mal.

Assim é a narrativa do mito, Sofia. Mas o que ela quer dizer realmente? Esse mito não foi contado apenas para divertir os ouvintes. Ele também objetiva *explicar* algo. Uma interpretação possível seria esta:

Quando a seca se abatia sobre a terra, as pessoas precisavam de uma explicação para a falta de chuva. Por acaso os trolls não teriam roubado o martelo de Tor?

Pode-se também especular que o mito tenta compreender a variação das estações do ano: no inverno a natureza fenece porque o martelo de Tor está em Jotunheim. Mas na primavera ele consegue reavê-lo. Assim funciona o mito, fornecendo aos homens respostas para aquilo que eles não compreendem.

Mas o mito não devia apenas explicar. Com frequência as pessoas conduziam várias cerimônias religiosas relacionadas aos mitos. Podemos imaginar que a reação delas à seca ou à quebra da safra seria encenar o mesmo drama que o mito contava. Talvez um homem se fantasiasse de noiva — com pedras no lugar dos seios — para reaver o martelo que estava em poder dos trolls. Assim as pessoas podiam tomar parte numa ação concreta para fazer com que a chuva voltasse a cair e as sementes germinassem nos campos.

O que sabemos com certeza é dos exemplos, vindos de todas as partes do mundo, de gente encenando "mitos das estações do ano" a fim de acelerar os processos da natureza.

Até aqui demos uma olhada superficial nos mitos nórdicos. Existem inúmeros outros mitos sobre Tor e Odin, *Frøy* e Frøya, *Hod* e *Balder* — e muitos, muitos outros deuses. Explicações mitológicas semelhantes floresceram por todo o mundo antes que os filósofos começassem a questioná-las. Pois os gregos também tinham sua visão mitológica do mundo antes do surgimento do primeiro filósofo. Durante séculos, geração após geração, eles contavam histórias dos deuses. Na Grécia os deuses se chamavam *Zeus* ou *Apolo*, *Hera* ou *Atena*, *Dioniso* ou *Asclépio*, *Héracles* ou *Hefaísto*, apenas para citar alguns.

Em 700 a.C. aproximadamente, muitas das histórias dos mitos gregos foram registradas por escrito por *Homero* e *Hesíodo*. Isso tornou possível uma situação inteiramente nova. Como os mitos estavam escritos, eles podiam ser discutidos.

Os primeiros filósofos gregos criticavam a narrativa feita por Homero porque os deuses eram muito parecidos com os homens, e porque eles eram tão egoístas e rudes como nós. Pela primeira vez alguém disse que os mitos talvez não passassem de histórias humanas.

Um exemplo dessa crítica aos mitos encontramos no filósofo *Xenófanes*, que nasceu aproximadamente em 570 a.C. "Os homens criaram os deuses à sua própria semelhança", disse ele. "Eles acham que os deuses nascem, possuem uma forma idêntica, vestem-se e falam uma língua semelhante à nossa. Os negros dizem que seus deuses são igualmente negros e têm nariz achatado, enquanto os trácios acham que eles têm olhos azuis e são louros. Sim, se bois, cavalos e leões soubessem desenhar, seus deuses seriam representados como bois, cavalos e leões!"

Exatamente nesse período da história os gregos fundaram colônias no sul da Itália e na Ásia Menor. Os escravos é que faziam todo o trabalho pesado, e os cidadãos livres dedicavam seu tempo à vida política e cultural.

Nesse ambiente urbano ocorreu um salto na nossa maneira de pensar. Cada indivíduo podia por sua conta questionar a organização da sociedade. Dessa forma o indivíduo tinha como elaborar questões filosóficas sem precisar recorrer aos tradicionais mitos. Dizemos que houve uma evolução de um pensamento mítico para um pensamento embasado na experiência e na razão. O objetivo dos primeiros filósofos gregos era *encontrar explicações naturais* para os processos da natureza.

Perambulando pelo imenso jardim, Sofia procurava esquecer o que havia aprendido na escola, especialmente o que lera nos livros de ciências.

Se tivesse crescido naquele jardim sem saber nada da natureza, como ela iria vivenciar a primavera?

Tentaria escrever uma narração explicando que, num dia qualquer, do nada, começou a chover? Iria viajar nos seus devaneios buscando uma explicação para o derretimento da neve e o fato de o sol se erguer no céu a cada manhã?

Sim, era isso mesmo, e logo ela passou a inventar uma história.

O inverno enfiou suas garras congeladas na terra porque o malvado Muriat havia aprisionado a bela princesa Sikita numa masmorra congelada. Até que certa manhã o valoroso príncipe Bravato a libertou. Sikita ficou tão feliz que se pôs a dançar nos campos, cantando a canção que tinha composto na prisão congelada. Cobertas de neve, as árvores e a terra se emocionaram a um ponto que a neve se derreteu em lágrimas. Foi aí que o sol surgiu no céu e secou todas aquelas lágrimas. Os pássaros começaram a cantar a canção de Sikita, e a bela princesa soltou seus cabelos dourados, deixando cair no chão algumas mechas, que se transformaram em lírios do campo...

Sofia achou que tinha inventado uma bela história. Se ela não soubesse como as estações se alternavam, estaria convencida de que acreditaria no que havia escrito.

Ela compreendeu então que os homens sempre sentiram necessidade de encontrar explicações para os processos naturais. Talvez jamais pudessem ter vivido sem tais explicações. Por isso criaram todos aqueles mitos, numa época em que ainda não existia a ciência.

Os filósofos da natureza
... nada pode surgir do nada...

Quando sua mãe voltou para casa naquela tarde, Sofia estava no balanço do jardim, se perguntando que relação haveria entre o curso de filosofia e Hilde Møller Knag, a tal menina que não conseguiria receber um cartão de aniversário do seu pai.

— Sofia — gritou a mãe bem de longe. — Chegou uma carta para você!

Isso a deixou trêmula. Ela mesma já tinha retirado a correspondência. Logo, a carta devia ser do filósofo. O que ela iria dizer para a mãe?

Sofia se ergueu bem devagar do balanço e caminhou até ela.

— Não tem selo aqui. Veja lá se não é uma carta de amor — disse a mãe.

Sofia pegou a carta.

— Não vai abrir?

E agora, dizer o quê?

— Você conhece alguém que abra uma carta de amor com a mãe espiando por cima dos ombros?

Pelo menos assim ela acreditaria que se tratava de algo do gênero. Era uma situação um tanto embaraçosa. Ela era a mais nova da turma a receber uma carta de amor, mas seria ainda mais embaraçoso se sua mãe algum dia descobrisse que ela recebia um curso inteiro de filosofia por correspondência, escrito por um filósofo estranho, que ainda por cima brincava de gato e rato com Sofia.

Era um dos envelopes brancos menores. Quando subiu para o quarto, Sofia leu as três novas perguntas no bilhete que havia lá dentro.

Existiria alguma substância primordial, da qual são feitas todas as outras?
A água pode se transformar em vinho?
Como da terra e da água pode surgir uma rã viva?

Sofia achou as perguntas meio amalucadas, mas elas continuaram a reverberar em sua cabeça a noite inteira. E também na manhã seguinte, na escola, ela se pegou pensando sobre cada uma delas.

Haveria mesmo uma "substância primordial" da qual todas as outras eram feitas? Mas, se houvesse mesmo essa "substância" presente em todas as coisas do mundo, como é que ela poderia de repente se transformar numa margarida ou então num elefante?

O mesmo raciocínio valeria para a pergunta sobre a água e o vinho. Sofia conhecia a parábola em que Jesus transformou água em vinho, mas jamais a levara ao pé da letra. Se Jesus realmente transformou água em vinho, isso foi obra de um milagre, e portanto não era o caso ali. Sofia sabia muito bem que vinho contém água, a qual está presente também em quase todas as substâncias da natureza. Mas, apesar de um pepino, por exemplo, ser constituído de noventa e cinco por cento de água, ele é algo diferente. Um pepino é um pepino, e não apenas água.

E ainda havia a pergunta sobre a rã. Aquele professor de filosofia devia gostar muito de rãs. Sofia poderia até ser convencida de que uma rã é feita de água e areia, mas nesse caso a terra não poderia ser constituída de uma única substância. Se a terra fosse feita de diferentes substâncias, claro que era possível imaginar que água e areia juntas poderiam se transformar numa rã. É bom notar que essa mistura de água e areia teria antes que evoluir para a forma de ovos e depois se transformar em girinos. Porque uma rã mesmo não iria brotar de um vasinho da cozinha, por mais que se insistisse em regá-lo.

Quando voltou da escola naquela tarde, Sofia encontrou na caixa de correio um grosso envelope para ela. Como fez nos outros dias, foi direto para o esconderijo.

O PROJETO DOS FILÓSOFOS

Aí está você novamente! Vamos direto para a lição de hoje, sem perder tempo com coelhos brancos e coisas parecidas.

Eu vou contar para você, em linhas gerais, como as pessoas têm refletido sobre as questões filosóficas desde a Antiguidade Clássica até os dias de hoje. Mas tudo na sua ordem e a seu tempo.

Como a maior parte dos filósofos viveram em outra época — e talvez numa cultura completamente diferente da nossa —, é importante nos determos um pouco no que seria o *projeto* de determinado filósofo. Isso quer dizer que devemos procurar entender exatamente o que aquele filósofo tentava descobrir. Um filósofo podia estar investigando o surgimento das plantas e dos animais. Outro queria saber se existe um Deus ou se os homens possuem uma alma imortal.

Quando finalmente conseguimos definir qual o "projeto" de determinado filósofo, torna-se mais fácil acompanhar a sua linha de pensamento. Porque nenhum filósofo se preocupa em responder a todas as questões filosóficas.

Estou me referindo especificamente aos filósofos homens. Pois a história da filosofia é permeada pela presença de homens. Isso porque a mulher foi historicamente menosprezada, como ser do sexo feminino e também como ser pensante. Isso é triste, uma vez que assim se perderam muitas experiências importantes. Somente no nosso século* é que as mulheres entraram de fato para a história da filosofia.

Não vou passar lição de casa para você — muito menos vou lhe ensinar fórmulas matemáticas complicadas. Como se conjugam

---

* Este livro foi escrito no fim do século xx.

os verbos também está muito distante do meu interesse. Mas de vez em quando vou lhe pedir que faça um pequeno exercício.
Se você aceitar essas condições, podemos continuar.

OS FILÓSOFOS DA NATUREZA

Os primeiros filósofos gregos costumam ser chamados de "filósofos da natureza" porque foram eles que primeiro se interessaram pela natureza e pelos processos naturais.

Já nos indagamos de onde vêm todas as coisas. Muitas pessoas acreditam hoje que, num determinado momento do passado, as coisas surgiram do nada. Esse pensamento não era muito difundido entre os gregos. De uma maneira ou de outra eles acreditavam que "alguma coisa" sempre existiu.

Como tudo podia surgir a partir do nada não era a pergunta mais importante, aliás. Os gregos frequentemente se intrigavam com o fato de peixes poderem viver na água e com o fato de árvores imensas e flores multicoloridas nascerem da terra sem vida. Para não mencionar o fato de um pequeno bebê surgir para o mundo de dentro da mãe!

Os filósofos testemunhavam com seus próprios olhos como ocorriam constantemente as *transformações* na natureza. Mas como essas transformações eram possíveis? Como uma substância poderia evoluir de uma coisa para algo totalmente diferente — uma forma de vida, por exemplo?

Os primeiros filósofos concordavam que deveria haver uma *substância primordial* por trás de todas as transformações. Como chegaram a essa conclusão não é fácil explicar. Nós sabemos apenas que existia a noção de que deveria haver "algo" que a tudo originava e para onde tudo se voltaria.

O mais interessante para nós não é saber a quais respostas esses filósofos chegaram primeiro. O que interessa é refletir sobre as perguntas que eles fizeram e a que tipo de resposta chegaram. Para nós é mais importante saber *como*, e não exatamente *o que*, eles pensavam.

Sabemos que eles levantavam questões sobre as transformações perceptíveis na natureza. Tentavam descobrir leis naturais que fossem também eternas. Queriam compreender os acontecimentos na natureza sem para isso recorrer aos mitos ancestrais. Acima de tudo queriam compreender os processos naturais através da observação da própria natureza. Isso era algo completamente diferente de explicar raios e trovões, inverno e primavera, recorrendo ao mundo dos deuses.

Dessa maneira a filosofia se libertou da religião. Podemos dizer que os filósofos da natureza deram os primeiros passos para o estabelecimento de um modo *científico* de pensar, fundamentando todas as ciências naturais que surgiram depois.

A maior parte das coisas que os filósofos da natureza disseram e escreveram ficou para sempre perdida no passado. O pouco que restou chegou até nós através dos textos de *Aristóteles*, que viveu cerca de duzentos anos depois dos primeiros filósofos. Aristóteles apenas resumiu as conclusões a que os filósofos antes dele haviam chegado. Isso significa que jamais saberemos como eles chegaram a tais conclusões. Mas sabemos o suficiente para afirmar com certeza que o "projeto" dos primeiros filósofos gregos era especular sobre a substância primordial e sobre as transformações da natureza.

TRÊS FILÓSOFOS DE MILETO

O primeiro filósofo de que ouvimos falar foi *Tales*, da colônia grega de Mileto, na Ásia Menor. Ele viajou bastante pelo mundo. Entre outras coisas, diz-se que ele calculou a altura de uma pirâmide no Egito medindo a sombra da pirâmide no exato instante em que sua própria sombra tinha o mesmo comprimento da sua altura. Ele também teria previsto um eclipse solar no ano 585 a.C.

Tales dizia que a *água* era a origem de todas as coisas. Precisamente o que ele queria dizer com isso nós não sabemos. Talvez quisesse dizer que toda forma de vida surgiu na água — e à água deveria retornar quando chegasse ao fim.

Quando esteve no Egito, certamente Tales pôde observar no delta do Nilo como os campos inundados se tornavam férteis depois que as águas recuavam. Talvez também tenha visto como do nada surgem sapos e rãs e como o campo fica verde após a chuva.

É portanto provável que Tales tenha especulado como a água pode se transformar em gelo e vapor — e depois retornar à forma líquida.

Tales seria o autor da frase "Tudo está repleto de deuses". Aqui também podemos apenas tentar imaginar o que ele quis dizer. Talvez ele tenha observado que a terra escura abrigava de flores a plantações de trigo, de besouros a baratas. Então deve ter concluído que o chão deveria estar cheio de pequenos e invisíveis "espíritos de vida". Com certeza ele não se referia aos mesmos deuses de Homero.

O segundo filósofo de quem ouvimos falar foi *Anaximandro*, que também vivia em Mileto. Ele dizia que o mundo é apenas um de muitos que existem e se dissolvem em algo que ele chamou de "o indefinido". Não é fácil definir o que ele quis dizer com "o indefinido", mas parece claro que não se referia a uma substância específica como Tales. Talvez acreditasse que essa substância, da qual surgiriam todas as coisas, era totalmente diferente das coisas que ela originaria. Portanto, a substância primordial não poderia ser algo tão banal quanto a água, e sim uma substância "indeterminada".

O terceiro filósofo de Mileto foi *Anaxímenes* (*c.* 570-526 a.C.). Ele sustentava que a substância primordial de todas as coisas deveria ser o *ar* ou a *névoa*.

Anaxímenes certamente estava familiarizado com a teoria de Tales sobre a água. Mas de onde viria a água? Anaxímenes dizia que a água seria o ar condensado. Quando chove, podemos perceber a água se condensando no ar. Quando a água se condensa ainda mais, dizia ele, ela se transforma em terra. Talvez ele tivesse observado terra e areia surgindo da neve derretida. Da mesma forma ele dizia que o fogo seria o ar rarefeito. Segundo Anaxímenes, tanto terra quanto água e fogo seriam constituídos de ar.

O caminho desse raciocínio até as plantas que crescem nos campos não era tão longo. Talvez Anaxímenes achasse que terra, água, fogo e ar possibilitavam o surgimento da vida. Mas seu ponto de partida era "o ar", ou "a névoa". Ele também compartilhava a ideia de Tales, para quem deveria haver uma substância primordial que possibilitava todas as transformações na natureza.

NADA PODE SURGIR DO NADA

Todos os três filósofos de Mileto diziam que deveria haver uma — e somente uma — substância primordial da qual derivariam todas as demais coisas. Mas como poderia essa coisa subitamente se transformar e dar forma a algo inteiramente novo? Nós nos referimos a essa pergunta como a *questão da transformação*.

Aproximadamente em 500 a.C., alguns filósofos habitavam a colônia grega de Eleia, no sul da Itália, e esses "eleatas" esbarraram nessa pergunta. O mais conhecido deles era *Parmênides* (c. 540-480 a.C.).

Parmênides dizia que tudo que existe sempre existiu. Essa era uma ideia comum entre os gregos, para quem era dado como certo que tudo que existe sempre esteve ali. Nada pode surgir do nada, dizia Parmênides. Da mesma forma, algo que já existe não pode se transformar em nada.

Mas Parmênides foi além. Ele sustentava que nenhuma transformação relevante tinha possibilidade de ocorrer. Nada pode se transformar em nada diferente daquilo que já é.

Parmênides, é claro, estava ciente das demonstrações permanentes de mudanças na natureza. Usando os *sentidos*, ele conseguia registrar essas mudanças. Ele só não conseguia conciliar isso com o que lhe dizia a sua *razão*. Quando estava confuso e não sabia se devia confiar nos sentidos ou na razão, sempre escolhia a razão.

Todos nós conhecemos a expressão "Só acredito vendo". Parmênides não acreditava nem quando via. Ele dizia que os sentidos nos dão uma visão distorcida da realidade, uma visão que não corresponde à razão das pessoas. Como filósofo, ele afirmava que sua tarefa era combater todas as formas de "ilusão dos sentidos".

Essa forte crença na razão humana chama-se *racionalismo*. Um racionalista é alguém que confia na razão humana como principal fonte de conhecimento do mundo.

TUDO FLUI

Contemporâneo de Parmênides, *Heráclito* de Éfeso, na Ásia Menor, viveu entre 540 e 480 a.C., aproximadamente. Para ele, as constantes transformações são a característica mais fundamental da natureza. Talvez pudéssemos afirmar que Heráclito apostava mais nos sentidos do que Parmênides.

"Tudo flui", dizia Heráclito. Tudo está em movimento, e nada é para sempre. Por isso não podemos "banhar-nos duas vezes no mesmo rio". Pois, quando mergulho no rio pela segunda vez, já não sou o mesmo, assim como o rio.

Heráclito também apontou que o mundo está cheio de contradições. Se jamais adoecêssemos, jamais saberíamos o que é gozar de boa saúde. Se jamais tivéssemos fome, jamais nos contentaríamos ao terminar uma refeição. Se jamais houvesse guerra, nunca daríamos valor à paz, e, se jamais houvesse inverno, nunca nos contentaríamos com a visão da primavera.

Tanto o bem quanto o mal têm um lugar necessário no todo, dizia Heráclito. Se não houvesse um duelo constante entre os opostos, o mundo deixaria de existir.

"Deus é dia e noite, inverno e verão, guerra e paz, fome e fartura", dizia. Aqui ele usou a palavra "Deus", mas está implícito que ele quis dizer algo inteiramente diferente dos deuses cujas histórias estão registradas nos mitos. Para Heráclito, Deus — ou o divino — é algo que abrange o mundo inteiro. Sim, Deus se revela exatamente na natureza cheia de contradições e em constante transformação.

Em vez da palavra "Deus", Heráclito frequentemente usa a palavra grega "logos", que quer dizer "razão". Embora as pessoas nem sempre pensem da mesma forma nem possuam a mesma razão, de acordo com Heráclito deve haver uma "razão universal" que governa tudo que acontece na natureza. Essa "razão universal"— ou "lei natural" — é comum a todos, e todos deveriam se orientar por ela. Ainda assim a maioria vive de acordo com sua própria razão, dizia Heráclito. Ele não tinha seus contemporâneos em alta conta. "A opinião da maioria das pessoas é como se fosse uma brincadeira de criança", costumava dizer.

Em meio a todas as contradições e transformações da natureza, Heráclito enxergou uma unidade, ou um todo. A esse "algo" que perpassaria todas as coisas ele chamou de "Deus" ou "logos".

QUATRO PRINCÍPIOS FUNDAMENTAIS

Parmênides e Heráclito, de algum modo, pensavam de forma oposta. A *razão*, para Parmênides, deixava claro que nada poderia se transformar. Mas a experiência dos sentidos, para Heráclito, deixava também claro que a natureza está em constante transformação. Quem estaria certo? Devemos confiar no que nos diz a razão ou devemos acreditar nos *sentidos*?

Tanto Parmênides quanto Heráclito dizem duas coisas. Parmênides diz:

a) que nada pode se transformar, e
b) que a impressão dos sentidos, portanto, não é confiável.

Heráclito, ao contrário, afirma:

a) que tudo se transforma ("tudo flui"), e
b) que a impressão dos sentidos é confiável.

Não poderia haver divergência maior entre dois filósofos. Mas qual deles estaria certo? Foi *Empédocles* (c. 494-434 a.C.), da Sicília, que conseguiu enxergar uma luz no fim do túnel onde os filósofos haviam se metido. Ele dizia que tanto Parmênides como Heráclito estavam certos num dos seus argumentos, mas os dois estariam inteiramente errados quanto ao outro.

Empédocles sustentava que a culpada dessa grande divergência era a crença dos filósofos na existência de uma única substância fundamental. Se isso fosse verdade, o abismo entre o que a razão nos diz e aquilo que "vemos com os nossos próprios olhos" seria intransponível.

A água naturalmente não pode se transformar num peixe nem num pássaro. A água não pode jamais se transformar em outra substância. Água pura será água pura por toda a eternidade. Nesse particular Parmênides tinha razão ao dizer que "nada se transforma".

Ao mesmo tempo, Empédocles concordava com Heráclito quando dizia que devemos confiar naquilo que nossos sentidos nos dizem. Devemos acreditar no que vemos, e o que vemos é a constante transformação da natureza.

Empédocles chegou à conclusão de que a ideia de que havia apenas uma substância primordial deveria ser alterada. Nem a água nem o ar jamais poderiam, *sozinhos*, se transformar numa roseira

49

ou numa borboleta. A natureza, portanto, não poderia ser constituída apenas de uma "substância primordial".

Ele achava que a natureza possuiria ao todo quatro substâncias fundamentais, ou "raízes", como as chamou. As quatro raízes seriam a *terra*, o *ar*, o *fogo* e a *água*.

Todas as transformações na natureza seriam decorrentes da mistura ou da separação desses quatro elementos. Tudo seria feito de terra, ar, fogo e água, mas em diferentes proporções. Quando morre uma flor ou um animal, esses quatro elementos se separam. Essa transformação nós podemos testemunhar a olho nu. Mas, mesmo após misturados, cada um desses quatro elementos permaneceria "intocável", totalmente inalterado. Também não seria correto dizer que "tudo" se transforma. No fundo, nada se transforma. O que acontece é apenas uma mistura em quantidades diferentes desses quatro elementos, que voltam a se isolar — para depois se misturarem novamente.

Talvez pudéssemos comparar isso com o quadro de um pintor. Se o pintor tiver uma cor somente — por exemplo, vermelho —, não poderá pintar árvores verdes. Mas, se tiver tinta amarela, vermelha, azul e preta, aí, sim, poderá pintar centenas de cores e tons diferentes, ao misturar as tintas em proporções diversas.

Um exemplo culinário para ilustrar a mesma coisa. Se eu tiver apenas farinha, teria que ser um mágico para conseguir fazer um bolo. Mas, se tiver ovos e farinha, leite e açúcar, vou conseguir assar muitos bolos usando como base esses quatro ingredientes.

Não foi por coincidência que Empédocles disse que as "raízes" da natureza eram justamente a terra, o ar, o fogo e a água. Antes dele outros filósofos tinham tentado demonstrar que a substância primordial teria que ser água, ar ou fogo. Que água e ar são elementos importantes na natureza, Tales e Anaxímenes já haviam indicado. Os gregos também acreditavam que o fogo era importante. Eles viam, por exemplo, que o sol era fundamental para a existência da vida, e naturalmente percebiam o calor no corpo dos homens e dos animais.

Talvez Empédocles tenha visto um pedaço de madeira queimando. O que acontece ali é justamente a decomposição de alguma substância. Podemos ouvir a madeira estalar e crepitar. É a "água". Algo sobe para o céu com a fumaça. É o "ar". O "fogo", óbvio, nós podemos ver. E então resta algo quando o fogo se extingue. São as cinzas — ou a "terra".

Empédocles chamava a atenção para o fato de que as mudanças na natureza ocorrem por conta da mistura e da separação das quatro raízes, mas ainda era preciso explicar algo. Qual é mesmo a razão para que os elementos se combinem, permitindo o surgimento de uma nova vida? E o que faz com que a "mistura" — uma flor, por exemplo — volte a se separar?

Para Empédocles, deveria haver duas *forças* diferentes atuando na natureza. Ele as chamou de "amor" e "ódio". O que une as coisas é o "amor", e o que separa é o "ódio".

Ele diferencia "elemento" de "força", uma separação digna de nota. Até hoje a ciência faz uma distinção entre "substâncias fundamentais" e "força da natureza". A ciência moderna diz que todos os processos naturais podem ser explicados como um equilíbrio entre as diferentes *substâncias fundamentais* e algumas poucas *forças naturais*.

Empédocles também especulou sobre o que acontece quando sentimos alguma coisa. Como eu posso "ver" uma flor, por exemplo. O que ocorre nesse caso? Você já pensou sobre isso, Sofia? Se não, agora tem uma chance!

Empédocles achava que os olhos eram feitos de areia, ar, fogo e água como tudo o mais na natureza. A "terra" presente nos meus olhos enxergaria a terra no objeto que eu vejo, o "ar" enxergaria aquilo que seria composto de ar, o "fogo" dos meus olhos veria o que seria composto de fogo, e a "água", o que seria composto de água. Se faltasse aos olhos um dos quatro elementos, eu não conseguiria enxergar a natureza completa também.

UM POUCO DE TUDO EM TUDO

Outro filósofo que não estava nada satisfeito com a teoria de que uma determinada substância primordial — por exemplo, a água — poderia se transformar em tudo que vemos na natureza era *Anaxágoras* (500-428 a.C.). Ele não aceitava a ideia de que terra, ar, fogo ou água poderiam se transformar em ossos e sangue.

Para Anaxágoras, a natureza seria composta de inúmeros pedacinhos imperceptíveis a olho nu. Tudo pode ser dividido em pedaços menores ainda, mas mesmo nos menores pedaços existe um pouco de tudo. Assim, pele e cabelo não poderiam se originar de algo diferente, mas haveria um pouco de pele e de cabelo no leite que bebemos e na comida que ingerimos, dizia ele.

Dois exemplos modernos podem talvez indicar como Anaxágoras construiu seu raciocínio. Com as técnicas atuais é possível usar laser para fazer os chamados "hologramas". Se um holograma reproduz a imagem de um carro, por exemplo, e depois esse holograma é desfeito, continuaremos a ver a imagem do carro por completo, ainda que tenhamos à mão apenas a imagem do para-choque. Isso porque a figura do todo está presente em cada pequeno pedaço da imagem.

De certa forma nosso corpo também é construído assim. Se eu perder uma célula da pele do meu dedo, o conteúdo do núcleo dessa célula compreenderá não apenas a receita de como é a minha pele. Na mesma célula existe a indicação do tipo de olho que eu tenho, da cor do meu cabelo, de quantos dedos há na minha mão etc. Em cada célula do corpo existe uma descrição detalhada de como as demais células são construídas. Isso é "um pouco de tudo" em cada célula individual. O todo subsiste em cada mínima célula.

Anaxágoras chamava esses "pedacinhos" que contêm "um pouco de tudo" em si de "sementes" ou "germes".

Nós ainda temos em mente as ideias de Empédocles, para quem o "amor" era a força capaz de unir as partes de um todo. Anaxágoras também acreditava numa força parecida para "pôr ordem" e originar animais e homens, flores e árvores. A essa força ele chamou de "espírito" ou "inteligência" (*noûs*).

Anaxágoras é igualmente importante por se tratar do primeiro filósofo de Atenas do qual ouvimos falar. Ele nasceu na Ásia Menor, mas mudou-se para Atenas quando tinha cerca de quarenta anos. Lá foi acusado de ateísmo e teve que abandonar a cidade. Ele disse entre outras coisas que o Sol não seria um deus, e sim uma massa flamejante maior que a península do Peloponeso.

Anaxágoras interessava-se muito por astronomia. Ele dizia que todos os corpos celestes eram feitos do mesmo material que a Terra.

Chegou a essa conclusão depois de examinar um meteorito. Talvez isso indicasse que existiria vida em outros planetas, pensava ele. Em seguida ele afirmou que a Lua não teria brilho próprio, mas tomaria emprestada a luz da Terra. E por fim explicou como ocorriam os eclipses solares.

PS. Obrigado pela atenção, Sofia. Talvez você devesse ler este capítulo duas ou três vezes até compreender tudo. A compreensão requer um pouco de esforço. É como aquela sua amiga multitalentosa por quem você tem grande admiração. Esses talentos certamente custaram a ela muito esforço.

A melhor explicação para as perguntas sobre substâncias fundamentais e transformações da natureza vai ter que esperar até amanhã. Você vai conhecer Demócrito. E agora não vou dizer mais nada!

Sofia estava sentada no esconderijo, espiando pelas brechas em meio à folhagem. Ela tentava organizar os pensamentos sobre o que acabara de ler.

Era mais que evidente que a água comum não poderia resultar em nada além de gelo e vapor. Um pouco de água não poderia sozinho se transformar numa água-viva, por exemplo, ainda que uma água-viva não consista em muito mais que um pouco de água. Mas ela só estava certa disso porque havia aprendido na escola, do contrário não estaria tão confiante: teria que observar de perto a água congelar e o gelo derreter para ter essa certeza.

Ninguém estava forçando Sofia a pensar usando sua própria cabeça em vez de recorrer ao que tinha aprendido com outras pessoas.

Parmênides se recusava a aceitar todo e qualquer tipo de transformação. Quanto mais Sofia refletia sobre isso, mais ela se convencia de que esse filósofo devia estar certo. A razão dele não admitia que "algo" instantaneamente se transformasse em "outro algo". Ele se mostrou muito à frente do seu tempo ao fazer essa afirmação, porque seus contemporâneos se limitavam a observar as mudanças na natureza. Decerto muitos acharam que Parmênides era motivo de piada.

Também Empédocles foi muito sagaz ao usar sua razão e afirmar que o mundo deveria necessariamente ser composto de mais de uma substância primordial. Dessa forma a evolução de todas as coisas na natureza era possível sem que nada de fato se transformasse.

O velho filósofo grego descobriu isso utilizando sua razão. Ele havia, é claro, estudado a natureza, mas não tinha como recorrer às sofisticadas análises químicas da ciência atual.

Sofia tinha dúvidas se tudo no mundo era formado exatamente por terra, ar, fogo e água. Mas qual seria o papel de cada um? Em princípio talvez Empédocles estivesse certo. A única possibilidade que temos para aceitar todas as transformações que nossos olhos veem sem abandonarmos a razão é admitir a existência de várias substâncias primordiais e não apenas uma.

Sofia estava achando a filosofia bem empolgante, pois conseguia acompanhar todos aqueles pensamentos usando sua própria razão — sem a necessidade de se lembrar de tudo que havia aprendido na escola. Ela percebeu que a filosofia não é uma disciplina que se possa aprender, mas que talvez se possa aprender a *pensar* filosoficamente.

Demócrito
... o brinquedo mais genial do mundo...

Sofia fechou a lata de biscoitos cheia de folhas datilografadas pelo desconhecido professor de filosofia. Ela saiu do esconderijo e se pôs a olhar para o jardim. Logo depois pensou no que havia acontecido no dia anterior. Sua mãe tinha feito uma brincadeira sobre aquela "carta de amor" também durante o café da manhã. Ela se apressou na direção da caixa de correio para evitar que aquilo acontecesse novamente. Receber cartas de amor por dois dias seguidos seria duplamente embaraçoso.

Lá estava um novo envelope branco! Sofia começou a reparar num certo padrão na entrega: toda tarde ela havia encontrado um grande envelope amarelo na caixa de correio. Enquanto ela lia a carta mais longa, o filósofo costumava se esgueirar até a caixa e lá deixava um envelope branco.

Isso significava que Sofia poderia descobrir quem ele era. Ou quem *ela* era. Se apenas ficasse à espreita perto da janela do quarto, no andar superior, teria uma boa visão da caixa de correio. Aí certamente ela conseguiria flagrar o misterioso filósofo. Porque os envelopes brancos não chegavam lá por si mesmos.

Sofia decidiu pôr seu plano em prática na manhã seguinte. Era uma sexta-feira, e ela teria o fim de semana para fazer isso.

Subiu para o quarto e abriu o envelope lá mesmo. Dessa vez havia um bilhete com apenas uma pergunta, que acabava sendo ainda mais maluca do que as três perguntas escritas na "carta de amor":

Por que o Lego é o brinquedo mais genial do mundo?

Sofia não estava bem certa de que concordava com aquilo. Ela já deixara para trás seus brinquedos desse tipo havia muitos anos. E não conseguia imaginar o que eles teriam a ver com a filosofia.

Mas Sofia era uma aluna aplicada. Deu uma olhada no maleiro e encontrou uma sacola plástica cheia de peças de Lego de todas as cores e tamanhos.

Pela primeira vez depois de muitos anos ela voltava a brincar com as pecinhas. Enquanto brincava, começou também a pensar sobre elas.

"Peças de Lego são um brinquedo muito fácil de brincar", pensou. "Apesar de haver peças de muitos tamanhos e formas, todas se encaixam umas nas outras." Sofia não se lembrava de jamais ter visto uma peça daquelas estragada. Na verdade elas estavam tão novas como se tivessem acabado de ser tiradas da caixa. E acima de tudo: com elas, ela podia construir qualquer coisa. E depois podia separá-las e construir algo completamente novo.

Que mais se poderia esperar de um brinquedo? Sofia começou a achar que o Lego podia afinal ser considerado o brinquedo mais genial do mundo. Mas o que ele tinha a ver com a filosofia ela ainda não conseguia entender.

Pouco tempo depois Sofia havia construído uma enorme casa de bonecas. Embora relutasse em admitir, ela não se divertia assim fazia muito tempo. Por que as pessoas deixavam de brincar?

Quando sua mãe subiu para ver o que ela estava fazendo, exclamou, surpresa:

— Que legal que você ainda brinca como uma criança.

— Não é nada disso! Estou no meio de uma complexa pesquisa filosófica.

A mãe deu um suspiro profundo. Ela ainda se lembrava do enorme coelho e da cartola do mágico.

Quando voltou da escola no dia seguinte, Sofia recebeu várias folhas novas num grande envelope amarelo, que levou consigo para o quarto. Ela já ia começar a leitura, mas sempre espiando a caixa de correio.

A TEORIA ATOMISTA

Aqui estou eu de novo, Sofia. Hoje você vai aprender um pouco sobre o último dos grandes filósofos da natureza. Ele se chamava *Demócrito* (*c.* 460-370 a.C.) e era da cidade costeira de Abdera, no norte do mar Egeu. Se você conseguiu responder à pergunta sobre as peças de Lego, com certeza não terá problemas para descobrir qual era o projeto desse filósofo.

Demócrito concordava com seus antecessores ao afirmar que as mudanças na natureza não ocorreriam porque algo realmente se "transformava". Ele presumiu que todas as coisas deveriam ser feitas de pecinhas muito pequenas, invisíveis, eternas e imutáveis. E chamou essas pecinhas de *átomos*.

A palavra "átomo" significa "indivisível". Para Demócrito era importante deixar claro que as coisas não podiam ser divididas indefinidamente em pedaços cada vez menores. Se fosse assim, a existência desses tijolinhos semelhantes a peças de Lego não seria possível. Sim, se os átomos pudessem ser divididos infinitamente, a natureza seria diluída como uma sopa que vai ficando cada vez mais rala.

Os tijolos da natureza teriam portanto que ser eternos — porque nada pode surgir do nada. Nesse particular Demócrito concordava com Parmênides e os eleatas. Ele prosseguiu afirmando que os átomos seriam firmes e sólidos. Mas eles não poderiam ser idênticos um ao outro. Se fossem, não haveria explicação razoável para que se combinassem e dessem forma a coisas diferentes, como papoulas e oliveiras, passando por pelo de cabra e cabelo humano.

Existe uma infinidade de átomos diferentes na natureza, dizia Demócrito. Alguns são redondos e lisos, outros são irregulares e rugosos. Exatamente porque possuem formas distintas é que eles podem se unir para criar os seres mais diversos. Mas eles são tantos e tão diferentes quanto são eternos, imutáveis e indivisíveis.

Quando um ser — por exemplo, uma árvore ou um animal — morre e se decompõe, os átomos se separam e novamente podem se recombinar para fazer outro ser. Os átomos se locomovem pelo espaço e possuem diferentes formas de encaixe como "protuberâncias" e "reentrâncias", podendo ser recombinados de maneiras distintas e dar forma às coisas que vemos ao nosso redor.

Agora você compreende o que eu quis dizer com as peças de Lego? Elas possuem quase todas as formas que Demócrito atribuiu aos átomos, e por isso são tão boas para construir coisas. Primeiro e mais importante: elas são indivisíveis. São diferentes em forma e tamanho, são compactas e impermeáveis. Peças de Lego também têm "protuberâncias" e "reentrâncias" que permitem que elas se combinem nas mais diversas formas. Essas ligações podem depois ser desfeitas para dar forma a outras coisas construídas com as mesmas peças.

O que fez do Lego um brinquedo tão popular é justamente o fato de suas peças poderem ser utilizadas muitas e muitas vezes. Um único jogo de Lego pode se transformar num carro num dia e num castelo no dia seguinte. Nós podemos dizer que as peças de Lego são "eternas". As crianças de hoje podem sentar e brincar com o Lego que seus pais usaram quando eram crianças.

Nós podemos construir coisas com o barro. Mas ele não pode ser utilizado indefinidamente porque se parte em pedaços cada vez menores até virar pó, e esse pó não pode ser recombinado para criar outros objetos.

Hoje em dia podemos quase afirmar que a teoria atomista de Demócrito estava correta. A natureza é realmente constituída de diversos "átomos" que se ligam entre si e tornam a se separar. Um átomo de hidrogênio que estiver numa célula externa da ponta do meu nariz certo dia pertenceu à tromba de um elefante. Um átomo de carbono no músculo do meu coração pode ter vindo da garganta de um dinossauro.

Nos dias de hoje a ciência descobriu que os átomos podem, sim, ser divididos em partículas ainda menores, denominadas "partículas elementares". Elas se chamam prótons, nêutrons e elétrons. E talvez essas partículas sejam compostas de pedacinhos menores ainda. Mas os físicos concordam que deve haver um limite em algum lugar. Deve existir uma pecinha mínima da qual a natureza inteira seja feita.

Demócrito não tinha acesso aos instrumentos eletrônicos do nosso tempo. Sua única ferramenta real era a razão. Mas a razão não lhe dava escolha nenhuma. Se nós aceitarmos que nada pode se transformar, nada pode surgir do nada e nada deixa de existir, então a natureza tem que ser constituída de pedacinhos minúsculos que podem se unir e se separar.

Demócrito não contava com nenhuma "força" ou "espírito" que tomasse parte dos processos naturais. A única coisa que existe são os átomos e o espaço vazio, apontava ele. Como não acreditava em nada além desses "materiais", nós o chamamos de *materialista*.

Também não há nenhuma prova palpável da "intenção" por trás do movimento dos átomos. Na natureza tudo age por si de forma *mecânica*. Isso não significa que tudo que acontece é obra do "acaso", pois tudo obedece às leis inquebrantáveis da natureza. Demócrito dizia que existe uma causa por trás de tudo que acontece, uma causa inerente às próprias coisas. Ele disse certa vez que preferia descobrir uma lei natural a se tornar rei da Pérsia.

A teoria atomista explicava também nossas *percepções sensoriais*, segundo Demócrito. Quando percebemos algo, isso se deve ao movimento dos átomos no espaço vazio. Quando observo a lua, são os "átomos lunares" que esbarram nos meus olhos.

Mas e quanto à "consciência"? Ela não pode ser constituída de átomos nem de coisas "materiais", certo? Certo — Demócrito achava que a alma era feita de átomos especiais, redondos e lisos, chamados de "átomos da alma". Quando um ser humano morre, os átomos da alma se dispersam por todos os cantos. Desse modo podem se agregar a outra alma durante a sua formação.

Isso significa que os homens não possuem uma alma imortal. Esse é um pensamento que muitas pessoas compartilham hoje em dia. Elas dizem, como Demócrito, que a "alma" é intimamente ligada ao cérebro, e não temos como comprovar a existência de nenhuma forma de consciência quando o cérebro deixa de funcionar.

Com sua teoria atomista Demócrito estabeleceu um novo patamar para a filosofia grega. Ele concordava com Heráclito sobre o fato de que tudo na natureza "se modifica". As coisas vêm e vão. Mas, por trás de tudo que se transforma, existem algumas coisas eternas e constantes que não "fluem". Demócrito as chamou de átomos.

Enquanto Sofia lia, ela espiou várias vezes pela janela para ver se o misterioso remetente das cartas apareceria próximo à caixa de correio. Finalmente, sentou-se perto da janela e ficou olhando fixo para a rua, ao mesmo tempo que refletia sobre o que havia lido.

Ela considerava o pensamento de Demócrito muito simples, e ainda assim extremamente engenhoso. Ele descobrira a solução para os problemas da "substância primordial" e da "transformação". Eram questões tão complicadas que os filósofos se debruçaram sobre elas por muitas gerações. Até que Demócrito encontrou uma resposta, utilizando para isso apenas sua razão.

Sofia quase caiu na risada. Tinha que ser. A natureza era formada de pedaços menores que nunca se modificam. Ao mesmo tempo, Heráclito tinha razão, claro, quando dizia que tudo na natureza "flui". Todas as pessoas e animais morrem, e até as montanhas mais altas vão lentamente se dissolvendo. O ponto é: mesmo essas montanhas são formadas por pequenas e indivisíveis coisinhas que jamais se decompõem.

Ao mesmo tempo, Demócrito tinha levantado novas dúvidas. Ele havia dito, por exemplo, que tudo é inteiramente mecânico em si. Ele não aceitava a interferência de nenhuma outra força espiritual — como Empédocles e Anaxágoras. Demócrito também afirmara que as pessoas não possuem uma alma imortal.

Sofia podia ter certeza de que era assim mesmo?

Ela não sabia ao certo. Porém, mal havia começado o curso de filosofia.

O destino

*... os "adivinhos" tentam prever algo
que na verdade é imprevisível...*

Sofia havia prestado atenção no jardim enquanto lia sobre Demócrito. Mas, por garantia, decidiu descer até a caixa de correio assim mesmo.

Quando abriu a porta de casa, encontrou um pequeno envelope na escada. E claro que nele estava escrito "Sofia Amundsen".

Ele a enganara. Logo hoje, quando ela voltara sua atenção para a caixa de correio, o misterioso filósofo se esgueirou jardim adentro vindo de outro lugar e deixou a carta na escada antes de desaparecer pela floresta novamente. Espertinho!

Como ele sabia que Sofia estaria vigiando a caixa de correio hoje? Talvez ele (ou ela) a tivesse visto pela janela. De qualquer forma ela estava feliz por ter encontrado a carta antes que sua mãe chegasse.

Sofia correu para o quarto e abriu a carta. O envelope branco tinha as bordas um pouco úmidas e duas marcas profundas. Por que seria? Não chovia fazia muitos dias.

No bilhete incluso estava escrito:

Você acredita no destino?
A doença é um castigo dos deuses?
Que forças governam o curso da história?

Se ela acreditava em destino? Não, não com tanta firmeza. Mas ela conhecia muitas pessoas que acreditavam. Muitas de suas amigas de sala de aula costumavam ler os horóscopos das revistas. E, se acreditavam em astrologia, deviam acreditar em destino também, porque os astrólogos afirmam que a posição dos astros no céu diz algo sobre a vida das pessoas na Terra.

E aqueles que acham que quando um gato preto cruza nosso caminho significa que teremos azar também acreditam em destino? Quanto mais refletia sobre isso, mais exemplos de crença no destino Sofia encontrava. Por que se "bate na madeira", por exemplo? E por que sexta-feira 13 é considerado um dia de azar? Sofia ouvira dizer que muitos hotéis não possuem o décimo terceiro andar. Isso, claro, porque existe muita gente supersticiosa.

Superstição. Não era uma palavra estranha essa? Se as pessoas possuíssem uma religião cristã ou islâmica, o nome era apenas "fé". Mas, se acreditassem em astrologia ou em sextas-feiras 13, seriam tachadas de "supersticiosas".

Quem teria o direito de chamar de "superstição" a crença de alguém?

Sofia só tinha certeza de uma coisa. Demócrito não acreditava no destino. Ele era materialista. Só acreditava nos átomos e no espaço vazio.

Ela tentou se concentrar nas outras perguntas do bilhete.

"A doença é um castigo dos deuses?" Alguém pensaria assim hoje em dia? Mas aí ela se deu conta de que muita gente contava com a ajuda de Deus para manter sua saúde, e portanto essas pessoas deveriam crer que o dedo de Deus seria capaz de decidir o jogo entre os que adoecem e os que permanecem sadios.

A última pergunta era um pouco mais difícil. Sofia jamais pensara naquilo, em forças que governam o curso da história. Mas seriam essas forças humanas? Se existisse mesmo um Deus ou destino, os homens não possuiriam livre-arbítrio.

Essa história de livre-arbítrio levou a imaginação de Sofia para um pensamento totalmente diferente. Por que ela devia aceitar resignadamente a brincadeira de gato e rato que o filósofo misterioso fazia com ela? Ele ou ela decerto iria deixar na caixa de correio um novo envelope grande, ou no decorrer da noite ou numa hora qualquer da manhã seguinte. Pois então ela também deixaria uma carta para seu professor de filosofia.

Sofia começou a escrever. Ela achava muito difícil escrever para alguém a quem jamais tinha visto. Não sabia nem se era um homem ou uma mulher. Nem mesmo se era alguém mais velho ou mais jovem. De mais a mais, poderia ser alguém que Sofia conhecesse.

Pouco tempo depois ela havia escrito o seguinte bilhete:

> *Estimado senhor filósofo,*
> *Aqui nesta casa se tem em alta estima o seu curso de filosofia por correspondência. Mas também se lamenta muito o fato de não saber quem o senhor é. Roga-se, portanto, que o senhor se identifique com seu nome completo. Em retribuição o senhor será extremamente bem-vindo a nossa casa para um café, mas preferencialmente num horário em que minha mãe não esteja. Ela trabalha das 7h30 às 17h todo dia, de segunda a sexta-feira. Eu mesma frequento a escola nos mesmos horários, e, exceto às quartas-feiras, estou sempre de volta às 14h15. Também sei preparar um café muito bom. Muito agradecida de antemão.*
> *Lembranças muito atenciosas de sua aluna,*
> *Sofia Amundsen, catorze anos.*

No fim da mensagem ela escreveu: "Pede-se responder o quanto antes".

Sofia achou que o bilhete havia ficado muito formal. Mas não era fácil escolher quais palavras utilizar para uma pessoa sem rosto.

Ela enfiou o papel num envelope cor-de-rosa e o lacrou com cola, escrevendo "Para o filósofo" no local reservado ao destinatário.

O problema seria despachá-lo longe das vistas da mãe. Ela não poderia deixar o envelope na caixa de correio antes de sua mãe ter chegado em casa. Ao mesmo tempo, teria que conferir a caixa na manhã seguinte antes da entrega do jornal. Se nenhuma correspondência fosse entregue ao longo da noite ou da madrugada, ela teria que pegar de volta o envelope rosa.

Por que tudo tinha que ser tão complicado?

Naquela noite Sofia se recolheu muito cedo, embora fosse sexta-feira. A mãe tentou animá-la oferecendo-lhe um pedaço de pizza e lembrando que a TV exibiria um filme policial, mas Sofia disse que estava cansada e queria ler um pouco antes de cair no sono. Enquanto sua mãe se distraía no sofá vendo TV, Sofia esgueirou-se pela porta e levou a carta até a caixa de correio.

Dava para ver que a mãe estava um pouco preocupada. Desde aquele episódio do enorme coelho e da cartola, ela passara a conversar com Sofia de um modo inteiramente diferente. Sofia não gostava de deixá-la preocupada, mas agora tinha que correr para o quarto e ficar de olho na caixa de correio.

Quando sua mãe subiu para se recolher por volta das onze horas, viu Sofia diante da janela, olhando para a rua lá embaixo.

— Você está vigiando a caixa de correio? — perguntou ela.

— Estou vigiando o que eu quiser.

— Acho que você está mesmo apaixonada, Sofia. Mas, se ele vier entregar uma nova carta, isso não vai acontecer no meio da noite.

Argh! Sofia não aguentava mais aquela conversa mole de paixão. Mas teria que deixar a mãe se iludir com isso.

Sua mãe continuou:

— Foi ele quem falou sobre aquele negócio de coelho e cartola?

Sofia balançou a cabeça.

— Ele... ele não usa drogas, usa?

Dessa vez Sofia ficou brava. Não poderia deixar que ela continuasse se preocupando com esse assunto. Além disso, era extremamente estúpido achar que alguém estaria envolvido com drogas só por causa de um comentário engraçado como aquele. Os adultos realmente são muito bobos às vezes.

Ela se virou e disse:

— Mamãe, eu prometo a você aqui e agora que jamais vou experimentar drogas... E "ele" não usa nenhuma droga também. Ele só se interessa por filosofia.

— Ele é mais velho que você?

Sofia negou com a cabeça.

— Da mesma idade?

Sofia confirmou.
— E ele se interessa por filosofia?
Ela novamente fez que sim.
— Ele certamente é muito legal, mocinha. Mas acho que agora você deve tentar pegar no sono.

Mas Sofia permaneceu ali horas a fio, olhando para a rua. Por volta da uma da manhã estava tão cansada que cochilou. Pouco antes de se preparar para deitar, ela notou uma sombra se esgueirando pela floresta.

Lá fora estava tudo muito escuro, mas havia luz bastante para ela enxergar a silhueta de uma pessoa. Era um homem, e Sofia percebeu que ele era bem mais velho. Ou pelo menos não tinha a sua idade. Na cabeça ele usava uma boina ou algo do gênero.

Pareceu-lhe que ele estava olhando para dentro da casa, mas Sofia havia apagado todas as luzes. O homem foi direto para a caixa de correio e deixou cair lá dentro um envelope grande. Assim que fez isso, avistou a carta de Sofia. Enfiou a mão na caixa e a apanhou. No instante seguinte já estava a caminho da floresta, desaparecendo pela trilha a passos rápidos.

Sofia sentiu o coração palpitar bem forte. Sua vontade era correr atrás dele de camisola mesmo. Se bem que, não, ela não se atreveria a sair no meio da noite atrás de um estranho. Mas ela precisava descer para apanhar o envelope, isso sim.

Depois de um instante ela desceu a escada de mansinho, abriu a porta da frente com muito cuidado e foi até a caixa de correio. Imediatamente voltou para o quarto com o envelope na mão. Sentou-se na cama e prendeu o fôlego. Alguns minutos se passaram e a casa continuava em completo silêncio. Ela abriu o envelope e começou a ler.

Não esperava ler uma resposta para a carta que havia escrito. Talvez ela viesse na manhã seguinte.

O DESTINO

Bom dia, querida Sofia! Quero, apenas por uma questão de segurança, deixar muito claro que você jamais deve tentar me espionar. Nós vamos nos encontrar no futuro, mas eu é que vou determinar a hora e o lugar. Fica combinado assim. E você não vai bancar a desobediente, vai?

De volta aos filósofos. Nós vimos como eles tentavam encontrar explicações naturais para as transformações na natureza. Que antes eram explicadas através dos mitos.

Mas também em outras áreas era preciso tirar as antigas superstições do caminho. Observamos isso nas perguntas sobre *saúde* e *doença*, e também nas *questões políticas*. Em ambos os temas os gregos possuíam uma firme crença no destino.

Eles eram *fatalistas*, o que quer dizer que acreditavam que o que iria acontecer já estava determinado. Esse comportamento nós podemos encontrar em todo o mundo — tanto naquela época como agora, ao longo de toda a história. Aqui entre nós, as antigas sagas islandesas estão permeadas por uma forte crença na "Providência Divina".

Tanto entre os gregos como em outros povos do mundo é possível encontrar a noção de que as pessoas podem conhecer o destino através de diversas formas de *oráculo*. O destino da humanidade ou de um Estado poderia ser demonstrado por diferentes presságios.

Até hoje muitas pessoas acreditam que é possível "prever a sorte nas cartas", "fazer a leitura das mãos" ou "ver o destino escrito nas estrelas".

Uma forma de adivinhação bem comum na Noruega é a cafeomancia. Quando a xícara está vazia, normalmente um pouco do pó de café, chamado de borra, deposita-se no fundo, formando desenhos de coisas ou monstros — sobretudo se recorremos a um tanto de imaginação. Se o desenho da borra de café lembrar a figura de um carro, não seria por que quem bebeu naquela xícara vai fazer uma longa viagem pela estrada?

Nós podemos constatar que os "adivinhos" tentam prever algo que na verdade é imprevisível. Isso é comum a todas as artes de adivinhação. E é exatamente porque aquilo que se "adivinha" é tão vago que é tão difícil refutar o que nos revelam os adivinhos.

Quando olhamos para o firmamento, enxergamos um verdadeiro caos de luzes piscantes. Ainda assim, ao longo da história da humanidade muitas pessoas acreditaram que as estrelas podem nos dizer coisas a respeito de nossa vida na Terra. Hoje em dia até líderes políticos consultam astrólogos para obter conselhos sobre decisões importantes que precisam tomar.

O ORÁCULO DE DELFOS

Os gregos achavam que os homens podiam obter conhecimento acerca de seu destino através do famoso oráculo de Delfos. O deus *Apolo* se manifestaria através desse oráculo. Ele falava por intermédio da sua sacerdotisa, *Pítia*, que ficava sentada numa cadeira sobre uma fenda numa rocha. Dessa fenda emanavam gases inebriantes que deixavam Pítia em estado de transe. Isso era necessário para que ela se transformasse na porta-voz de Apolo.

Quem ia até Delfos primeiro fazia suas perguntas aos sacerdotes locais, que as transmitiam a Pítia. Ela dava respostas tão incompreensíveis ou abrangentes que os sacerdotes tinham que interpretá-las para os consulentes. Era assim que os gregos se valiam da sabedoria de Apolo, pois acreditavam que aquele deus tinha consciência de tudo — tanto do passado como do futuro.

Muitos chefes de Estado não ousavam declarar uma guerra ou tomar outras decisões importantes antes de consultar o oráculo de Delfos. Dessa forma os sacerdotes de Delfos funcionavam quase como diplomatas ou conselheiros, pois detinham um profundo conhecimento sobre pessoas e nações.

No templo de Delfos havia uma inscrição: CONHECE-TE A TI MESMO! Com isso se pretendia lembrar os que ali estavam de que eles não passavam de meros seres humanos — e nenhum ser humano poderia escapar do seu destino.

Entre os gregos contavam-se muitas histórias de pessoas que se viam à mercê dos seus destinos. Com o tempo foram escritas peças (tragédias) sobre esses indivíduos "trágicos". O exemplo mais célebre é a narrativa sobre um rei chamado *Édipo*.

A CIÊNCIA DA HISTÓRIA E DA MEDICINA

O destino não regia apenas a vida dos homens comuns. Os gregos acreditavam que a própria evolução do mundo era controlada pelo destino. Eles diziam que o desfecho de uma guerra seria o resultado da vontade dos deuses. Hoje também muitas pessoas acreditam que Deus ou outras forças misteriosas controlam o que acontece na história.

Mas, ao mesmo tempo que os filósofos gregos tentavam encontrar explicações naturais para os processos da natureza, ocorria uma evolução na ciência da história, que procurava encontrar causas naturais por trás do curso da história universal. A derrota de uma nação numa guerra não era mais aceita como má vontade dos deuses. Os historiadores gregos mais conhecidos chamavam-se *Heródoto* (484-424 a.C.) e *Tucídides* (460-400 a.C.).

Os gregos também acreditavam que as doenças contagiosas seriam causadas pela ira dos deuses. Do mesmo modo, os deuses podiam curar os homens se recebessem as devidas oferendas.

Essa forma de pensar não era característica apenas dos gregos. Antes de a ciência moderna chegar à sua idade mais recente, a opinião mais comum era a de que as doenças poderiam ter causas sobrenaturais. A palavra "influenza", utilizada para designar fortes estados virais, quer dizer exatamente "uma má influência das estrelas".

Atualmente muitas pessoas ao redor do mundo acham que doenças diversas, como a aids, são um castigo dos deuses. Muitos também creem que os doentes podem se "curar" por meios sobrenaturais.

Enquanto os filósofos gregos começavam a desenvolver um modo de pensar inteiramente novo, surgia também a ciência médica grega, cujo objetivo era encontrar explicações naturais para a saúde e para as doenças. O fundador da ciência da medicina foi *Hipócrates*, que nasceu na ilha de Cós, em 460 a.C. aproximadamente.

O mais importante meio de prevenir doenças, segundo a tradição hipocrática, era levar uma vida moderada e saudável. O natural para um ser humano é ser saudável. O aparecimento de uma doença deve-se ao fato de a natureza ter "saído dos trilhos" por conta de um desequilíbrio corporal ou espiritual. O caminho da saúde para uma pessoa passava pela moderação, pela harmonia e por um "corpo são numa mente sã".

Hoje em dia se fala muito em "ética médica". Com isso se pretende que um médico exerça seu ofício observando certas diretrizes de correção. Um médico não deve, por exemplo, prescrever o uso de droga nenhuma para pessoas saudáveis. Além disso, deve manter sigilo sobre os pacientes que atende, não transmitindo a ninguém as informações que detém a respeito de sua doença. Essas são ideias cujas raízes remontam à época de Hipócrates. Ele fazia com que seus alunos prestassem o seguinte juramento:

Eu juro, por Apolo médico, por Esculápio, Hígia e Panacea, e tomo por testemunhas todos os deuses e todas as deusas, cumprir, segundo meu poder e minha razão, a promessa que se segue:

Estimar, tanto quanto a meus pais, aquele que me ensinou esta arte; fazer vida comum e, se necessário for, com ele partilhar meus bens; ter seus filhos por meus próprios irmãos; ensinar-lhes esta arte, se eles tiverem necessidade de aprendê-la, sem remuneração e nem compromisso escrito; fazer participar dos preceitos, das lições e de todo o resto do ensino, meus filhos, os de meu mestre e os discípulos inscritos segundo os regulamentos da profissão, porém, só a estes.

Aplicarei os regimes para o bem do doente segundo o meu poder e entendimento, nunca para causar dano ou mal a alguém.

A ninguém darei por comprazer, nem remédio mortal nem um conselho que induza a perda. Do mesmo modo não darei a nenhuma mulher uma substância abortiva.

Conservarei imaculada minha vida e minha arte.

Não praticarei a talha, mesmo sobre um calculoso confirmado; deixarei esta operação aos práticos que disso cuidam.

Em toda casa, aí entrarei para o bem dos doentes, mantendo-me longe de todo o dano voluntário e de toda a sedução, sobretudo dos prazeres do amor, com as mulheres ou com os homens livres ou escravizados.

> *Àquilo que no exercício ou fora do exercício da profissão e no convívio da sociedade, eu tiver visto ou ouvido, que não seja preciso divulgar, eu conservarei inteiramente secreto.*
>
> *Se eu cumprir este juramento com fidelidade, que me seja dado gozar felizmente da vida e da minha profissão, honrado para sempre entre os homens; se eu dele me afastar ou infringir, o contrário aconteça.**

Sofia se espreguiçou na cama ao despertar na manhã do sábado. Ela havia sonhado ou teria mesmo avistado o filósofo?

Percebeu o pacote debaixo do braço. De fato — lá estava a correspondência que chegara à noite. Sofia se lembrou de ter lido sobre a crença dos gregos no destino. Não tinha sido apenas um sonho.

Claro que ela avistara o filósofo. Mais que isso — com seus próprios olhos o vira apanhando a carta que ela escrevera.

Sofia se levantou e espiou debaixo da cama. Alcançou as folhas datilografadas que lá estavam. Mas o que era aquilo? Bem junto à parede havia alguma coisa vermelha. Seria um cachecol?

Ela se esticou bem e conseguiu fisgar uma echarpe de seda vermelha. Sofia só tinha certeza de uma coisa: aquilo jamais lhe pertencera.

Passou a examinar a echarpe cuidadosamente e deu um salto para trás ao ler o nome "Hilde" escrito com tinta preta próximo à costura.

Hilde! Mas quem *seria* essa Hilde? Como seus caminhos poderiam se cruzar daquele jeito?

---

* Transcrito de <http://www.cremesp.org.br/?siteAcao=Historia&esc=3>.

Sócrates

... mais sábio é aquele que sabe que não sabe...

Sofia pôs um vestido de verão e logo desceu para a cozinha. Sua mãe estava debruçada na bancada. Sofia decidira não comentar nada sobre a echarpe de seda.

— Já foi buscar o jornal? — Sofia deixou escapar.

A mãe se virou para ela.

— Talvez você possa ser boazinha hoje e apanhá-lo para mim.

Sofia saiu correndo pelo vão de entrada e num instante já estava enfiando a mão na caixa de correio verde.

Só o jornal. Ela não devia esperar uma resposta tão imediata para a carta que escrevera. Na primeira página do jornal ela leu algumas linhas sobre o batalhão norueguês das Nações Unidas no Líbano.

Batalhão das Nações Unidas... Não era isso que estava carimbado sobre o selo no cartão do pai da Hilde? Mas era um selo norueguês. Vai ver os soldados daquele batalhão possuíam um correio próprio.

Quando voltou à cozinha, sua mãe disse num tom irritante:

— De repente você passou a se interessar tanto por jornais...

Nenhum outro comentário, felizmente, ela fez a respeito da caixa de correio, e assim transcorreram o café da manhã e a maior parte do dia. Quando a mãe saiu para fazer compras, Sofia carregou para o esconderijo as páginas sobre a crença no destino.

Seu coração bateu mais forte quando ela de repente avistou um pequeno envelope ao lado da caixa com as cartas do professor de filosofia. Sofia estava certa de que não fora ela quem havia deixado aquilo lá.

Esse envelope também estava úmido nos cantos. E também tinha duas ranhuras profundas, exatamente como o envelope branco que ela recebera no dia anterior.

Por acaso o filósofo estivera ali? Ele sabia do esconderijo secreto dela? E por que os envelopes teriam se molhado?

Todas aquelas perguntas deixaram Sofia zonza. Ela abriu o envelope e leu o que estava escrito no bilhete.

Querida Sofia,

Eu li sua carta com grande interesse — mas também com um pouco de apreensão. Porque terei que desapontá-la com relação à visitinha para o café. Um dia vamos nos encontrar, mas ainda não é hora de eu poder aparecer pela Curva do Capitão.

Devo acrescentar que, de agora em diante, não poderei mais entregar minhas cartas pessoalmente. Com o passar do tempo isso ficou muito arriscado. As cartas futuras serão entregues por meu pequeno portador. Em compensação, chegarão até você diretamente no seu esconderijo no jardim.

Você pode continuar mantendo contato comigo sempre que achar necessário. Nesse caso deixe um envelope rosa com um biscoito doce ou um torrão de açúcar dentro. Quando o mensageiro achar uma carta assim, ele se encarregará de trazê-la para mim.

PS. Não é nada divertido recusar um convite para um café tão gentil vindo de uma pequena dama. Mas algumas vezes é absolutamente necessário.

PS. PS. Se você por acaso encontrar uma echarpe vermelha, peço, por gentileza, que cuide dela muito bem. Acontece de às vezes eu acabar me confundindo e trocando alguns pertences. Sobretudo na escola ou em lugares parecidos, e esta é uma escola de filosofia.

Um abraço,
Alberto Knox.

***

Sofia tinha apenas catorze anos, mas já havia recebido algumas cartas na sua vida, especialmente no Natal, nos aniversários e em ocasiões assim. Mas essa era a carta mais estranha que ela jamais recebera.

Não tinha selo, nem foi deixada na caixa de correio, e sim no supersecreto esconderijo de Sofia, atrás da velha sebe. E mais estranho ainda: a carta estava molhada embora o clima estivesse seco.

O mais estranho de tudo era naturalmente a echarpe vermelha. O professor de filosofia tinha então outra aluna. Muito bem! E essa outra aluna havia perdido uma echarpe vermelha. Muito bem! Mas como ela fizera para perder essa echarpe bem debaixo da cama de Sofia?

E também Alberto Knox... Não era um nome meio esquisito?

Mas essa carta pelo menos estabelecia um vínculo entre o professor de filosofia e Hilde Møller Knag. Mas que até o pai de Hilde tivesse trocado os endereços já era demais — isso não dava para entender.

Sofia ficou sentada por um longo tempo pensando qual a relação possível entre ela e Hilde. Por fim ela desistiu. O professor de filosofia escrevera que eles dois deveriam se encontrar um dia. Isso valia também para Hilde?

Ela virou o papel. E descobriu que havia algumas frases no verso também.

Será que existe um pudor natural?
Mais sábio é aquele que sabe que não sabe.
A verdadeira sabedoria vem de dentro.
Quem sabe o que é certo acaba também fazendo a coisa certa.

Sofia já compreendera que aquelas frases curtas que vinham nos envelopes brancos eram uma espécie de preparação para o que viria dentro dos envelopes amarelos em seguida. E algo lhe ocorreu: se um "portador" viesse trazer a próxima correspondência até o esconderijo, ela poderia simplesmente ficar ali esperando por ele. Ou seria por ela? Não importava. E aí ela não desgrudaria do recém-chegado até que ele ou ela lhe contasse mais sobre o filósofo. Na carta estava escrito que esse mensageiro seria alguém pequeno. Será que seria uma criança?

"Será que existe um pudor natural?"

Sofia sabia que pudor era uma palavra antiga para significar timidez — por exemplo, de ser visto sem roupa. Mas em muitos lugares do mundo a nudez era algo completamente natural. Então não seria a *sociedade* que determinava o que podia e o que não podia? Quando sua avó era jovem, não era permitido tomar sol sem a parte de cima do biquíni. Mas hoje a maioria das pessoas acharia isso "natural", embora em muitos países isso seja terminantemente proibido. Sofia coçou a cabeça. Isso era filosofia?

E ela passou para a frase seguinte: "Mais sábio é aquele que sabe que não sabe".

Mais sábio do que quem? Se o filósofo quis dizer que uma pessoa que tem consciência de que não sabe de tudo que existe entre o céu e a terra é mais sábia do que alguém que sabe pouco e se acha o sabe-tudo, perfeito: não é difícil concordar. Sofia jamais havia pensado a respeito disso. Mas, quanto mais refletia sobre o assunto, mais claro ficava para ela que, na verdade, saber o que não se sabe é uma forma de sabedoria também. Algumas das pessoas mais estúpidas que ela conhecia eram afinal pessoas que tinham certeza das coisas sobre as quais não faziam a menor ideia.

E havia também aquilo de a sabedoria vir de dentro. Mas não é certo que todo o conhecimento que se tem primeiro viria de fora para depois entrar na cabeça das pessoas? Por outro lado, Sofia se lembrava bem de situações nas quais sua mãe ou seus professores na escola tinham tentado lhe ensinar coisas que ela simplesmente não estava preparada para aprender. Quando havia realmente aprendido algo, Sofia de alguma forma se dedicara àquilo. Já ocorrera também de ela de repente passar a compreender algo — e talvez fosse isso o que se chama de "intuição".

Muito bem — Sofia achou que tinha se saído razoavelmente bem nos primeiros exercícios. Mas aí veio uma afirmação tão estranha que ela apenas riu quando acabou de ler: "Quem sabe o que é certo acaba também fazendo a coisa certa".

Quer dizer então que, quando um ladrão rouba um banco, ele

não tem consciência de que aquilo não é certo? Sofia não pensava assim. Ao contrário, ela achava que tanto crianças quanto adultos fazem muitas coisas erradas — das quais talvez venham a se arrepender depois — por não terem antes refletido melhor.

Bem nesse instante, enquanto Sofia estava ali sentada, ela ouviu um estalar de galhos secos do outro lado da sebe que dava para a enorme floresta. Seria o mensageiro? Sofia sentiu o coração querendo pular para fora do peito. Ainda mais quando percebeu que aquele que se aproximava ofegava como um animal.

No instante seguinte um enorme cachorro, vindo da floresta, invadiu o esconderijo. Era um labrador que trazia na boca um envelope amarelo, o qual deixou cair junto aos joelhos de Sofia. Tudo aconteceu tão rápido que ela nem esboçou reação. Segundos depois Sofia segurava o grande envelope e o cachorro de cor amarelada já tinha desaparecido pela floresta. Quando tudo passou, veio o choque. Sofia pôs as mãos no colo e desatou a chorar.

Sem se dar conta de quanto tempo permaneceu assim, ela finalmente ergueu o rosto e já estava pronta para outra.

Então o mensageiro era um cachorro! Sofia respirou aliviada. Eis por que os envelopes brancos estavam úmidos nas bordas. E isso explicava também aquelas marcas. Como ela não tinha imaginado isso? E agora ficava claro por que ela deveria pôr um biscoito ou um torrão de açúcar dentro do envelope caso quisesse enviar uma mensagem para o filósofo.

Não era sempre que Sofia tinha o raciocínio tão rápido quanto desejava. Mas imaginar que o "mensageiro" era um cachorro adestrado era exigir um pouco demais. Para não mencionar que isso acabava com seus planos de pressioná-lo a revelar mais sobre Alberto Knox.

Sofia abriu o envelope e começou a ler.

A FILOSOFIA EM ATENAS

Querida Sofia,
Quando você estiver lendo isto, provavelmente já terá conhecido *Hermes*. Apenas por garantia devo dizer que ele é um cachor-

ro. Mas não precisa ter medo. Ele é muito bonzinho — e além disso é mais compreensivo que muitas pessoas. Ele pelo menos não fica aparentando ser mais inteligente do que realmente é.

Você deve ter percebido que seu nome não foi escolhido ao acaso. Hermes era o mensageiro dos deuses gregos. Ele era o deus dos marinheiros também, mas não vamos nos concentrar nisso, ao menos não por enquanto. O mais importante é que do nome de Hermes deriva a palavra "hermético", que significa "oculto" ou "inacessível". O que parece bem adequado, já que Hermes vai nos manter, a mim e a você, ocultos um em relação ao outro.

Está feita, portanto, a apresentação do mensageiro. Ele atende pelo nome, é claro, e é um cachorro muito bem-comportado.

Vamos voltar à filosofia. O primeiro capítulo nós já concluímos. Estou me referindo à filosofia da natureza, que rompeu com a visão mítica do mundo. Agora vamos conhecer os três maiores nomes da filosofia na Antiguidade. Eles são *Sócrates*, *Platão* e *Aristóteles*. Cada um a seu modo, esses filósofos deixaram sua marca na civilização ocidental.

Os filósofos da natureza também são conhecidos como "pré-socráticos", porque viveram antes de Sócrates. A rigor Demócrito morreu alguns anos depois de Sócrates, mas sua escola de pensamento pertence assim mesmo à filosofia da natureza, pré-socrática. Pois não é apenas do ponto de vista temporal que Sócrates representa um divisor de águas, mas também do ponto de vista geográfico. Sócrates é propriamente o primeiro filósofo nascido em Atenas, e tanto ele quanto seus sucessores viveram e trabalharam em Atenas. Talvez você se recorde de que Anaxágoras viveu na cidade durante um período mas foi expulso de lá por afirmar que o Sol era uma bola de fogo (com Sócrates a história não acabou muito melhor!).

A partir da época de Sócrates, a cultura grega floresceu em Atenas. Mais importante que isso é reparar numa mudança na essência dos próprios projetos filosóficos, quando passamos dos filósofos naturais para Sócrates.

Antes de saber mais sobre ele, vamos conhecer um pouco dos chamados *sofistas*, que naquela época eram uma espécie de produto típico da cidade de Atenas.

Erguem-se as cortinas, Sofia! A história do pensamento é como um drama de múltiplos atos.

O HOMEM NO CENTRO

Em 450 a.C. aproximadamente, Atenas se tornou o centro da cultura grega, e a partir disso a filosofia tomou um novo rumo.

Os filósofos naturais eram primeiramente pesquisadores da natureza. Eles têm portanto uma posição importante na história da ciência. Em Atenas o interesse era mais concentrado no homem e no lugar que o homem ocupava na sociedade.

Em Atenas desenvolvia-se paulatinamente uma democracia, com assembleias populares e tribunais. Um pré-requisito da democracia era que as pessoas fossem educadas para tomar parte nos processos democráticos. Que uma jovem democracia precisa de uma população esclarecida é algo que podemos constatar até nos dias de hoje. Entre os atenienses era particularmente importante dominar a arte de falar em público, também chamada de retórica.

Não demorou muito para que um grupo de professores e filósofos itinerantes provenientes das colônias gregas migrasse para Atenas. Eles se autodenominavam sofistas. "Sofista" significa uma pessoa culta ou estudiosa de um determinado assunto. Em Atenas, essas pessoas ganhavam a vida dando aulas aos habitantes da cidade.

Os sofistas tinham um importante ponto em comum com os filósofos da natureza: eles criticavam a mitologia tradicional. Mas ao mesmo tempo rejeitavam tudo que considerassem especulação filosófica desnecessária. Ainda que talvez houvesse respostas para as questões filosóficas, ninguém jamais poderia revelar por completo os mistérios da natureza e do universo, diziam eles. Esse ponto de vista é conhecido na filosofia como *ceticismo*.

Embora não possamos encontrar respostas para os enigmas da natureza, sabemos que somos seres humanos e devemos aprender a conviver uns com os outros. Os sofistas passaram a se dedicar a refletir sobre o homem e seu lugar na sociedade.

"O homem é a medida de todas as coisas", afirmou o sofista

Protágoras (c. 487-420 a.C.). Com isso ele queria dizer que tudo que é certo e errado, bom e mau, deve sempre ser considerado na perspectiva do comportamento humano. Quando lhe perguntaram se acreditava nos deuses gregos, sua resposta foi: "É um tema complexo demais tal a brevidade da vida humana". Alguém que não pode afirmar com certeza a existência ou não de um deus é chamado de *agnóstico*.

Em geral os sofistas eram pessoas muito viajadas pelo mundo e por isso tinham visto de perto diferentes formas de governo. Tanto os usos e costumes como as leis das cidades-estados variavam enormemente. Tendo isso como pano de fundo, os sofistas lideraram um grande debate em Atenas sobre o que seria uma condição *natural* ou determinada pela *sociedade*. Eles legaram assim o fundamento para uma crítica social na cidade-Estado de Atenas.

Eles apontavam que uma expressão como "pudor natural" nem sempre faz sentido. Pois, para ser "natural", o pudor deveria ser inato. Mas ele nasce com a gente, Sofia, ou é imposto pela sociedade? Para qualquer um que já tenha viajado um pouco, a resposta é simples: não é "natural" — ou inato — ter vergonha de se mostrar despido. Ter ou não ter pudor ou vergonha é algo intrinsecamente ligado aos usos e costumes da sociedade.

Como você deve ter percebido, os viajados sofistas podiam levar a sociedade ateniense a debates muito ácidos ao apontarem que não haveria *normas* absolutas para o que é certo ou errado. Sócrates, por sua vez, tentou demonstrar que há algumas normas que são absolutas e têm validade universal.

QUEM FOI SÓCRATES?

Sócrates (470-399 a.C.) é talvez o personagem mais enigmático de toda a história da filosofia. Ele não deixou escrita uma única linha, e ainda assim seu nome está entre os que mais influenciaram o pensamento ocidental. Para não mencionar a repercussão que teve a sua dramática morte.

Sabemos que ele nasceu em Atenas e passou a maior parte da vida nas ruas e praças dialogando com as pessoas que encontrava.

As árvores na terra nada podem aprender, ele dizia. Às vezes costumava ficar parado, absorto em profundos pensamentos, durante muitas horas.

Enquanto viveu, foi tido como uma pessoa enigmática e, depois da sua morte, passou-se a descrevê-lo como o fundador das mais diversas correntes filosóficas. Exatamente porque era tão enigmático e ambíguo é que essas correntes o consideravam criador dos seus princípios.

O certo é que Sócrates era assustadoramente feio. Atarracado e baixinho, tinha os olhos esbugalhados e o nariz achatado. Mas no seu íntimo estava "completamente feliz", costumavam dizer. E mais ainda: "Pode-se vasculhar o presente e o passado, mas a humanidade jamais encontrará um indivíduo igual".

A vida de Sócrates tornou-se conhecida principalmente por meio de seu aluno Platão, o mesmo que viria a ser um dos maiores filósofos da história. Platão escreveu muitos *Diálogos* — conversas filosóficas — tendo Sócrates como interlocutor.

Quando Platão põe palavras na boca de Sócrates, não sabemos se elas correspondem ao que de fato ele teria dito. Portanto, não é nada fácil discernir entre o que são os ensinamentos de Sócrates e o que é a própria voz de Platão. O mesmo problema persiste entre tantas personalidades históricas que não deixaram seus pensamentos registrados por escrito. O exemplo mais conhecido é naturalmente Jesus Cristo. Não temos como verificar se o "Jesus histórico" teria dito as palavras que Mateus ou Lucas afirmam que ele disse. Da mesma forma o "Sócrates histórico" também constituirá para nós um eterno enigma.

Porém, saber quem Sócrates era "de verdade" não é assim tão importante. Pois a imagem que Platão fez de Sócrates é que iria inspirar o pensamento ocidental pelos dois mil e quatrocentos anos seguintes.

A ARTE DO DIÁLOGO

O ponto central de toda a filosofia de Sócrates era: ele não procurava impor seus ensinamentos às pessoas. Ao contrário, dava a impressão de que estava aprendendo com seu interlocutor. Também não ministrava conhecimentos como outros professores. Não mesmo. Ele *dialogava*.

Mas Sócrates não teria se tornado um filósofo famoso se apenas ficasse escutando o que os outros lhe diziam. Tampouco teria sido condenado à morte por isso. No começo de uma conversa ele apenas fazia perguntas, como se não soubesse nada. Ao longo do diálogo, seu interlocutor era levado a reconhecer as fraquezas do seu modo de pensar. O interlocutor era posto contra a parede, tendo por fim que reconhecer o que era certo e o que era errado.

Diz-se que a mãe de Sócrates era parteira, e o próprio Sócrates comparava seu mister à arte de "dar à luz o conhecimento". Uma parteira não é a responsável pelo nascimento dos bebês. Ela apenas está ali para ajudar o transcurso do parto. Assim Sócrates via sua tarefa de ajudar os homens a "parir" o raciocínio correto. Pois o verdadeiro conhecimento nasce do íntimo do indivíduo. Não pode ser imposto por outros. Somente o conhecimento interior é a autêntica compreensão.

Serei mais preciso: a capacidade de dar à luz um bebê é uma característica natural. Da mesma forma, as pessoas podem compreender as verdades filosóficas apenas utilizando a sua razão. Quando dizemos que alguém "toma juízo", esse alguém apenas externa algo que já traz dentro de si.

Foi exatamente bancando o ignorante que Sócrates obrigava as pessoas a usar sua razão. Sócrates fingia-se alheio ao tema da conversa — ou aparentava uma ignorância que não tinha. Chamamos a isso "ironia socrática". Dessa forma ele constantemente apontava as contradições no pensamento ateniense. Isso em plena praça pública. Encontrar-se com Sócrates significava correr o risco de ser exposto ao ridículo ou de se tornar alvo de chacota diante de um grande público.

Por isso mesmo, com o passar do tempo, era cada vez mais comum que ele fosse motivo de incômodo e irritação — sobretudo para os poderosos da sociedade. "Atenas é como um pangaré", dizia Sócrates. "E eu sou como um carrapato que tenta tirá-lo do torpor e despertá-lo de volta à vida." (O que a gente faz com um carrapato, Sofia? Me diga, por favor?)

UM CLAMOR DIVINO

Não era para atormentar seus contemporâneos que Sócrates os perseguia dessa forma. Algo dentro dele não lhe deixava escolha. Ele costumava dizer que ouvia um "clamor divino" no seu íntimo. Sócrates protestava, por exemplo, contra o fato de as pessoas poderem ser condenadas à morte. Ele se recusava a denunciar seus inimigos políticos. No fim, isso lhe custou a própria vida.

No ano 399 a.C., uma maioria apertada de um júri de cinquenta membros o condenou por "induzir o culto a novos deuses" e "conduzir os jovens ao mau caminho".

Ele poderia muito bem ter implorado clemência. E poderia ter salvado sua pele apenas abandonando Atenas. Mas, se tivesse feito isso, ele não teria sido Sócrates. O ponto é que ele tinha sua consciência — e a verdade — em mais alta conta do que sua própria vida. Ele garantia que tudo que fizera tinha como objetivo o bem do Estado. Pouco depois, cercado pelos amigos mais próximos, bebeu um cálice cheio de veneno e morreu.

Por quê, Sofia? Por que Sócrates teve que morrer? Essa pergunta tem sido repetida aos homens por mais de dois mil e quatrocentos anos. Mas ele não foi o único a pagar com a própria vida o preço das ideias que defendia. Já mencionei Jesus, e na verdade há muitas outras semelhanças entre Jesus e Sócrates. Vou relacionar algumas.

Tanto Jesus como Sócrates eram tidos como pessoas enigmáticas pelos seus contemporâneos. Nenhum deles deixou registro escrito das suas ideias. Nós somos completamente dependentes dos relatos que seus discípulos fizeram deles. É certo que ambos eram mestres na arte da retórica. Demonstravam tal domínio sobre o que falavam que podiam tanto arrebatar como irritar os ouvintes. Além do mais, os dois acreditavam falar em nome de algo muito maior que eles próprios. Desafiavam os detentores de poder na sociedade ao criticar todas as formas de injustiça e de abuso. E por fim o mais importante: essa maneira de agir lhes custou a vida.

Também podemos claramente constatar pontos em comum no processo de acusação contra Jesus e Sócrates. Ambos poderiam ter implorado clemência e salvado suas vidas. Mas, ao fazê-lo, eles estariam traindo suas consciências. Em vez disso, ao aceitar de cabeça erguida a sentença de morte, ambos amealharam milhares de seguidores mesmo depois de mortos.

Quando traço esse paralelo entre Jesus e Sócrates, não estou igualando um ao outro. Quero apenas enfatizar que cada um tinha uma convicção que não pode ser dissociada da sua determinação pessoal.

UM CURINGA EM ATENAS

E quanto a Sócrates, Sofia? Não acabamos de falar dele ainda, veja bem. Nós comentamos um pouco o seu método, mas qual seria seu projeto filosófico?

Sócrates foi contemporâneo dos sofistas. Como eles, preocupava-se mais com o homem e seu lugar no mundo do que com os problemas da filosofia da natureza. Um filósofo romano — *Cícero* — disse alguns séculos mais tarde que Sócrates "trouxe a filosofia do céu para a terra, lhe deu abrigo nas cidades e morada nas casas, obrigando os homens a refletir sobre a vida e os costumes, sobre o bem e o mal".

Mas Sócrates se diferenciou dos sofistas num ponto muito importante. Ele não se considerava um "sofista", isto é, uma pessoa culta e detentora de um conhecimento específico. Ao contrário dos sofistas, não aceitava pagamento por seus ensinamentos. Não. Sócrates se intitulava um "filósofo" na verdadeira acepção do termo. Um "filósofo" significa "alguém que aprecia ou está à procura do conhecimento".

Você está sentada, Sofia? É muito importante para o resto do curso que você perceba a diferença entre um "sofista" e um "filósofo". Os sofistas recebiam dinheiro em troca das suas explicações um tanto extravagantes, e a história registra inúmeros "sofistas" surgindo e desaparecendo em todas as épocas. Estou pensando agora em todos aqueles professores e sabichões que, ou estão muito satisfeitos com o pouco que conhecem, ou então se gabam de saber tudo sobre um assunto a respeito do qual não têm na verdade a menor ideia. Apesar da sua pouca idade, acho que você já deve ter topado com muitos desses "sofistas" por aí. Um *filósofo* de verdade, Sofia, é algo completamente diferente, é o contrário disso. Ele tem consciência de que sabe muito pouco. E justamente por isso vive tentando alcançar o verdadeiro conhecimento. Sócrates era um desses raros seres humanos. Ele tinha *claro* para si que nada sabia, nem da vida nem do mundo. E aí é que está o xis da questão: o fato de saber tão pouco o atormentava.

Um filósofo é sobretudo alguém que reconhece que existe um monte de coisas sobre as quais não sabe nada. E isso o atormenta. Visto assim, ele é mais sábio do que todos os que se vangloriam dos seus pretensos conhecimentos. "Mais sábio é aquele que sabe que não sabe", eu disse. Sócrates mesmo disse que só sabia uma coisa: que nada sabia. Grave bem essa frase, pois é muito raro ouvi-la mesmo entre os filósofos. Além do mais, dizer isso em público pode lhe custar a vida. Os *questionadores* são sempre os mais perigosos. Responder e retrucar não causa o mesmo dano. Uma única pergunta pode conter o poder explosivo de mil respostas.

Você já ouviu falar do conto da roupa nova do imperador? Na verdade o imperador estava nu em pelo, só que nenhum dos seus súditos ousava lhe dizer isso. Mas aí uma criança gritou que ele estava nu. Era uma criança *madura*, Sofia. Sócrates agiu da mesma forma, mostrando às pessoas como elas sabiam pouco. É a semelhança entre filósofos e crianças da qual falamos anteriormente.

Serei ainda mais preciso: a humanidade está diante de um bocado de questões importantes para as quais ainda não descobriu respostas satisfatórias. E aqui se abrem duas possibilidades: nós podemos nos enganar e ao resto do mundo fingindo saber aquilo que realmente vale a pena, ou podemos fechar os olhos para essas perguntas importantes e desistir de ir em frente. A humanidade está dividida em duas. Em geral, as pessoas acham que têm certeza de tudo ou ficam indiferentes a qualquer coisa. (Em ambos os casos, esse é o tipo de gente que fica se arrastando lá na base da pelagem do coelho!) É como se nós dividíssemos em duas a pilha de cartas, querida Sofia. As pretas ficam de um lado, as vermelhas do outro. Mas de vez em quando surge um curinga no baralho, que não é nem de copas nem de paus, nem de ouros nem de espadas. Sócrates foi como esse curinga em Atenas. Ele não era convencido nem indiferente. Ele sabia apenas que nada sabia — e isso lhe causava sofrimento. Ele era também um filósofo — alguém que não se entrega, alguém que está numa busca incessante pelo conhecimento verdadeiro.

Conta-se que um ateniense perguntou ao oráculo de Delfos quem seria o homem mais sábio de Atenas. O oráculo respondeu que era Sócrates. Quando Sócrates soube dessa história, ficou ligeiramente surpreso. (Eu acredito mesmo que ele deu umas boas risadas, Sofia!) Imediatamente foi à cidade encontrar um homem que, a seus olhos e aos olhos de outras pessoas, era muito sábio. Mas, quando constatou que esse homem não conseguia responder com precisão às perguntas que lhe fazia, Sócrates convenceu-se de que o oráculo afinal estava certo.

Era importante para Sócrates encontrar um fundamento sólido para nosso conhecimento. Ele dizia que encontrara esse fundamento na razão humana. Mas sua forte crença na razão humana era também um *racionalismo* exacerbado.

QUEM SABE O QUE É CERTO ACABA TAMBÉM FAZENDO A COISA CERTA

Já mencionei que Sócrates dizia ouvir um clamor divino interior e que essa "consciência" lhe dizia o que era correto. "Quem sabe o que é bom fará o bem", costumava dizer. Ele achava que o conhecimento certo conduz ao agir correto. E só quem faz o certo se torna um "homem correto". Só fazemos algo errado quando não sabemos como fazer melhor. Por isso é tão importante aumentarmos nosso conhecimento. Sócrates ocupava-se demais tentando encontrar definições o mais cristalinas e abrangentes possível para o que seria certo e errado. Ao contrário dos sofistas, ele dizia que a capacidade de discernir entre certo e errado estava na razão, não na sociedade.

Talvez você ache esta última frase meio difícil de engolir, Sofia. Vou tentar de outro jeito: Sócrates achava a felicidade impossível caso as pessoas tivessem que contrariar suas convicções. E quem conhece uma pessoa que é feliz também vai querer se tornar uma. Da mesma forma, quem sabe o que é certo também vai querer fazer o certo. Pois quem no mundo desejaria ser infeliz?

O que você acha, Sofia? Você pode viver feliz se constantemente fizer coisas que, no seu íntimo, você sabe que não estão certas? Muitas pessoas vivem mentindo e roubando, dizendo coisas pelas costas dos outros. Elas sabem muito bem que isso não é certo — ou justo, se você preferir. Mas você acha que isso as torna felizes? Sócrates não achava.

Depois de ler a carta a respeito de Sócrates, Sofia se apressou em colocá-la na caixa e deixar o jardim. Para evitar um monte de perguntas sobre onde estivera, ela queria chegar em casa antes de sua mãe voltar das compras. Além disso, ela se comprometera a lavar a louça.

Ela mal acabara de abrir a torneira quando a mãe entrou carregando duas sacolas enormes. Talvez por isso ela tenha dito:

— Você tem andado muito afobada ultimamente, Sofia.

Sofia não sabia por que ela estava dizendo aquilo, e deixou escapar:

— Sócrates também.

— Sócrates? — repetiu a mãe, arregalando os olhos.

— Só acho muito triste que ele tenha pagado com a própria vida por isso — continuou Sofia, pensativa.

— Olha, Sofia. Já não sei mais o que fazer...

— Sócrates também não sabia. A única coisa que ele sabia é que não sabia de nada. Ainda assim, ele era o homem mais sábio de Atenas.

A mãe tinha ficado de queixo caído. Por fim, ela disse:

— Isso foi coisa que você aprendeu na escola?

Sofia balançou a cabeça enfaticamente.

— A escola não ensina nada... A grande diferença entre um professor e um filósofo de verdade é que o professor acha que sabe um montão de coisas e fica sempre tentando empurrar isso para os alunos. Já um filósofo tenta descobrir as coisas junto com os alunos.

— Certo. Então estamos falando de coelhos brancos aqui. Sabe, quero muito conhecer esse namorado que você arrumou. Senão vou acabar achando que ele não bate muito bem.

Sofia interrompeu a lavagem da louça e apontou a esponja na direção da mãe.

— Não é ele que não bate bem. É que ele é como um carrapato, que fica incomodando os outros. Para ver se eles despertam de tanto tempo de bobeira.

— Pronto, agora pode parar por aí. Eu acho mesmo que ele dá a impressão de ser muito metido.

Sofia abaixou a cabeça e retomou a tarefa.

— Ele não é nada metido. Apenas está tentando alcançar o verdadeiro conhecimento. Essa, aliás, é a grande diferença entre um curinga e as outras cartas do baralho.

— Foi curinga que você disse?

Sofia aquiesceu com a cabeça.

— Você sabia que existem muitas cartas de copas e de ouros num baralho? E muitas de paus e de espadas também? E apenas um curinga?

— É você que está dizendo, minha filha.

— E você está perguntando.

Sua mãe acabou de guardar as compras, pegou o jornal e foi para a sala. Sofia achou que ela bateu a porta muito forte dessa vez.

Quando acabou de lavar a louça, Sofia subiu logo para o quarto. Ela havia guardado a echarpe vermelha junto com o Lego no maleiro. Retirou-a de lá e a examinou com atenção.

Hilde...

Atenas
... das ruínas erguiam-se várias construções imponentes...

À noitinha a mãe de Sofia foi visitar uma amiga. Assim que ela saiu, Sofia correu para o esconderijo no jardim. Lá encontrou um pacote grosso ao lado da lata de biscoitos. Sofia se apressou em rasgar o embrulho. Era uma fita de vídeo!

Ela correu para casa. Uma fita de vídeo! Algo totalmente novo. Mas como o filósofo podia saber que Sofia tinha um aparelho de vídeo? E o que haveria naquela fita?

Sofia enfiou a fita no aparelho. Em instantes surgiram na tela imagens de uma grande cidade. Não demorou muito para Sofia perceber que devia ser Atenas, pois logo as imagens mostraram a Acrópole. Sofia já tinha visto fotos das antigas ruínas muitas vezes.

Eram imagens reais. Entre os restos dos templos havia milhares de turistas vestindo roupas leves e com câmeras fotográficas penduradas no pescoço. Um deles não tinha também um cartaz pendurado? Lá estava ele de novo. Não era "Hilde" que estava escrito ali?

Pouco depois a câmera mostrou a figura de um homem de meia-idade. Ele era baixinho, tinha uma barba preta bem aparada e usava uma boina azul. Ele se aproximou e disse:

"Bem-vinda a Atenas, Sofia. Como você decerto já deve ter percebido, eu sou Alberto Knox. Se você não compreendeu ainda, eu repito: o grande coelho branco continua a ser retirado da cartola do universo. Nós estamos na Acrópole, palavra que significa 'construção alta', ou mais precisamente 'cidade nas alturas'. Aqui em cima vivem pessoas desde a Idade da Pedra. A razão disso é a condição especial deste lugar. É mais fácil daqui deste platô elevado se defender dos inimigos. Da Acrópole se pode ter também uma bela visão dos melhores portos do Mediterrâneo... À medida que Atenas cresceu ocupando as terras planas no sopé do platô, a Acrópole passou a ser utilizada como uma fortaleza e como local consagrado aos templos. Na primeira metade do século v a.C., houve uma guerra sangrenta contra os persas, e no ano 480 a.C. o rei persa *Xerxes* saqueou Atenas e mandou queimar todas as construções de madeira na Acrópole. Um ano depois os persas foram derrotados, e começava ali a era de ouro de Atenas, Sofia. A Acrópole foi reconstruída — mais imponente e bela do que antes — e se converteu num local sagrado, totalmente dedicado aos templos. Foi exatamente nessa época que Sócrates perambulou por estas ruas e praças, dialogando com os atenienses. Ele pôde assim testemunhar a construção de todos estes prédios imponentes que vemos aqui. Que lugar maravilhoso! Atrás de mim você está vendo o maior templo. Ele se chama Parthenon — ou a 'morada das virgens' — e foi erguido em honra da deusa *Palas Atena*, protetora da cidade. Essa enorme construção de mármore não possui uma única linha reta: todas as suas quatro faces são discretamente recurvadas, para dar leveza à construção. Embora tenha proporções enormes, ela não aparenta ser tão pesada quando a olhamos. A razão disso é uma ilusão de ótica. As colunas de sustentação são levemente inclinadas para o centro, e formariam uma pirâmide de mil e quinhentos metros de altura caso suas extremidades se tocassem em algum ponto acima do templo. A única coisa que havia no interior do templo era uma estátua de doze metros da deusa Palas Atena. Devo acrescentar que a rocha de mármore branco, pintada originalmente de cores bem vivas, foi extraída de uma montanha a dezesseis quilômetros de distância..."

Sofia sentou-se, o coração saltando pela boca. Era mesmo o

professor de filosofia que se dirigia a ela naquela fita de vídeo? Ela vira apenas a silhueta dele uma única vez, no escuro. Mas bem podia ser o mesmo homem que agora estava diante da Acrópole, em Atenas.

Ele passou a caminhar pela lateral do templo, a câmera sempre o acompanhando. Por fim, deteve-se na beira de um penhasco e apontou para a paisagem. A câmera enquadrou um antigo teatro que havia debaixo do platô da Acrópole.

"Você está vendo agora o antigo teatro de Dioniso", continuou o homem de boina azul. "É provavelmente o teatro mais antigo da Europa. Aqui foram encenadas as grandes peças de *Ésquilo*, *Sófocles* e *Eurípides*, escritas no tempo em que Sócrates viveu. Eu já falei da tragédia sobre o infeliz rei Édipo. A primeira encenação dessa peça se deu aqui. Mas aqui também se encenavam comédias. O mais famoso escritor de comédias chamava-se *Aristófanes*, e entre outras peças ele escreveu uma comédia mordaz sobre Sócrates. Bem no fundo, você pode ver um muro de pedra diante do qual os atores encenavam. Ele se chamava 'skené' e nos deu a palavra 'cenário'. A palavra 'teatro', aliás, vem de uma antiga palavra grega para o verbo 'ver'. Mas já vamos retornar à filosofia, Sofia. Vamos dar uma volta no Parthenon e descer pelo vão de entrada da Acrópole."

O homenzinho contornou o enorme templo, apontando com a mão direita para outros templos. Depois, desceu as escadas por entre gigantescas colunas. Quando chegou à base do platô da Acrópole, subiu numa elevação e apontou para a cidade de Atenas:

"A elevação onde estamos se chama *Areópago*. Era aqui que as autoridades atenienses sentenciavam os acusados de assassinato. Muitos anos depois o apóstolo Paulo viria até aqui falar de Jesus e do cristianismo para os atenienses. Nós voltaremos a falar disso numa ocasião futura. Abaixo, à esquerda, você pode ver as ruínas da antiga praça de Atenas. Com exceção do enorme templo do deus das forjas Hefaísto, só restaram em pé alguns blocos de mármore. Vamos descer..."

No instante seguinte ele caminhava no meio das antigas ruínas. Bem no alto, sob o sol — na parte de cima da tela da TV de Sofia —, o grande templo de Palas Atena reluzia sobre a Acrópole.

O professor de filosofia sentou-se num bloco de mármore, encarou a câmera e disse:

"Estamos sentados numa esquina da antiga praça em Atenas. Que coisa triste, não é? Digo: aqui, hoje. Porque à nossa volta certa vez houve templos imponentes, fóruns e outros edifícios públicos, lojas, um anfiteatro e até um grande ginásio esportivo. Tudo reunido em torno deste quadrado... Foi aqui que se lançaram as bases de toda a civilização ocidental. Palavras como 'política' e 'física', 'matemática' e 'lógica', 'teologia' e 'filosofia', 'ética' e 'psicologia', 'teoria' e 'método', 'ideia' e 'sistema' — além de muitas, muitas outras — provêm de uma população bem reduzida, que levava seu cotidiano ao redor desta praça. Por aqui Sócrates perambulava, dialogando com as pessoas que encontrava. Talvez ele tenha segurado pelo braço um escravo que carregava uma ânfora cheia de azeite de oliva e feito uma pergunta filosófica a esse jovem. Pois o próprio Sócrates dizia que um escravo possuía a mesma razão que um homem livre. Talvez ele tenha tido uma discussão a plenos pulmões com um dos moradores — ou talvez ele apenas tenha entabulado um diálogo em voz baixa com seu jovem discípulo Platão. É estranho imaginar isso. Uma coisa é utilizar os termos 'socrático' e 'platônico' na filosofia, outra completamente diferente é ser Platão ou Sócrates."

Sofia bem que estava estranhando tudo aquilo. Mas ainda mais estranho era o fato de que o filósofo de repente se dirigia a ela através de um vídeo gravado que fora deixado no seu esconderijo no jardim por um misterioso cachorro.

Pouco tempo depois o filósofo se ergueu do bloco de mármore onde estava sentado. E então disse num tom de voz mais suave:

"Minha missão está cumprida por enquanto, Sofia. Eu queria mostrar a você um pouco da Acrópole e das ruínas em torno da antiga praça em Atenas. Mas não sei se você captou o espírito e a dimensão desta redondeza naquela época... então eu fico motivado... a seguir mais adiante. Isso, é claro, é totalmente irregular... Mas acho que isso vai ficar aqui entre nós dois apenas. Muito bem, então só vamos dar uma olhadela."

Ele não disse mais nada, apenas ficou parado durante um

bom tempo, encarando a câmera. Depois outra imagem tomou conta da tela. Das ruínas erguiam-se várias construções imponentes. Como num passe de mágica as ruínas estavam de pé novamente. No horizonte ele continuava enxergando a Acrópole, mas agora tanto ela quanto os edifícios lá embaixo estavam novinhos em folha, revestidos de ouro e pintados com cores intensas. Ao redor da praça quadrada as pessoas vagavam em túnicas multicoloridas. Alguns só perambulavam, outros carregavam ânforas na cabeça, outros, ainda, levavam papiros debaixo do braço.

Foi aí que Sofia reconheceu seu professor de filosofia. Ele continuava com a boina azul na cabeça, mas agora vestia uma túnica amarela como os demais na imagem. Ele se dirigiu a Sofia, fitando a câmera:

"Veja só. Estamos na Atenas antiga, Sofia. Queria que você viesse aqui pessoalmente, percebe? Estamos em 402 a.C., apenas três anos antes de Sócrates morrer. Espero que você tenha gostado desta visita tão privilegiada, porque foi muito difícil conseguir emprestada uma câmera de vídeo por aqui."

Sofia sentiu uma leve tontura. Como de repente aquele homem misterioso poderia estar na Atenas de dois mil e quatrocentos anos antes? Como ela poderia assistir a uma gravação de um vídeo de outra era? Sofia naturalmente sabia que não havia vídeo na Antiguidade. Seria um filme de ficção o que ela vira? Mas os edifícios de mármore pareciam bem reais. Se alguém tivesse que construir a antiga praça inteira e além disso toda a Acrópole só para a gravação de um vídeo — bom, teria que ser alguém com muito dinheiro, porque isso seria impraticavelmente caro. Era um preço alto demais somente para que ela aprendesse alguma coisa sobre Atenas.

O homem de boina novamente se dirigiu a ela:

"Você está vendo aqueles dois homens ali nas colunatas?"

Sofia olhou para um ancião vestido numa túnica puída. Ele tinha uma barba grande e malcuidada, o nariz achatado, um olhar azul penetrante e as maçãs do rosto bem pronunciadas. A seu lado estava um belo jovem.

"É Sócrates e seu jovem discípulo, Platão. Compreendeu, Sofia? Mas você tem que conhecê-los pessoalmente."

E o professor de filosofia caminhou até os dois homens, que estavam debaixo de uma marquise bem alta. Quando se aproximou deles, virou-se para trás, tirou a boina azul da cabeça e acenou com ela para a câmera, dizendo algo que Sofia não conseguiu entender. Devia ser grego. Depois de um tempo ele estava de novo na frente da câmera e disse:

"Contei a eles que você é uma garota norueguesa que gostaria de conhecê-los. Platão vai lhe fazer algumas perguntas para que você possa refletir sobre elas depois. Mas vamos lá, antes que os guardas nos descubram."

Sofia sentiu um leve aperto nas têmporas: o jovem se aproximou e agora estava diante da câmera.

"Bem-vinda a Atenas, Sofia", disse ele com uma voz gentil, falando um norueguês bem macarrônico. "Meu nome é Platão e vou lhe propor cinco tarefas. Primeiro você deve pensar sobre o que um padeiro deveria fazer para conseguir assar cinquenta biscoitos exatamente idênticos. Depois, pergunte a si mesma por que todos os cavalos são iguais. Em seguida, reflita se você também acha que os homens possuem uma alma imortal. E por fim você deve dizer se mulheres e homens são igualmente racionais. Boa sorte!"

No segundo seguinte a imagem desapareceu. Sofia tentou rebobinar a fita, mas aquilo era tudo que havia sido gravado.

Sofia tentou organizar os pensamentos. Mas, assim que pensava sobre uma coisa, já se pegava pensando sobre outra, sem nem ter acabado de pensar sobre a primeira.

Que o professor de filosofia era alguém bastante original ela já sabia havia muito tempo. Mas, quando ele recorreu a um método de ensino que subvertia todas as leis da natureza, Sofia achou que ele tinha ido além da conta.

Seriam mesmo reais o Sócrates e o Platão que ela vira na TV? Claro que não, seria impossível. Mas aquilo também não era um desenho animado.

Sofia tirou o vídeo do aparelho e correu para o seu quarto com a fita na mão. Lá ela a colocou no maleiro, junto com as peças de Lego. E em seguida afundou na cama e pegou no sono.

Horas depois sua mãe entrou no quarto. Ela se debruçou sobre Sofia e disse:
— Mas o que aconteceu com você, menina?
— Hum...
— Você dormiu de vestido!
Sofia mal abriu os olhos:
— É que eu estava em Atenas — disse ela.
Foi tudo que a mãe conseguiu como resposta. Sofia se virou para o lado e voltou a dormir.

Platão

... um anseio de regressar à verdadeira morada da alma...

Sofia acordou sobressaltada na manhã seguinte. Olhou para o despertador. Eram cinco e pouco, mas ela estava tão desperta que sentou na cama.
Por que ela estava de vestido? Foi aí que começou a se lembrar de tudo. Subiu num banquinho e olhou no maleiro do armário. Sim — estava lá a fita de vídeo. Não tinha sido um sonho, afinal. Ou pelo menos nem tudo.
Mas ela não tinha *visto* Platão e Sócrates, tinha? Argh, ela já nem aguentava mais pensar naquilo. Talvez sua mãe tivesse razão quando dizia que Sofia andava meio desligada ultimamente.
De qualquer forma ela não conseguiu pegar no sono outra vez. Talvez devesse descer até o esconderijo só para ver se havia uma carta nova para ela?
Sofia desceu a escada pé ante pé, calçou um par de tênis e saiu.
No jardim tudo estava maravilhosamente claro e reinava uma tranquilidade absoluta. Os pássaros começavam sua cantoria e fizeram Sofia rir com aquela algazarra. O orvalho da manhã reluzia na grama como gotas de cristal.
Novamente Sofia se pegou pensando quão maravilhoso era o mundo.

Estava um tanto úmido no esconderijo. Sofia não encontrou nenhuma carta do filósofo, mas mesmo assim ela limpou uma raiz bem grossa e lá sentou.

Ela se lembrou das perguntas que o Platão do vídeo lhe havia feito. A primeira era como seria possível assar cinquenta biscoitos exatamente iguais.

Sofia se pôs a refletir bem, porque aquela lhe pareceu uma tarefa extremamente difícil. Quando sua mãe fazia biscoitos, o que era raro, nenhum saía igual ao outro. Ela não era uma padeira profissional, e portanto tinha direito à sua cota de erros. Mas mesmo os biscoitos que elas compravam na padaria também nunca eram exatamente iguais. Cada biscoito havia sido formado individualmente pelas mãos do padeiro.

De repente um sorriso iluminou as feições de Sofia. Ela se lembrou de uma vez em que fora com seu pai à cidade enquanto sua mãe assava biscoitos para o Natal.* Quando eles voltaram, havia vários deles em formato de bonequinho descansando na bancada da cozinha. Embora não fossem todos perfeitos, pareciam de alguma maneira iguais. Por que isso? Certamente porque sua mãe tinha usado a mesma *fôrma* para todos eles.

Sofia ficou tão satisfeita com essa conclusão que deu a primeira tarefa por concluída. Quando alguém assa cinquenta biscoitos iguais é porque usou a mesma fôrma para todos eles. É isso aí!

Mas o Platão do vídeo também perguntara por que todos os cavalos são iguais. Porém, isso não estava certo. Sofia achava o contrário, que não havia cavalos idênticos, assim como não havia pessoas idênticas.

Ela estava prestes a desistir da pergunta, mas aí se lembrou de como tinha chegado até os biscoitos. Nenhum deles era idêntico ao outro também: uns eram mais grossos, outros mais finos, outros haviam rachado. Ainda assim era possível dizer que, à primeira vista, eles eram "idênticos".

Talvez Platão quisesse perguntar por que um cavalo sempre seria um cavalo, e não um animal qualquer entre um cavalo e um

* Reza a tradição que as famílias norueguesas preparem sete tipos diferentes de biscoitos para o Natal.

porco. Pois, mesmo que alguns cavalos fossem marrons como um urso e outros brancos como um cordeiro, havia coisas que todos os cavalos tinham em comum. Sofia, por exemplo, jamais topara com um cavalo de seis ou oito pernas.

Mas Platão não teria querido dizer que os cavalos são iguais porque saem da mesma fôrma, teria?

Platão havia feito também uma pergunta difícil para valer. As pessoas têm uma alma imortal? Essa aí Sofia não tinha como responder. Ela sabia apenas que um corpo sem vida seria ou cremado ou enterrado, e portanto para ele não haveria um futuro. Se as pessoas possuíssem uma alma imortal, então elas teriam que ser compostas de duas partes distintas: um corpo que se desfaz depois de alguns anos e uma alma que atua mais ou menos independente de tudo que se passa com o corpo. Sua avó lhe dissera certa vez que sentia apenas o corpo envelhecer. Por dentro ela sentia o mesmo vigor da juventude.

Essa história de "vigor da juventude" levou Sofia à última pergunta: mulheres e homens são igualmente racionais? Sofia não tinha certeza. Dependia também do que Platão queria dizer com "racionais".

Mas logo depois Sofia lembrou que o professor de filosofia mencionara algo sobre Sócrates. Sócrates havia dito que todas as pessoas seriam capazes de assimilar verdades filosóficas caso se valessem de sua razão. Ele dizia também que um escravo possuía a mesma razão e seria capaz de elaborar as mesmas questões filosóficas que um homem livre. Sofia estava convencida de que ele também diria que homens e mulheres são igualmente racionais.

Enquanto meditava ali sentada, Sofia ouviu um súbito estalar de galhos atrás da sebe, acompanhado por uma respiração ofegante como uma máquina a vapor. No instante seguinte o cão de cor amarelada invadia o esconderijo trazendo na boca um envelope dos grandes.

— Hermes! — exclamou Sofia. — Obrigadinha!

O cão deixou cair o envelope no colo de Sofia enquanto ela o alisava ao redor do pescoço.

— Hermes, garoto bonzinho — disse ela.

O cão deitou-se e se entregou aos carinhos de Sofia. Depois

de alguns minutos, levantou-se e começou a se arrastar para fora do esconderijo da mesma maneira que entrara. Sofia foi atrás dele levando o envelope amarelo na mão. Ele já estava fora do jardim quando ela se embrenhou nos galhos.

Hermes começou a correr em direção à floresta e Sofia o seguiu a alguns metros de distância. Às vezes ele se virava e rosnava para ela, que não se amedrontou. Era agora que encontraria aquele filósofo — nem que tivesse que correr até Atenas.

O cachorro passou a correr mais rápido, logo alcançando uma trilha bem estreita. Sofia apressou o passo, mas, depois de correr alguns minutos, o cão se virou e latiu para ela como se fosse um mastim. Ela não se deixou intimidar e aproveitou para diminuir ainda mais a distância.

Hermes continuou pela trilha estreita. Por fim Sofia teve que admitir que jamais o alcançaria. Ela parou por alguns instantes imaginando por qual caminho ele teria desaparecido. Finda a perseguição, a floresta voltava a um completo silêncio.

Sofia sentou-se num toco de árvore diante de uma pequena clareira. Na mão ela segurava o grande envelope amarelo. Ela o abriu, retirou várias folhas datilografadas e começou a leitura.

A ACADEMIA DE PLATÃO

Quanto tempo, Sofia! Claro que me refiro a Atenas. Foi lá que eu me apresentei. E foi lá também que a apresentei a Platão, então que tal se fizéssemos a mesma coisa aqui?

Platão (427-347 a.C.) tinha vinte e nove anos quando Sócrates teve que beber da taça de veneno. Por muito tempo ele fora discípulo de Sócrates e acompanhou de perto o julgamento de seu mestre. O fato de Atenas ter condenado à morte um dos seus mais honrados concidadãos deixou uma profunda marca em Platão, influenciando o curso de toda a sua produção filosófica.

Para Platão, a morte de Sócrates evidenciou a contradição existente entre as relações sociais *de fato* e aquilo que seria verdadeiro ou *ideal*. O primeiro trabalho de Platão como filósofo foi divulgar o discurso de defesa de Sócrates, referindo-se ao que ele havia dito ao júri.

Você deve lembrar que Sócrates não deixou nenhuma produção escrita, ao contrário de muitos dos pré-socráticos, embora grande parte desses escritos tenham se perdido para sempre com o passar do tempo. No que se refere a Platão, entretanto, acreditamos que todas as suas principais obras tenham sido preservadas. (Além do discurso de defesa de Sócrates, ele escreveu uma coletânea de correspondências e trinta e cinco diálogos filosóficos completos.) A preservação desses escritos está diretamente relacionada ao fato de Platão ter fundado nos arredores de Atenas sua própria escola de filosofia, situada num bosque batizado em honra ao herói grego Academos. A escola filosófica de Platão herdou daí o nome Academia. (Desde então, milhares de "academias" surgiram em todo o mundo. Nós até hoje usamos termos como "acadêmicos" e "produção acadêmica"!)

Na Academia de Platão ensinava-se filosofia, matemática e ginástica. "Ensinar" talvez não seja o verbo mais adequado. Na Academia de Platão o que mais importava também era o diálogo vivo. Não foi por acaso que Platão escreveu seus textos na forma de diálogos.

A VERDADE ETERNA, A BELEZA ETERNA E O ETERNO BEM

No começo deste curso de filosofia eu disse que é interessante perguntar qual seria o projeto de determinado filósofo. Então pergunto agora: o que Platão estava interessado em descobrir?

Resumindo bem, podemos dizer que Platão estudava a relação entre aquilo que é eterno e imutável, de um lado, e, do outro, aquilo que "flui". (Exatamente como os pré-socráticos!)

Então nós também aprendemos que os sofistas e Sócrates se afastaram um pouco das indagações da filosofia da natureza e se voltaram para o homem e para a sociedade. Se bem que os sofistas e Sócrates estavam de alguma forma também estudando a relação entre o que é eterno e imutável e aquilo que "flui". Eles elaboraram várias perguntas relativas à *moral* dos homens e aos *ideais* ou *virtudes* da sociedade. Grosso modo, os sofistas diziam que a noção do que é certo ou errado varia de cidade para cidade e de geração para geração. A própria pergunta sobre o que é certo ou errado também é

"fluida". Sócrates não conseguia aceitar isso. Para ele, existem regras eternas e atemporais para determinar o que é certo ou errado. Utilizando sua razão, todo homem conseguiria obedecer a *normas* imutáveis, pois a própria razão humana é justamente eterna e imutável.
Você está acompanhando, Sofia? Então agora é que surge Platão nesta história. Ele se ocupou tanto do que é eterno e imutável na natureza como do que é eterno e imutável na vida da sociedade. Sim, pois para Platão essas questões são uma só. Ele tenta alcançar uma "realidade" própria que é eterna e imutável. E, por assim dizer, é justamente para isso que servem os filósofos. Eles não estão aí para escolher a garota mais bonita do verão ou os tomates mais baratos da feira. (Talvez por isso não sejam sempre tão populares!) Os filósofos não tentam tomar parte em assuntos corriqueiros, que se limitam ao dia a dia das pessoas. Eles tentam, isso sim, seguir na direção da "verdade" eterna, da "beleza" eterna e do "eterno" bem.

Com isso podemos ter uma ideia superficial do projeto filosófico de Platão. E de agora em diante vamos abordar uma coisa de cada vez. Tentaremos compreender um pensamento admirável, responsável por semear as questões filosóficas mais profundas na filosofia ocidental que viria depois.

O MUNDO DAS IDEIAS

Tanto Empédocles como Demócrito haviam apontado que todos os fenômenos naturais "fluem", embora devesse haver "algo" que jamais se modifica ("as quatro raízes" ou "os átomos"). Platão trata do mesmo problema — mas com uma abordagem totalmente diferente.

Platão dizia que tudo aquilo que podemos tocar ou sentir na natureza "flui". Existem também alguns "elementos básicos" que não se decompõem. Absolutamente tudo que pertence ao "mundo dos sentidos" é feito de materiais que o tempo trata de desfazer. Mas, por sua vez, todas as coisas nascem de uma "fôrma" atemporal, que é tanto eterna quanto imutável.

Compreendeu? Não? Tudo bem...

Por que todos os cavalos são iguais, Sofia? Talvez você ache que eles não são exatamente iguais. Mas *existe* algo que todos os cavalos têm em comum, algo que faz com que nós não tenhamos nenhuma dúvida ao dizer o que é um cavalo. Um único exemplar de cavalo "flui", naturalmente. Ele envelhece, passa a mancar, adoece e morre. Mas a verdadeira "fôrma do cavalo" é eterna e imutável.

Para Platão, aquilo que é eterno e imutável não é nenhuma "substância fundamental" que pertence ao mundo físico, mas sim modelos ou padrões espirituais ou abstratos dos quais derivam todos os outros fenômenos.

Serei mais preciso: os pré-socráticos haviam chegado a uma explicação bem razoável para as mudanças na natureza sem ter que admitir que algo realmente "se transformava". Em meio ao ciclo da natureza havia partículas eternas ou permanentes que não se decompunham, diziam eles. Muito bem, Sofia! Eu disse: *Muito bem!* Mas eles não tinham nenhuma explicação razoável para o modo como essas "partículas", que no passado se aglomeraram para dar forma a um cavalo, novamente iriam se unir do nada, quatrocentos anos depois, para formar outro cavalo! Ou um elefante, sei lá, ou ainda um crocodilo. O argumento de Platão é que os átomos de Demócrito nunca se juntam para formar um "crocofante" ou um "eledilo". Foi aí que ele começou a pôr em marcha sua reflexão filosófica.

Se você já percebeu aonde quero chegar, pode até pular este parágrafo. Mas por segurança serei bem detalhista: você tem uma pilha de peças de Lego e com elas constrói um cavalo. Aí separa as peças novamente e as guarda de volta na caixa. Você não espera que elas se transformem num cavalo simplesmente se agitar a caixa, certo? Como peças de Lego conseguiriam sozinhas se transformar num cavalo? Não! É *você* quem tem que fazer isso, Sofia. E, quando consegue fazê-lo, é porque tem dentro de si a imagem do que é um cavalo. O cavalo de peças de Lego é formado a partir de um padrão que é estático, não muda, de cavalo para cavalo.

Você conseguiu responder à pergunta sobre os cinquenta biscoitos exatamente iguais? Vamos imaginar que você tenha caído do espaço e nunca tenha visto uma padaria. Aí você passa diante de uma padaria bem bacana e se depara com cinquenta biscoitos em formato de bonequinho, exatamente iguais, expostos na vitrine. Eu imagino que você iria se perguntar como aqueles biscoitinhos podiam ter saído idênticos. Agora, se você examinar direito, pode muito bem perceber que num deles está faltando um braço, outro talvez tenha perdido um pedaço da cabeça, e um terceiro tem um carocinho na barriga. Depois de refletir profundamente, você chegará à conclusão de que todos aqueles biscoitos têm um denominador comum. Apesar de nenhum deles ter saído à perfeição, você começa a suspeitar que todos têm uma *origem comum*. Você terá compreendido que os biscoitinhos são moldados a partir de uma única e mesma fôrma. E mais ainda, Sofia: agora você está com uma vontade enorme de ver essa fôrma. Pois ficou claro que essa fôrma deve ser indescritivelmente mais completa — e, de certa maneira, mais bonita — do que qualquer uma de suas frágeis cópias.

Se você conseguiu completar sozinha essa tarefa, Sofia, então solucionou um problema filosófico precisamente da mesma maneira que Platão. Como a maioria dos filósofos, ele "caiu na Terra direto do espaço". (Imagine que ele estava agarrado bem na ponta dos pelos do coelho.) Ele estava admirado de como os fenômenos da natureza eram tão semelhantes entre si, e concluiu que deveria haver uma quantidade limitada de "fôrmas" que pairam "acima" ou "atrás" de tudo que vemos ao nosso redor. A essas fôrmas Platão deu o nome de *ideias*. Atrás de todo cavalo, porco ou ser humano existe um "cavalo ideal", um "porco ideal" ou um "ser humano ideal". (Como estávamos numa padaria, poderíamos muito bem dizer cavalo biscoito, porco biscoito ou ser humano biscoito. Pois uma padaria bem bacana deve possuir muitas fôrmas diferentes, e não apenas uma. Só que uma única fôrma é suficiente para cada *tipo* de biscoito.)

Conclusão: Platão quis dizer que deve haver uma realidade própria atrás do "mundo dos sentidos". A essa realidade ele chamou de *mundo das ideias*. Lá estão os modelos, eternos e imutáveis, atrás dos diferentes fenômenos que presenciamos na natureza. A essa abordagem notável nós chamamos de *teoria das ideias* de Platão.

A VERDADE REAL

Até aqui, tudo bem, querida Sofia. Mas Platão estava falando sério quando disse isso?, você pode talvez se perguntar. Ele queria mesmo dizer que essas fôrmas *existem* de verdade em outra realidade?

Ele não quis dizer isso ao pé da letra durante toda a sua vida, mas apesar disso a leitura de alguns dos diálogos de Platão deixa claro que é assim que ele quer ser entendido. Vamos tentar acompanhar o seu raciocínio.

Um filósofo tenta, como dissemos, compreender o que é eterno e imutável. Não seria lá muito útil escrever um tratado de filosofia sobre a existência de uma bolha de sabão. Primeiro, não haveria como estudá-la profundamente antes que ela estourasse. Depois, seria provavelmente muito difícil vender um tratado filosófico sobre algo que ninguém viu e, além disso, existiu por alguns poucos segundos.

Platão dizia que tudo que vemos ao nosso redor na natureza — sim, tudo que conseguimos tocar e sentir — pode ser comparado a uma bolha de sabão. Pois nada do que existe no mundo dos sentidos é duradouro. Obviamente você sabe que todos os seres humanos e todos os animais cedo ou tarde vão morrer e se decompor. Mas mesmo um bloco de mármore se transforma e lentamente se desfaz. (A Acrópole está em ruínas, Sofia! É um absurdo, você pode achar, mas é assim que são as coisas.) O argumento de Platão é o seguinte: nunca podemos verdadeiramente conhecer algo que permanentemente se transforma. Sobre as coisas que pertencem ao mundo dos sentidos — as quais tocamos ou sentimos —, não conseguimos emitir nada além de impressões incertas, ou *conjecturas*. A *verdade real* só podemos alcançar por meio da razão.

O.k., Sofia, vou tentar explicar mais detalhadamente: imagine um único daqueles biscoitos de que falamos. Imagine que, depois de a massa ter sido sovada, cortada e assada, ele teve o infortúnio de não sair exatamente parecido com um bonequinho. Mas, tendo visto vinte ou trinta bonequinhos iguais — mais ou menos idênticos —, eu posso precisar com alguma segurança como a fôrma dos biscoitos aparenta ser. E posso fazer isso sem jamais ter visto essa tal fôrma. Vê-la com meus próprios olhos, aliás, não seria nenhuma vantagem nesse caso, porque não podemos confiar nos nossos sentidos. O próprio sentido da visão pode variar de pessoa para pessoa. Ao contrário, podemos nos fiar no que a razão nos diz, porque a razão é a mesma para todas as pessoas.

Se você estiver numa classe com outros trinta alunos e o professor perguntar qual seria a cor mais bela do arco-íris, certamente iria obter muitas respostas diferentes. Mas, se ele perguntar quanto é oito vezes três, a classe inteira deveria chegar ao mesmo resultado. É que nesse caso a razão é quem faz o juízo comum, e ela é de algum modo o oposto de achar e sentir. Podemos dizer que a razão é eterna e universal justamente porque ela se manifesta apenas em questões eternas e universais.

Platão na verdade se interessava muito por matemática, exatamente porque as relações matemáticas jamais se alteram. Sobre elas podemos ter uma certeza verdadeira. Mas agora vamos recorrer a um exemplo: imagine que você encontre na floresta uma pinha arredondada. Talvez você afirme que ela "aparenta" ser totalmente redonda — enquanto Jorunn afirma que ela é achatada de um lado. (E aí vocês duas começam a discutir!) Mas vocês não podem chegar à verdade real apenas com base no que veem com seus próprios olhos. Por outro lado, vocês podem afirmar com toda a certeza que a soma dos ângulos de um círculo totaliza exatamente trezentos e sessenta graus. Nesse caso vocês estão se referindo a um círculo *ideal*, que talvez inexista na natureza mas pode ser muito bem visualizado pelo seu olhar interior. (Vocês estão se referindo à fôrma oculta — não a um biscoitinho qualquer exposto numa vitrine.)

Breve resumo: quando *sentimos*, podemos apenas produzir impressões incertas. Mas, quando enxergamos com a *razão*, podemos alcançar a verdade real. A soma dos ângulos de um triângulo será cento e oitenta graus por toda a eternidade. Da mesma forma, o cavalo "ideal" sempre terá quatro patas, mesmo que todos os cavalos no mundo dos sentidos manquem de uma delas.

UMA ALMA IMORTAL

E assim vimos que Platão dizia que a realidade se divide em duas partes.

Uma parte seria o *mundo dos sentidos* — o qual somente podemos abordar de forma aproximada ou por meio de um conhecimento imperfeito, por recorrermos para isso aos cinco (aproximados e imperfeitos) sentidos. Como estamos no mundo dos sentidos, "tudo flui" e portanto nada é duradouro. Nada existe no mundo dos sentidos, todas as coisas apenas surgem e desaparecem.

A outra seria o *mundo das ideias* — ao qual temos acesso por meio da razão, chegando à verdade real. Esse mundo das ideias não pode ser alcançado pelos sentidos. Em compensação, as ideias (ou as fôrmas) são eternas e imutáveis.

Segundo Platão, o homem é um ser dual. Nós possuímos um corpo que "flui". Ele está intrinsecamente ligado ao mundo dos sentidos e compartilha o mesmo destino de todas as demais coisas por aqui (inclusive uma bolha de sabão). Todos os nossos sentidos estão conectados ao nosso corpo e não são, portanto, dignos de confiança. Mas também possuímos uma alma imortal — onde habita a razão. Exatamente porque a alma não é material, ela pode penetrar o mundo das ideias.

Estou quase acabando. Mas há mais, Sofia. Estou dizendo: HÁ MAIS!

Platão disse ainda que a alma existia antes de habitar um corpo. A alma já existia no mundo das ideias — talvez ocupando a prateleira do alto, junto com as fôrmas de bolo. Mas, assim que a alma desperta dentro de um corpo humano, ela esquece a perfeição do mundo das ideias. E aí começa a se dar um processo extraordinário. Quando as pessoas passam a travar contato com as coisas na natureza, descortina-se na alma uma tênue lembrança de como essas coisas "ideais" eram. Podemos ver um cavalo — mas um cavalo imperfeito (ou um biscoito em forma de cavalo!). É o bastante para despertar na nossa alma a noção do "cavalo perfeito" a que um dia ela teve acesso no mundo das ideias. E isso desperta em nós um anseio de regressar à verdadeira morada da alma. Platão chamou essa saudade que a alma sente de casa de "eros" — termo que também quer dizer "amor". A alma experimenta uma "saudade apaixonada" da sua morada original. A partir daí, o corpo e tudo que é sensorial passam a ser vivenciados como imperfeitos e incompletos. Nas asas do amor a alma quer retornar para seu "lar" no mundo das ideias. Ela quer se libertar da prisão do corpo.

Devo enfatizar que Platão descreveu aqui uma jornada de vida ideal. Pois nem todas as pessoas deixam a alma correr livre na sua jornada de volta ao mundo das ideias. A maioria fica aprisionada nessa espécie de labirinto de espelhos que é o mundo dos sentidos. Elas veem um cavalo, e outro, e mais outro. Mas não conseguem perceber que todos aqueles cavalos não passam de cópias imperfeitas. (São pessoas que invadem a cozinha e se atiram nos biscoitos sem sequer perguntar de onde eles vieram.) Platão descreve o caminho percorrido pelos *filósofos*. Sua filosofia pode ser entendida como uma descrição da verdade filosófica.

Quando você enxerga uma sombra, Sofia, deve também imaginar que há um objeto lançando essa sombra. Imagine-se vendo a sombra de um animal. Talvez seja um cavalo, você pensa, mas não tem cem por cento de certeza. Aí você vira para o lado e vê o verdadeiro cavalo — cuja figura, óbvio, é infinitamente mais bela e bem definida do que a sombra de um cavalo. POIS PLATÃO DIZIA QUE ASSIM ERAM TODOS OS FENÔMENOS NA NATUREZA: NÃO PASSAVAM DE UMA SOMBRA DAS FORMAS OU IDEIAS ETERNAS. Mas a maioria das pessoas vive absorta entre as sombras, sem se dar conta de que algo está projetando aquelas sombras. E assim elas se esquecem também da imortalidade da própria alma.

EMERGINDO DA ESCURIDÃO DA CAVERNA

Platão nos deixou uma parábola que ilustra exatamente isso. Nós a conhecemos como *mito da caverna*. Vou recontá-la usando minhas próprias palavras.

Imagine você alguns habitantes de uma caverna subterrânea. Eles ficam de costas para a entrada e têm pés e mãos acorrentados, de maneira que tudo que conseguem enxergar é a parede interna da caverna. Atrás deles há um muro alto, e por cima desse muro transitam criaturas humanoides erguendo nas mãos silhuetas de figuras diversas. Como há uma fogueira ardendo atrás dessas silhuetas, sombras bruxuleantes se projetam na parede da caverna. A única coisa que os prisioneiros da caverna podem ver é esse "teatro de sombras". Eles estão lá desde que nasceram e acreditam piamente que aquelas sombras são tudo que existe.

Agora imagine que um prisioneiro tenha conseguido se libertar das correntes. Ele começa a se perguntar de onde vinham todas aquelas sombras na parede da caverna. Por fim ele consegue escapar dali, e o que você acha que acontece quando ele se volta para as silhuetas que estão desfilando em cima do muro? Primeiramente ele seria ofuscado pela luz da fogueira — porque até então vira apenas sua projeção na parede. Ele também seria confundido pela definição das silhuetas. Se ele conseguisse escalar o muro e fugir da caverna, também seria arrebatado por toda aquela beleza que jamais conseguira enxergar direito. Pela primeira vez ele distinguiria cores e formas definidas. Ele poderia ver os verdadeiros animais e plantas, cujas sombras na caverna não passavam de projeções sem graça. Mas aí ele se perguntaria de onde vinham todos aqueles seres. Ele enxergaria o sol no firmamento e compreenderia que aquele astro possibilita a vida aos animais e plantas, assim como a fogueira na caverna permitia que ele enxergasse as sombras na parede.

O feliz ex-morador das cavernas agora poderia aproveitar sua vida a céu aberto e experimentar o gosto da liberdade recém-adquirida. Mas ele se compadece de todos os outros que ficaram para trás e decide regressar à caverna. Assim que retorna, tenta convencer os demais de que as sombras na parede não passam de projeções malfeitas das coisas *reais*. Mas ninguém lhe dá o mínimo crédito. Eles apontam para a parede da caverna e dizem que o que estão vendo é o que existe, e ponto. Por fim, golpeiam-no na cabeça e o matam.

O que Platão exemplifica no mito da caverna é o caminho a ser percorrido pelo filósofo desde as explicações imprecisas até chegar às ideias verdadeiras por trás dos fenômenos na natureza. Ele também se refere a Sócrates — assassinado pelos "habitantes da caverna" por ter posto em dúvida seu senso comum e ter tentado lhes mostrar o caminho do conhecimento verdadeiro.

O argumento de Platão é: a relação entre a escuridão da caverna e a natureza exterior corresponde à relação entre as fôrmas da natureza e o mundo das ideias. Ele não quis dizer que a natureza é escura e triste, mas ela é, sim, escura e triste se comparada à clareza das ideias. A foto de uma bela garota não é de modo algum escura e triste, ao contrário. Mas não passa de uma foto.

O mito da caverna de Platão pode ser encontrado no diálogo *A República*. Nele, Platão dá uma ideia do que seria o "Estado ideal", isto é, um Estado imaginário que também chamamos de "utópico".

Muito resumidamente podemos dizer que, para Platão, o Estado deve ser administrado por filósofos. Ao explicar por quê, ele parte do mesmo princípio da constituição de cada indivíduo. Segundo Platão, o corpo humano é dividido em três partes: *cabeça*, *peito* e *baixo-ventre*. A cada uma dessas partes corresponde uma característica da alma. À cabeça pertence a *razão*, ao peito a *vontade* e ao baixo-ventre o *desejo* ou a *satisfação*. Além disso, a cada uma dessas características corresponde um ideal ou uma "virtude". A razão deve almejar a *sabedoria*, a vontade deve ter *coragem* e a satisfação deve ser moderada por meio da *temperança*. Quando essas três partes trabalham em uníssono, o resultado é um indivíduo harmônico ou "honrado". Na escola as crianças primeiro aprendem a controlar seus desejos, para que a vontade possa se desenvolver e, finalmente, a razão possa alcançar a sabedoria.

Platão imaginou um Estado constituído exatamente como um ser humano — inclusive com as mesmas três divisões. Assim como o corpo possui "cabeça", "peito" e "baixo-ventre", o Estado possui *líderes*, *sentinelas* (ou soldados) e *comerciantes* (agricultores, por exemplo). Aqui é possível que Platão tenha se baseado na ciência médica grega, pois, assim como um indivíduo saudável e harmônico demonstra equilíbrio e temperança, um Estado "justo" caracteriza-se pela adequação de cada indivíduo a seu devido lugar na coletividade.

Como tudo o mais da filosofia platônica, sua concepção de Estado está fundamentada no *racionalismo*. O meio para manter um bom Estado é administrá-lo com a *razão*. Assim como a cabeça governa o corpo, os filósofos devem governar a sociedade.

Vamos tentar fazer uma comparação simples das relações entre as três partes do homem e do Estado:

Corpo	Alma	Virtude	Estado
cabeça	razão	sabedoria	líderes
peito	vontade	coragem	sentinelas
baixo-ventre	desejo	temperança	comerciantes

O Estado ideal de Platão nos faz lembrar o antigo sistema de castas hindu — no qual cada indivíduo possui uma função específica em prol do bem da comunidade. Desde os tempos de Platão — e muito antes ainda —, o sistema de castas da Índia adota exatamente a mesma divisão em três partes entre a casta dominante (dos sacerdotes), a casta dos guerreiros e a dos comerciantes.

Hoje em dia talvez chamássemos o Estado de Platão de totalitário. Mas vale mencionar que ele dizia que as mulheres seriam tão capazes de liderar o Estado quanto os homens, pois só teriam que recorrer à força da razão, e não à força física. Ele afirmava que as mulheres possuem exatamente a mesma razão que os homens, bastando apenas que recebam a mesma educação e sejam dispensadas de cuidar dos filhos e dos afazeres domésticos. Platão propunha abolir a propriedade privada e os laços familiares de governantes e seus sentinelas. A educação infantil talvez fosse importante demais para ficar a cargo de um só indivíduo: deveria ser responsabilidade do Estado. (Ele foi o primeiro filósofo a defender a construção de jardins de infância públicos e escolas de período integral.)

Depois de ter sofrido algumas grandes decepções políticas, Platão escreveu o diálogo *As leis*, no qual aponta o "Estado legal" como segundo melhor modelo de Estado, reintroduzindo as noções de propriedade privada e laços familiares, porém restringindo a liberdade feminina. Mas ele diz que um Estado que não educa e não promove suas mulheres é como um homem que exercita apenas seu braço direito.

De um modo geral podemos dizer que Platão tinha uma visão positiva das mulheres — sobretudo quando levamos em conta a época em que ele viveu. No diálogo *O banquete*, é uma mulher, *Diotima*, que faz com que Sócrates tenha os seus primeiros insights filosóficos.

Pois esse foi Platão, Sofia. Por mais de dois mil anos as pessoas vêm discutindo — e criticando — sua formidável teoria das ideias. E o primeiro a fazê-lo foi um aluno da sua própria Academia. Seu nome era Aristóteles — o terceiro grande filósofo de Atenas. Não vou dizer mais nada!

Enquanto Sofia lia a respeito de Platão sentada num toco de árvore, o sol seguia sua trajetória sobre as colinas cobertas de florestas a oeste. Os raios de sol se projetavam pelo horizonte no exato instante em que ela lia sobre Sócrates e como ele conseguiu rastejar pela abertura da caverna para se erguer e encarar a luz ofuscante que brilhava lá fora.

Foi quase como se ela mesma tivesse saído de uma caverna subterrânea. Sofia passou a perceber a natureza de uma maneira totalmente nova depois de ler sobre Platão. Era como se antes ela não enxergasse as cores e conseguisse ver apenas algumas sombras, mas não a clareza das ideias.

Ela não sabia muito bem se Platão estaria certo em tudo que dissera sobre os modelos eternos, mas achou maravilhosa a possibilidade de que tudo na vida não passasse de uma representação imperfeita das fôrmas eternas existentes no mundo das ideias. Pois não era verdade que todas as flores e árvores, homens e animais eram "incompletos"?

A natureza a sua volta era tão bela e vibrante que Sofia achou melhor esfregar bem os olhos para ter certeza de que não estava sonhando, embora nada daquilo que ela via fosse *perdurar*. Mas mesmo assim, se mais cem anos se passassem, as mesmas flores e animais estariam ali novamente. Ainda que todas as flores e animais algum dia desaparecessem para sempre, algo serviria para "lembrar" como eles eram quando existiam.

Sofia ergueu a cabeça para o alto e viu de relance um esquilo saltitando num galho de pinheiro e sumindo em meio à mata.

"Eu já vi você antes", pensou Sofia. Naturalmente ela sabia que não se tratava do mesmo esquilo de antes, mas ela bem poderia conhecer a "fôrma" dele. Platão poderia estar certo. Bem antes de seu espírito vir morar no seu corpo, Sofia talvez tivesse mesmo visto o "esquilo eterno" no mundo das ideias.

Seria possível que ela tivesse vivido uma vida anterior? Seria verdade que sua alma existia antes de ter encontrado aquele corpo para existir neste mundo? Seria verdade que ela trazia dentro de si uma pequena pepita de ouro — uma joia que o tempo jamais conseguiria desgastar? Sim, uma alma capaz de sobreviver ao seu corpo depois que ele envelhecesse e morresse?

O Chalé do Major

... a garota no espelho piscou os dois olhos...

Eram apenas sete e quinze da manhã. Não era necessário pressa para chegar em casa. A mãe de Sofia certamente ainda estaria cochilando até mais tarde, ela sempre ficava preguiçosa aos domingos.

Quem sabe Sofia não devia se aventurar um pouco mais pela floresta para ver se encontrava Alberto Knox? Mas por que o cachorro rosnara tão agressivo para ela?

Sofia se ergueu do tronco onde estava sentada e começou a percorrer a mesma trilha pela qual Hermes havia seguido. Numa das mãos ela levava o envelope amarelo cheio de páginas sobre Platão. Às vezes a trilha se bifurcava em duas, mas ela se mantinha na principal.

A passarinhada se agitava por todos os lugares — nas árvores, no céu, nos arbustos e galhos. Eles estavam muito ocupados com suas tarefas matinais. Na mata não havia diferença entre dias úteis e fins de semana. Mas quem tinha ensinado os pássaros a fazer o que faziam? Será que haveria um pequeno computador dentro deles, um "processador de dados" que determinava o que eles deveriam fazer?

A trilha logo cruzou o leito de um riacho, depois subia por uma colina em meio a um bosque de coníferas. Devia desembocar num lago. Nesse ponto a trilha desviava para outra direção, mas Sofia se manteve entre as árvores. Ela não sabia bem por quê, mas era para onde seus pés a levavam agora.

O lago não era maior do que um campo de futebol. Do lado direito ela logo viu uma cabana de madeira pintada de vermelho numa pequena clareira cercada de bétulas de galhos brancos. Da chaminé subia um fio de fumaça.

Sofia logo se aproximou da água. A margem do lago era bem lamacenta, mas ela não demorou a encontrar um bote a remo, encalhado pela metade fora do espelho d'água, com um par de remos a bordo.

Ela olhou ao redor. Seria impossível contornar o lago até a cabana vermelha sem se molhar inteira. Ela caminhou determinada até o bote e o arrastou para a água. Então saltou a bordo, prendeu os remos nas alças laterais e começou a remar. O bote logo alcançou a outra margem. Sofia saltou para terra firme e tentou puxar o bote para o seco. A margem desse lado era muito mais íngreme que do outro.

Ela olhou para trás uma única vez e caminhou até a cabana.

Sofia estava surpresa consigo mesma. Como ela ousou fazer aquilo? Não sabia, foi como se "outra coisa" a tivesse compelido.

Ela foi até a entrada e bateu na porta. Esperou um pouco, mas ninguém atendeu. Cuidadosamente ela virou a maçaneta e a porta se abriu.

— Olá! — disse ela. — Tem alguém em casa?

Sofia entrou numa sala de estar bem grande. Ela não ousou fechar a porta atrás de si.

Era provável que alguém morasse ali. Sofia escutou o estalar de lenha numa velha lareira. Pessoas tinham passado por lá fazia pouco tempo.

Em cima de uma grande mesa havia uma máquina de escrever, alguns livros, um par de canetas e muitas folhas de papel. Defronte à janela que dava para o lago se via uma mesinha e duas poltronas. Fora isso não havia muita mobília, mas uma parede era preenchida por estantes repletas de livros. Sobre uma cômoda branca pendia um espelho enorme e redondo envolto por uma grossa moldura de latão. Parecia assustadoramente antigo.

As paredes eram decoradas com dois quadros. Um deles era uma pintura a óleo de uma casa branca junto a uma pequena baía, com um atracadouro vermelho. Entre a casa e o atracadouro havia um jardim íngreme com macieiras, alguns arbustos densos e rochas. Quase como se tivesse uma coroa de árvores, o atracadouro era circundado por bétulas. O título da pintura era *Bjerkely*.

Ao lado do quadro havia um antigo retrato de um homem sentado numa cadeira com um livro apoiado no colo. Também nesse quadro se via ao fundo uma pequena baía cercada de rochedos. A pintura tinha sem dúvida mais de cem anos, e seu título era *Berkeley*. O autor se chamava Smibert.

Berkeley e Bjerkely. Não era curioso?

Sofia continuou a explorar a cabana. Da sala de estar uma porta conduzia a uma pequena cozinha, cuja louça acabara de ser lavada. Pires e copos estavam dispostos sobre um pano de prato, e ainda havia um pouco de sabão em dois dos pires. No chão havia uma tigela de metal ainda com restos de comida. Ali também vivia um animal, ou um cachorro ou um gato.

Ela voltou para a sala de estar. Outra porta dava para um pequeno quarto de dormir. Ao lado da cama havia dois tapetes bem grossos. Sofia encontrou alguns pelos amarelados nos tapetes. Isso era a prova definitiva. Sofia agora estava segura de que Alberto Knox e Hermes moravam ali.

Na sala, Sofia se deteve diante do espelho sobre a cômoda. O vidro era fosco e descascado, portanto a imagem não era muito nítida. Sofia começou a fazer caretas, como fazia no banheiro de sua casa. O reflexo no espelho fazia exatamente a mesma coisa que ela, e não era de esperar que fosse diferente.

Mas aí aconteceu algo estranhíssimo: uma única vez — durante um segundo — Sofia teve a impressão de que a imagem da garota no espelho piscou os dois olhos. Sofia deu um salto para trás. Se ela mesma tinha piscado os dois olhos, como poderia ter visto a outra piscar? E havia mais: foi como se a Sofia do espelho piscasse de volta. Foi como se ela quisesse dizer: estou vendo você, Sofia. Estou aqui do outro lado.

Sofia sentiu o coração palpitar no peito. Ao mesmo tempo

ouviu ao longe um cão latindo. Devia ser Hermes! Ela precisava dar o fora dali o quanto antes.

Foi quando ela notou uma carteira verde em cima da cômoda sobre a qual pendia o espelho emoldurado em latão. Sofia a apanhou e abriu cuidadosamente. Ela continha uma nota de cem, uma de cinquenta... e uma carteira de estudante. Na carteira se via uma foto de uma garota de cabelos louros. Sob a foto estava escrito "Hilde Møller Knag"... e "Escola Fundamental de Lillesand".

Sofia sentiu sua face empalidecer. E aí ouviu o cachorro latir novamente. Ela precisava sair dali já.

Assim que passou pela mesa, se deparou com um envelope branco entre os livros e papéis espalhados. No envelope estava escrito "Sofia".

Sem pensar duas vezes, ela pegou o envelope e o enfiou dentro daquele onde estavam as páginas sobre Platão. E saiu da cabana, fechando a porta ao passar.

Lá fora ouviu o cão latir ainda mais. O pior era que o bote já não estava lá. Não tinha demorado mais que um ou dois segundos para ele deslizar margem abaixo, e agora estava à deriva no meio do lago. Ao lado do bote boiava um dos remos. Ela não conseguira deixá-lo fixo em terra firme. Sofia voltou a escutar os latidos, e agora também podia escutar os movimentos de alguém atrás das árvores na margem oposta do lago.

Sofia não perdeu tempo. Com o envelope grande na mão, ela se embrenhou pelos arbustos atrás da cabana. Em seguida teve que cruzar um trecho pantanoso, afundando várias vezes na lama até a metade das pernas. Só o que tinha que fazer era correr. Tinha que ir para casa já.

Depois de andar algum tempo, ela topou com uma trilha. Seria a mesma que percorrera para chegar ali? Sofia parou e torceu o vestido: a água escorreu numa cascata pela trilha. Sofia começou a chorar.

Como ela podia ter sido tão estúpida? O pior de tudo era o bote. Ela permanecia com a imagem do bote e de um dos remos à deriva na água. Tudo aquilo era tão embaraçoso e ela estava tão envergonhada...

A essa altura o filósofo já devia ter chegado ao lago. Ele precisava do bote para ir para casa. Sofia estava se sentindo péssima. Mas claro que não fizera aquilo de propósito.

O envelope! Isso era pior ainda. Por que ela levara o envelope? Porque seu nome estava nele, claro, portanto ele era de certa maneira seu também. Ainda assim ela se sentia como uma ladra. E além de tudo tinha deixado evidente a sua passagem pela cabana.

Sofia retirou um pequeno bilhete do envelope. Nele estava escrito:

O que vem antes: uma galinha ou a ideia de uma "galinha"?
As ideias nascem junto com as pessoas?
Qual a diferença entre uma planta, um animal e um homem?
Por que chove?
Do que os homens precisam para levar uma vida boa?

Sofia não conseguia nem pensar naquelas perguntas agora, mas parecia que elas tinham a ver com o filósofo seguinte. Não era aquele que se chamava Aristóteles?

Quando finalmente avistou a sebe, foi como se tivesse chegado em terra firme após um naufrágio. Era estranho ver a sebe de outro ângulo. Depois que entrou no esconderijo foi que Sofia consultou o relógio. Dez e meia. Ela enfiou o envelope amarelo junto com os outros na lata de biscoitos. O bilhete com as novas perguntas ela pôs no bolso.

Quando Sofia entrou em casa, sua mãe estava no telefone. Assim que abriu a porta, a mãe desligou.

— Por onde você andava, Sofia?

— Eu... fui dar uma volta... pela floresta — gaguejou ela.

— Sim, estou vendo.

Sofia não respondeu, mas viu que escorria água do seu vestido.

— Eu tive que ligar para Jorunn.

— Para Jorunn?

Sua mãe lhe trouxe roupas secas. Com muito custo Sofia conseguiu ocultar o bilhete com as perguntas do professor de filosofia. Elas foram para a cozinha, onde a mãe lhe preparou uma xícara de chocolate quente.

— Você estava com ele? — ela não tardou a perguntar.
— Com *ele*?
Sofia só conseguia pensar no professor de filosofia.
— Com ele, sim. Com o seu... "coelhinho".
Sofia balançou a cabeça.
— O que vocês andam fazendo juntos, Sofia? Por que você está toda encharcada?
Sofia estava bem séria, cabisbaixa. Mas no seu íntimo ela estava às gargalhadas. Coitada da sua mãe, não tinha a mínima noção do que estava acontecendo.
Sofia novamente balançou a cabeça. Tantas perguntas surgindo uma atrás da outra.
— Agora eu quero ouvir a história inteira. Você esteve fora à noite? Por que foi se deitar de vestido? Você escapuliu assim que eu fui me deitar? Você tem apenas catorze anos, Sofia. Agora eu quero muito saber com quem você estava.
Sofia começou a chorar. E aí contou tudo à sua mãe. Ela estava ruborizada, e, quando alguém fica ruborizado, geralmente é porque está dizendo a verdade.
Ela contou que acordou cedo e foi andar pela floresta. Ela também contou do bote e da cabana, e do espelho estranho. Mas conseguiu se manter calada sobre tudo que tinha a ver com o misterioso curso por correspondência. Também não disse nada sobre a carteira verde. Não sabia bem por quê, mas o assunto *Hilde* não devia ser compartilhado.
A mãe lhe deu um abraço. Sofia compreendeu que reconquistara sua confiança.
— Não tenho namorado — soluçou ela. — Eu só falei que tinha porque você estava muito preocupada com a história do coelho branco.
— Então você foi mesmo até o Chalé do Major... — disse sua mãe, pensativa. — Aquele lugar onde você esteve se chama Chalé do Major porque lá morou, há muito, mas muito tempo atrás, um velho major. Ele era um tanto esquisito. Mas não vamos falar disso agora, já que a cabana está abandonada desde então.
— Você acha que sim, mas tem um filósofo vivendo lá.
— Não, não comece a inventar histórias de novo!

* * *

Sofia ficou sentada no seu quarto, remoendo os episódios recentes pelos quais tinha passado. Sua cabeça parecia mais o picadeiro de um circo, com elefantes desfilando em pesadas passadas, palhaços engraçados, trapezistas ousados e chimpanzés amestrados. Uma imagem não saía da sua memória: um pequeno bote e um remo à deriva num lago no interior da floresta — e alguém que precisava deles para chegar em casa.

Sofia tinha certeza de que o professor de filosofia não iria lhe fazer mal. Caso soubesse que ela de fato estivera na cabana, ele provavelmente a perdoaria. Mas ela havia rompido um acordo. Era a maneira como deveria retribuir àquele homem a sua iniciação à filosofia? Como poderia reparar seu erro agora?

Ela pegou um papel de carta cor-de-rosa e escreveu:

Caro filósofo,
Fui eu quem esteve na sua cabana na manhã do domingo. Eu queria muito encontrar você para discutir com mais detalhes algumas questões filosóficas. Me tornei uma fã de Platão, mas não estou bem certa de que ele tinha razão quando disse que em outra realidade estão as ideias ou modelos das coisas que vemos. Certamente elas existem junto com a nossa alma, mas penso atualmente que isso é outra coisa inteiramente diferente. Devo admitir, infelizmente, que não estou de todo convencida de que nossa alma seja imortal. No fundo não tenho opinião nenhuma sobre minha possível existência anterior. Se você puder me provar que a alma imortal da minha avó está passando bem no mundo das ideias, ficaria muito agradecida.

Não foi por causa da filosofia que comecei a escrever esta carta, que vou colocar num envelope rosa junto com um torrão de açúcar. Queria mesmo pedir desculpas por ter sido tão desobediente. Tentei arrastar o bote de volta para terra firme, mas acho que não fui forte o bastante. Ou então pode ter sido uma marola mais forte que carregou o bote de volta para a água.

Espero que você tenha conseguido chegar em casa seco. Caso contrário, saiba que eu mesma cheguei em casa totalmente ensopada e provavelmente vou pegar um baita resfriado. Mas até aí a culpa é toda minha.

Não toquei em nada dentro da cabana, mas infelizmente vi que havia um envelope com meu nome escrito. Não tive intenção de roubar nada. Mas, como vi meu nome, por um instante achei que o envelope me pertencia. Peço muito que me perdoe e prometo que isso não se repetirá.

PS. Vou começar a refletir agora mesmo sobre as perguntas que estavam no bilhete.

PS. PS. Aquele espelho emoldurado em latão em cima da cômoda... ele é um espelho comum ou um espelho mágico? Só estou perguntando porque não estou acostumada a ver meu reflexo piscar os dois olhos ao mesmo tempo.

Lembranças da aluna que continua muito interessada,
Sofia.

Sofia leu e releu a carta antes de fechá-la no envelope. Não era uma carta tão formal como a outra que havia escrito. Antes de descer para a cozinha para pegar um torrão de açúcar, ela apanhou o bilhete com as tarefas da vez.

"O que vem antes: uma galinha ou a ideia de uma 'galinha'?" Uma pergunta tão difícil quanto o antigo dilema — quem veio antes, o ovo ou a galinha? Sem ovo não haveria galinha, mas sem galinha não haveria ovo. Não seria realmente tão difícil descobrir quem teria existido primeiro, se a galinha ou a "ideia" de galinha? Sofia sabia muito bem o que Platão queria dizer. Para ele, a ideia de galinha vinha muito antes de alguma galinha existir de fato no mundo dos sentidos. Segundo Platão, a alma teria "visto" a ideia de "galinha" antes até de ela passar a habitar um corpo. Mas não era precisamente sobre isso que Sofia achava que Platão estaria errado? Alguém que jamais tenha visto uma galinha, viva ou numa imagem, também não seria capaz de ter nenhuma "ideia" do que seria uma galinha. E com isso ela passou para a pergunta seguinte.

"As ideias nascem junto com as pessoas?" "Duvido muito", pensou Sofia. Ela desconfiava que um bebê recém-nascido já tivesse a cabeça repleta de ideias. Mas nunca poderia ter certeza disso porque, embora não consigam falar, recém-nascidos podem muito bem ter ideias na cabeça. Mas nós não deveríamos primeiro ter contato com as coisas no mundo para só depois refletir sobre elas?

"Qual a diferença entre uma planta, um animal e um homem?" Sofia percebia de antemão que havia inúmeras diferenças. Ela acreditava, por exemplo, que uma planta não teria consciência da sua alma. Alguém por acaso já tinha ouvido falar de uma tulipa que sofresse por amor? Uma planta cresce, obtém seus nutrientes e produz sementes que dão vida a novas plantas. E isso é mais ou menos tudo que faz uma planta ser uma planta. Sofia chegou à conclusão de que o que vale para uma planta também vale para animais e homens. Mas os animais possuem outras características além dessas. Eles podem, por exemplo, se locomover. (Por acaso uma rosa poderia correr a distância de um quarteirão?) Mais difícil seria apontar as diferenças entre animais e homens. Os homens eram capazes de pensar, mas será que os animais não seriam? Sofia estava convencida de que o gato Sherekan era capaz de pensar. Ele conseguia ao menos se comportar como se soubesse exatamente o que queria. Mas será que conseguiria refletir sobre questões filosóficas? Um gato poderia refletir sobre as diferenças entre uma planta, um animal e um homem? De jeito nenhum! Um gato certamente era capaz de se sentir feliz ou entediado, mas ele seria capaz de pensar se existe um Deus ou refletir sobre a imortalidade da alma? Sofia achava tudo aquilo extremamente improvável. Mas aqui valia o mesmo raciocínio a respeito do recém-nascido e das ideias. Comunicar-se com um gato era tão difícil quanto comunicar-se com um recém-nascido.

"Por que chove?" Sofia deu de ombros. Chove porque o céu se enche de nuvens úmidas, elas se condensam e as gotas caem. Não era assim que ensinavam na terceira série? Mas claro que ela poderia muito bem dizer que chove para que as plantas cresçam e os homens e animais possam viver. Seria verdade? A chuva em si teria algum significado oculto?

A última pergunta da tarefa certamente teria algum significado oculto: "Do que os homens precisam para levar uma vida boa?". O professor de filosofia já havia mencionado esse assunto bem no começo do curso. Todos precisamos de comida, abrigo, amor e atenção. Para viver uma vida boa, era primeiramente necessário ter tudo isso. Além do mais, é preciso ter um emprego do qual se goste. Se você não gosta de dirigir, nunca vai ser feliz sendo motorista de táxi. Se não gosta de fazer suas tarefas de casa, talvez seja melhor nem tentar seguir a carreira de professor. Sofia gostava muito de animais, então talvez se realizasse sendo veterinária. De qualquer modo ela não achava que seria preciso ganhar na loteria para ter uma vida feliz. Muito pelo contrário. Todo mundo conhece o ditado: "Mente vazia, oficina do diabo".

Sofia ficou sentada no quarto até sua mãe avisar que o almoço estava na mesa. Ela havia preparado costeletas com batatas assadas. Que delícia! E também acendera velas para decorar a mesa. De sobremesa elas comeriam creme de framboesas silvestres.

Elas conversaram sobre vários assuntos. A mãe perguntou como Sofia queria festejar seus quinze anos. Faltavam apenas algumas semanas para o aniversário.

Sofia deu de ombros.

— Você vai querer convidar alguém? Quero dizer, você não vai querer fazer uma festa?

— Talvez...

— Talvez possamos chamar Marte e Anne Marie... E Hege. E Jorunn, claro. E Jørgen, talvez... Mas você é que vai decidir. Sabe, eu me lembro tão bem da minha festa de quinze anos. E acho que nem faz tanto tempo assim. De repente eu já tinha virado adulta. Não é estranho isso, Sofia? Só não sinto que me transformei desde aquela época.

— Mas não se transformou mesmo. Nada "se transforma". Você apenas evoluiu, ficou mais velha...

— Hum... certo, você disse uma coisa muito madura. Mas sinto que o tempo passou tão rápido...

Aristóteles

... um homem organizado e metódico, que queria classificar os conceitos humanos...

Sofia aproveitou para dar uma escapada até o esconderijo enquanto sua mãe tirava uma soneca depois do almoço. Ela pôs um torrão de açúcar no envelope rosa e escreveu "Para Alberto" no lugar reservado ao destinatário.

Não havia nova correspondência, mas bastaram apenas alguns minutos para que ela ouvisse o cachorro se aproximando.

— Hermes! — gritou Sofia.

Logo ele já estava lá dentro, com um grande envelope amarelo entre os dentes.

— Menino bom!

Sofia passou um braço em volta de Hermes enquanto ele ofegava de alegria. Depois ela apanhou o envelope rosa e pôs na boca do cachorro, que imediatamente se arrastou para fora do esconderijo e desapareceu por onde tinha vindo.

Ela estava um tanto nervosa quando abriu o envelope. Será que haveria alguma coisa sobre a cabana e o bote?

Seu conteúdo eram as mesmas páginas presas por um clipe. Mas também havia um bilhete, que dizia:

Querida senhorita detetive! Ou senhorita invasora, para ser mais exato.

Já dei parte na polícia...
Estou brincando. Não fiquei assim tão bravo. Se você for tão curiosa assim para resolver os enigmas da filosofia, terá um futuro promissor. O chato disso tudo é que eu vou ter que mudar de casa. Além do mais, a culpa é toda minha. Eu devia saber que você é uma pessoa disposta a ir até o fundo das questões.
Lembranças do
Alberto.

Sofia respirou aliviada. Ele não estava nada bravo. Mas por que teria que se mudar?

Ela reuniu as folhas e correu para o quarto. Era melhor estar em casa quando sua mãe despertasse. Sofia se acomodou na cama e começou a leitura sobre Aristóteles.

FILÓSOFO E CIENTISTA

Querida Sofia,
Você na certa está intrigada com a teoria das ideias, de Platão. E não é a primeira a se sentir assim. Não sei se você aceitou tudo aquilo de bom grado — ou se tem observações críticas a fazer. Nesse caso, pode ter certeza de que as mesmas observações já foram feitas por Aristóteles (384-322 a.C.), que durante mais de vinte anos foi aluno na Academia de Platão.

Aristóteles não era ateniense. Ele era da Macedônia, mas ingressou na Academia quando Platão tinha sessenta e um anos. Seu pai era um médico renomado — e também um homem ligado às ciências naturais. Esses antecedentes já dizem bastante sobre o projeto filosófico de Aristóteles. Ele se dedicou muito a compreender a natureza viva. E não foi apenas o último grande filósofo grego, mas também o primeiro grande biólogo europeu.

Se exagerarmos um pouco, podemos dizer que Platão estava tão concentrado nas fôrmas eternas ou "ideias" que nem observava as mudanças ocorridas na natureza. Aristóteles investigou exatamente essas mudanças — ou aquilo que hoje em dia chamamos de processos naturais.

Se exagerarmos ainda mais, podemos dizer que Platão se afastou do mundo dos sentidos e deixou escapar tudo que vemos ao nosso redor. (Ele desejava muito sair da caverna e se aventurar no mundo eterno das ideias!) Aristóteles fez o movimento contrário: ele se curvava para estudar de perto peixes e rãs, anêmonas e papoulas.

Você pode muito bem dizer que Platão recorria apenas a seu raciocínio, enquanto Aristóteles utilizava também os seus sentidos.

Até no modo como eles escreveram podemos perceber diferenças muito claras. Em Platão eram poemas e narrativas mitológicas, enquanto a escrita de Aristóteles é sóbria e precisa como um dicionário. Em decorrência disso, até os mais recentes estudos da natureza devem muito ao que ele escreveu.

Atribui-se a Aristóteles, segundo narrativas da Antiguidade, a autoria de um total de cento e setenta títulos, sendo que quarenta e sete foram preservados. Não se trata de obras completas, mas de apontamentos para suas aulas. Na época de Aristóteles a filosofia era uma disciplina essencialmente oral.

O significado de Aristóteles para a cultura ocidental também reside no fato de ele ter criado uma linguagem técnica à qual até hoje recorrem as diversas ciências existentes. Ele foi o grande sistematizador que lançou os fundamentos e elaborou uma ordem comum a todas as ciências.

Embora Aristóteles tenha escrito sobre todas as ciências, vamos nos deter naquelas que são as mais importantes. Já que falamos bastante de Platão, primeiro vamos falar de como ele contrapôs a teoria das ideias. Em seguida veremos como Aristóteles estrutura a sua própria filosofia da natureza. Aristóteles foi quem resumiu o que os filósofos da natureza haviam escrito antes dele. Vamos nos deter no modo como ele organizou nossos conceitos e fundou a lógica como ciência. Por fim, vou lhe contar um pouco da visão de Aristóteles sobre o ser humano e a sociedade.

Se você concordar com esse roteiro, vamos arregaçar as mangas e começar já.

NÃO HÁ IDEIAS INATAS

Como os filósofos que vieram antes dele, Platão queria descobrir algo eterno e imutável num mundo cheio de transformações. Então ele chegou às ideias perfeitas pairando sobre o mundo dos sentidos. Platão dizia também que as ideias eram mais reais que todos os fenômenos da natureza. Primeiro vinha a ideia de "cavalo", e só depois surgiram todos os cavalos desfilando como sombras na parede de uma caverna. A ideia de "galinha" também vinha antes da própria galinha e do ovo.

Aristóteles achava que Platão tinha virado tudo de cabeça para baixo. Ele concordava com seu mestre quando este dizia que um cavalo "flui" e que nenhum cavalo viveria para sempre. Concordava também que a fôrma do cavalo é eterna e imutável. Mas a "ideia" de cavalo não passava de um conceito criado pelos homens *depois* de terem visto uma certa quantidade de cavalos. A "ideia" ou a "fôrma" de cavalo não existe por si só. A "fôrma" de cavalo consiste, para Aristóteles, nas características do cavalo — ou naquilo que hoje em dia chamamos de *espécie*.

Serei mais preciso: com a "fôrma" de cavalo Aristóteles se referia àquilo que é comum a todos os cavalos. E aqui não estou me referindo mais às fôrmas de biscoitos, pois elas existem independentemente da existência dos biscoitos. Aristóteles não acreditava na existência de tais fôrmas, por assim dizer, guardadas num armário na natureza. Para ele, as "fôrmas" estão dentro das coisas: elas são as suas características que as tornam únicas.

Aristóteles discorda de Platão quanto à ideia de "galinha" vir antes da própria galinha. Aquilo que Aristóteles chama de "fôrma" de galinha está em cada exemplar de galinha na Terra, como as características que distinguem as galinhas das demais coisas — a capacidade de botar ovos, por exemplo. Assim, a própria galinha e a "fôrma" de galinha seriam tão indissociáveis como a alma e o corpo.

E, assim, na verdade resumimos bem a crítica de Aristóteles à teoria das ideias de Platão. Mas você deve ter notado que nós estamos falando de uma mudança dramática na forma de pensar. Para Platão, o mais alto grau de realidade está naquilo que *pensamos* com a razão. Para Aristóteles, ao contrário, o mais alto grau de realidade está naquilo que *sentimos* com os sentidos. Platão dizia que o que vemos ao nosso redor na natureza são apenas reflexos de algo que existe de forma mais real no mundo das ideias — e, portanto, também junto da alma humana. Aristóteles achava exatamente o oposto: aquilo que existe na alma humana não é senão o reflexo dos objetos na natureza. E é justamente a natureza que é o mundo real. Segundo Aristóteles, Platão estaria confinado a uma moldura mítica de mundo, na qual a realidade era substituída por uma representação criada pelos homens.

Aristóteles achava que não existe consciência nenhuma que antes não tenha passado pelos sentidos. Platão poderia ter afirmado que nada na natureza existe sem que antes tenha passado pelo mundo das ideias. Dessa maneira, Aristóteles acreditava que Platão "duplicava a quantidade das coisas" que existiam. Ele descrevia um único cavalo demonstrando a ideia de "cavalo". Mas que tipo de descrição é essa, Sofia? De onde vem a "ideia de cavalo"?, eu pergunto. Existiria também um terceiro cavalo — do qual a ideia de cavalo seria apenas uma imitação?

Aristóteles dizia que tudo que pensamos, tudo que temos dentro da cabeça, são coisas com as quais travamos contato através do que vimos e ouvimos. Mas também teríamos uma razão inata. Temos uma capacidade inata de ordenar todas as impressões percebidas pelos nossos sentidos em diferentes grupos e classes. Foi assim que surgiram os conceitos de "pedra", "planta", "animal" e "ser humano". Foi assim que surgiram conceitos como "cavalo", "lagosta" e "canário".

Aristóteles não negava que nascêssemos dotados de razão. Ao contrário, a razão é justamente a mais perceptível característica do ser humano. Mas nossa razão é inteiramente "vazia" antes que tenhamos sentido algo. As pessoas, por conseguinte, não possuem ideias inatas.

AS FORMAS SÃO AS CARACTERÍSTICAS DAS COISAS

Depois de esclarecer sua posição em relação à teoria das ideias de Platão, Aristóteles constatou que a realidade consistia em diferentes coisas individuais que integram um conjunto de *formas* ou *subs-*

tâncias. "Substância" refere-se ao material de que uma coisa é feita, enquanto "forma" é uma característica específica de uma coisa.

Imagine que, na sua frente, uma galinha bata as asas, Sofia. A sua forma é exatamente o bater das asas — e também o cacarejar e o botar ovos. Quando a galinha morre — e assim deixa de bater as asas —, sua forma também deixa de existir. Tudo que resta é a "substância" da galinha (que coisa triste, Sofia!), mas ela não é mais uma "galinha".

Como eu disse antes, Aristóteles interessava-se pelas transformações que ocorriam na natureza. Na "substância" sempre há a possibilidade de surgir uma determinada "forma". Podemos dizer que a "substância" se esforça para materializar uma possibilidade que traz dentro de si. Cada mudança ocorrida na natureza, segundo Aristóteles, é a transformação de uma substância — de uma "possibilidade" para uma "realidade".

O.k., explico melhor, Sofia. Vou tentar recorrendo a uma história engraçada: era uma vez um escultor que vivia debruçado sobre um bloco de granito. Todo dia ele martelava e lixava aquela pedra disforme, até que um dia recebeu a visita de um garotinho. "O que você está tentando encontrar?", perguntou o garoto. "Espere e verá", respondeu o escultor. Depois de alguns dias o garoto voltou e o escultor tinha transformado aquele bloco de granito num lindo cavalo. Surpreso, o garoto ficou um bom tempo paralisado observando o cavalo. Então, virou-se para o escultor e disse: "Como você sabia que ele estava ali?".

Pois é, como é que ele sabia? O escultor, de alguma maneira, havia enxergado a forma do cavalo dentro do bloco de granito. Pois aquela pedra tinha em si uma possibilidade de se transformar em cavalo. Era assim que Aristóteles dizia que todas as coisas na natureza têm em si uma possibilidade de se transformar ou de se tornar uma determinada "forma".

Vamos voltar à galinha e ao ovo. Um ovo de galinha traz em si a possibilidade de se tornar uma galinha. Isso não significa que todos os ovos vão se transformar em galinhas, alguns vão parar na mesa da cozinha — fritos, cozidos ou mexidos numa omelete — sem que a forma inerente ao ovo se materialize. Mas fica claro também que um ovo de galinha não vai se transformar num ganso. Essa possibilidade ele não traz em si. A "forma" de uma coisa diz não apenas sobre a possibilidade dessa coisa, mas também sobre as suas limitações.

Quando Aristóteles fala das "formas" e "substâncias" das coisas, ele não se refere somente a organismos vivos. Assim como é próprio da "forma" da galinha cacarejar, bater asas e botar ovos, é próprio da forma de uma pedra cair no chão. Assim como a galinha não consegue deixar de bater asas, a pedra não consegue deixar de cair no chão. Você pode apanhar uma pedra e atirá-la bem alto, mas, como é da natureza da pedra cair no chão, você jamais conseguirá arremessá-la até a Lua. (Tome muito cuidado se for realizar esse experimento, porque a pedra pode querer se vingar. Ela volta para o chão da maneira mais rápida possível — e não quer nem saber do que estiver no meio do caminho!)

OS PROPÓSITOS DAS CAUSAS

Antes de deixarmos de lado o fato de que todas as coisas, vivas ou mortas, têm uma "forma" que indicaria algo sobre suas possíveis "realidades", devo acrescentar que Aristóteles tinha uma visão bem definida das relações de causa e efeito na natureza.

No nosso dia a dia, quando falamos em "causa" disso ou daquilo, estamos nos referindo a *como* as coisas acontecem. A vidraça quebrou porque Petter atirou nela uma pedra, um sapato surge porque um sapateiro costurou alguns pedaços de couro. Mas Aristóteles dizia que existem vários tipos de causas na natureza. Ao todo ele mencionou quatro tipos diferentes. O mais importante é compreender o que ele quis dizer com o que chamou de "propósitos das causas".

Quanto à vidraça estilhaçada, naturalmente é razoável perguntar *por que* Petter arremessou a pedra. Nós queremos saber qual teria sido a sua intenção. Que a intenção ou "propósito" desempenha um papel importante também na feitura do sapato, disso ninguém tem dúvida. Mas Aristóteles contava com um "propósito para as causas" também para explicar processos naturais inanimados, ou seja, sem vida.

Por que chove, Sofia? Na escola certamente você aprendeu

que chove porque o vapor d'água nas nuvens se resfria e se condensa na forma de gotas, que se precipitam na Terra por ação da gravidade. Aristóteles não iria negar essa explicação. Mas ele acrescentaria que até aqui você mencionou apenas três causas. A "causa substancial" é que a umidade (as nuvens) estavam ali quando o ar esfriou. A "causa atuante" é o resfriamento do vapor d'água, e a "causa formal" é o fato de a água se precipitar no chão devido a isso ser inerente à sua forma. Se você não conseguiu ver nada além disso, Aristóteles iria acrescentar que chove *porque* animais e plantas precisam de água para viver. A isso ele chamava de "propósito da causa". Como você pode ver, Aristóteles atribuiu às gotas de chuva uma tarefa vital, ou uma "intenção".

Nós provavelmente iríamos inverter as coisas e dizer que as plantas crescem porque há umidade. Percebe a diferença, Sofia? Aristóteles dizia que existe uma intenção por trás de tudo na natureza. Chove para que as plantas cresçam, e laranjas e uvas brotam para que nós possamos comê-las.

Não é assim que a ciência pensa hoje em dia. Dizemos que comida e umidade são precondições para que animais e homens possam viver. Se não fosse por essas precondições, nós simplesmente não existiríamos. Mas não é intenção da água ou das laranjas nos sustentar.

No que se refere à sua visão das causas, ficamos tentados a achar que Aristóteles estava errado. Mas não vamos apressar as conclusões. Muitas pessoas acreditam que Deus criou o mundo exatamente assim para que homens e animais possam viver aqui. Se pensarmos desse modo, podemos dizer que a água corre nos rios porque homens e animais precisam dela para viver. Mas aí afirmaremos o propósito ou a intenção de Deus, e não que as águas da chuva ou dos rios desejem o nosso bem.

LÓGICA

A separação entre "forma" e "substância" tem um papel importante quando Aristóteles vai descrever como o homem reconhece as coisas no mundo.

Reconhecemos as coisas ordenando-as em diferentes grupos ou categorias. Eu vejo um cavalo, depois outro, e um terceiro. Os cavalos não são iguais, mas há *algo* que é igual para todos os cavalos, e exatamente esse algo é a "forma" do cavalo. Aquilo que é diferente ou individual pertence à sua "substância".

E assim nós vamos pelo mundo, organizando as coisas com rótulos diferentes. Colocamos as vacas no curral, os cavalos no estábulo, os porcos na pocilga e as galinhas na granja. O mesmo ocorre quando Sofia Amundsen vai arrumar o seu quarto. Ela põe os "livros" na estante, os "livros escolares" na mochila e as revistas na cômoda. As roupas são dobradas direitinho e colocadas no guarda-roupa — calcinhas numa gaveta, blusas em outra, e meias num compartimento próprio para elas. Preste atenção como fazemos a mesma coisa dentro da nossa cabeça: diferenciamos objetos feitos de pedra daqueles de lã e dos de borracha. Diferenciamos seres vivos de mortos e diferenciamos "plantas" de "animais" e de "homens".

Você está acompanhando, Sofia? Aristóteles queria dar uma bela arrumada no quarto da jovem natureza. Ele tentou demonstrar que todas as coisas na natureza pertencem a diferentes grupos e subgrupos. (Hermes é um ser vivo, mais precisamente um animal, mais precisamente um vertebrado, mais precisamente um mamífero, mais precisamente um cachorro, mais precisamente um labrador, mais precisamente um labrador macho.)

Vá até o seu quarto, Sofia. Apanhe qualquer objeto do chão. Não importa o que você tenha escolhido, você vai descobrir que aquilo pertence a uma ordem maior. Se algum dia você visse algo que não conseguisse classificar, iria ter um choque. Se você, por exemplo, depara com um pedacinho de algo e não consegue dizer com precisão se aquilo pertence ao reino vegetal, animal ou mineral, tenho certeza de que você não ousaria nem tocar nele.

Reino vegetal, animal ou mineral, eu disse. Estou pensando agora naquela brincadeira em que um pobre coitado tem que sair por um instante enquanto os outros pensam numa coisa qualquer que ele deverá adivinhar quando voltar.

Imagine que tenhamos pensado num gato chamado Mons, que neste exato instante está passeando pelo jardim do vizinho. Nós só podemos responder "sim" ou "não" às perguntas que o pobre coitado fizer. Se ele for um bom aristotélico — e aí não será nenhum pobre coitado —, nosso diálogo provavelmente seria assim: É concreto? (Sim!) Pertence ao reino mineral? (Não!) É um ser vivo? (Sim!) Pertence ao reino vegetal? (Não!) É um animal? (Sim!) É um pássaro? (Não!) É um mamífero? (Sim!) É de estimação? (Sim!) É um gato? (Sim!) É o Mons? (Siiiiimmmm! Gargalhadas...)

Foi Aristóteles quem inventou esse joguinho. E Platão teve a honra de ter inventado a brincadeira de esconde-esconde. Demócrito teve a honra de ter inventado as peças de Lego.

Aristóteles foi um homem organizado e metódico, que queria classificar os conceitos humanos. Desse modo ele fundou a *lógica* como ciência. Ele apontou várias regras rígidas para que cada conclusão ou evidência pudesse ser considerada logicamente válida. Um único exemplo é suficiente: se eu afirmo que "todos os seres vivos são mortais" (premissa 1) e digo também que "Hermes é um ser vivo" (premissa 2), logo posso chegar à elegante conclusão de que "Hermes é mortal".

O exemplo demonstra que a lógica de Aristóteles trata da relação entre conceitos, nesse caso "ser vivo" e "mortal". Embora devamos concordar com Aristóteles em que a conclusão acima é cem por cento correta, talvez devêssemos admitir também que ele não diz nada de novo. Sabíamos de antemão que Hermes é "mortal". (E claro que ele é "um cachorro", e todos os cachorros são "seres vivos"— logo, são mortais, ao contrário das rochas do Galdhøpiggen.) Certo, Sofia, disso tudo nós já sabíamos muito bem. Mas não é sempre que se pode apontar a relação entre grupos de coisas de maneira tão evidente. De vez em quando pode ser necessário dar uma boa arrumada nos nossos conceitos.

Vou dar um exemplo para ser mais preciso: será mesmo verdade que um minúsculo filhote de camundongo é capaz de mamar o leite da sua mãe do mesmo modo que cabritos e porquinhos? A pergunta nos soa inegavelmente tola, mas vamos pensar adiante: camundongos não põem ovos, claro. (Quando foi a última vez que eu vi um ovo de camundongo?) E também dão à luz filhotes vivos — exatamente como cabras e porcas. E animais que dão à luz filhotes vivos são chamados de mamíferos — e mamíferos são justamente animais que sugam o leite das tetas das suas mães. E assim alcançamos nosso objetivo. Já tínhamos a resposta dentro de nós, mas foi preciso refletir um pouco. Na pressa tínhamos esquecido que camundongos realmente sugam o leite das suas mães. Talvez porque jamais tenhamos visto um filhote de camundongo mamando. A razão disso é que camundongos são muito tímidos em relação a humanos, sobretudo quando estão amamentando.

OS DEGRAUS DA NATUREZA

Quando Aristóteles quer "organizar" a existência, primeiramente aponta para as coisas na natureza e sua classificação em dois grandes grupos. De um lado temos as *coisas inanimadas* — como rochas, gotas d'água e torrões de terra. Estas não trazem em si nenhuma possibilidade de transformação. As coisas inanimadas, segundo Aristóteles, só podem se transformar em outras pela influência de fatores externos. Do outro lado temos as *coisas vivas*, que têm possibilidades inerentes de transformação.

No que se refere às "coisas vivas", Aristóteles também diz que elas podem ser divididas em dois grupos principais. De um lado temos os vegetais (ou plantas), do outro os seres vivos. Finalmente, os "seres vivos" também podem ser divididos em dois subgrupos — denominados *animais* e *homens*.

Não podemos deixar de reconhecer que a divisão feita por Aristóteles é autoexplicativa. Existe uma diferença eloquente entre coisas vivas e inanimadas, como uma rosa e uma pedra. Assim como há uma diferença enorme entre vegetais e animais — uma rosa e um cavalo, por exemplo. Eu acrescentaria que há uma grande diferença entre um cavalo e um homem. Mas essas diferenças consistem exatamente em quê? Você pode me dizer?

Infelizmente não disponho de tempo para esperar que me envie sua resposta num envelope cor-de-rosa com um torrão de açúcar dentro, então eu mesmo vou responder: quando Aristóteles divide os fenômenos naturais em diversos grupos, ele parte das características das coisas, isto é, do que elas são *capazes* de fazer e do que elas realmente *fazem*.

Todas as "coisas vivas" (vegetais, animais e homens) têm a capacidade de se alimentar, crescer e se multiplicar. Todos os "seres vivos" (animais e homens) também possuem a capacidade de perceber o mundo que os cerca e nele se locomover. Todos os homens possuem, além disso, a capacidade de pensar — ou seja, de organizar as impressões dos sentidos em diferentes grupos e classes.

Segundo esse raciocínio, não há na natureza limites rígidos. Podemos perceber uma transição gradual de vegetais mais simples para plantas mais complexas, de animais mais simples para animais complexos. No topo dessa escada está o homem — que, segundo Aristóteles, vive a plenitude da vida na natureza. Os homens crescem, se alimentam como as plantas, possuem sentimentos e se locomovem como os animais, mas também possuem uma característica específica que os torna humanos e inteiramente sozinhos na natureza: a capacidade de pensar racionalmente.

Assim os homens conservam uma centelha da razão divina, Sofia. Sim, eu disse divina. Em alguns trechos dos seus escritos Aristóteles diz que deve haver um Deus que tenha posto a natureza em movimento. Esse Deus ocupa o último degrau na escada da natureza.

Aristóteles achava que os movimentos das estrelas e planetas controlava o movimento da Terra. Mas deveria também haver algo que fizesse todo o firmamento se mover. A isso ele chamou de "o motor primeiro" ou "Deus". "O motor primeiro" não se move, mas é ele que é a "causa inicial" do movimento do firmamento e, em decorrência disso, de todos os movimentos na natureza.

ÉTICA

Vamos voltar aos homens, Sofia. A "forma" humana, segundo Aristóteles, é definida por possuir uma "alma vegetal" junto a uma "alma animal" e a uma "alma racional". E aí ele pergunta: como o homem deve viver? O que é preciso para que tenha uma vida boa? Posso responder resumidamente: o homem só é feliz se utilizar todas as suas capacidades e possibilidades.

Aristóteles achava que existem três formas de felicidade. A primeira é ter uma vida de prazeres e satisfações. A segunda forma é viver como um cidadão livre e responsável. E a terceira é viver como um pesquisador e filósofo.

Aristóteles enfatiza que as três definições devem coexistir para que os homens tenham uma vida feliz. Por isso ele recusa toda forma de isolamento. Se vivesse nos dias de hoje, talvez dissesse que alguém que apenas exercita o corpo leva uma vida tão isolada — e carente — quanto alguém que apenas usa a cabeça. Os dois extremos são a expressão de uma conduta de vida equivocada.

Também no que se refere à convivência e às relações interpessoais, Aristóteles menciona um "meio-termo de ouro": não devemos ser covardes nem estúpidos, mas *corajosos*. (Pouca coragem é covardia, coragem demais é estupidez.) Do mesmo modo, não devemos ser avarentos nem esbanjadores, mas *generosos*. (Ser pouco generoso é ser avarento, ser generoso demais equivale a desperdiçar.)

O mesmo vale para a alimentação. É perigoso comer de menos, mas também é perigoso comer demais. Tanto a ética de Platão como a de Aristóteles evocam a ciência médica grega: somente através do equilíbrio e da moderação é que podemos nos tornar indivíduos felizes ou "harmônicos".

POLÍTICA

A visão de sociedade de Aristóteles também recomenda o cultivo da moderação. Ele disse que o homem é um "ser político". Sem a sociedade ao nosso redor não nos tornamos verdadeiros homens, acreditava. Ele achava que a família e a cidade satisfazem nossas necessidades básicas, como alimento e abrigo, casamento e criação de filhos. Mas a forma mais elevada de convívio humano somente pode ser alcançada através do Estado.

Então surge a pergunta: como deve se organizar o Estado? (Você deve se lembrar do "Estado filosófico" de Platão, não?) Aristóteles fala em três diferentes formas boas de Estado. A primeira é a *monarquia* — na qual existe apenas uma autoridade maior. Para que essa forma seja boa, ela não pode resvalar na "tirania", em que o monarca passa a governar visando os próprios interesses. Outra boa forma de Estado é a *aristocracia*. Nela, governa um grupo maior ou menor de uma elite. Deve-se estar atento para que essa forma não degenere numa "oligarquia", em que o interesse comum também é deixado de lado, em favor do interesse de uns poucos. Aristóteles chamou a terceira boa forma de *política*, que significa democracia. Mas essa forma também tem um lado perigoso. Uma democracia pode se tornar um governo dominado pela plebe. (Mesmo se o tirano Hitler não tivesse chegado ao poder na Alemanha, uma multidão de nazistas menores teria instituído um terrível governo dominado pela plebe.)

A VISÃO FEMININA

Para terminar, algumas linhas sobre a visão que Aristóteles tinha das mulheres. Que, infelizmente, não era tão favorável quanto aquela de Platão. Para ser mais exato, Aristóteles chegou a afirmar que faltava algo às mulheres. Elas seriam "homens incompletos". Na reprodução as mulheres são passivas e receptoras, enquanto os homens são ativos e provedores. As crianças herdavam somente as características masculinas, segundo Aristóteles, para quem as características infantis estariam contidas no sêmen paterno. As mulheres seriam como a terra fértil que apenas recebia a semeadura e provia a germinação, enquanto os homens seriam os "semeadores". Ou, dito à maneira de Aristóteles, os homens contribuem com a "forma" e as mulheres entram com a "substância".

Que um homem esclarecido como Aristóteles tenha se equivocado desse modo em relação às mulheres é surpreendente e, mais que isso, lamentável. Mas serve para demonstrar duas coisas: Aristóteles não deve ter tido tanto contato nem experiência prática com mulheres e crianças. Por outro lado, mostra como as coisas podem sair erradas se a filosofia e a ciência derem ouvidos apenas à voz masculina.

A opinião enviesada que Aristóteles tinha sobre o feminino foi particularmente danosa, pois foi ela — e não a de Platão — que prevaleceu durante a Idade Média. E assim a Igreja herdou uma visão das mulheres que na verdade não tem nenhuma correspondência na Bíblia. Jesus não era nenhum inimigo das mulheres!

Termino aqui, por enquanto. Mas você logo terá notícias minhas.

Depois de ter lido duas vezes o capítulo sobre Aristóteles, Sofia colocou as folhas de volta no envelope amarelo e ficou sentada olhando para o seu quarto. Logo ela percebeu como ele estava bagunçado. Havia livros, pastas e anotações pelo chão. No armário estavam penduradas meias, blusas e calças jeans. Na cadeira da escrivaninha, um cesto com uma pilha de roupas sujas.

Sofia não conteve um impulso irresistível de *arrumar* aquilo tudo. A primeira coisa que fez foi esvaziar as gavetas de roupas. Pôs todas no chão. Era importante começar do zero. Então ela começou pelo cansativo trabalho de dobrar direitinho todas as peças e colocá-las de volta nas gavetas. Seu armário tinha sete gavetas. Sofia reservou uma para peças íntimas, uma para meias e meias-calças, outra para calças compridas. E assim foi preenchendo todas as gavetas. Ela não teve dúvidas sobre onde guardar determinada peça. O que precisava ser lavado ela enfiou num saco plástico que achou na última gaveta.

Uma única peça lhe deu algum trabalho para guardar. Era uma meia três-quartos branca, da qual ela encontrara somente um pé. Além disso, aquela meia jamais lhe pertencera.

Durante vários minutos ela ficou tentando achar o outro pé. Na meia não havia nenhum nome escrito, mas Sofia tinha uma forte desconfiança sobre quem seria sua dona. Ela a colocou no maleiro junto com um saco de peças de Lego, uma fita de vídeo e uma echarpe vermelha.

Depois foi a vez do chão. Sofia selecionou livros e pastas, revistas e cartões — exatamente como o professor de filosofia descrevera no capítulo sobre Aristóteles. Quando terminou o chão, primeiro arrumou a cama e em seguida foi cuidar da escrivaninha.

A última coisa que fez foi juntar todas as páginas sobre Aristóteles numa pilha bem-arrumada, perfurá-la com o perfurador de papel e colocá-la num fichário, que guardou no mesmo compartimento do armário onde estava a meia branca. Mais tarde ela trouxe a lata de biscoitos do esconderijo.

Dali em diante as coisas seriam mais organizadas. Sofia não estava pensando somente nas coisas do quarto. Depois de ter lido a respeito de Aristóteles, ela compreendeu a importância de ordenar conceitos e coisas. Ela mesma havia deixado a parte de cima do armário para essas questões. Era o único lugar do quarto sobre o qual não tinha um domínio completo.

Sua mãe estava em total silêncio fazia cerca de duas horas. Sofia desceu para o térreo. Antes de acordá-la, ela precisava alimentar seus bichos de estimação.

Ela começou na cozinha com o aquário dos peixinhos ornamentais. Um deles era preto, o outro laranja, e o terceiro vermelho e branco. Por isso eles se chamavam Svartepetter,* Gulltopp** e Chapeuzinho Vermelho. Enquanto espalhava uns flocos de ração sobre o aquário, ela disse:

— Vocês pertencem à parte viva da natureza. Portanto, vocês podem se alimentar, crescer e se reproduzir. Mais especificamente, vocês são do reino animal. Portanto, podem se locomover e espiar ao redor. Para ser bem precisa, vocês são peixes, portanto podem respirar pelas guelras e nadar para cima e para baixo nas águas da vida.

Sofia tampou o potinho de ração. Ela havia ficado satisfeita com o lugar que encontrara para os peixes na ordem da natureza, em especial com a expressão "águas da vida". Agora era a vez dos periquitos. Sofia pôs um pouco de alpiste no comedouro e disse:

— Caros Smitt e Smule.*** Vocês têm sido dois periquitinhos bem bonzinhos, porque se desenvolveram a partir de dois lindos ovos de periquitos, e, como esses ovos continham neles a forma de periquitos, vocês felizmente não viraram dois papagaios tagarelas.

Sofia entrou no banheiro maior da casa, onde a tartaruga preguiçosa vivia dentro de uma caixa. Quase sempre que ia tomar banho, sua mãe gritava que ainda ia acabar matando aquele bicho, o

---

* Pedro Pretinho, personagem infantil popular na Escandinávia, cuja figura é a de um gato gordo.
** Literalmente, Cabeça ou Crina Dourada, lendário cavalo pertencente ao deus Heimdal, segundo a mitologia nórdica.
*** Dois fantoches, personagens infantis da TV norueguesa.

que tinha se provado uma ameaça vazia até então. Sofia tirou uma bela folha de alface de um vidro de geleia e a colocou na caixa.

— Querida Govinda — disse ela. — Você não pertence exatamente ao grupo dos animais mais velozes. Mas de qualquer maneira você tem o direito de usufruir de um pedacinho deste mundo em que todos vivemos. E pode confiar em mim quando eu digo que você não é o único animal que não consegue sair do casco em que vive.

Sherekan certamente estava lá fora caçando camundongos, pois isso era da natureza dos gatos. Sofia atravessou a sala na direção do quarto de dormir dos pais. Na sala de jantar havia um vaso com lírios-amarelos. As flores como que se inclinaram em saudação a Sofia quando ela passou perto delas. Sofia parou por um instante e acariciou-as com a ponta dos dedos.

— Vocês também pertencem à parte viva da natureza — disse ela. — Assim, vocês têm um enorme privilégio em relação ao vaso onde estão. Mas vocês não têm condições de perceber isso, infelizmente.

Depois Sofia entrou no quarto onde sua mãe dormia profundamente. Sofia pôs a mão sobre a cabeça dela.

— Você está entre os seres mais felizes — disse ela. — Porque não está apenas viva como os lírios no campo. E não é apenas um ser vivo como Govinda ou Sherekan. Você é um ser humano, portanto é dotada com a maravilhosa capacidade de pensar.

— O que é que você está dizendo, Sofia?

Ela acordara mais rápido do que Sofia havia planejado.

— Disse apenas que você parecia uma tartaruga sonolenta. Mas também queria esclarecer que arrumei meu quarto bem direitinho. Fiz uma arrumação com um embasamento filosófico.

A mãe sentou-se na cama.

— Já estou indo, já vou me levantar — disse. — Você poderia, por favor, preparar um cafezinho?

Sofia fez como ela lhe pediu, e em instantes a mesa estava posta, com café, suco e chocolates. Sofia depois disse:

— Você já pensou por que a gente vive, mamãe?

— Ah, você não desiste!

— Sim, porque agora eu sei a resposta. Os homens vivem

neste planeta para que possam explorá-lo e dar nomes a todas as coisas que existem aqui.

— É mesmo? Nunca pensei nisso.

— Então você tem um problema sério, porque nós somos seres pensantes. Se você não pensa, na certa não é um ser humano.

— Sofia!

— Imagine se vivessem apenas animais e plantas por aqui. Aí não haveria ninguém para separá-los em "cães" e "gatos", "lírios" e "amoras". E as plantas e os animais são seres vivos, mas só nós é que podemos classificar a natureza em diferentes grupos e classes.

— Você é realmente a garota mais estranha que eu já vi — admirou-se a mãe.

— Melhor assim... Todas as pessoas são mais ou menos estranhas. Eu sou uma pessoa, logo sou mais ou menos estranha. Você tem apenas uma filha, logo eu sou a mais estranha.

— Agora você está me assustando...

No fim da tarde Sofia voltou ao esconderijo. Ela conseguiu levar a lata de biscoitos para o seu quarto sem que a mãe percebesse.

Primeiro ela pôs as folhas na ordem correta, em seguida as perfurou e colocou no fichário antes do capítulo sobre Aristóteles. Depois de tudo pronto ela anotou o número das páginas na extremidade superior direita de cada uma. Já eram mais de cinquenta. Sofia estava fazendo seu próprio livro de filosofia. Não era ela a autora, mas ele foi escrito especialmente para ela.

Ela nem começara a pensar na lição da escola de segunda-feira. Talvez houvesse uma prova de religião, mas seu professor sempre dizia que para ele o mais importante era o compromisso pessoal e a reflexão própria dos seus alunos. Sofia tinha a sensação de que começava a adquirir os fundamentos de ambos.

O helenismo
... uma centelha do fogo...

O professor de filosofia já começara a enviar as cartas direto para o esconderijo na sebe, mas mesmo assim Sofia foi dar uma olhada na caixa de correio na manhã de segunda-feira.
Estava vazia, já era de esperar. Ela seguiu seu caminho pela rua Kløver.
Em seguida ela avistou uma fotografia no chão. Era a foto de um jipe branco com uma bandeira azul. Na bandeira estava escrito "UN". Não seria a bandeira da ONU?
Sofia olhou o verso da foto e logo viu que se tratava de um cartão-postal. Para "Hilde Møller Knag, a/c Sofia Amundsen...". Ele trazia um selo norueguês e o carimbo "Batalhão da ONU", datado de sexta-feira 15 de junho de 1990.
Quinze de junho! Era o aniversário de Sofia!
No cartão estava escrito:

Querida Hilde,
  Acredito que você está comemorando seus quinze anos. Ou já estamos no dia seguinte? Não importa, não faz a menor diferença, desde que o presente esteja aí. De algum modo ele vai durar a sua vida inteira. Mas queria novamente lhe dar os parabéns. Agora você

já pode imaginar por que estou enviando este cartão aos cuidados de Sofia. Tenho certeza de que ela vai repassá-lo a você.
PS. Mamãe contou que você perdeu sua carteira. Prometo lhe devolver as cento e cinquenta coroas. Uma segunda via da carteira de estudante você certamente vai obter na escola antes das férias de verão.
Um beijo carinhoso,
Papai.

Sofia ficou imóvel como se estivesse colada no asfalto. De quando era o carimbo do cartão anterior? Algo lhe dizia que o cartão com a foto da praia também tinha um carimbo datado de junho — embora ainda faltassem trinta dias para esse mês chegar. Era só prestar bastante atenção...

Ela olhou as horas e deu meia-volta na direção de casa. Hoje ela iria chegar atrasada na escola.

Sofia se trancou em casa e subiu correndo para o quarto, para conferir o primeiro cartão destinado a Hilde, que estava debaixo da echarpe vermelha. Exatamente — ele também tinha carimbo de 15 de junho. Data do aniversário de Sofia e véspera das férias de verão.

Enquanto corria até o supermercado para encontrar Jorunn, seus pensamentos fervilhavam.

Quem era Hilde? Por que o pai dela dera como certo que Sofia iria encontrá-la? Qualquer que fosse a resposta, não fazia sentido ele destinar as cartas a Sofia em vez de enviá-las diretamente para sua filha. Sofia achava impossível que ele desconhecesse o endereço da própria filha. Estaria ele querendo fazer uma surpresa de aniversário ao recorrer a uma completa estranha como detetive e mensageira? Seria por isso que ela recebera mensagens com um mês de antecedência? Será que ela servia de intermediária para que sua filha ganhasse uma nova amiga de presente de aniversário? Seria ela o presente que iria durar "a sua vida inteira"?

Se aquele homem misterioso estivesse realmente no Líbano, como ele poderia ter descoberto o endereço de Sofia? E havia ainda mais: Sofia e Hilde tinham duas coisas em comum. Se Hilde também fazia aniversário dia 15 de junho, elas tinham nascido no mesmo dia. E ambas eram filhas de pais que costumavam viajar pelo mundo.

Sofia se sentia como se fosse prisioneira de um mundo mágico. Talvez não fosse tão estúpido acreditar no destino, afinal. Na verdade, não — ela não deveria se precipitar tirando conclusões assim, para tudo haveria uma explicação natural. Mas como Alberto Knox poderia ter achado a carteira de Hilde se ela morava em Lillesand? Até lá eram quilômetros e quilômetros de distância. E por que aquele cartão-postal foi encontrado no chão? O carteiro o teria derrubado logo antes de chegar à caixa de correio? Mas por que teria perdido exatamente aquele cartão?

— Você está ficando maluca! — gritou Jorunn assim que avistou Sofia no supermercado.

— Desculpe.

Jorunn lançou sobre ela um olhar tão sério que mais parecia uma professora da escola.

— Espero que você tenha uma boa desculpa.

— Tem a ver com a ONU — disse Sofia. — Fui detida no Líbano por uma milícia inimiga.

— Ah. Você está é apaixonada.

Elas correram para a escola o mais rápido que conseguiram.

A prova de religião, para a qual Sofia não tinha estudado nada, foi distribuída no terceiro horário. Na folha estava escrito:

Visão de mundo e tolerância

1. Elabore uma lista sobre o que as pessoas podem saber. Depois faça uma lista daquilo em que nós só podemos acreditar.
2. Indique alguns fatores que podem determinar a visão de mundo de um indivíduo.
3. O que quer dizer consciência? Você acha que todos possuem a mesma consciência?
4. O que significa priorizar valores?

Sofia refletiu durante muito tempo antes de começar a escrever. Será que poderia utilizar algo que aprendera com Alberto Knox? Ela teria que se virar desse modo, porque fazia alguns dias que nem abria seu livro de religião. Assim que se pôs a escrever, as frases pareciam jorrar da caneta.

Ela escreveu que nós podemos saber que a Lua não é um queijo gigante e que há crateras no seu lado escuro, que tanto Sócrates quanto Jesus foram condenados à morte, que todos os homens cedo ou tarde vão morrer, que os gigantescos templos na Acrópole foram construídos depois das Guerras Persas, cerca de 400 a.c., e, finalmente, que o oráculo mais importante para os gregos era o oráculo de Delfos. Como exemplos de questões de fé, ela mencionou a dúvida sobre se haveria ou não vida em outros planetas, se haveria ou não vida após a morte, e se Jesus seria o filho de Deus ou apenas um homem comum. "Nós não podemos saber com certeza de onde vem o mundo", concluiu ela. "O universo pode ser comparado a um enorme coelho que foi retirado de uma cartola não menos grande. Os filósofos tentam escalar até o alto dos pelos mais finos desse coelho para olhar bem nos olhos do Grande Mágico. Se algum dia vão conseguir ou não, é uma pergunta em aberto. Mas, se um filósofo se puser sobre os ombros do outro, eles chegarão cada vez mais alto, até alcançar o extremo da pelagem do coelho, e aí, pelo menos na minha opinião, aumentam as chances de que eles tenham sucesso algum dia. PS. A Bíblia menciona algo que pode ter sido um desses finos fios da pelagem do coelho. Chamava-se Torre de Babel, e foi reduzida a pó porque o Grande Mágico não gostou de ver os homens pequeninos começarem a chegar na extremidade dos pelos daquele coelho branco que ele acabara de criar."

Depois havia a segunda pergunta: "Indique alguns fatores que podem determinar a visão de mundo de um indivíduo". Nesse caso, a educação e as circunstâncias tinham um papel fundamental. Os homens que viviam no tempo de Platão tinham uma visão de mundo diferente da dos homens de hoje simplesmente porque eles viviam em outra época, em outras circunstâncias. Fora isso, as experiências pelas quais cada um havia passado tinham um significado muito importante. Mas também a razão humana era importante para cada um ter a sua própria visão de mundo. E a razão não era determinada pelas circunstâncias, mas era algo comum a todas as pessoas. Talvez pudéssemos comparar as circunstâncias e as relações sociais com a condição que existia no interior da caverna de Platão. Utilizando a razão, qualquer um pode começar a se arrastar para fora da escuridão da caverna. Mas uma jornada assim requer uma alta dose de coragem pessoal. Sócrates foi um belo exemplo de alguém que conseguiu se libertar das concepções vigentes na sua época com a ajuda da razão. Para concluir, ela escreveu: "Nos nossos dias os homens de diferentes países e culturas ficam cada vez mais próximos. Num único quarteirão é possível encontrar moradores cristãos, muçulmanos e budistas. Por isso, cada vez mais é importante saber tolerar a crença alheia em lugar de questionar por que todos não creem na mesma coisa".

Muito bem — Sofia achou que até ali tinha ido razoavelmente bem graças àquilo que aprendera com o professor de filosofia. Depois era só recorrer também a uma boa dose de razão que ela possuía dentro de si, somada a um pouco do que ela havia escutado e lido em outras situações.

Ela passou à pergunta seguinte: "O que quer dizer consciência? Você acha que todos possuem a mesma consciência?". Era um tema que haviam discutido bastante na sala de aula. Sofia escreveu: "Por consciência entendemos a capacidade que o homem tem de reagir àquilo que é certo ou errado. Na minha opinião, todos os homens são dotados dessa capacidade, o que quer dizer que a consciência é inata. Sócrates diria o mesmo. Mas saber exatamente o que diz a consciência pode variar muito de pessoa para pessoa. É uma questão que depende do quão certos estavam os sofistas. Eles diziam que aquilo que é certo ou errado é determinado primeiro pelas circunstâncias em que cada pessoa evolui. Sócrates, ao contrário, dizia que a consciência é algo comum a todos. Talvez os dois estejam certos. Embora algumas pessoas não fiquem constrangidas de tirar a roupa, a maioria se constrange, sim, caso se comportem de maneira a causar mal aos outros. Devo acrescentar que ter consciência é muito diferente de usá-la. Em algumas situações pode parecer que as pessoas agiram totalmente sem consciência, mas pessoalmente acredito que ainda assim é possível identificar consciência nelas, nem que esteja bem escondida. Da mesma forma, pode parecer que as pessoas passam batidas pelo quesito razão, mas só porque não estão acostumadas a utilizá-la. PS. Tanto razão quanto consciência podem ser comparadas com um músculo. Se não são utilizadas, ficam cada vez mais fracas".

Restava uma última pergunta: "O que significa priorizar valores?"". Era um tema sobre o qual haviam falado muito na escola recentemente. Fazer uso de um carro para chegar mais rápido a um lugar poderia ser considerado um valor. Mas, se mais motoristas no mundo significam a morte das florestas e a poluição da natureza, então estamos diante de uma "escala de valores". Depois de muito refletir sobre a questão, Sofia passou a considerar a proteção das florestas e a preservação da natureza valores mais importantes que locomover-se mais rápido para chegar no emprego. Ela também listou alguns exemplos. E por fim escreveu: "Na minha opinião, a filosofia é uma disciplina mais importante que o inglês. Portanto, para mim seria uma prioridade incluir aulas de filosofia no quadro de matérias da escola, no lugar de algumas aulas de inglês".

No fim do último intervalo o professor chamou Sofia para uma conversa particular.

— Já li a sua prova de religião — ele disse. — Era uma das primeiras da pilha.

— Espero que ela tenha servido para alguma coisa.

— Era exatamente sobre isso que queria lhe falar. No geral você deu respostas bastante maduras. Impressionantemente maduras, Sofia. E seguras. Mas você estudou a lição?

Sofia franziu o cenho.

— Você disse que dá mais importância às opiniões de cada aluno.

— Não, quer dizer, sim... Mas há um limite.

Sofia olhou bem nos olhos do professor. Ela achou que deveria se permitir isso depois de ter passado pelo que passara nos últimos dias.

— Comecei a ler sobre filosofia — disse. — É uma ótima fonte para termos opiniões próprias.

— Mas não é tão fácil para mim atribuir uma nota para as suas respostas. Vou ter que lhe dar ou um S ou um NG.*

— Porque eu respondi ou tudo certo ou tudo errado? É isso que você quer dizer?

---

* O sistema de avaliação na escola fundamental norueguesa consiste numa escala de cinco conceitos. S (de *særs*, "excepcional") é o mais alto; NG (de *nokså godt*, "razoavelmente bom") é o penúltimo.

— Digamos que será um S — disse o professor. — Mas da próxima vez você vai ter que estudar a lição.

Quando Sofia voltou da escola naquela tarde, ela deixou cair a mochila assim que entrou em casa e logo disparou em direção ao esconderijo. Lá encontrou um envelope amarelo sobre as raízes grossas. Estava bem úmido nas extremidades, então Hermes devia ter acabado de deixá-lo ali.

Ela apanhou o envelope e foi se trancar em casa. Primeiro alimentou os bichos, depois subiu para o quarto. Deitou-se na cama, abriu a correspondência de Alberto e começou a ler.

O HELENISMO

Olá de novo, Sofia! Você já aprendeu um pouco sobre os filósofos naturais e sobre Sócrates, Platão e Aristóteles, e assim já conhece os fundamentos da filosofia ocidental. De agora em diante não teremos mais aqueles exercícios que antes eram entregues nos envelopes brancos. Exercícios e provas parecidas você já tem em número suficiente na escola, imagino eu.

Vou contar um pouco do que aconteceu no grande espaço de tempo entre Aristóteles, no fim do ano 300 a.C., até o começo da Idade Média (c. 400 d.C.). Note que agora escrevemos "antes" e "depois" de Cristo. Porque o cristianismo foi uma das coisas mais importantes — e singulares — que ocorreram nesse intervalo.

Aristóteles morreu no ano 322 a.C., e Atenas já havia perdido sua hegemonia. Isso por conta das grandes turbulências políticas ocasionadas pelas conquistas de Alexandre, o Grande (356-323 a.C.).

Alexandre, o Grande, foi rei da Macedônia, terra também de Aristóteles, que durante um período foi professor do jovem Alexandre. Foi ele mesmo quem liderou a última batalha contra os persas, derrotando-os. E mais que isso, Sofia: suas sucessivas campanhas bélicas uniram à civilização grega o Egito e todo o Oriente até a Índia.

Começava assim uma nova era na história humana. Ela evoluiu a partir de uma sociedade mundial em que a cultura e a língua grega desempenhavam um papel dominante. A esse período, que durou cerca de trezentos anos, chamamos de *helenismo*. Por "helenismo" entendemos tanto o espaço de tempo como a cultura dominante grega que se impôs aos três reinos helênicos — Macedônia, Síria e Egito.

A partir do ano 50 a.C., aproximadamente, Roma ganhou um protagonismo político. Essa nova grande potência conquistou em levas os reinos helênicos, disseminando a cultura romana e a língua latina num território que se estendia desde a Espanha até o interior da Ásia. Dessa forma tem início o *período romano*, também conhecido como *Antiguidade Tardia*. Mas você deve reparar numa coisa: antes de conquistar o mundo helênico, os romanos foram, eles próprios, uma província cultural grega. E assim a cultura — e também a filosofia — grega passou a desempenhar um papel importante muito tempo depois de sua política não significar nada além de um verbete na história mundial.

RELIGIÃO, FILOSOFIA E CIÊNCIA

O helenismo foi caracterizado pelo desaparecimento de fronteiras entre diferentes países e culturas. Anteriormente, gregos, romanos, egípcios, babilônios, sírios e persas cultuavam seus deuses circunscritos ao que chamamos de "religiões nacionais". Agora todas essas culturas diferentes estavam misturadas dentro de um enorme caldeirão de concepções religiosas, filosóficas e científicas.

Talvez possamos afirmar que a praça municipal foi substituída pela arena mundial. Nas antigas praças reunia-se uma profusão de vozes locais, oferecendo ora mercadorias ora diferentes pensamentos e ideias. A novidade agora era que as praças eram abastecidas de mercadorias e ideias de boa parte do mundo. E assim essa profusão de vozes era ouvida também em diversos idiomas.

Já mencionamos que a concepção de mundo dos gregos havia muito se espalhara além das antigas áreas de influência da Grécia. Mas agora os deuses orientais começavam a ser cultuados em toda a região do Mediterrâneo. Surgiram diversos cultos religiosos novos, que tomavam emprestados seus deuses ou cerimônias das várias nações e culturas que existiam. A isso se chama *sincretismo*, ou mistura de religiões.

Antes as pessoas experimentavam uma forte sensação de pertencimento a um povo ou a uma cidade-Estado. Mas, à medida que fronteiras e linhas divisórias foram sendo erradicadas, muita gente começou a pôr em dúvida sua visão de mundo. A Antiguidade Tardia foi em grande parte marcada por incerteza religiosa, dissolução cultural e pessimismo. "O mundo envelheceu", costumava-se dizer.

Os novos cultos religiosos surgidos no helenismo tinham em comum uma crença aberta na superação da morte, algo que até então costumava fazer parte apenas de rituais ocultos. Ao compartilhar essa crença e observar certos rituais, os homens podiam aspirar à imortalidade da alma e à vida eterna. Um determinado insight reconhecendo a verdadeira natureza do universo poderia ser tão importante para a libertação da alma quanto um ritual religioso.

Essas eram as novas religiões, Sofia. Mas também a *filosofia* passou a caminhar cada vez mais na direção de "libertar" e consolar os homens. O insight filosófico não possuía mais um valor em si mesmo, mas deveria libertar os homens da angústia da morte e do pessimismo. E assim foram varridas as fronteiras entre a filosofia e a religião.

De maneira geral, podemos dizer que a filosofia do helenismo foi pouco original. Não surgiu nenhum novo Sócrates, Platão ou Aristóteles. Mas mesmo assim os três grandes filósofos de Atenas serviram de inspiração importante para várias correntes filosóficas, as quais já vamos abordar resumidamente.

Também a *ciência* do helenismo trouxe as marcas das misturas entre as diversas experiências culturais. Nesse caso a cidade de Alexandria, no Egito, desempenhou um papel-chave como ponto de encontro entre Ocidente e Oriente. Do mesmo modo que Atenas se tornara a capital da filosofia com suas escolas filosóficas derivadas de Platão e Aristóteles, Alexandria se converteu num centro científico. Com suas grandes bibliotecas essa cidade se transformou num centro de matemática, astronomia, biologia e medicina.

A cultura helênica pode muito bem ser comparada ao mundo atual. O século xx também foi marcado por uma abertura permanente das sociedades mundiais. Nossa época também possibilitou grandes reviravoltas religiosas e de concepção de mundo. Assim como em Roma, no começo do calendário cristão, cultuavam-se deuses gregos, egípcios e orientais, no fim do século xx podemos encontrar em todas as grandes cidades europeias concepções religiosas oriundas de todas as partes do mundo.

Também na nossa época podemos testemunhar como a combinação de religiões antigas e novas, filosofia e ciência, pode originar uma nova oferta de mercadorias para o "mercado de visão de mundo". Uma grande quantidade desse "conhecimento novo" consiste, na verdade, em antigos pensamentos — cujas raízes estão fincadas, entre outros períodos, no antigo helenismo.

Como já mencionamos, a filosofia do helenismo continuou a trabalhar com questões que foram feitas primeiro por Sócrates, Platão e Aristóteles. Elas tinham em comum a preocupação em descobrir a conduta mais adequada para o homem levar sua vida e morrer. A *ética* entrou na ordem do dia e se tornou o projeto filosófico mais importante dessa nova sociedade. O que se queria era saber no que consistia a verdadeira felicidade e como ela poderia ser alcançada. Veremos quatro dessas correntes filosóficas.

OS CÍNICOS

Diz-se de Sócrates que certa vez ele parou diante de uma bancada no mercado onde vários artigos estavam expostos à venda. Depois de um tempo ele exclamou: "É tanta coisa de que eu não preciso!".

Essa frase pode bem resumir a *filosofia cínica*, fundada por Antístenes, em Atenas, aproximadamente no ano 400 a.C. Ele fora discípulo de Sócrates e um entusiasta do despojamento do seu mestre.

Os cínicos enfatizavam que a verdadeira felicidade não consiste em coisas externas, como luxo material, poder político e boa saúde. A verdadeira felicidade é não depender de elementos casuais e passageiros. Justamente porque a felicidade não estava nessas coisas é que ela podia ser alcançada por todos. E, uma vez alcançada, jamais poderia ser perdida.

O mais conhecido dos cínicos foi *Diógenes*, discípulo de Antístenes. Diz-se que ele morava num barril e não possuía nada além de uma túnica, um cajado e um embornal de pão. (Não devia ser fácil arrancar dele a felicidade!) Certa vez, quando estava sentado diante do seu barril aproveitando o sol, recebeu a visita de Alexandre, o Grande. O visitante ilustre aproximou-se do sábio e perguntou se haveria algo que ele desejava para si, pois imediatamente atenderia esse desejo. Diógenes respondeu: "Então desejo que te afastes um pouco para o lado para que os raios do sol possam me alcançar". Dessa forma Diógenes demonstrava que era mais rico e feliz que o poderoso comandante dos exércitos. Ele possuía tudo que desejava.

Os cínicos diziam que um homem não precisava se preocupar com sua própria saúde, nem mesmo com o sofrimento e com a morte. E tampouco deveria se deixar abater pelo sofrimento alheio.

Hoje utilizamos a palavra "cínico" preferencialmente para caracterizar aquele que demonstra insensibilidade e ignorância para com os sentimentos do outro, e usamos a palavra "cinismo" para denotar essa atitude.

OS ESTOICOS

Os cínicos tiveram grande importância para os *filósofos estoicos*, que surgiram em Atenas aproximadamente no ano 300 a.C. O fundador do estoicismo foi Zenão, originário da ilha de Chipre, que se fixou em Atenas depois de ter sobrevivido a um naufrágio. Ele costumava reunir seus seguidores debaixo de uma pérgula. O nome "estoico" deriva de "stoa", palavra grega que significa "pérgula" ou "pórtico". O estoicismo teria grande importância futura para a cultura romana.

Assim como Heráclito, os estoicos diziam que todos os homens compartilhavam um pedaço da razão universal — ou "logos". Para eles, cada indivíduo era como uma miniatura do mundo, ou "microcosmo", um reflexo do "macrocosmo".

Isso conduziu à teoria segundo a qual existe um direito universal, conhecido como "direito natural". Como é construído sobre a razão atemporal do homem e do universo, esse direito não se altera no tempo e no espaço. Nesse particular os estoicos tomaram o partido de Sócrates contra os sofistas.

O direito natural vale para todos os homens, incluindo os escravos. As diversas legislações existentes nos Estados eram, para os estoicos, derivações imperfeitas de um "direito" fundamentado na própria natureza.

Dessa forma os estoicos eliminaram a separação entre o indivíduo e o universo, suprimindo também a oposição existente entre "espírito" e "substância". Só existe uma única natureza, diziam eles. Essa concepção é chamada de *monismo* (em oposição, por exemplo, a Platão e seu claro "dualismo", isto é, a divisão da realidade em duas).

Como produto do seu tempo, os estoicos eram marcadamente "cosmopolitas", cidadãos do mundo. Eles eram mais abertos para a cultura da sociedade que os "filósofos do barril" (os cínicos). Prezavam a importância da comunidade, interessavam-se pela política e vários deles eram estadistas ativos, por exemplo, o imperador romano Marco Aurélio (121-180). Eles contribuíram para disseminar a cultura e a filosofia grega em Roma, particularmente através do orador, filósofo e político *Cícero* (106-43 a.C.), criador do conceito de "humanismo" — no qual o indivíduo se situa no centro das coisas. O estoico Sêneca (4 a.C. - 65 d.C.) diria anos depois que "o homem é sagrado para o homem". Este permaneceu sendo para sempre o slogan do humanismo.

Os estoicos também enfatizaram que todos os processos naturais — como a doença e a morte — seguem regras naturais inquebrantáveis. Os homens devem, portanto, aprender a conviver com seu destino. Nada ocorre por acaso, diziam eles. Tudo acontece porque é necessário, e portanto é inútil lamentar quando o destino bate à porta. Pelo mesmo raciocínio, as grandes alegrias da vida devem ser aceitas com serenidade. Aqui podemos ver um parentesco dos estoicos com os cínicos, que se referiam a todas as coisas externas com indiferença. Hoje em dia dizemos "paciência estoica" quando alguém não se deixa abalar por seus sentimentos.

OS EPICURISTAS

Como vimos, Sócrates ocupou-se de investigar como os homens poderiam viver uma vida boa. Tanto os estoicos como os cínicos concordavam com ele no sentido de que o homem deveria se libertar de todo luxo material. Mas Sócrates também tinha um discípulo, de nome Aristipo, para quem o propósito da vida era obter o máximo de satisfação através dos sentidos. "O bem supremo é o prazer", dizia ele, "e o pior mal é a dor." Ele queria assim desenvolver uma arte de viver evitando todas as manifestações de dor. (O propósito de cínicos e estoicos era *suportar* as formas de dor, algo bem diferente de se propor a *evitar* as dores.)

Aproximadamente no ano 300 a.C., Epicuro (341-270 a.C.) fundou uma escola filosófica em Atenas (os epicuristas), unindo a ética do prazer de Aristipo com a teoria atomista de Demócrito.

Conta-se que os epicuristas se reuniam num jardim, portanto passaram a ser conhecidos como "filósofos dos jardins". Acima da entrada do jardim haveria uma placa com a inscrição "Estranho, aqui você pode desfrutar a vida. Aqui o bem mais elevado é o prazer".

Epicuro reforçava que sempre devemos ponderar os efeitos de um prazer em excesso tendo em vista seus possíveis efeitos colaterais. Se alguma vez você já se empanturrou de chocolate, sabe a que estou me referindo. Imagine se eu lhe der a seguinte tarefa: pegue suas economias e gaste duzentas coroas só em chocolate. (Presumo que você goste de chocolate.) Mas é importante que você devore todo esse chocolate de uma só vez. Espere meia hora e você compreenderá o que Epicuro quis dizer com "efeitos colaterais".

Epicuro também dizia que devemos comparar os resultados de uma visão de curto prazo com as possibilidades de poder desfrutar um prazer mais intenso e duradouro. (Imaginemos que você decida não comer chocolate durante seis meses porque queira economizar para uma viagem ou para comprar uma bicicleta.) Ao contrário dos animais, os homens possuem a capacidade de planejar a própria vida. Somos capazes de "calcular nosso prazer". Um chocolate delicioso é obviamente um valor, mas uma bicicleta ou uma viagem de férias também o são.

Ao mencionar "prazer", Epicuro não está se referindo somente ao que os nossos sentidos percebem — como o gosto do chocolate. Ele inclui valores como a amizade e a experiência artística, por exemplo. Alguns pressupostos para aproveitar bem a vida eram, além destes, antigos ideais gregos como autocontrole, temperança e serenidade. Pois o desejo deve ser domado, e assim a serenidade nos ajudará a tolerar a dor.

Com frequência pessoas com aflições religiosas acorriam ao jardim dos epicuristas. Nessas situações a teoria atomista de Demócrito era muito útil contra a religião e a superstição. Para viver uma boa vida, é fundamental vencer o medo da morte. No que se referia a essa questão, Epicuro recorria à teoria de Demócrito sobre os "átomos da alma". Você talvez se recorde de que Demócrito dizia que não existe vida após a morte pois os "átomos da alma" se dispersam para todos os lados quando morremos.

"A morte não nos diz respeito", desdenhava Epicuro. "Pois, enquanto vivemos, a morte não existe. E, quando ela chega, nós já não existimos." (E é verdade que homem nenhum se irritou pelo fato de estar morto.)

Epicuro nos legou um resumo de sua filosofia libertária, que chamava de "quatro ervas medicinais":

Não devemos temer os deuses. A morte não é algo a nos preocupar. O bem está ao nosso alcance. O horror é fácil de suportar.

Não era nada inédito na sociedade grega comparar a tarefa do filósofo à de um médico. O objetivo aqui é que as pessoas recorram a uma espécie de "farmácia filosófica portátil" contendo os quatro remédios que consideram importantes.

Contrapondo-se aos estoicos, os epicuristas demonstravam pouco interesse pela política e pela vida social. "Leva a vida em segredo!", era o conselho de Epicuro. Talvez possamos comparar o seu "jardim" às experiências comunitárias dos nossos dias. Também na época atual muita gente procura para si uma "ilha" ou um "porto seguro" distantes da sociedade.

Muitos dos discípulos de Epicuro evoluíram na direção de uma busca egoísta pelo prazer. Seu lema era "Viva o instante". A palavra "epicurista" adquiriu com o tempo uma conotação pejorativa, tornando-se sinônimo de pessoa fútil e mundana.

O NEOPLATONISMO

Vimos como cínicos, estoicos e epicuristas estendiam suas raízes até Sócrates. Além disso, eles bebiam no legado de pré-socráticos como Heráclito e Demócrito. Porém, a mais notável corrente filosófica da Antiguidade Tardia inspirou-se sobretudo na teoria das ideias de Platão.

O mais importante neoplatonista foi *Plotino* (c. 205-270), que estudou filosofia em Alexandria e depois migrou para Roma. É importante mencionar que ele nasceu em Alexandria, a cidade que durante muitos anos serviu como grande ponto de contato entre a filosofia grega e o misticismo oriental. Plotino levou para Roma uma doutrina de salvação que viria a se tornar uma séria alternativa ao cristianismo vigente na época. Mas o neoplatonismo também viria a exercer forte influência na teologia cristã.

Você se recorda da teoria das ideias de Platão, Sofia. Lembre-se de que ele dividia o mundo entre ideias e sentidos, fazendo uma clara separação entre o corpo e a alma humana. Para ele, o homem seria um ser duplo: nosso corpo consiste em terra e pó como tudo o mais no mundo dos sentidos, mas também possuímos uma alma imortal. Bem antes de Platão essa era uma concepção comum entre muitos gregos. Plotino estava familiarizado com concepções semelhantes também na Ásia.

Plotino dizia que o mundo oscila entre dois polos. Num deles existe uma luz divina, que chamou de "O Uno" e, outras vezes, de "Deus". No outro está a treva absoluta, onde nenhum raio de luz proveniente d'O Uno alcança. Mas o cerne da ideia de Plotino é que essa escuridão na verdade não existe. Trata-se apenas da ausência de luz — sim, não há nada ali. A única coisa que existe é "Deus" ou "O Uno", mas, assim como a luz gradualmente diminui até afinal se perder no escuro, existe um limite até onde os raios da luz divina podem alcançar.

Segundo Plotino, a alma reflete a luz d'O Uno, enquanto as demais coisas não possuem nenhuma existência real. Mas também as formas na natureza possuem um leve reflexo d'O Uno.

Imagine um grande incêndio tomando conta da noite, querida Sofia. Do fogo saltam centelhas para todos os lados. Num amplo perímetro ao redor do fogo a noite se torna dia, e a uma distância de muitos quilômetros podemos ver o brilho tênue do incêndio ao longe. Se nos afastarmos ainda mais da fogueira, deixaremos de enxergar seu brilho. Em algum lugar o brilho da fogueira some no meio da noite, tornando-nos incapazes de ver na escuridão, não veremos nem mesmo sombras e silhuetas.

Imagine agora que a realidade seja essa fogueira. Aquilo que queima é Deus — e a escuridão distante é a matéria da qual são feitos animais e homens. Próximas de Deus estão as ideias eternas, que são as substâncias primordiais de todas as coisas. Acima de tudo a alma humana é uma "centelha do fogo". Mas em tudo na natureza brilha um pouco da luz divina. Podemos vê-la nos seres vivos: mesmo uma rosa ou uma tulipa possuem essa luz divina. No ponto mais distante do Deus vivo estão a terra, a água e as rochas.

Eu digo que há algo do mistério divino em tudo que existe. Podemos testemunhar isso admirando um girassol ou uma papoula. Mais desse mistério insondável podemos ver numa borboleta pousada num galho — ou num peixinho dourado nadando num aquário. Mas chegamos mais perto de Deus através da alma que existe dentro de nós. Somente por meio dela é que podemos nos reunir ao grande mistério da vida. Sim, em momentos extraordinários podemos experimentar, no nosso íntimo, esse *mistério divino*.

As imagens que Plotino usa nos lembram o mito da caverna de Platão: quanto mais nos aproximamos da abertura da caverna, mais próximos também ficamos da fonte de onde provêm todas as coisas. Mas, ao contrário da clara divisão dual da realidade proposta por Platão, o pensamento de Plotino é permeado por uma experiência de unidade. Tudo é um — pois tudo é Deus. Mesmo as sombras no fundo da caverna de Platão refletem um brilho tênue d'O Uno.

Em alguns poucos momentos da sua vida Plotino experimentou a sensação de fundir sua alma com Deus. Chamamos a isso *experiência mística*. Plotino não foi o único a passar por essa experiência, comum ao ser humano de todos os tempos e das mais diversas culturas. As descrições da experiência podem variar, mas muitas dessas jornadas têm paralelos importantes em comum. Vamos ver alguns deles.

MISTICISMO

Dizer que alguém teve uma experiência mística significa dizer que esse alguém experimentou uma união com Deus ou com a "alma universal". Muitas religiões enfatizam o abismo que há entre Deus e sua criação, mas o místico não percebe a existência de tal abismo. Ele ou ela é alguém que já passou por uma "ascensão a Deus" ou "se fundiu" com Ele.

A ideia é a seguinte: aquilo que costumamos chamar de "eu" não é exatamente nosso próprio eu. Durante alguns breves instantes podemos experimentar a sensação de ser idênticos a um eu maior. Alguns místicos chamam isso de Deus, outros de "alma universal", "parte da natureza" ou "consciência cósmica". Quando essa fusão ocorre, o místico experimenta a sensação de "perder-se de si mesmo": ele desaparece dentro de Deus ou se une a ele como uma gota d'água se perde de si mesma ao se misturar ao oceano. Um místico indiano certa vez se expressou assim: "Quando eu era, não era Deus. Agora sou Deus, e não mais sou". O místico cristão *Silésio* (1624-77) expressou-se desta maneira: "Para o mar escorre cada gota, e se transforma nele; assim também é com as almas, tornadas Deus quando a Ele acorrem".

Talvez você não se sinta confortável com a ideia de "perder-se de si mesma". Tudo bem, Sofia, eu compreendo. Mas o ponto é o seguinte: o que você perde é ínfimo se comparado ao que você ganha. Você perde essa forma que possui agora, mas ao mesmo tempo passa a compreender que, na verdade, é algo incrivelmente maior. Você é parte da natureza. Sim, você é a consciência cósmica. Você é que é Deus. Se você receia se perder enquanto Sofia Amundsen, pode acreditar em mim quando digo que um dia terá de abandonar esse seu "eu cotidiano" de qualquer maneira. Esse eu verdadeiro — que segundo os místicos você só poderá encontrar ao se perder de si mesma — é fogo maravilhoso que arde por toda a eternidade.

Mas uma experiência mística assim não surge do nada. Os místicos costumam trilhar um "caminho de purificação e iluminação" para seu encontro com Deus. Esse caminho passa pela adoção de uma vida simples e de diferentes técnicas de meditação. Com o tempo o místico atinge seu objetivo, e aí ele ou ela pode dizer em alto e bom som: "Eu sou Deus" ou "Eu sou Você".

Podemos encontrar variações místicas em todas as religiões do mundo. E as descrições dadas pelos místicos das suas experiências mostram semelhanças acachapantes, não importa a que contexto cultural pertençam. Somente quando o místico emite uma interpretação filosófica ou religiosa para descrever sua experiência mística é que fica caracterizado o seu contexto cultural.

Na *mística ocidental* — ou seja, no judaísmo, no cristianismo e no islamismo — o místico enfatiza no seu relato um encontro pessoal com Deus. Embora Deus esteja presente tanto na natureza quanto na alma humana, ele também paira acima do mundo. Na *mística oriental* — isto é, no hinduísmo, no budismo e nas religiões chinesas — são mais comuns relatos com ênfase numa união total com Deus ou com a "alma universal". "Eu sou a alma universal", o místico pode dizer, bem como "Eu sou Deus". Pois Deus não está apenas presente no mundo: não há outro lugar para Ele estar presente.

Especialmente na Índia há correntes místicas que datam desde antes da época de Platão. *Swami Vivekananda*, um dos responsáveis por aproximar as ideias do hinduísmo do Ocidente, disse certa vez: "Assim como algumas religiões no mundo dizem que um homem que não crê num Deus pessoal além de si mesmo é um ateu, dizemos que um homem que não crê em si mesmo é um ateu. Não crer na santidade da sua própria alma é o que chamamos de ateísmo".

Uma experiência mística também pode ter um significado para a ética. Um ex-presidente da Índia, *Radhakrishnan*, afirmou certa vez: "Tu deves amar a teu próximo porque tu és teu próximo. É ilusão acreditar que teu próximo seja outro que não tu mesmo".

Mesmo contemporâneos nossos que não pertencem a nenhuma religião costumam relatar experiências místicas. Subitamente eles experimentam uma sensação que costumam chamar de "consciência cósmica" ou "sensação oceânica". Sentem-se como se tivessem sido arrancados do tempo e percebem o mundo "sob a perspectiva da eternidade".

Sofia se levantou da cama. Ela precisava sentir se ainda possuía um corpo.

Depois de ter lido sobre Plotino e os místicos, Sofia teve a sensação de flutuar pelo quarto, sair pela janela e sobrevoar a cidade. Avistou as pessoas lá embaixo na praça, mas continuou flutuando pelo planeta, passando sobre o mar do Norte e a Europa, rumo ao sul, cruzando o Saara até chegar às savanas na África.

Todo o imenso planeta era como se fosse um único ser vivo, e esse ser vivo era como se fosse a própria Sofia. "Eu é que sou o mundo", pensou ela. Todo o universo, antes percebido como algo inescrutável e atemorizante, não era agora nada além do seu próprio eu. O universo continuava infinito e majestoso, só que agora ela se sentia pertencendo inteiramente a ele.

Aquela sensação maravilhosa se dissipou rapidamente, mas Sofia estava certa de que jamais a esqueceria. Era como se uma coisa dentro dela lhe escapasse pela testa e se misturasse a algo mais, tal qual uma gota de tinta que caísse num balde cheio e colorisse a água que lá estava.

Quando tudo aquilo terminou, foi como se ela despertasse de um sonho fantástico com uma baita dor de cabeça. Sofia constatou com um suspiro de desapontamento que ela possuía um corpo e que ele tentava se levantar da cama. Suas costas doíam depois de tanto tempo deitada de bruços lendo as páginas que Alberto Knox escrevera. Mas ela havia experimentado algo que jamais esqueceria.

Por fim conseguiu pôr os pés no chão. Em seguida perfurou as folhas e as colocou no fichário junto com os outros capítulos. E foi espairecer no jardim.

Lá os pássaros gorjeavam como se o universo tivesse acabado de ser criado. As bétulas brancas atrás do antigo viveiro de coelhos reluziam tanto sob o sol que parecia que o Criador ainda não tinha acabado de pintá-las.

Sofia acreditava mesmo que existe um eu divino? Será que ela acreditava possuir uma alma que era uma "centelha do fogo"? Se fosse verdade, então ela era mesmo um ser divino.

Os cartões-postais
... estou me impondo uma forte censura...

Passaram-se alguns dias sem que Sofia recebesse novas cartas do professor de filosofia. Quinta-feira era dia 17 de maio.* Não haveria aula nem no dia 18.

Ao voltarem juntas para casa no dia 16, Jorunn disse de repente:

— Que tal se fôssemos acampar?

A primeira coisa que Sofia pensou foi que não poderia ficar fora de casa por muito tempo. Mas manteve discrição.

— Acho legal.

Duas horas depois Jorunn já estava na casa de Sofia carregando uma enorme mochila. Sofia havia feito a sua também, pois a barraca era dela. Além disso, estavam levando sacos de dormir, roupas quentes, colchonetes, garrafas térmicas com chá e muita comida gostosa.

Quando a mãe de Sofia chegou em casa por volta das cinco da tarde, as duas meninas tiveram que ouvir um longo sermão sobre o que deveriam ou não fazer. A mãe queria saber também onde elas pretendiam armar a barraca.

* "Dia da Constituição", data nacional na Noruega, que marca também o fim do ano escolar e o início das férias de verão com muitas celebrações.

Elas queriam montar acampamento perto do Tiurtoppen.*
Talvez até conseguissem ouvir o canto das perdizes na manhã seguinte.

Sofia tinha outra razão para acampar justamente ali. Pelo que sabia, Tiurtoppen não ficava muito longe do Chalé do Major. Algo a atraía de volta para lá, mas Sofia tinha certeza de que jamais ousaria fazer aquele percurso sozinha novamente.

As duas seguiram pela trilha da floresta, que começava rente ao portão de entrada da casa. Sofia e Jorunn conversavam sobre os assuntos mais variados, e Sofia achou bom poder se desligar um pouco de tudo que tivesse a ver com filosofia.

Por volta das oito horas elas já haviam armado a barraca numa clareira junto ao Tiurtoppen. Montaram acampamento, estenderam os sacos de dormir, e, depois de devorarem o lanche que tinham levado, Sofia disse:

— Você já ouviu falar do Chalé do Major?

— Chalé do Major?

— É uma cabana que fica num lugar no meio da floresta... perto de um laguinho. Um major morou lá um tempo atrás, por isso se chama Chalé do Major.

— Tem alguém morando lá agora?

— Vamos dar uma olhada?

— Mas onde fica?

No começo Jorunn resistiu um pouco, mas acabou cedendo. O sol ainda brilhava alto no céu de verão.

Primeiro elas cruzaram uma mata de pinheiros bem altos, depois tiveram que se embrenhar no meio de arbustos e galhos. No fim deram numa trilha. Teria sido a mesma por onde Sofia passara no domingo de manhã?

Com certeza — logo Sofia conseguiu avistar alguma coisa brilhando do lado direito da trilha, atrás das árvores.

— É ali atrás — disse ela.

Pouco depois elas estavam às margens do lago. Sofia olhou para a cabana. Ela agora estava fechada com madeira do lado de fora das janelas. Aquela casa vermelha parecia a construção mais abandonada que ela já vira.

* Algo como "monte das Perdizes".

Jorunn olhou em volta.
— Vamos nadar? — perguntou.
— Não, vamos remar.
Sofia apontou para uma touceira de juncos. O bote estava lá, exatamente como da outra vez.
— Você já esteve aqui antes?
Sofia balançou a cabeça. Seria muito complicado explicar à amiga sobre sua visita anterior. Como ela conseguiria não revelar nada sobre Alberto Knox e o curso de filosofia?
Elas disseram coisas engraçadas e riram muito enquanto cruzavam o lago a remo. Dessa vez, Sofia tomou muito cuidado ao arrastar o bote para terra firme ao alcançarem a outra margem. Logo elas estavam diante da porta. Jorunn tentou a maçaneta, pois era provável que não houvesse ninguém na cabana.
— Trancada... Você não achava que fosse estar aberta, achava?
— Talvez eu consiga encontrar a chave — disse Sofia.
Ela começou a procurar entre as pedras do alicerce da cabana.
— Ah, vamos voltar para o acampamento — disse Jorunn após alguns minutos.
Mas aí Sofia gritou:
— Achei, achei!
Sofia segurava a chave, triunfante. Colocou-a na fechadura e logo a porta estava aberta.
As duas amigas entraram sorrateiramente, como quem está fazendo algo ilegal. Dentro da cabana estava escuro e frio.
— Não estamos vendo nada — disse Jorunn.
Mas Sofia havia pensado nisso também. Ela tirou do bolso uma caixa de fósforos e acendeu um palito. Foi o bastante para que elas vissem que a cabana estava vazia, antes de o fogo se extinguir. Sofia acendeu outro, e conseguiu ver uma vela num pequeno castiçal de ferro, junto à lareira. Ela acendeu a vela com um terceiro fósforo, e com isso a cabana se iluminou o suficiente para que elas pudessem explorá-la.
— Não é estranho como uma luzinha pode iluminar tanta escuridão? — perguntou Sofia.
A amiga concordou.
— Mas em algum lugar a luz se perde no escuro — continuou

Sofia. — Na verdade o escuro não existe por si. Ele é só a ausência de luz.

— Ai! Você fala cada coisa esquisita... Vamos indo.

— Primeiro vamos olhar o espelho.

Sofia apontou para o espelho de latão pendurado sobre a cômoda, exatamente como antes.

— Que lindo...

— Mas é um espelho mágico.

— Espelho, espelho meu, existe mulher mais bela do que eu?

— Não estou brincando, Jorunn. Eu acho que dá para olhar através do espelho e ver algo do outro lado.

— Você não disse que nunca esteve aqui antes? Por que você acha tão engraçado me assustar, hein?

Para essa pergunta Sofia não tinha resposta.

— *Sorry!*

Agora foi a vez de Jorunn encontrar uma coisa que estava largada no chão, no canto da parede. Era uma caixa bem pequena. Jorunn a apanhou do chão.

— Cartões-postais — ela disse.

Sofia deixou escapar:

— Não toque neles! Ouviu bem? Você não pode tocar neles!

Jorunn tomou um susto e deixou a caixa cair como se ela estivesse pegando fogo. Os cartões se espalharam pelo chão. Depois de alguns segundos ela começou a rir.

— São só alguns cartões-postais.

Jorunn se abaixou para juntá-los. Sofia logo veio ajudá-la.

— Líbano... Líbano... Líbano... Todos os cartões foram postados no Líbano — constatou Jorunn.

— Eu sei — Sofia disse quase num sussurro.

Jorunn sentou-se e olhou bem nos olhos de Sofia.

— Então você já esteve aqui.

— Então eu já estive, pronto.

Ela se deu conta de que as coisas teriam sido muito mais fáceis se tivesse admitido que estivera ali antes. Não faria mal nenhum ela contar à amiga um pouco dos misteriosos acontecimentos dos últimos dias.

— Não queria dizer antes que estivéssemos aqui.
Jorunn tinha começado a ler os cartões.
— Todos são para alguém que se chama Hilde Møller Knag.
Sofia ainda não havia nem tocado nos cartões.
— É só o que está escrito no endereço?
Jorunn leu:
— Hilde Møller Knag, a/c Alberto Knox, Lillesand, Noruega.
Sofia respirou mais aliviada. Ela temia que naqueles cartões estivesse escrito "a/c Sofia Amundsen". Só então passou a examiná-los de perto.
— Vinte e oito de abril... 4 de maio... 6 de maio... 9 de maio... Os carimbos são de apenas alguns dias atrás.
— Mas tem mais... Todos os carimbos são noruegueses. Olha aqui: "Batalhão da ONU". Os selos também são noruegueses.
— Acho que é assim que eles fazem para enviar cartas. Eles têm que ser neutros, por isso têm a própria agência de correio por lá.
— Mas como as cartas chegam aqui?
— Acho que em aviões militares.
Sofia pôs o castiçal no chão e as duas amigas puderam então ler os cartões. Jorunn os colocou em ordem cronológica e leu o primeiro.

Querida Hilde,
Não vejo a hora de chegar em casa, em Lillesand. Se tudo correr como planejado, vamos desembarcar em Kjevik bem cedo na véspera de São-João. Queria muito chegar para os seus quinze anos, mas estou sob ordens militares. Em compensação prometo que você vai receber todo o meu carinho na forma de um presente bem grandão, no dia do seu aniversário.
Um beijo de alguém que não para de pensar no futuro da sua filha.
PS. Estou enviando uma cópia deste cartão para uma pessoa que nós dois conhecemos. Você vai entender, Hildinha. Agora mesmo estou sendo bem misterioso, mas você vai entender.

Sofia pegou o cartão seguinte.

Querida Hilde,
Aqui os dias demoram a passar. Algum dia ainda vou ter saudade dos tempos que passei no Líbano, mas por enquanto é só espera. Mas estou fazendo o possível para que você tenha o presente de quinze anos mais bacana possível. Mais que isso não posso dizer por enquanto. Estou me impondo uma forte censura.
Beijos,
Papai.

Sentadas no chão, as amigas mal conseguiam conter a expectativa. Nenhuma das duas dizia nada, apenas liam o que estava escrito nos cartões.

Minha querida filha,
Queria primeiramente que uma pombinha branca pudesse lhe entregar minhas lembranças. Mas pombas brancas são difíceis de achar no Líbano. Se tem algo que falta em tempos de guerra são pombas brancas. Quem dera a ONU possa um dia garantir a paz no mundo.
PS. Que tal compartilhar seu presente de quinze anos com outras pessoas? Vamos ver isso quando eu chegar em casa. Mas você continua sem ter a menor ideia do que eu estou falando, não é?
Um beijo de alguém que adora pensar em nós dois.

Depois de seis cartões lidos restava apenas um. Nele estava escrito:

Querida Hilde,
Estou tão abarrotado de segredos sobre o seu aniversário que várias vezes por dia interrompo o que estou fazendo e penso em ligar para você e contar tudinho. É uma vontade que não para de crescer. E você sabe, quando uma coisa não para de crescer, ela fica difícil de esconder.
Um beijo,
Papai.
PS. Você um dia vai encontrar uma garota que se chama Sofia. Para que vocês possam saber um pouco uma sobre a outra antes

de se conhecerem, comecei a enviar para ela cópias dos cartões que envio a você. Será que ela vai começar logo a compreender o que se passa, Hildinha? Até agora ela não sabe mais que isso. Ela tem uma amiga que se chama Jorunn. Quem sabe ela não poderia ajudar?

Ao acabarem de ler o último cartão, elas permaneceram sentadas, se entreolhando. Jorunn segurou no punho de Sofia.

— Estou com medo — disse.

— Eu também.

— De quando era o carimbo do último cartão?

Sofia olhou o cartão novamente.

— Dezesseis de maio — disse. — É hoje.

— Impossível! — Jorunn falou quase como se estivesse com raiva.

Elas examinaram o cartão com atenção e não havia como errar: "16/5/1990" estava escrito.

— Não é possível — insistiu Jorunn. — Além do quê, eu não consigo imaginar quem teria escrito isso. Óbvio que deve ser alguém que conhece a gente. Mas como ele iria saber que viríamos aqui logo hoje?

Jorunn estava mais amedrontada. Pois para Sofia aquela história toda de Hilde e seu pai não era exatamente uma novidade.

— Acho que tem a ver com o espelho de latão.

Jorunn levou outro susto.

— Você não está dizendo que os cartões saem de dentro do espelho assim que são carimbados lá no Líbano, está?

— Você tem explicação melhor?

— Não.

— Mas tem outra coisa misteriosa aqui também.

Sofia ficou em pé, segurando o castiçal diante dos dois quadros na parede. Jorunn se inclinou para ver melhor.

— "Berkeley" e "Bjerkely". O que são?

— Não faço a mínima ideia.

A vela estava quase no fim.

— Vamos nessa — disse Jorunn. — Venha!

— Vou só pegar o espelho.

Sofia alcançou o grande espelho de latão sobre a cômoda branca. Jorunn até tentou dizer algo, mas Sofia não lhe deu a menor chance.

Quando saíram da cabana, estava tão escuro quanto pode ficar numa noite de maio.* A luz no céu ainda era suficiente para que as silhuetas de arbustos e árvores estivessem bem visíveis. A superfície do lago parecia um espelho refletindo o céu. As duas amigas remaram até a margem oposta.

Nenhuma delas disse absolutamente nada no caminho de volta ao acampamento, mas cada uma estava certa de que a outra estaria com a cabeça fervilhando de ideias sobre o que tinham acabado de viver. De vez em quando elas ouviam o grito de um pássaro, e por duas vezes o pio de uma coruja.

Assim que chegaram no acampamento, cada uma tratou logo de se enfiar no seu saco de dormir. Jorunn não permitiu que o espelho fosse colocado dentro da barraca, embora, antes de dormir, ambas tenham concordado que iria parecer muito estranho se ele ficasse do lado de fora, bem junto à abertura. Sofia também havia trazido os cartões-postais. Ela os guardou no bolso lateral da mochila.

Elas acordaram cedo na manhã seguinte. Sofia foi a primeira a sair do saco de dormir. Ela calçou as galochas e saiu da barraca. O espelho estava deitado sobre a grama, coberto de orvalho. Sofia limpou o orvalho com a blusa e viu o próprio reflexo. Foi como se ela tivesse se medido de cima a baixo. Pelo menos ela não viu sair dali nenhum cartão enviado direto do Líbano.

Pairando acima da clareira atrás da barraca, uma fina camada de neblina se assemelhava a fiapos de algodão esgarçados. Os passarinhos cantavam esganiçados, mas ninguém viu nem ouviu aves maiores como perdizes.

As duas amigas vestiram um pulôver por cima das roupas e tomaram café da manhã do lado de fora da barraca. Logo estavam conversando sobre o Chalé do Major e os cartões misteriosos.

Depois de comer, elas recolheram a barraca e pegaram o ca-

---

* As noites de maio já são bem claras e, em algumas regiões da Noruega, o sol nem chega a se pôr inteiramente no alto verão.

minho de casa. Sofia carregou o espelho de latão debaixo do braço o tempo inteiro. De vez em quando elas tinham que interromper a marcha para Sofia descansar um pouco, porque Jorunn se negava terminantemente a tocar no espelho.

Quando já se aproximavam do primeiro povoado, elas ouviram alguns estampidos. Sofia se lembrou logo do que o pai de Hilde havia escrito sobre a guerra que devastava o Líbano. Ela reconheceu que era afortunada por viver num país pacífico. Os estampidos não eram nada além de inocentes fogos de artifício em comemoração ao Dezessete de Maio.

Sofia convidou Jorunn para tomar um chocolate quente em casa. A mãe de Sofia perguntou várias vezes onde elas tinham encontrado aquele espelho enorme. Sofia disse que o encontraram do lado de fora do Chalé do Major. Novamente sua mãe mencionou que a cabana estava abandonada havia muitos e muitos anos.

Quando Jorunn foi embora, Sofia pôs um vestido vermelho.* O resto do feriado transcorreu normalmente. No jornal da noite Sofia assistiu a uma reportagem sobre como as forças norueguesas haviam comemorado a data no Líbano. Sofia não tirou o olho da tela. Qualquer um dos homens que ela viu podia muito bem ser o pai de Hilde.

A última coisa que Sofia fez no dia 17 de maio foi pendurar o enorme espelho de latão no seu quarto. Cedinho na manhã seguinte ela encontrou um novo envelope amarelo no esconderijo. Ela rasgou o envelope e imediatamente começou a ler o que estava escrito nas folhas que ele trazia.

---

* As cores nacionais da Noruega, contidas na sua bandeira, são vermelho (principalmente), azul e branco.

Dois perímetros culturais

... só assim você evitará ficar flutuando no vácuo...

Não falta muito até podermos nos encontrar, querida Sofia. Eu tinha para mim que você iria voltar ao Chalé do Major, por isso deixei lá todos os cartões do pai de Hilde. Somente assim eles chegarão à sua destinatária. Você não precisa se preocupar de que maneira eles vão chegar até ela. Muita água vai correr debaixo da ponte antes de 15 de junho.

Nós já vimos como os filósofos do helenismo recauchutaram as ideias dos antigos filósofos gregos. Além do mais, isso os aproximou dos líderes religiosos. Plotino não esteve tão longe de declarar Platão o salvador da humanidade.

Mas, como sabemos, outro salvador nasceu bem no meio do período sobre o qual falamos — e na periferia da área de influência greco-romana. Estou falando de Jesus de Nazaré. Neste capítulo veremos como o cristianismo gradualmente começou a se infiltrar no mundo greco-romano — quase da mesma maneira como o mundo de Hilde gradualmente começou a se infiltrar no nosso.

Jesus era judeu, e os judeus pertencem ao perímetro cultural semita. Gregos e romanos pertencem ao perímetro cultural indo-europeu. Podemos afirmar que a civilização europeia tem duas raízes. Antes de vermos mais detalhadamente como o cristianismo gradualmente se misturou à cultura greco-romana, vamos olhar de perto essas duas raízes.

OS INDO-EUROPEUS

Quando falamos em indo-europeus, nos referimos a todos os países e culturas que possuem línguas indo-europeias. Tais línguas são todos os idiomas existentes na Europa, exceto os de raízes fino-úgricas (lapão, finlandês, estoniano e húngaro) e o idioma basco. Também a maioria das línguas faladas na Índia e no Irã pertencem à família indo-europeia de idiomas.

Um dia, há cerca de quatro mil anos, os protoindo-europeus habitaram uma área ao redor do mar Negro e do mar Cáspio. Não muito tempo depois eles partiram em sucessivas levas em direção ao sudeste, até o Irã e a Índia; ao sudoeste, para Grécia, Itália e Espanha; ao oeste, cruzando a Europa Central até a Inglaterra e a França; ao noroeste, até alcançar a Escandinávia e a Europa Setentrional; e também rumo ao norte, até a Europa Oriental e a Rússia. Geralmente, aonde os indo-europeus chegavam, eles se misturavam às culturas existentes, mas tanto a religião como a língua indo-europeia passaram a exercer um papel dominante.

Os livros sagrados hindus — os Vedas —, a filosofia grega e até mesmo as sagas de *Snorre* foram escritos em idiomas pertencentes a uma mesma família. Mas não são apenas as línguas que se assemelham. Línguas parecidas levam a pensamentos parecidos. Por isso é que nos referimos a um "perímetro cultural" indo-europeu.

A cultura indo-europeia era antes de tudo impregnada da crença em vários deuses diferentes. A isso chamamos de *politeísmo*. Encontramos tanto nomes de deuses como muitos termos e expressões religiosas ao longo de toda a área de influência indo-europeia. Vou citar alguns exemplos.

Os antigos hindus cultuavam o deus do céu *Dyaus*. Em grego esse deus se chama *Zeus*, em latim *Júpiter* (na verdade *Jove-pater*, isto é, "Pai Jove") e em norrônico* *Tyr*. Os nomes Dyaus, Zeus, Jove

---

* Ou nórdico antigo, idioma extinto comum à Escandinávia e à Islândia.

e Tyr são também diferentes "variações dialetais" de uma única e mesma palavra.

Você se lembra de que os antigos vikings no Norte* da Europa acreditavam em alguns deuses que chamavam de "æser"? Uma variante dessa palavra para designar "deuses" também é encontrada por toda a área de abrangência indo-europeia. Em sânscrito, antigo hindu, os deuses eram chamados de "asura", e em iraniano, de "ahura". Outra palavra para "deus" em sânscrito é "deva", ou "daeva" em iraniano, "deus" em latim e, em norrônico, "tívurr".

Na Europa Setentrional acreditava-se também num conjunto de deuses da fertilidade (cujos nomes eram, por exemplo, Njord, Frøy e Frøya). Esse conjunto de deuses era chamado de "vaner", palavra que guarda um parentesco com o nome da deusa da fertilidade romana *Vênus*. Em sânscrito existe uma palavra relacionada, "vani", que significa "desejo" ou "prazer".

Mesmo os mitos da região indo-europeia mostram um claro parentesco entre si. Nas suas sagas sobre os deuses nórdicos, Snorre conta histórias que evocam mitos hindus que já existiam havia dois a três mil anos. Claro que os mitos de Snorre estão impregnados de elementos do cenário nórdico, assim como os mitos hindus possuem características e elementos indianos. Mas muitos desses mitos possuem um núcleo que aponta para uma origem comum. Esse núcleo pode ser observado muito claramente, por exemplo, em mitos sobre poções de imortalidade e na luta dos deuses contra os monstros do caos.

Na própria maneira de pensar temos também como identificar uma semelhança marcante entre as culturas indo-europeias. Um traço comum típico é a visão do mundo como um drama no qual forças do bem e do mal lutam entre si num conflito incessante. Os indo-europeus, portanto, sempre tentaram antever o resultado desse conflito e os destinos do mundo.

Podemos afirmar que não foi por acaso que a filosofia grega surgiu na área de influência indo-europeia. As mitologias hindu,

---

* A área geográfica referida como Norte (da Europa) difere de Escandinávia por incluir ilhas como a Islândia e territórios como a Finlândia, que não fazem parte da península Escandinava.

grega e nórdica têm em comum o fato de abordarem o mundo de maneira "especulativa".

Os indo-europeus tentaram desenvolver uma "visão" sobre o modo como o mundo evolui. De fato, nós encontramos uma palavra para "visão" ou "sabedoria" em todas as culturas do perímetro indo-europeu. Em sânscrito ela é "vidya". Sua correspondente em grego é a palavra "idé", que, você se lembra, teve um papel fundamental na filosofia de Platão. No latim nós temos a palavra "video", que significava para os romanos exatamente o verbo "ver" (somente nos nossos dias é que "vídeo" se tornou sinônimo do que se passa no interior de uma tela). Em inglês temos palavras como "wise" e "wisdom" (sábio e sabedoria); em alemão, "wissen" (saber). A palavra norueguesa "viten" (sabedoria) possui a mesma raiz que a palavra hindu "vidya", a grega "idé" e a latina "video".

No geral, podemos afirmar que a visão era o sentido mais valorizado pelos indo-europeus. A literatura dos hindus, como a dos gregos, iranianos e germânicos, caracteriza-se por grandes visões cósmicas. Um traço decorrente que depois permeou a cultura europeia foi a representação pictórica das narrativas mitológicas, por meio de esculturas e pinturas.

Finalmente, os indo-europeus tinham uma visão *cíclica* da história. Com isso queremos dizer que eles achavam que a história se move em círculos — como se caminhasse ao redor de um anel —, exatamente como as estações do ano variam do inverno para o verão. Não existe na verdade um começo nem um fim para a história. Com frequência as narrativas indo-europeias mencionam mundos diferentes que surgem e desaparecem numa eterna alternância entre nascimento e morte.

O hinduísmo e o budismo, as duas grandes religiões orientais, têm origem indo-europeia. A filosofia grega também, e podemos traçar paralelos tendo essas duas religiões de um lado e a filosofia grega do outro. Até hoje o hinduísmo e o budismo são marcadamente caracterizados por reflexões filosóficas.

Não é raro observar no hinduísmo e no budismo uma ênfase na presença divina em tudo e em todos os lugares (panteísmo), assim como na união do homem com Deus através de um insight religioso. (Você se lembra do que dizia Plotino, Sofia!) Para que isso possa acontecer, é necessária uma profunda introspecção por meio da meditação. No Oriente, portanto, a passividade e a reclusão são tidas como ideais religiosos. Também por influência grega muito se estimula a vida em ascese — ou reclusão religiosa — para que a alma encontre sua libertação. Muitas das páginas que foram escritas nos conventos da Idade Média apontam diretamente para tais concepções, comuns no mundo greco-romano.

Além disso, em muitas culturas indo-europeias era fundamental a crença na transmigração da alma. Por mais de dois mil e quinhentos anos, o propósito de vida do fiel hindu tem sido conseguir libertar desse processo a própria alma. E nós lembramos bem que Platão também acreditava na passagem da alma de um corpo para outro.

OS SEMITAS

Agora é a vez dos semitas. Vamos falar de um perímetro cultural e de um idioma totalmente diferentes. Os semitas são originários da península Arábica, mas seu perímetro cultural se expandiu para uma grande parte do mundo. Por mais de dois mil anos os judeus viveram exilados de sua terra natal. Junto com o cristianismo, a história e a religião semitas foram disseminadas para bem longe de suas raízes geográficas. A cultura semita também se expandiu com o crescimento do islamismo.

As três religiões ocidentais — judaísmo, cristianismo e islamismo — têm um componente semítico comum. Tanto o livro sagrado dos muçulmanos, o *Alcorão*, como o *Antigo Testamento* da *Bíblia* foram escritos em línguas semíticas assemelhadas. Uma das palavras para "Deus" do Antigo Testamento possui a mesma raiz linguística do *Alá* dos muçulmanos (a palavra "Alá" significa pura e simplesmente "Deus").

No que se refere ao cristianismo, o quadro é um tanto mais complexo. O cristianismo possui um óbvio componente semítico. Mas o *Novo Testamento* foi escrito em grego, e, quando a teologia e a doutrina cristã se estabeleceram, foram impregnadas dos idiomas grego e latino e, por consequência, da filosofia do helenismo.

Vimos que os indo-europeus acreditavam em muitos deuses diferentes. Quanto aos semitas, chama a atenção o fato de que muito cedo eles adotaram a crença num único Deus. É o que chamamos de *monoteísmo*. No judaísmo, no cristianismo e no islamismo a existência de um só Deus é um princípio fundamental para os três credos.

Outra característica comum dos semitas é uma visão *linear* da história. Com isso queremos dizer que a história é percebida como uma linha reta. Deus criou o mundo, e assim começa a história. Mas um dia ela vai acabar, e no "Dia do Juízo Final" Deus vai julgar os vivos e os mortos.

Um importante traço comum às três religiões ocidentais é exatamente o papel que a história desempenha. A ideia é que Deus interfere no curso da história — na verdade, a história existe para que Deus possa realizar sua vontade neste mundo. Foi assim que Ele um dia conduziu Abraão à "Terra Prometida" e tem liderado a vida dos homens através dos tempos até o Dia do Juízo.

Por atribuir um grande peso à verdade divina através da história, os semitas se ocuparam durante milênios em registrar essa história. E justamente esses registros constituem o núcleo das suas respectivas escrituras sagradas.

Nos dias de hoje a cidade de Jerusalém é um importante centro religioso para judeus, cristãos e muçulmanos. Isso diz muito sobre a origem comum das três religiões. Lá estão importantes sinagogas (judaicas), igrejas (cristãs) e mesquitas (islâmicas). Por isso é tão trágico que Jerusalém tenha se transformado num pomo da discórdia — um lugar onde pessoas vêm se matando umas às outras ao longo de milênios porque não conseguem chegar a um acordo acerca de quem deteria a soberania sobre a "cidade eterna". Quem dera a ONU pudesse fazer de Jerusalém um ponto de encontro religioso para essas três crenças. (Vamos falar mais dessa parte prática do curso de filosofia adiante. O pai de Hilde vai assumir essa tarefa. Você sabia que ele é um observador das Nações Unidas no Líbano? Mais precisamente, que está lá servindo como major? Se você começar a ligar os pontos, verá que eles formam uma imagem que lhe é familiar. Mas não vamos pôr o carro na frente dos bois.)

Vimos que o sentido mais importante para os indo-europeus era a visão. No perímetro de influência semítica, impressiona o papel preponderante que a *audição* desempenhou. Não é por acaso que a profissão de fé judaica começa com as palavras "Ouve, Israel!". No Antigo Testamento podemos ler como os homens "ouviram" a palavra de Deus, e os profetas costumam iniciar suas pregações com a fórmula "Assim falou Jeová (Deus)". O cristianismo também dá importância a "ouvirmos" a palavra de Deus. Antes de tudo, celebrações religiosas judaicas, cristãs e muçulmanas são marcadas pela leitura em voz alta, ou "récita", dos textos sagrados.

E eu disse que os indo-europeus sempre fizeram pinturas e estátuas dos deuses. É típico dos semitas uma "interdição pictórica", isto é, uma proibição das imagens. Isso significa que a eles não era permitido pintar ou esculpir nada que representasse Deus ou o sagrado. Está no Antigo Testamento que o homem não deverá produzir nenhuma imagem de Deus. Essa interdição é vigente no islamismo e no judaísmo até hoje. Entre fiéis do islamismo ainda persiste uma aversão disseminada às artes plásticas e à fotografia. Por trás disso está a ideia de que as pessoas não devem competir com Deus na "criação" de coisa alguma.

Mas nas igrejas cristãs floresceram imagens tanto de Deus como de Jesus, você deve estar pensando. Com certeza, Sofia, mas esse é exatamente o exemplo de como o cristianismo foi influenciado pelo mundo greco-romano. (Na Igreja ortodoxa — isto é, na Grécia e na Rússia — ainda é proibido "esculpir" imagens, ou seja, esculturas e crucifixos, com base nas passagens bíblicas.)

Ao contrário das grandes religiões orientais, as três religiões do Ocidente dão importância ao abismo que existe entre Deus e sua criação. O objetivo não é se ver livre da transmigração da alma, mas sim da culpa e do pecado. A vida religiosa fica assim mais influenciada pela oração, pela pregação e pela leitura das escrituras sagradas do que pela introspecção e pela meditação.

ISRAEL

Não quero competir com seu professor de religião, querida Sofia. Mas assim mesmo vamos fazer um resumo das origens judaicas do cristianismo.

Tudo começa quando Deus criou o mundo. Como isso ocorreu você pode ler logo nas primeiras páginas da Bíblia. Mas em seguida os homens se rebelaram contra Deus. A punição para tanto foi a expulsão de Adão e Eva do Jardim do Éden. E aí a morte fez sua estreia no mundo.

A desobediência dos homens a Deus é uma espécie de fio condutor que perpassa toda a Bíblia. Se folhearmos o primeiro Livro de Moisés (Gênesis), vamos nos deparar com o dilúvio universal e a arca de Noé. Depois leremos que Deus firma um pacto com Abraão e seus descendentes. Esse pacto — ou acordo — determinava que *Abraão* e toda a sua linhagem deveriam obedecer aos mandamentos de Deus. Em retribuição, Deus prometeu proteger os descendentes de Abraão. O pacto seria renovado tempos depois, quando Moisés recebeu as tábuas da lei (a Lei Mosaica) no monte Sinai. Isso teria acontecido aproximadamente em 1200 a.C. Durante muito tempo os israelitas foram mantidos como escravos no Egito, mas com a ajuda de Deus conseguiram retornar a Israel.

No ano 1000 a.C. — bem antes de existir algo que se pudesse chamar de filosofia grega — tomamos conhecimento de três grandes reis de Israel. O primeiro foi *Saul*, depois veio *Davi* e então *Salomão*. O povo de Israel reuniu-se num único reino e, sobretudo sob o rei Davi, experimentou uma época de grandeza política, militar e cultural.

Quando os reis eram entronizados, eles recebiam a aclamação popular, passando a adotar o título de Messias, que significa "o salvador". No contexto religioso o rei era tratado como um intermediário entre Deus e seu povo. Os reis poderiam ser chamados também de "filhos de Deus", e a sua terra se tornava assim o "reino de Deus".

Mas não tardou muito para Israel ser subjugado. O reino foi dividido em dois, um reino ao norte (Israel) e outro ao sul (Judeia). No ano 722 a.C. o reino do norte foi invadido pelo exército assírio e perdeu toda a sua significância política e religiosa. No sul não foi muito diferente. O reino do sul foi conquistado pelos babilônios em 586 a.C. O templo foi destruído, e boa parte da população foi capturada e levada para a Babilônia. Esse "cativeiro babilônio" perdurou até 539 a.C., quando o povo judeu ganhou o direito de regressar a Jerusalém e reconstruir seu grande templo. Mas nos tempos que se seguiram, até o início do nosso calendário comum, os judeus estiveram sob constante domínio estrangeiro.

A pergunta que os judeus se faziam era *por que* o reino de Davi fora destruído e uma tragédia atrás da outra se abatia sobre seu povo. Deus não prometera estender sua mão protetora sobre Israel? Mas seu povo também se comprometera a seguir seus mandamentos. Com o tempo, surgiu e se disseminou a crença de que Israel fora punido por Deus por ter desobedecido a Ele.

No ano 750 a.C., aproximadamente, surgiu uma série de *profetas* que asseguraram que o castigo de Deus sobre Israel se deu porque seu povo não se manteve firme no compromisso assumido com Ele. O dia em que Deus governará Israel ainda chegará, diziam eles. A essas profecias chamamos de "apocalípticas" ou do Juízo Final.

Não muito tempo depois surgiram profetas que previram que Deus salvaria o restante do seu povo, enviando um "redentor" ou um rei da paz oriundo da linhagem de Davi. Ele vai restaurar o antigo reino de Davi, o seu povo gozará de um futuro feliz.

"O povo que vaga pelo escuro verá um enorme facho de luz", disse o profeta Isaías. "E sobre aqueles que vivem nas trevas raios de luz se derramarão." Tais profecias são chamadas de "redentoras".

Serei mais preciso: o povo de Israel vivia feliz sob o reino de Davi. Com o tempo, quando a situação piorou para os israelitas, os profetas previram que chegaria o dia em que surgiria um novo rei descendente de Davi. Esse "Messias" ou "filho de Deus" iria "redimir" (salvar) seu povo, restaurar o poder de Israel e estabelecer um "reino de Deus" na Terra.

JESUS

O.k., Sofia. Até aqui acho que você está acompanhando. As palavras-chave são "Messias", "filho de Deus", "salvação" e "reino de Deus". Para começar, tudo isso foi estabelecido segundo um critério político. No tempo de Jesus, muitos acreditavam que o Messias que iria surgir seria um líder com características políticas, militares e religiosas semelhantes às do rei Davi. Esse "salvador" foi também descrito como um libertador da nação, capaz de pôr fim ao domínio judeu pelos romanos.

Pois bem. Mas havia outras visões que se erguiam além do horizonte. Aproximadamente em 200 a.C. profetas anunciaram que o "Messias" prometido seria o salvador do mundo inteiro. Ele não apenas libertaria os israelitas do jugo estrangeiro, como iria livrar todos os homens do pecado e da culpa — e, ainda, da própria morte. A esperança numa "salvação" nessa acepção da palavra já se espalhara por todo o mundo helênico.

Então surge Jesus. Ele não foi o único a ser apontado como Messias. Como os demais, ele utiliza as expressões "filho de Deus", "reino de Deus", "Messias" e "salvação". Assim, ele está em conexão permanente com os antigos profetas. Ele adentra Jerusalém e é aclamado pela multidão como salvador do povo, repetindo exatamente os antigos reis nos seus típicos rituais de entronização. Jesus se deixa ser saudado pelo povo. "É chegado o tempo", diz ele, "o reino de Deus está próximo."

É importante guardar tudo isso. Mas agora você deve acompanhar bem meu raciocínio: Jesus se diferencia dos demais "messias" por reconhecer em público que não era nenhum ativista militar ou político. Sua tarefa era muito maior. Ele anunciava a paz e o perdão divino para todos os homens. Por isso caminhava entre as pessoas que encontrava e dizia: "Seus pecados estão perdoados".

Perdoar os pecados dessa maneira era algo inédito. Pior ainda era o fato de que ele se referia a Deus como "pai" (abba), algo bastante singular na comunidade judaica contemporânea de Jesus. Não tardou muito para que inúmeros protestos começassem a emergir entre os eruditos judeus. Com o tempo eles também passaram a colaborar nas peças de acusação para obter a condenação de Jesus.

Serei mais preciso: muitos homens no tempo de Jesus esperavam a chegada de um Messias sob o rufar de tambores e o sopro de trombetas (quer dizer, com pompa e força militar) para que ele restaurasse o "reino de Deus". A própria expressão "reino de Deus" é um traço de união entre todos os sermões de Jesus — mas com um significado muito mais amplo. Jesus dizia que o "reino de Deus" é o amor entre os homens, a compaixão para com os mais fracos e pobres, e o perdão para quem houvesse pecado.

Trata-se de uma dramática alteração de sentido para uma antiga expressão de cunho militar. As pessoas estavam esperando por um comandante militar que logo iria proclamar o "reino de Deus". Aí surge Jesus, de túnica e sandálias, afirmando que o "reino de Deus" — ou "a Nova Aliança"— significa "Amar ao próximo como a si mesmo". Mais ainda, Sofia: ele disse que, além disso, devemos amar nossos inimigos. Quando eles nos afligem, não devemos dar o troco na mesma moeda, não, mas devemos "oferecer a outra face". E devemos perdoá-los — não apenas sete vezes, mas setenta vezes sete.

Através de seus próprios atos em vida Jesus deu mostras de que não discriminava prostitutas, funcionários acusados de corrupção e adversários políticos do povo. Mas ele vai além: ele diz que um perdulário que esbanjou toda a sua herança ou um servidor público que tenha se apoderado do erário são justos diante de Deus, bastando para isso que se voltem para Ele e implorem perdão, tamanha é a generosidade da sua misericórdia.

Mas ele vai mais além, veja só, e agora preste muita atenção: Jesus disse que tais "pecadores" são mais justos aos olhos de Deus — e mais dignos do seu perdão — que os impolutos fariseus em finas vestes de seda que andavam de um lado para outro orgulhosos da sua pretensa pureza.

Jesus adverte, porém, que nenhum homem deve considerar a misericórdia divina um bem garantido. Nós não podemos salvar-nos a nós próprios. (Isso muitos gregos também achavam!) Quando Jesus profere seus rígidos princípios éticos durante o Sermão da Montanha, ele quer demonstrar não apenas qual é a vontade de Deus, mas também que nenhum homem é justo perante Ele. A misericórdia divina não conhece fronteiras, mas para isso devemos nos voltar para Deus e implorar o seu perdão.

Deixo a cargo do seu professor de religião aprofundar seus conhecimentos sobre Jesus e seus ensinamentos, caso você queira. Imagino que ele terá bastante trabalho e espero que consiga revelar a você a pessoa extraordinária que Jesus foi. Jesus conseguiu empregar de modo genial o idioma da sua época, ao mesmo tempo que deu a jargões antigos um novo significado, bem mais amplo. Não foi à toa que acabou sendo crucificado. Sua doutrina de salvação radical contrariou tantos interesses e pôs em xeque tantos poderosos que eles simplesmente quiseram eliminá-lo.

Quando lemos sobre Sócrates, vimos que apelar à razão humana pode ser muito perigoso. Com Jesus vemos como é perigoso pretender dos outros que demonstrem amor ao próximo de maneira desinteressada, bem como que perdoem da mesma maneira. Hoje em dia mesmo podemos ver como Estados poderosos ameaçam ruir quando confrontados com demandas tão simples como paz, amor, comida para quem tem fome e perdão para seus inimigos políticos.

Você se recorda como Platão ficou abalado pelo fato de o homem mais justo de Atenas ter pagado o preço da própria vida. Segundo o cristianismo, Jesus foi o único ser humano justo que jamais viveu. Por isso se diz que ele "se sacrificou pelos nossos pecados". Jesus foi o "cordeiro divino" que tomou para si toda a culpa dos homens para nos "reconciliar" com Deus e nos redimir do seu castigo.

PAULO

Poucos dias depois de Jesus ter sido crucificado e sepultado, cresceram rumores de que ele havia se erguido da cova. Assim ele demonstrava que era mais que um homem. Assim ele demonstrava que era realmente o "filho de Deus".

Podemos dizer que a Igreja cristã tem seu início nessa mesma manhã de Páscoa, com a ressurreição de Jesus. O apóstolo Paulo deixa isso claro: "Mas, se o Cristo não se ergueu, nossa missão é vã e vã é nossa crença".

Todos os homens podiam agora ter esperança na "ressurreição da carne". Jesus já era nosso salvador antes de ter sido crucificado. E agora, querida Sofia, agora você deve notar que os fundamentos da religião judaica não mencionavam nada de "imortalidade da alma" nem nenhuma forma de "transmigração". Esta era uma concepção dos gregos — ou seja, indo-europeia. Mas segundo o cristianismo não existe nada nos homens — por exemplo, sua alma — que seja imortal por si. A Igreja crê na "ressurreição da carne e na vida eterna", mas podermos ser salvos da morte e da "perdição" é justamente um milagre divino, que não ocorre em consequência dos nossos atos nem é uma característica natural — nem inata — dos homens.

Os primeiros cristãos começaram então a professar a "boa-nova", ou seja, a redenção por meio da fé em Jesus Cristo. Através dela o "reino de Deus" estava prestes a irromper no mundo inteiro. (A palavra "Cristo" é uma tradução grega da palavra hebraica "Messias", que significa "o ungido".)

Alguns anos depois da morte de Jesus o fariseu *Paulo* se converteu ao cristianismo. Com suas muitas viagens pelo mundo greco-romano ele fez do cristianismo uma religião mundial. Lemos isso nos Atos dos Apóstolos. Os sermões de Paulo e seus ensinamentos aos cristãos nos chegaram através das muitas epístolas (cartas) que ele escreveu às primeiras comunidades da cristandade.

Então um dia Paulo chegou em Atenas. Conta-se que, passeando pela praça na capital da filosofia, ele "se abalou pelo fato de a cidade estar tomada de ídolos pagãos". Ele visitou a sinagoga de Atenas e travou diálogos com filósofos estoicos e epicuristas. Eles o convidaram para o alto do Areópago. E lá disseram: "Podemos saber qual é essa nova doutrina que nos traz? Pois ouvimos coisas notáveis a respeito, e desejamos muito saber do que se trata".

Você consegue perceber, Sofia? Aqui é um judeu que aparece numa praça em Atenas e se põe a falar sobre um salvador que foi pendurado numa cruz e depois se ergueu do próprio túmulo. A própria visita de Paulo a Atenas nos deixa antever um choque entre a filosofia grega e a doutrina cristã. Mas Paulo acabou conseguindo dialogar com os atenienses. Quando estava no Areópago — portanto sob os imponentes templos da Acrópole —, ele proferiu o seguinte discurso:

"Homens de Atenas!", disse ele. "Vejo que vós sois pessoas muito afeitas à religião de diversos modos. Pois, ao vagar em meio a vossos monumentos sagrados, deparei com um altar com esta inscrição: 'Ao Deus desconhecido'. O que vós homenageais sem conhecer, eu vos apresento: Deus, Aquele que criou o mundo e tudo que há nele, Aquele que preside o céu e a Terra. Ele não habita templos erguidos por mãos humanas. Nem carece Ele do serviço de mãos humanas, pois é Ele quem serve a todos com a vida, a respiração e todas as coisas. De um só homem Ele deu forma a toda a humanidade, para que povoasse toda a Terra, estabelecendo para o produto da sua criação o tempo e as fronteiras do seu domínio. Isso fez para que possamos buscar a Deus, caso já não o tenhamos sentido nem encontrado. Posto que não está Ele distante de nenhum de nós. É Nele que vivemos, nos locomovemos e existimos, ou, como reza um dos vossos ditados: "Nós somos seus semelhantes". E, porque somos a Ele assemelhados, não devemos crer que sua divindade se relaciona à figura do ouro, da prata ou da pedra lavrada segundo o engenho humano. Não levando em consideração estes tempos de ignomínia, Deus agora comanda a todos os homens, onde quer que estejam, para que se arrependam. Já é estabelecido o dia em que Ele julgará o mundo na sua justiça, e para tanto nos enviou um homem, asseverando a todos, por tê-lo feito ressurgir do mundo dos mortos."

Paulo em Atenas, Sofia. Estamos falando de como o cristianismo começou a se fundir no mundo greco-romano. Como algo novo, como algo muito diferente da filosofia epicurista, estoica e neoplatônica. Apesar disso, Paulo encontra na cultura grega um fundamento sólido: ele registra que a busca por Deus subsiste em cada indivíduo, o que não representa nada de novo para os gregos. A novidade que Paulo anuncia é que Deus tinha se revelado aos homens e realmente viera ao seu encontro. Ele também não é apenas um "Deus filosófico" a quem os homens pudessem atingir por meio da sua compreensão. Ele tampouco se assemelha a uma figura de "ouro, prata ou pedra lavrada" — de figuras como essa a Acrópole e a grande praça já estavam repletas. Só que esse Deus "não habita templos erguidos por mãos humanas". Ele é um Deus pessoal que se introduz na história e morre na cruz pelos pecados do homem.

Terminado o discurso de Paulo no Areópago, os Atos dos Apóstolos contam que ele foi ridicularizado por dizer que Jesus havia ressuscitado dos mortos. Mas alguns dos ouvintes disseram: "Queremos ouvir de novo essa história com mais detalhes em outra oportunidade". Houve também os que se converteram depois de ouvir Paulo e abraçaram o cristianismo. Um destes foi uma mulher chamada *Damaris* — vale gravar isso. Eram as mulheres que mais se convertiam ao cristianismo.

Paulo prosseguiu assim na sua profissão de fé. Apenas algumas décadas depois de Jesus já havia comunidades cristãs em todas as mais importantes cidades gregas e romanas — em Atenas, em Roma, em Alexandria, em Éfeso, em Corinto. Ao longo de três ou quatro séculos o mundo helênico inteiro foi cristianizado.

O CREDO

Não foi apenas como missionário que Paulo adquiriu um significado fundamental para o cristianismo. Ele tinha uma grande influência nas primeiras comunidades cristãs, já que as pessoas careciam de aconselhamento espiritual.

Uma pergunta importante que surgiu logo depois da morte de Jesus foi se os gentios (não judeus) poderiam se tornar cristãos sem antes terem se convertido ao judaísmo. Um grego teria, por exemplo, que antes adotar a Lei Mosaica? Paulo dizia que isso não seria necessário. O cristianismo era mais que uma seita judaica. Era uma fé que abrangia toda a humanidade com uma mensagem de libertação. "A antiga aliança" entre Deus e Israel seria substituída por uma "Nova Aliança" que Jesus havia estabelecido entre Deus e todos os homens.

Mas o cristianismo não foi a única nova religião a aparecer naquela época. Vimos como o helenismo estava impregnado de misturas religiosas. Tornou-se, portanto, vital para a Igreja elaborar um breve resumo do que era o credo cristão. Era importante delimitar as fronteiras com as demais crenças e também evitar separações dentro da Igreja. Assim surgiu o primeiro *credo*, um resumo dos principais dogmas, ou princípios fundamentais, da cristandade.

Um desses princípios fundamentais dizia que Jesus era tanto Deus quanto homem. Ele não era o "filho de Deus" apenas pela força dos seus atos, mas era Deus ele próprio. Mas também era um "homem real" que tinha compartilhado sua existência com outros homens e de verdade havia padecido na cruz.

Isso tudo soa como uma contradição. Mas a missão da Igreja era professar que *Deus se fez homem*. Jesus não era um "semideus" (metade humano, metade divino). A crença em semideuses assim era bastante disseminada nas religiões gregas e helênicas. A Igreja ensinava que Jesus era um "Deus completo e um completo ser humano".

PÓS-ESCRITO

Vou tentar dizer algumas palavras sobre como tudo isso se relaciona, querida Sofia. Quando o cristianismo faz sua entrada no mundo greco-romano, desenha-se um encontro dramático entre dois perímetros culturais. Mas também se desenha uma das maiores mudanças culturais da história.

Estamos quase deixando para trás a Antiguidade. Desde os primeiros filósofos gregos já se passaram mais de três mil anos. Diante de nós está a Idade Média cristã. Mesmo ela se estendeu por cerca de mil anos.

O poeta alemão Goethe disse certa vez que "aquele que depois de três milênios não é capaz de se ter na própria conta estará fadado a viver uma vida de ignorância". Mas não quero que você esteja entre essas pessoas. Faço o que posso para que você conheça as suas raízes históricas. Só assim você se tornará um ser humano de verdade. Só assim você se tornará mais que um primata vestido. Só assim você evitará ficar flutuando no vácuo.

"Só assim você se tornará um ser humano de verdade. Só assim você se tornará mais que um primata vestido..."

Sofia ficou ali sentada por mais algum tempo, olhando o jardim pelas brechas na sebe. Ela havia começado a compreender a importância de conhecer suas raízes históricas. Pelo menos isso tinha sido muito importante para o povo de Israel.

Ela própria não se achava nada além de uma garota comum. Mas, se passasse a conhecer melhor suas raízes históricas, se tornaria menos comum.

Ela própria não vivera mais que alguns poucos anos neste planeta. Mas, se a história da humanidade fosse também a sua própria história, então ela já teria de algum modo mais de milhares de anos de idade.

Sofia juntou todas as folhas e engatinhou para fora do esconderijo. Deu uns pulos de felicidade pelo jardim e subiu correndo para o seu quarto.

A Idade Média

... percorrer só um trecho do caminho não é o mesmo que seguir na direção errada...

Passou-se uma semana sem que Sofia ouvisse falar de Alberto Knox. Ela tampouco recebeu novos cartões-postais do Líbano, mas continuou conversando com Jorunn sobre os cartões que ambas haviam encontrado no Chalé do Major. Jorunn estava sob controle. Como nada mais acontecera, o lugar do seu receio inicial foi sendo ocupado pelos estudos e pelos jogos de badminton.

Sofia releu as cartas de Alberto várias vezes para tentar descobrir alguma pista que tivesse a ver com Hilde. E assim ela também aprimorava seus conhecimentos sobre a filosofia da Antiguidade. Ela não tinha mais dificuldades em distinguir entre Demócrito, Sócrates, Platão e Aristóteles.

Na sexta-feira 25 de maio, ela estava diante do fogão preparando o almoço* da mãe que ia chegar do trabalho. Era o combinado de todas as sextas. Hoje o menu seria almôndegas de peixe ensopadas com cenouras cozidas. Bem simples.

Lá fora começou a ventar forte. Enquanto Sofia mexia a comida no fogo, ela espiava pela janela. As bétulas balançavam tanto que mais pareciam uma plantação de trigo.

---

* Na Noruega, costuma-se fazer uma refeição quente em casa na volta do trabalho ou da escola, entre 16h e 17h.

De repente alguma coisa bateu na vidraça. Sofia se virou para olhar e viu um pedaço de papel grudado no vidro.
Ela se aproximou e viu que se tratava de um cartão-postal. Conseguiu ler através do vidro: "Hilde Møller Knag, a/c Sofia Amundsen...".
Sofia nem teve que pensar. Abriu logo a janela e apanhou o cartão. Será que ele teria sido trazido pelo vento aquela distância toda desde o Líbano?
O cartão era datado de sexta-feira 15 de junho.
Sofia tirou a panela do fogão e a colocou na bancada da cozinha. No cartão estava escrito:

Querida Hilde,
   Não sei se a comemoração do seu aniversário já não terá passado quando você receber este cartão. Espero que não. De todo modo espero que não tenham se passado muitos dias. Que para Sofia tenha se passado uma ou duas semanas não significa para nós a mesma medida de tempo. Eu devo chegar mesmo na véspera de São-João. E aí vamos passar um tempão no balanço do jardim olhando para o mar. Lembranças do papai, que está muito deprimido de ver de perto estes conflitos milenares entre judeus, cristãos e muçulmanos. Constantemente me recordo de que essas três religiões têm suas raízes em Abraão. Mas aí também não teriam raízes no mesmo Deus? Por aqui, Caim e Abel ainda não concluíram sua missão de matar um ao outro.
   PS. Posso pedir a você que dê lembranças a Sofia? Coitadinha, ainda não compreendeu como as coisas estão relacionadas. E você, já compreendeu?

Sofia parecia exausta debruçada na mesa da cozinha. Claro e evidente que ela não havia compreendido como as coisas se relacionavam. Mas e quanto a Hilde?
Se o pai de Hilde pediu a ela que desse lembranças a Sofia, isso significava que Hilde sabia mais sobre Sofia do que ela sobre Hilde. Tudo estava tão confuso que ela voltou a preparar o almoço.
Um cartão que vem do nada e gruda na janela da cozinha. Correio aéreo levado ao pé da letra...
Assim que Sofia foi para o fogão, o telefone tocou.

E se fosse o papai? Se ele já tivesse regressado, ela lhe contaria tudo que tinha acontecido nas últimas semanas. Mas com certeza era apenas Jorunn ou mamãe... Sofia atendeu.

— Alô, Sofia Amundsen.

— Sou eu — alguém disse do outro lado.

Sofia estava certa de três coisas: não era seu pai. Mas era uma voz masculina. E ela não tinha dúvida de que já ouvira aquela voz antes.

— Quem é? — perguntou.

— Alberto.

— Quê?

Sofia não sabia o que dizer. Ela conhecia aquela voz do vídeo sobre Atenas.

— Como está você?

— Estou bem.

— Mas de agora em diante não haverá mais cartas.

— Mas eu ainda não lhe enviei uma rã viva como nós combinamos, lembra?

— Precisamos nos encontrar, Sofia. Melhor nos apressarmos, sabe?

— Por que isso?

— O pai de Hilde, ele está fechando o cerco.

— Como assim? De onde?

— De todos os lugares, Sofia. Precisamos trabalhar juntos agora.

— Como...

— Mas você não vai conseguir me ajudar muito antes de eu ter lhe contado sobre a Idade Média. E também temos que chegar na Renascença e no século XVII. Berkeley também vai ter um papel-chave...

— Era aquele quadro que estava pendurado no Chalé do Major?

— O quadro é dele, sim. Talvez seja em torno da filosofia dele que se dê a batalha.

— Assim parece que você está falando de uma guerra.

— Melhor chamar de batalha espiritual. Temos que chamar a atenção de Hilde e atraí-la para o nosso lado antes que o pai dela volte para casa, em Lillesand.

— Não estou entendendo nada.
— Mas talvez a filosofia abra os seus olhos. Me encontre na igreja de Santa Maria amanhã cedo, às quatro horas. Mas venha sozinha, minha querida.
— Mas assim, no meio da madrugada?
— ... clique!
— Alô?

Que sujeitinho! Ele havia desligado. Sofia foi cuidar da comida. As almôndegas já iam passar do ponto. Ela deu mais uma mexida na panela e desligou o fogo.

Na igreja de Santa Maria? Era uma antiga igreja de pedra construída na Idade Média. Sofia achava que fosse utilizada só para concertos e em ocasiões religiosas especiais. No verão ela ficava aberta apenas para visitação de turistas. Mas será que estaria aberta de madrugada?

Quando sua mãe chegou, Sofia já havia guardado o cartão do Líbano no armário, junto com as outras coisas de Alberto e Hilde. Depois do almoço ela foi até a casa de Jorunn.

— Precisamos fazer uma coisinha — disse Sofia assim que a amiga abriu a porta.

E não disse mais nada até Jorunn trancar a porta e as duas subirem para o quarto.

— É um pouco problemático — continuou Sofia.
— Pare com isso!
— Vou precisar dizer para a mamãe que venho dormir aqui esta noite.
— Sem problema.
— Mas só vou dizer isso a ela, sabe como é. Eu vou para outro lugar.
— Aí complica. É alguma coisa de namorado?
— Não, é alguma coisa de Hilde.

Jorunn assobiou baixinho, e Sofia a encarou firme.

— Eu venho para cá hoje à noite — disse. — Mas vou cair fora por volta das três da manhã. Você se prepare para me dar cobertura até eu voltar.
— Mas você vai para onde? O que você vai aprontar, Sofia?
— *Sorry*. Recebi ordens expressas para não contar nada.

* * *

Dormir na casa de amigas não era problema, muito pelo contrário. Às vezes Sofia até achava que sua mãe queria ficar algum tempo sozinha.

— Você vem comer arroz-doce* amanhã de manhã? — foi a única pergunta que a mãe fez quando Sofia estava de saída.

— Se eu não vier, você sabe onde eu vou estar.

Por que ela disse isso? Era justamente seu ponto fraco.

A noite na casa da amiga transcorreu como todas as noites passadas em casas de amigas, com longas conversas se estendendo noite adentro. A diferença foi que Sofia acertou o despertador para tocar às três e quinze, quando elas haviam ido para a cama por volta da uma hora.

Jorunn mal conseguiu acordar quando, duas horas depois, o despertador tocou.

— Tome cuidado — ela disse.

Então Sofia se foi. Eram vários quilômetros a pé até a igreja de Santa Maria e, embora não tivesse dormido mais que duas horas, ela se sentia bem desperta. Sobre as colinas a leste despontava a barra avermelhada da aurora.

Quando ela chegou à porta da antiga igreja de pedra, o relógio marcava quase quatro horas. Sofia experimentou empurrar a porta, que era bem pesada. Estava aberta!

Lá dentro estava tudo muito vazio e o silêncio era tão grande quanto a igreja era antiga. Através dos vitrais, raios de uma luz azul deixavam visível uma grande quantidade de poeira suspensa no ar. O pó parecia se acumular junto das vigas grossas que se uniam formando um xis bem no teto. Sofia sentou num banco no meio da nave. De lá ficou observando o altar, onde no alto havia um antigo crucifixo pintado em cores opacas.

Alguns minutos se passaram. De repente, ouviram-se acordes saindo do órgão. Sofia nem ousou se virar. Parecia uma salmodia bem antiga, certamente também da época da Idade Média.

Depois de alguns segundos tudo voltou ao completo silêncio.

---

* É costume em algumas casas na Noruega que a refeição do meio-dia de sábado seja uma papa de arroz-doce quente acompanhada de manteiga, açúcar e canela, além de suco de groselha.

Mas logo Sofia começou a ouvir passos se aproximando atrás dela. Será que era hora de se virar? Ela preferiu ficar com os olhos fixos no Jesus crucificado no altar.

Os passos se aproximaram ainda mais e uma silhueta passou ao seu lado, caminhando em direção ao altar. Alguém vestido num hábito de monge, com capuz e tudo. Sofia poderia jurar que era um monge da Idade Média.

Ela estava com medo, mas não apavorada. O monge deu uma volta no altar e subiu no púlpito. Debruçou-se sobre ele, olhou para Sofia e disse algo em latim:

— *Gloria Patri et Filio et Spiritu Sancto. Sicut erat in principio et nunc et semper in saecula saeculorum.**

— Fala em norueguês, seu bobo — disse ela.

Sua voz ecoou na velha igreja de pedra.

Ela achava que o monge era Alberto Knox. Ainda assim percebeu que tinha se comportado de maneira imprópria ao se expressar daquela forma dentro de uma igreja. Mas estava com medo, e, quando estão com medo, as pessoas costumam quebrar todas as regras.

— Psiu!

Alberto ergueu a mão como fazem as autoridades quando querem que a audiência faça silêncio.

— Que horas são, minha querida? — perguntou.

— Cinco para as quatro — respondeu Sofia, que a essa altura havia perdido o medo.

— Estamos no horário. A Idade Média já vai começar.

— Foi às quatro horas que começou a Idade Média? — indagou Sofia.

— Por volta das quatro horas, sim. Depois o relógio bateria as cinco, seis e sete. Mas era como se o tempo não passasse. Depois, oito e nove e dez. E continuava sendo a Idade Média, sabe? Já era tempo de raiar um novo dia, talvez você possa achar. Mas era como um fim de semana, um único fim de semana bem longo que não passa. O relógio bateu onze, doze, treze horas. É o que

---

* "Glória ao Pai e ao Filho e ao Espírito Santo. Como era no princípio, agora e sempre, através dos séculos dos séculos."

chamamos de Baixa Idade Média. Foi quando se construíram as grandes catedrais na Europa. Só por volta das catorze horas é que os galos começaram a cantar. E agora, só agora, é que a Idade Média começa a chegar ao fim.

— Então a Idade Média durou dez horas — Sofia disse.

Alberto tirou da cabeça o capuz de monge e fitou a audiência, que naquele instante consistia somente numa garota de catorze anos:

— Se uma hora representar cem anos, sim. Imaginemos que Jesus tenha nascido à meia-noite. Paulo começou a fazer suas viagens pouco antes da meia-noite e meia e morreu em Roma, quinze minutos depois. Pouco antes das três horas a Igreja cristã estava mais ou menos proibida, mas no ano 313 o cristianismo foi reconhecido como religião no Império Romano, sob o governo de Constantino. O próprio imperador, muito devoto, foi batizado no seu leito de morte, muitos anos depois. A partir de 380 o cristianismo se tornou a religião oficial de todo o Império Romano.

— Mas o Império Romano já não tinha desaparecido?

— Seus alicerces já tinham começado a ruir, sim. Estamos diante de uma das maiores mudanças culturais da história. No ano 300 Roma estava ameaçada tanto por hordas de povos procedentes do norte como por sua desintegração interna. Em 330 o imperador Constantino muda a capital do Império Romano para Constantinopla, cidade que ele mesmo havia fundado às margens do mar Negro. Essa cidade ficou logo conhecida como "A Nova Roma". Em 395 o Império Romano foi dividido em dois: o Império Romano do Ocidente, cuja capital era Roma, e o Império Romano do Oriente, com a nova cidade de Constantinopla como capital. Em 410 Roma foi pilhada pelos bárbaros, e em 476 todo o Império Romano do Ocidente ruiu. O Império Romano do Oriente existiu como Estado até 1453, quando os turcos tomaram Constantinopla.

— E aí a cidade ganhou o nome de Istambul?

— Correto. Outra data que devemos guardar é o ano 529. Foi quando a Igreja fechou a Academia de Platão em Atenas. No mesmo ano foi criada a *Ordem Beneditina*. Foi a primeira grande ordem monástica. Dessa forma o ano 529 se tornou um símbolo de como a Igreja cristã pôs um cadeado na filosofia grega. Dali em diante, os mosteiros passaram a deter o monopólio sobre o ensino, a reflexão e a meditação. O relógio estava para bater cinco e meia.

Sofia já havia compreendido o que Alberto pretendia com aquela metáfora para as horas do relógio. Meia-noite era o ano zero, uma da manhã era 100 d.C., seis horas, 600 d.C., e catorze horas, 1400 d.C...

Alberto continuou:

— Com "Idade Média" queremos dizer na verdade um período entre duas épocas. Essa expressão foi criada durante a Renascença, para descrever uma única "noite de mil anos" que se abateu sobre a Europa entre a Antiguidade e a Renascença. Depois o adjetivo "medieval" seria utilizado pejorativamente para tudo que fosse autoritário e rígido. Foi, por exemplo, na Idade Média que se estabeleceram as primeiras instituições escolares. Bem no início dela surgiram as escolas nos mosteiros. No século XII vieram as escolas das catedrais, e por volta do ano 1200 foram criadas as primeiras universidades. Até hoje as disciplinas são divididas em diferentes grupos, ou "faculdades", como era na Idade Média.

— Mil anos é um intervalo de tempo muito grande.

— Mas o cristianismo aproveitou esse período para penetrar em todas as camadas da população. Ao longo da Idade Média também surgiram várias nações, com suas cidades e burgos, músicas e poemas. O que teria sido dos contos de fada e das cantigas folclóricas se não fosse a Idade Média? Sim, o que a Europa teria sido sem a Idade Média, Sofia? Uma província romana? Nomes como Noruega, Inglaterra e Alemanha ecoam alto nesse poço sem fundo que passou a se chamar Idade Média. Dentro dele estão várias preciosidades, ainda que nem sempre possamos enxergá-las direito. Snorre Sturlason era um cidadão da Idade Média. Olavo, o Santo, também. E Carlos Magno. Para não mencionar Romeu e Julieta, Bendik e Årolilja. Olav Åsteson ou os trolls que habitavam a floresta de Heddal. E ainda todo um séquito de príncipes garbosos, reis e majestades, cavaleiros valentes e belas donzelas, vitralistas anônimos e construtores geniais de órgãos. Para não mencionar os frades, os cruzados e as bruxas astutas.

— Você também não mencionou os padres.

— É verdade. O cristianismo só chegou à Noruega por volta

do ano 1000, mas seria um exagero dizer que a Noruega se tornou um país cristão antes do massacre de Stiklestad. Antigas crenças pagãs sobreviveram à conquista cristã, e muitos elementos pré-cristãos logo se misturaram aos rituais religiosos. Por exemplo, na celebração de Natal norueguesa,* houve um casamento dos costumes cristãos e nórdicos que persiste até os dias de hoje. E aqui vale a velha regra segundo a qual, depois de muito tempo de união, os cônjuges ficam muito parecidos um com o outro. Elementos típicos como os biscoitos, o porquinho de marzipã e a cerveja de Natal passaram a fazer parte do cenário que inclui os Reis Magos e a manjedoura de Belém. Assim mesmo convém enfatizar que a visão de mundo cristã passou a predominar, portanto costumamos nos referir à Idade Média como um período de "unificação" da cultura cristã.

— Mas ela não foi apenas de escuridão e tristeza, certo?

— Os primeiros séculos depois do ano 400 marcaram realmente um declínio cultural. A "alta cultura" da época romana deu origem a enormes cidades com rede de esgotos, banhos e bibliotecas públicas, para não mencionar a arquitetura imponente. Toda essa cultura se desmanchou no primeiro século da Idade Média, inclusive no que diz respeito ao dinheiro e à economia. Durante a Idade Média voltaram à tona o comércio de produtos in natura e o escambo. A economia foi marcada pelo que chamamos de feudalismo: poucos senhores feudais eram proprietários das terras onde camponeses tinham que trabalhar apenas para garantir o seu próprio sustento. A população também diminuiu grandemente nesses primeiros séculos. Posso assegurar que Roma tinha mais de um milhão de habitantes na Antiguidade. No ano 600, a população dessa antiga cidade foi reduzida a quarenta mil habitantes, ou seja, uma fração do que já fora um dia. Essa população reduzida convivia com o que restou dos magníficos prédios da época da grandeza de Roma, costumando recorrer às ruínas sempre que era necessário obter material de construção. Uma pena para os arqui-

---

* A palavra para "Natal" em norueguês e nas línguas escandinavas modernas, "Jul", é a mesma empregada para denominar uma festa pagã nórdica que ocorria no mesmo período do ano.

tetos de hoje, que preferiam que os cidadãos medievais tivessem deixado intocados os antigos marcos da cidade.
— É fácil falar depois que o mal está feito...
— A grandeza política de Roma já havia sucumbido por volta do ano 300. Mas o bispo de Roma logo seria feito chefe de toda a Igreja católica do Império. Ele foi chamado de "papa", ou "pai", e com o tempo passou a ser considerado o representante de Jesus na Terra. E assim Roma funcionou como capital da Igreja durante toda a Idade Média. E não foram muitos os que ousaram "se interpor no caminho de Roma". Paulatinamente os reis e príncipes dos Estados nacionais foram angariando tanto poder que alguns deles ousaram desafiar a todo-poderosa Igreja. Um deles foi o nosso próprio rei Sverre...
Sofia continuava de olhos grudados no sábio monge.
— Você disse que a Igreja fechou a Academia de Platão em Atenas. Todos aqueles filósofos gregos foram deixados para trás?
— Parcialmente apenas. As pessoas ouviam falar dos escritos de Aristóteles aqui, dos escritos de Platão ali... Mas o antigo Império Romano com o tempo foi dividido em três diferentes regiões culturais. Na Europa Ocidental nós tivemos uma cultura cristã de *língua latina* com Roma como capital. Na Europa Oriental tivemos uma cultura cristã de *língua grega* com Constantinopla como capital. Mais tarde a cidade ganhou o nome de Bizâncio, e por isso nos referimos à "Idade Média bizantina" para diferenciá-la da Idade Média católico-romana. Mas o Norte da África e o Oriente Médio também pertenciam ao Império Romano. Nessa região floresceu na Idade Média uma cultura muçulmana de língua árabe. Depois que Maomé morreu em 632, o Oriente Médio e o Norte da África foram conquistados pelo islã. Pouco tempo depois a Espanha passou a integrar a área de cultura muçulmana. Os locais sagrados do islã eram cidades como Meca, Medina, Jerusalém e Bagdá. A tomada de Alexandria pelos árabes tem um significado histórico importante, pois muito da ciência grega foi assim herdado pelos árabes. Ao longo de toda a Idade Média os árabes detiveram a liderança em ciências como matemática, química, astronomia e medicina. Hoje em dia nós mesmos utilizamos "algarismos arábicos". Em várias áreas a cultura árabe sobrepujou a cultura cristã.

— Eu perguntei o que foi feito da filosofia grega.

— Você consegue imaginar um rio que num determinado local se divide em três riachos que depois se encontram novamente para dar lugar a uma correnteza mais forte?

— Consigo.

— Então pode imaginar como a cultura greco-romana foi em parte transmitida através da cultura católico-romana no Ocidente, em parte através da cultura romano-oriental no Oriente e em parte através da cultura árabe no Sul da Europa. Esses três riachos também deram suas próprias contribuições. Embora seja uma simplificação muito grosseira, podemos dizer que o neoplatonismo sobreviveu no Ocidente, Platão no Oriente e Aristóteles junto aos árabes no Sul. O importante é que no final da Idade Média os três riachos voltam a se encontrar no norte da Itália. A influência árabe veio dos árabes na Espanha; a grega, da Grécia e de Bizâncio. E aí começa a Renascença, um "renascimento" da cultura da Antiguidade. Ao fim e ao cabo, a antiga cultura conseguiu sobreviver à demorada Idade Média.

— Estou entendendo.

— Mas não vamos atropelar as coisas. Primeiro vamos conversar um pouco sobre a filosofia medieval, querida Sofia. E não vou mais falar daqui do púlpito. Já vou descer.

Sofia sentiu os olhos pesando por ter dormido poucas horas. Ver aquele monge descer do púlpito da igreja de Santa Maria parecia um sonho.

Alberto passou em frente ao altar. Primeiro ele olhou para o antigo crucifixo no alto. Depois se virou para Sofia e caminhou a passos lentos até sentar-se ao lado dela no banco.

Era estranho estar tão próxima dele. Sob o capuz Sofia viu um par de olhos castanhos, que pertenciam a um homem de meia-idade de cabelos escuros e cavanhaque.

"Quem é você?", ela pensou. "Por que invadiu a minha vida?"

— Com o tempo vamos nos conhecer melhor — ele disse, como se houvesse lido seus pensamentos.

Quando estavam ali sentados, e a luz externa começava a invadir a igreja através dos vitrais, Alberto Knox se pôs a lhe contar mais sobre a filosofia medieval.

— Que o cristianismo era sinônimo da verdade era uma coisa que os filósofos medievais davam como certa — disse ele.

"A pergunta era se nós devíamos apenas acreditar na verdade que nos apresentava a Igreja ou se podíamos também recorrer à nossa razão. Como seria a relação entre os filósofos gregos e aquilo que estava na Bíblia? Havia uma contradição entre a Bíblia e a razão, ou fé e conhecimento poderiam conviver em harmonia? Quase todos os filósofos medievais se dedicaram a responder a essa única pergunta."

Sofia balançou a cabeça, impaciente. Ela mesma havia respondido sobre o conflito entre fé e conhecimento na prova de religião.

— Veremos como abordam essa problemática dois dos mais importantes filósofos medievais, e podemos começar com *Santo Agostinho*, que viveu de 354 a 430. Na vida desse único homem podemos estudar a passagem da Antiguidade Tardia para o início da Idade Média. Agostinho nasceu na pequena cidade de Tagasta, no Norte da África, mas já aos dezesseis anos migrou para Cartago para estudar. Mais tarde viajou para Roma e Milão, e viveu os últimos anos da sua vida já como bispo na cidade de Hipona, alguns quilômetros a oeste de Cartago. Mas ele não foi cristão durante toda a vida. Agostinho esteve entre muitas correntes filosóficas e religiosas antes de se converter ao cristianismo.

— Você poderia explicar melhor?

— Durante um período ele foi *maniqueu*. Os maniqueus eram uma seita religiosa bem típica da Antiguidade Tardia. Professavam uma doutrina de salvação meio religiosa, meio filosófica, afirmando que o mundo era dividido em dois entre bem e mal, luz e trevas, espírito e matéria. Por meio de seu espírito os homens conseguiriam transcender a matéria e estabelecer os alicerces da sua salvação. Mas essa divisão muito bem definida entre o bem e o mal não deixou Agostinho em paz. Quando jovem, ele se ocupou bastante em estudar o que chamamos de "o problema do mal", que é como nos referimos à pergunta sobre a origem do mal. Noutro período ele abraçou a filosofia estoica, e segundo os estoicos não existia essa linha divisória clara entre bem e mal. Mas acima de tudo ele foi influenciado pela segunda mais importante corrente filosófica da Antiguidade Tardia, ou seja, o neoplatonismo. Através dela ele trava contato com a ideia de que toda a existência tem uma natureza divina.

— E aí ele se torna um bispo neoplatônico?

— Sim, talvez se possa dizer isso. Primeiramente ele se converte ao cristianismo, mas sua conversão é marcada fortemente pelas ideias de Platão. E assim, Sofia, você poderá compreender melhor que a passagem da Idade Média cristã não representa uma ruptura tão dramática com a filosofia grega. Muito da filosofia grega foi levada para essa nova era por padres da Igreja como Agostinho.

— Quer dizer que Agostinho era cinquenta por cento cristão e cinquenta por cento neoplatonista?

— Ele mesmo dizia, naturalmente, que era cem por cento cristão. Mas não via nenhuma contradição aguda entre o cristianismo e a filosofia de Platão. Ele achava a filosofia de Platão e a doutrina cristã tão semelhantes que especulava se Platão não teria tido contato com algumas partes do Antigo Testamento, o que, é claro, é muito improvável. Melhor afirmarmos que foi Agostinho quem "cristianizou" Platão.

— Ele não abandonou tudo que tinha a ver com a filosofia quando passou a crer no cristianismo...?

— Mas ele afirmou que existe uma fronteira até onde a razão pode ir nas questões religiosas. O cristianismo é um mistério divino ao qual somente podemos chegar através da fé. Se acreditarmos no cristianismo, Deus "iluminará" nossa alma para que possamos descobrir uma espécie de conhecimento natural sobre Ele. Agostinho mesmo achava que havia um limite até onde a filosofia poderia chegar. Assim que se converteu, sua alma experimentou a paz. "Nosso coração é inquieto até encontrar conforto em Deus", escreveu ele.

— Não entendo muito bem como as ideias de Platão podem se relacionar com o cristianismo — retrucou Sofia. — O que aconteceu com as ideias eternas?

— Agostinho é enfático ao afirmar que Deus criou o universo a partir do nada, e essa é uma ideia bíblica. Os gregos estavam mais inclinados a dizer que o universo sempre existiu. Para Agostinho, antes de Deus criar o universo, a "ideia" de universo já estava Nele. Ele transferiu as ideias de Platão para dentro de Deus e salvou dessa forma a concepção platônica das ideias eternas.

— Foi esperto!

— Mas isso ilustra bem a extrema angústia de Agostinho e de muitos outros padres para conciliar a doutrina da Igreja com as ideias gregas e judaicas. Eles eram, de certa forma, cidadãos de ambas as culturas. Na sua visão do mal Agostinho abraça o neoplatonismo. Como Plotino, ele dizia que o mal é o "afastamento de Deus". O mal não tem existência autônoma, é algo que não existe por si. Pois a criação de Deus é somente o bem. O mal decorre da infelicidade humana, segundo Agostinho. Ou, nas suas próprias palavras: "A boa vontade é a obra de Deus, a má vontade é afastar-se da obra de Deus".

— Ele também dizia que o homem tem uma alma imortal?

— Sim e não. Agostinho afirma que há um abismo intransponível entre Deus e o mundo. Aqui ele está embasado na Bíblia e contesta portanto a visão de Plotino, para quem tudo é um. Mas ele enfatiza também que o homem é um ser espiritual. Ele possui um corpo material, pertencente ao mundo físico, sujeito a padecer e decair, mas possui também uma alma que pode reconhecer a Deus.

— O que acontece com a nossa alma quando morremos?

— Segundo Agostinho, toda a humanidade caiu em perdição depois do pecado original. Ainda assim Deus determinou que alguns homens serão salvos da perdição eterna.

— Eu preferia que Ele tivesse determinado que ninguém deveria cair nessa tal perdição — retrucou Sofia.

— Mas nesse ponto Agostinho diz que o homem não tem o direito de criticar a Deus, recorrendo a algo que Paulo escreveu na sua Epístola aos Romanos: "Quem és tu, indivíduo, que ergues tua voz contra Deus? Pode a criatura indagar ao Criador: 'Por que me concebestes assim?'. Acaso não é o oleiro o senhor do barro, que da mesma amálgama dá forma a um vaso esmerado e a outro corrompido?".

— Então Deus fica lá sentado no céu brincando com os homens? É só Ele ficar insatisfeito com alguma coisa que Ele próprio criou para que ela caia em desgraça?

— O argumento de Agostinho é que ninguém é merecedor da salvação divina. Ainda assim, Deus escolheu alguns homens para salvar da perdição. E Ele não guarda segredo entre quem será salvo e quem não será. Isso está predeterminado. Então, sim, nós somos um joguete nas mãos de Deus. Somos totalmente dependentes da sua misericórdia.

— Dessa forma ele voltou a acreditar na velha crença no destino.

— De certa maneira, sim. Mas Agostinho não isenta o homem da responsabilidade pela própria vida. Seu conselho era que vivêssemos de modo a podermos ter certeza de que estaríamos entre os escolhidos. Pois ele não negava o livre-arbítrio. Mas Deus já "antevira" como seria a nossa vida.

— Mas isso não é injusto? — perguntou Sofia. — Sócrates dizia que todos os homens possuem as mesmas possibilidades porque possuem a mesma razão. Enquanto Agostinho dividia os homens em dois grupos, os que seriam salvos e os que cairiam em perdição.

— Sim, a teologia de Agostinho eliminou da nossa vida um pouco do humanismo de Atenas. Mas perceba que não foi Agostinho que dividiu os homens em dois grupos. Sua teoria sobre salvação e perdição é embasada na Bíblia. Ele aprofunda isso na sua obra-prima, intitulada *A cidade de Deus*.

— Conte mais!

— A expressão "cidade de Deus", ou "reino de Deus", provém da Bíblia e das pregações de Jesus. Agostinho dizia que a história do homem não é nada mais que a história do conflito entre "o reino de Deus" e "o reino dos homens". Os dois "reinos" não são Estados políticos com uma separação marcante entre si. Essa luta pelo poder ocorre dentro de cada indivíduo. É possível mais ou menos localizar o "reino de Deus" na Igreja, enquanto o "reino dos homens" está na noção de Estado; por exemplo, no Império Romano, que se dissolveu justamente na época de Agostinho. Essa sua concepção ficou mais evidente com o passar dos anos, quando a Igreja e o Estado competiram pelo poder ao longo da Idade Média. "Não há salvação longe da Igreja", passou a se dizer. A "cidade de Deus" de Agostinho tornou-se, no final, associada à Igreja enquanto organização. Só durante a Reforma, no século

XVI, é que emergiram os protestos contra o fato de o homem ter de seguir o caminho da Igreja para obter a salvação divina.
— Já não era sem tempo.
— Podemos notar também que Agostinho é o primeiro filósofo que encontramos a incluir a história na sua filosofia. A luta entre o bem e o mal não era nada de novo. Novo é que essa luta se desenrola no transcorrer da história. Aqui não é possível reconhecer muito de Platão em Agostinho. Aqui ele se embasa na visão linear da história que encontramos no Velho Testamento. A ideia é que Deus precisa de toda a história para tornar possível sua "cidade de Deus". A história é necessária para educar os homens e eliminar o mal. Ou, para usar as palavras de Agostinho: "A visão divina conduz a história dos homens, desde Adão até o fim dos tempos, como se fosse a história de um único indivíduo que se desenvolve gradualmente da infância à velhice".

Sofia olhou para o seu relógio.
— São oito horas, eu já tenho que ir.
— Mas antes eu vou lhe falar sobre o segundo grande filósofo medieval. Vamos sentar lá fora?

Alberto se levantou do banco da igreja. Ele uniu as palmas das mãos como numa prece e passou a caminhar pela nave central. Parecia que ele orava ou tinha seus pensamentos dispersos em outras verdades espirituais. Sofia foi atrás dele, até porque não lhe restava outra escolha.

Lá fora uma fina camada de névoa ainda cobria o chão. O sol já se erguera havia muito, mas não conseguira vencer a barreira da neblina matinal. A igreja de Santa Maria ficava num bairro antigo da cidade.

Alberto sentou-se num banco diante da igreja. Sofia imaginou o que aconteceria se alguém os visse ali. Era muito estranho estar lá sentada às oito da manhã, ainda mais ao lado de um monge medieval.
— São oito horas — disse ele. — Já se passaram cerca de quatrocentos anos desde Agostinho, e agora começa um longo dia de aprendizado escolar. Até as dez horas os mosteiros serão as únicas

197

instituições de ensino. Entre dez e onze, serão erguidas as primeiras catedrais e, por volta do meio-dia, as primeiras universidades. Além disso, começam a ser construídas as primeiras catedrais góticas. Esta igreja aqui foi erguida em torno do meio-dia, ou na chamada Baixa Idade Média. Aqui nesta cidade eles não dispunham de recursos para construir uma catedral maior.

— Nem era preciso — acrescentou Sofia. — Não tem coisa pior que uma igreja vazia.

— Mas as grandes catedrais não foram construídas apenas para abrigar grandes multidões. Elas foram erguidas para honrar a Deus e eram uma espécie de ritual religioso em si. Mas aconteceu outra coisa durante a Alta Idade Média que é de especial interesse para nós, filósofos.

— Conta!

Alberto continuou:

— Agora começa a valer a influência dos árabes na Espanha. Os árabes conviveram, durante toda a Idade Média, com a tradição viva das ideias de Aristóteles, e no fim do século XII eruditos árabes visitaram o norte da Itália, a convite dos príncipes governantes. Dessa forma muitos dos escritos de Aristóteles se tornaram conhecidos, depois de traduzidos do árabe e do grego para o latim. Isso gerou um novo interesse pelas questões relativas à ciência da natureza. Além do mais, reavivou as questões referentes à abertura da Igreja em relação à filosofia grega. Nas questões relativas à ciência natural não era possível ir muito longe sem Aristóteles. Mas quando o homem deveria dar ouvidos aos "filósofos", e quando deveria se voltar exclusivamente ao que dizia a Bíblia? Você me compreende?

Sofia assentiu com a cabeça, e o monge prosseguiu:

— O maior e mais importante filósofo da Baixa Idade Média foi *São Tomás de Aquino*, que viveu de 1225 a 1274. Ele vinha da pequena cidade de Aquino, entre Roma e Nápoles, mas foi professor universitário em Paris. Eu o estou chamando de filósofo, mas ele era muito mais um teólogo. Não existia distinção real entre "filosofia" e "teologia" naquela época. Resumidamente, podemos afirmar que Tomás de Aquino "cristianizou" Aristóteles assim como Agostinho havia cristianizado Platão no começo da Idade Média.

— Cristianizar filósofos que nasceram muitos anos antes de Cristo? Não seria forçar muito a barra?
— Pode ser. Mas, quando menciono a "cristianização" dos dois grandes filósofos gregos, quero dizer que eles passaram a ser explicados e compreendidos sem que representassem uma ameaça à fé cristã. Sobre Tomás de Aquino diz-se que ele conseguiu "pegar o touro pelos chifres".
— Não sabia que filosofia tinha a ver com touradas.
— Tomás de Aquino estava entre os que tentavam conciliar a filosofia de Aristóteles com o cristianismo. Dizemos que ele estabeleceu a grande síntese entre fé e ciência. E conseguiu fazer isso ao mergulhar na filosofia de Aristóteles e tomá-la ao pé da letra.
— Ou pelos chifres. Olha, eu infelizmente quase não preguei o olho esta noite, então acho que você vai precisar explicar melhor isso aí.
— Tomás de Aquino dizia que não era necessário existir contradição entre aquilo que nos dizem a filosofia e a razão e aquilo que nos dizem a revelação e a fé cristã. Muito frequentemente elas nos dizem a mesma coisa. Agora nós podemos, portanto, recorrer à razão para chegar à mesma verdade que lemos na Bíblia.
— Como isso é possível? A razão por acaso nos diz que Deus criou o mundo em seis dias? Ou que Jesus era mesmo o filho de Deus?
— Não, a esses "dogmas" (verdades incontestáveis da fé) só podemos ter acesso através da crença e da revelação cristãs. Mas Tomás de Aquino dizia que existe uma gama de "verdades teológicas naturais", ou seja, verdades a que se pode chegar tanto pela revelação cristã como através da nossa razão inata ou "natural". Exemplo de uma verdade assim: a existência de Deus. Desse modo Tomás de Aquino dizia que dois caminhos conduzem a Deus. Um é através da fé e da revelação. O outro é através da razão e da observação e compreensão dos sentidos. Desses dois caminhos, o primeiro é o mais seguro, porque é mais fácil o homem se enganar quando confia somente no segundo. Mas o argumento de Tomás de Aquino é que não é preciso haver contradição alguma entre um filósofo como Aristóteles e a doutrina cristã.
— Podemos nos fiar em Aristóteles como nos fiamos na Bíblia?

— Não, não. Aristóteles trilhou um pedaço do caminho porque não conhecia a revelação cristã. Mas percorrer só um trecho do caminho não é o mesmo que seguir na direção errada. Não é errado, por exemplo, afirmar que Atenas fica na Europa. Mas também não é uma localização exata. Se um livro lhe disser apenas que Atenas é uma cidade europeia, pode ser recomendável dar uma olhada num livro de geografia também. Vou lhe contar toda a verdade: Atenas é a capital da Grécia, que é um pequeno país no Sudeste da Europa. Se você tiver sorte, conhecerá um pouco da Acrópole, para não mencionar Sócrates, Platão e Aristóteles!

— Mas a primeira explicação sobre Atenas também era verdadeira.

— Exato. O argumento de Tomás de Aquino é que existe apenas uma única verdade. Quando Aristóteles indica algo que nossa razão é capaz de reconhecer como correto, isso não está em conflito com a doutrina cristã também. Podemos muito bem nos aproximar de uma parte da razão utilizando a razão e os sentidos, e é a essa razão que Aristóteles se refere, por exemplo, quando descreve os reinos vegetal e animal. Outra parte da verdade nos foi revelada por Deus através da Bíblia. Mas as duas partes se sobrepõem em muitos pontos importantes. Existe um bocado de questões para as quais a Bíblia e a razão nos fornecem respostas idênticas.

— Se Deus existe, por exemplo?

— Exatamente. A filosofia de Aristóteles concebia a existência de Deus, ou de uma causa primeira, capaz de pôr em movimento todos os processos da natureza. Mas ele não fornece nenhuma descrição mais detalhada de Deus. Aqui precisamos recorrer completamente à Bíblia ou aos ensinamentos de Jesus.

— Então é certo que Deus existe?

— Claro que isso é discutível. Mas hoje em dia a maioria das pessoas concorda que a razão humana não é a prova contrária da existência de Deus. Tomás de Aquino foi mais longe ao dizer que, recorrendo a Aristóteles, conseguiria provar a existência divina.

— Nada mau.

— Também por meio da razão podemos reconhecer que tudo a nossa volta deve ter uma "causa primeira", dizia ele. Deus revelou-se aos homens tanto através da Bíblia como através da razão, portanto temos tanto uma "teologia da revelação" como uma "teologia natural". O mesmo vale para o território da moral. Podemos ler na Bíblia como Deus espera que levemos a vida. Mas Deus também nos dotou de uma consciência que nos faz capaz de discernir o certo do errado com base em fundamentos "naturais". Existem "dois caminhos" também para conduzir a vida moral. Sabemos que é errado causar mal ao próximo sem termos lido na Bíblia que "não farás ao próximo aquilo que não queres que ele faça contra ti". Mas aqui também vale a máxima: o caminho mais correto é seguir o que diz a Bíblia.

— Acho que estou entendendo — disse Sofia. — É como quando sabemos que vai cair uma tempestade só porque vemos raios e ouvimos trovões.

— Muito bem. Mesmo se somos cegos, podemos ouvir os trovões. E, mesmo se somos surdos, podemos ver os raios. O melhor seria tanto ver como ouvir. Mas não há nenhuma *contradição* entre o que vemos e o que ouvimos. Muito pelo contrário: as duas impressões se complementam.

— Compreendi.

— Deixe-me recorrer a outra metáfora. Se você lesse um romance, por exemplo, *Vitória*, de Knut Hamsun.

— Esse eu já li mesmo.

— Você consegue ter uma ideia do autor só de ler um romance que ele escreveu?

— Eu posso pelo menos dizer que existe um autor que escreveu aquele livro.

— E você fica sabendo algo mais sobre ele?

— Sim, que ele tem uma visão muito romântica do amor.

— Quando você lê esse romance, que é uma criação de Hamsun, você também consegue ter uma impressão sobre a natureza de Hamsun. Mas você não espera encontrar ali revelações pessoais sobre o autor. Você pode, por exemplo, deduzir quantos anos ele tinha quando escreveu *Vitória*, onde vivia ou, por exemplo, quantos filhos tinha?

— Claro que não.

— Mas esses detalhes você consegue encontrar numa biografia de Knut Hamsun. Somente uma biografia, ou autobiografia,

pode lhe trazer um conhecimento mais aproximado da *pessoa* do autor.
— Sim, é mesmo.
— A relação entre a criação de Deus e a Bíblia é bem parecida. Basta olharmos a natureza para podermos reconhecer a existência de um Deus. Podemos afirmar talvez que ele gosta de flores e animais, ou não os teria criado. No entanto, detalhes sobre a pessoa de Deus encontramos apenas na Bíblia, ou seja, na "autobiografia" de Deus.
— É um bom exemplo!
— Hum...
Pela primeira vez Alberto não respondeu.
— Tem alguma coisa a ver com Hilde? — Sofia deixou as palavras escaparem.
— Não sabemos com certeza se existe uma "Hilde".
— Mas nós sabemos que existem rastros dela aqui e ali. Os cartões-postais e a echarpe de seda, uma carteira verde, uma meia-calça...
Alberto balançou a cabeça concordando.
— Parece que depende só do pai de Hilde decidir quantos desses rastros vão continuar aparecendo. Até agora sabemos apenas que existe uma pessoa que nos envia todos os cartões-postais. Gostaria que ele escrevesse um pouco sobre si mesmo também. Mas vamos voltar a tudo isso depois.
— Agora já é meio-dia. Preciso de qualquer jeito voltar para casa antes que a Idade Média termine.
— Vou concluir com algumas palavras sobre como Tomás de Aquino se apossou da filosofia de Aristóteles em todas as áreas em que ela não contrariava a teologia da Igreja. Isso vale para a lógica de Aristóteles, sua filosofia do conhecimento e, sobretudo, para sua filosofia da natureza. Você lembra, por exemplo, como Aristóteles descreveu a vida em escala crescente, das plantas e animais até os homens?

Sofia concordou com a cabeça.
— Aristóteles já dizia que essa escala apontava para um Deus que representava o ápice da existência. Esse esquema era fácil de ser adotado pela teologia cristã. Segundo Tomás de Aquino, a

existência evolui numa escala que vai das plantas e animais para os homens, dos homens para os anjos e dos anjos para Deus. À semelhança dos animais, o homem possui um corpo com órgãos sensoriais, mas o homem conta com uma razão "reflexiva e aprofundadora". Os anjos não possuem esse corpo com órgãos sensoriais, mas em compensação podem recorrer a uma inteligência abrangente e instantânea. Eles não precisam refletir nem aprofundar seus pensamentos como os homens, não precisam partir de uma ideia para chegar a uma conclusão. Eles sabem tudo aquilo que nós podemos saber, mas não precisam raciocinar gradualmente como nós fazemos. Como os anjos não possuem um corpo, jamais morrerão, mas não são eternos como Deus, porque também foram um dia criados por Ele. Mas, como não têm um corpo do qual se separar, jamais morrerão.

— Parece maravilhoso.

— Mas sobre os anjos Deus reina soberano, Sofia. Ele tudo sabe e tudo vê. Ele tem o dom da onisciência.

— Então ele está nos vendo agora.

— Sim, talvez esteja nos vendo. Mas não "agora". Para Deus, o tempo não existe como para nós. O nosso "agora" não é o "agora" Dele. Semanas que se passam para nós não são semanas que se passam aos olhos de Deus.

— Que coisa estranha! — Sofia deixou escapar.

Ela cobriu a boca com a mão. Alberto fitou-a nos olhos e Sofia continuou:

— Eu recebi mais um cartão do pai de Hilde. É que ele escreveu algo bem parecido, como se uma ou duas semanas para mim não significasse a mesma coisa para eles. Quase a mesma coisa que você disse de Deus!

Sofia pôde perceber uma expressão de desaprovação no rosto sob o capuz marrom.

— Ele deveria se envergonhar!

Sofia não entendeu o que ele queria dizer, talvez fosse só força de expressão. Alberto prosseguiu:

— Infelizmente, Tomás de Aquino adotou a mesma visão de Aristóteles sobre o feminino. Talvez você lembre que Aristóteles se referia à mulher quase como se ela fosse um homem incom-

pleto. E dizia também que as crianças herdam as características paternas, pois as mulheres eram passivas e receptoras, enquanto os homens eram ativos e provedores. Pensamentos assim, segundo Tomás de Aquino, estavam em harmonia com as palavras da Bíblia, onde está escrito que as mulheres foram criadas a partir da costela do homem.
— Quanta bobagem!
— É importante registrar que os ovários dos mamíferos só foram descobertos em 1827. Talvez portanto não seja tão impressionante imaginar que o homem tenha sido protagonista no processo de reprodução durante tanto tempo. Podemos notar também que, segundo Tomás de Aquino, somente como ser natural é que a mulher era inferior ao homem. A alma das mulheres é tão valorosa quanto a alma masculina. No céu a separação entre os sexos cessa de existir, porque, uma vez abandonado o corpo, não há mais diferenças entre homem e mulher.
— Grande coisa — ironizou Sofia. — Não existia nenhuma filósofa na Idade Média?
— A vida religiosa na Idade Média era basicamente dominada por homens. Mas isso não significa que não existiram pensadoras mulheres. Uma delas foi Hildegard von Bingen.
Sofia arregalou os olhos.
— Ela tem alguma coisa a ver com Hilde?
— Que pergunta! Hildegard viveu no vale do Reno (Alemanha), de 1098 até 1179. Mesmo sendo mulher, ela exerceu naquela época os ofícios de oradora, escritora, médica, botânica e pesquisadora da natureza. Talvez ela possa ser tomada como símbolo de que na Idade Média as mulheres costumavam ter os pés mais no chão e ter uma abordagem mais científica das coisas.
— Eu perguntei se ela tem alguma coisa a ver com Hilde.
— Havia uma crença judaico-cristã segundo a qual Deus não era apenas masculino. Ele também teria uma manifestação feminina, uma "natureza materna". Pois as mulheres também foram feitas à sua imagem e semelhança. Em grego esse lado feminino de Deus chamava-se *Sophia*. "Sophia", ou "Sofia", significa "sabedoria".
Sofia balançou a cabeça. Por que ninguém jamais lhe dissera isso antes? E por que ela jamais havia perguntado?

Alberto continuou:

— Tanto entre os judeus como na Igreja ortodoxa grega, "Sophia", ou a natureza materna de Deus, desempenhou um papel importante ao longo da Idade Média. No Ocidente é que ela foi esquecida. Mas aí vem Hildegard. Ela conta que Sophia se revelava para ela em visões, vestida numa túnica dourada bordada com pedras preciosas...

Sofia se levantou do banco. Sophia havia aparecido para Hildegard em visões.

— Talvez eu apareça para Hilde.

Ela tornou a sentar. Pela terceira vez Alberto pôs a mão no seu ombro.

— Isso é algo que teremos que descobrir. Mas agora já é quase uma hora. Você precisa comer alguma coisa, e uma nova era está se aproximando. Eu a convoco para um encontro sobre a Renascença. Hermes vai buscá-la no jardim.

O fantástico monge se levantou e começou a caminhar de volta para a igreja. Sofia ficou pensando em Hildegard e Sophia, em Hilde e em si mesma. De repente ela sentiu um tremor por dentro. Levantou-se e correu atrás do professor de filosofia vestido de monge:

— Existiu algum Alberto na Idade Média?

Ele reduziu o passo, virou a cabeça para trás e disse:

— Tomás de Aquino teve um famoso professor de filosofia. Ele se chamava Alberto Magno...

Depois disso ele entrou na igreja de Santa Maria. Sofia tentou segui-lo, mas, quando também entrou na igreja, ela estava completamente vazia. Ele teria sumido pelo chão?

Quando Sofia deixava a igreja, ela viu um quadro de Maria. Ela se aproximou e ficou examinando a figura. Logo percebeu uma pequena gota d'água sob um dos olhos da imagem. Seria uma lágrima?

Sofia deixou a igreja para trás e voltou correndo para a casa de Jorunn.

A Renascença
... ó criatura divina vestida em trajes humanos...

Quando Sofia entrou esbaforida pelo portão do jardim da casa pintada de amarelo, por volta de uma e meia da tarde, Jorunn estava na porta.
— Faz mais de dez horas que você saiu — gritou Jorunn.
Sofia balançou a cabeça:
— Eu saí faz mais de mil anos.
— Mas onde você esteve?
— Eu tive um encontro com um monge medieval. Que sujeito engraçado!
— Você está louca. Sua mãe ligou faz meia hora.
— O que você disse?
— Disse que você tinha ido na banca de revistas.
— E o que ela falou?
— Que é para você ligar de volta. Pior foi com meu pai e minha mãe. Eles trouxeram chocolate quente e pãezinhos no quarto lá pelas dez horas. E aí a sua cama estava vazia.
— E o que você falou?
— Fiquei apavorada. Aí falei que você tinha ido para casa porque nós duas tínhamos brigado.
— Então vamos já fazer as pazes. E seus pais não vão poder

conversar com a minha mãe durante alguns dias. Será que você consegue impedi-los?

Jorunn deu de ombros. Nesse instante o seu pai apareceu no jardim puxando um carrinho. Ele vestia um macacão e era possível ver que seu trabalho de limpar as folhas caídas no outono passado ainda não estava concluído.

— Já ficaram amigas de novo? — perguntou ele. — Pronto, agora só restaram umas folhinhas de plátano na frente do porão.

— Muito bem — replicou Sofia. — Então agora a gente pode se encher de chocolate quente por lá em vez de fazer isso na cama.

O pai deu uma risada sem graça e Jorunn sentiu um tremor atravessar seu corpo. Na casa de Sofia eles eram mais descuidados no linguajar do que na casa do secretário municipal de Finanças Ingebrigtsen e de sua senhora.

— Desculpe, Jorunn. Mas eu achei que tinha que contribuir com o nosso plano de acobertar minha escapada desta madrugada.

— Você vai me contar alguma coisa?

— Só se você vier comigo até em casa. Não é nada que vá interessar a secretários municipais nem a Barbies envelhecidas.

— Como você é horrível! Melhor é um casamento agonizante, em que um dos parceiros tem que viajar constantemente para alto-mar?

— Claro que não. Mas eu quase não dormi esta noite. E estou começando a desconfiar que Hilde consegue ver tudo que nós fazemos.

Elas já tinham começado a caminhar em direção à rua Kløver.

— Você está dizendo que ela é vidente?

— Talvez. Ou talvez não.

Era perceptível que Jorunn não se sentia atraída por aquela sucessão de mistérios.

— Mas isso não explica por que o pai dela fica mandando cartões-postais para uma cabana abandonada no meio da floresta.

— Eu admito que esse é um ponto fraco.

— Você não vai me dizer onde esteve?

Foi o que ela fez. Sofia contou sobre o misterioso curso de filosofia também. Mas fez com que Jorunn prometesse formalmente que aquela conversa ficaria entre as duas.

Passou um bom tempo sem que ninguém dissesse nada.
— Não estou gostando disso — disse Jorunn ao se aproximarem do número 3 da rua Kløver.

Ela parou diante do portão e deu mostras de que queria voltar dali mesmo.

— Não tem ninguém pedindo para você gostar. Mas a filosofia não é uma brincadeira sem consequências. É sobre quem somos e de onde viemos. Você acha que aprendemos o bastante sobre isso na escola?

— Ninguém sabe responder essas perguntas mesmo.

— Mas não aprendemos nem a fazer essas perguntas.

A papa de arroz quente estava sobre a mesa quando Sofia entrou na cozinha. Não houve nenhuma reclamação pelo fato de ela não ter telefonado da casa de Jorunn.

Depois da refeição Sofia disse que queria descansar um pouco. Ela mencionou que quase não tinha pregado o olho, o que não era exatamente incomum nas noites passadas em casa de amigas.

Antes de se deitar, ela ficou diante do espelho de latão que pendurara na parede. Primeiro viu apenas um rosto pálido e cansado. Mas então, atrás do seu próprio rosto, de repente pareceu que havia a silhueta borrada de outro rosto.

Sofia respirou bem fundo um par de vezes. Ela não queria se impressionar à toa.

Olhou bem no espelho e viu o contorno bem definido do seu rosto pálido, emoldurado por cabelos muito lisos, incapazes de ficarem presos num penteado diferente do "natural": totalmente escorridos. Mas atrás desse rosto lhe pareceu surgir o fantasma de outra garota.

De repente essa outra garota começou a piscar os dois olhos energicamente. Foi como se ela quisesse sinalizar que estava de fato do outro lado do espelho. Isso durou poucos segundos. E então ela se foi.

Sofia sentou-se na cama. Não tinha dúvidas de que era o rosto de Hilde que ela vira no espelho. Segundos depois, ela se deu conta de ter visto aquele mesmo rosto na carteira de estudante no

Chalé do Major. Provavelmente era a mesma garota que ela vira no espelho lá também.

Não era estranho que Sofia tivesse aquelas experiências místicas sempre quando estava exausta? Era o caso de ela se perguntar depois se tudo não teria passado de fantasia.

Sofia pôs as roupas sobre uma cadeira, meteu-se debaixo do edredom e caiu no sono instantaneamente. Enquanto dormia, teve um sonho vívido e fantástico.

Ela sonhou que estava num grande jardim que se inclinava até chegar a um atracadouro vermelho. Uma garota de cabelos bem louros estava sentada no píer junto ao atracadouro, admirando o mar. Sofia foi até ela e sentou-se bem ao seu lado. Mas foi como se a garota nem tivesse percebido. "Eu sou Sofia", apresentou-se ela. Mas a garota não conseguia vê-la nem ouvi-la. "Você deve ser cega e surda, não é?", disse Sofia. E a garota parecia mesmo surda àquelas palavras. Nesse instante Sofia ouviu uma voz gritando "Hildinha!". Em seguida a garota saiu correndo pelo píer na direção de uma casa. Então ela não era nem cega nem surda, afinal. Um homem de meia-idade saiu correndo da casa para encontrá-la. Ele estava vestido num uniforme e tinha uma boina azul na cabeça. A garota se pendurou no pescoço dele e eles rodopiaram juntos uma, duas vezes. Então Sofia encontrou uma corrente com uma cruz dourada no píer, bem onde a garota estivera sentada. Ela apanhou a corrente e com isso despertou.

Sofia olhou o relógio. Havia dormido durante duas horas. Sentou-se na beirada da cama e ficou refletindo sobre aquele sonho incrível. Ele tinha sido tão forte e vívido que parecia mesmo que ela vivera aquilo. Sofia tinha certeza de que a casa e o píer que vira no sonho existiam de verdade em algum lugar. Não parecia o cenário do quadro que ela vira no Chalé do Major? De qualquer modo não restava dúvida de que a garota no sonho era Hilde Møller Knag e que o homem era o seu pai que retornara do Líbano. No sonho ele se parecia um pouco com Alberto Knox.

Quando Sofia se levantou e começou a arrumar a cama, descobriu debaixo do travesseiro uma corrente de ouro com uma cruz. No verso da cruz havia três letras gravadas: HMK.

Não era a primeira vez que Sofia encontrava um objeto de

valor num sonho. Mas era sem dúvida a primeira vez que esse objeto se materializava.
— Putz! — ela gritou.
Ficou tão furiosa que abriu o maleiro e atirou a delicada corrente lá dentro, onde já estavam a echarpe de seda, a meia três-quartos branca e todos os cartões-postais do Líbano.

Na manhã de domingo Sofia foi despertada para um belo café com pãezinhos quentes e suco de laranja, ovos e salada italiana. Só muito raramente a mãe se levantava antes dela num domingo. Então, quando isso acontecia, era uma questão de honra ela se dar o trabalho de preparar um café da manhã reforçado antes de acordar Sofia.
Enquanto comiam, sua mãe disse:
— Tem um cachorro no jardim. Ele passou a manhã espreitando a velha sebe. Você sabe o que ele está fazendo aqui?
— Claro! — gritou Sofia, mas no mesmo instante em que falou seus lábios já estavam selados.
— Ele já esteve aqui antes?
Sofia já estava de pé olhando através da janela da sala que dava para o jardim. Era como ela havia imaginado. Hermes estava deitado na frente da entrada secreta do esconderijo.
O que ela iria dizer? Ela nem tinha pensado numa resposta e a mãe já estava bem do seu lado.
— Você disse que ele já esteve aqui antes?
— Ele enterrou um osso aqui. Aí voltou para recuperar o seu tesouro. Os cachorros também têm memória...
— Talvez, Sofia. Você é que é a psicóloga de animais entre nós...
Sofia estava quebrando a cabeça para descobrir o que dizer.
— Eu vou acompanhá-lo até a casa dele.
— Você por acaso sabe onde ele mora?
Ela deu de ombros.
— Na coleira dele deve ter um pingente com o endereço.
Um minuto depois Sofia estava no jardim. Quando Hermes a viu, veio correndo até ela, abanando vigorosamente a cauda e levantando as patas dianteiras.

— Hermes, garoto! — disse Sofia.
Ela sabia que a mãe estava observando tudo da janela. Era só o cachorro não ir para o esconderijo. Felizmente ele começou a correr na trilha de pedriscos, disparou pelo jardim e saltou o portão que dava para a rua.
Sofia foi atrás dele. Hermes caminhava cerca de dois metros à sua frente. Os dois percorreram um bom trecho das ruas da cidade. Não eram os únicos a passear naquele domingo. Muitas famílias haviam tido a mesma ideia, e Sofia sentiu uma ponta de inveja.
Hermes às vezes parava para cheirar outro cachorro ou algo que encontrava na calçada, mas, assim que Sofia ordenava "Venha!", ele obedecia e corria até ela.
Eles passaram por um velho jardim, um grande campo de futebol e um parquinho, chegando a uma área de tráfego mais intenso de veículos. A cidade se adensava ali, ao longo de uma rua mais larga, de paralelepípedos, por onde circulavam os bondes.
Quando chegaram ao centro, Hermes tomou o rumo da praça principal e, depois, da rua da igreja. Eles seguiram na direção do bairro antigo, com seus casarios da virada do século XIX. Era quase uma e meia da tarde.
Agora já estavam na outra extremidade da cidade. Sofia não costumava ir até lá com frequência. Mas certa vez, quando era pequena, visitou uma tia que morava numa daquelas ruas.
Finalmente deram numa pequena praça cercada de casarões antigos. Ela se chamava Nytorget* — apesar de tudo em volta ser tão velho. A cidade também era bem antiga, havia sido fundada num ano qualquer na Idade Média.
Hermes parou em frente à porta do casarão de número 14 e ficou esperando que Sofia abrisse a porta. Ela sentiu um frio na barriga.
No hall de entrada havia um painel com várias caixas de correio verdes enfileiradas. Sofia achou um cartão-postal enfiado numa caixa da fileira superior. No cartão havia um carimbo do correio informando que o endereço era desconhecido. O destina-

---

* "Praça Nova", em norueguês.

tário, "Hilde Møller Knag, Nytorget, 14...". O carimbo era de 15 de junho. Ainda faltavam quase duas semanas para essa data, mas talvez o correio não tivesse percebido.

Sofia apanhou o cartão da caixa de correio e leu o seguinte:

> Querida Hilde,
> Sofia agora veio até a casa do professor de filosofia. Logo ela completará quinze anos, mas você fez quinze ontem mesmo. Ou seria hoje, Hildinha? Se for hoje, deve ser mais para o fim do dia. É que os nossos relógios não caminham juntos. Uma geração envelhece, a outra desaparece. Enquanto isso, a história segue seu curso. Você já pensou que a história da Europa pode ser comparada à vida de uma pessoa? A Antiguidade é a infância da Europa. A longa Idade Média, o período escolar. Mas aí vem a Renascença, que é quando termina o longo período escolar e a jovem Europa, impaciente e impetuosa, quer se lançar na vida. Podemos dizer que a Renascença marca os quinze anos da Europa. Já é metade de junho, minha filha, e "cá estamos no paraíso! Seja como for, a vida é um sorriso".*
> PS. Que pena que você perdeu sua corrente de ouro com o pingente de cruz. Agora você tem que aprender a cuidar melhor das suas coisas.
> Um beijo do papai — que vai chegar logo.

Hermes já tinha começado a subir as escadas. Sofia pegou o cartão e foi atrás dele. Ela teve que correr um pouco para alcançá-lo, e ele abanava a cauda vigorosamente. Eles subiram o primeiro, o segundo, o terceiro e o quarto andar. De lá uma pequena escada levava até o teto. Será que eles deveriam subi-la também? Foi exatamente o que Hermes fez. Ele só se deteve diante de uma portinha, que se pôs a arranhar com as patas dianteiras.

Sofia ouviu logo o barulho de passos se aproximando do lado de dentro. A porta então se abriu, e lá estava Alberto Knox. Ele havia trocado de roupa, mas também dessa vez estava fantasiado. Tinha meias brancas até os joelhos, calças vermelhas bem largas e

---

* Em sueco, no original. Trecho de "Här är gudagott att vara", canção de 1849 do poeta e compositor sueco Gunnar Wennerberg (1817-1901).

uma jaqueta amarela com enchimento nos ombros. Sofia o achou bem parecido com um curinga do baralho. Se ela não estivesse muito enganada, aquele era um traje típico da Renascença.

— Seu palhaço! — disse ela, ao mesmo tempo que o empurrou para o lado e entrou no apartamento.

Ela havia descontado no pobre professor de filosofia a mistura de medo e ansiedade que estava sentindo. Além disso, estava irritadíssima com o cartão que acabara de encontrar no hall de entrada.

— Não precisa ficar tão irritada, minha filha — disse Alberto, fechando a porta.

— Aqui está a correspondência — disse Sofia, abanando o cartão como se Alberto fosse o responsável por ele.

Alberto leu o que estava escrito e balançou a cabeça.

— Ele está cada vez mais audacioso. Você deve estar percebendo que ele está nos usando como se fôssemos animadores da festa de aniversário da sua filha.

Alberto rasgou o cartão em pedacinhos e os atirou num cesto de lixo.

— O cartão dizia que Hilde tinha perdido sua corrente com uma cruz.

— Eu li.

— Pois eu encontrei a tal corrente na minha cama, em casa. Você pode me dizer como ela foi parar lá?

Alberto a encarou bem nos olhos com uma expressão severa.

— É certamente uma tentativa de nos distrair. Mas isso é um truque barato, para o qual ele não fez o menor esforço. Vamos em vez disso concentrar nossa atenção no grande coelho que foi retirado da cartola preta do universo.

Eles foram para a sala, que era uma das mais estranhas salas de estar que Sofia jamais vira.

Alberto morava num apartamento no sótão, com o teto bem inclinado. No alto havia uma claraboia que deixava passar a luz natural, iluminando bem o ambiente. Mas havia também um janelão voltado para a cidade. Através dele Sofia conseguiu ter uma bela vista dos telhados dos casarões antigos.

Mas o que havia na sala é que deixou Sofia mais intrigada. O ambiente era repleto de móveis e objetos de decoração de diferentes épocas da história. Um sofá datava talvez da década de 1930, uma escrivaninha antiga talvez fosse da virada do século XIX, e uma das cadeiras deveria ter ao menos uns cem anos. Mas a mobília não era tudo. Sobre as prateleiras e armários havia uma verdadeira coleção de objetos de decoração novos e antigos. Relógios e ânforas, morteiros e retortas, facas e bonecas, penas de escrita e apoiadores de livros, octantes e sextantes, bússolas e barômetros. Uma parede inteira estava tomada de livros, mas não desses comuns, que encontramos nas livrarias. Mais parecia uma amostra da produção literária de muitos séculos. Nas paredes estavam penduradas pinturas e gravuras. Algumas deveriam ter sido pintadas ao longo das últimas décadas, mas muitas eram igualmente bem antigas. Além disso, vários mapas estavam pendurados nas paredes. Num deles, um mapa da Noruega bem diferente do atual mostrava o fiorde de Sogne localizado em Trøndelag, e o fiorde de Trondheim fora desenhado como se estivesse bem mais ao norte.

Sofia ficou parada sem dizer nada por alguns minutos, só virando a cabeça para inspecionar a sala até ter certeza de que tinha coberto todos os ângulos possíveis.

— Você coleciona muita quinquilharia — disse ela ao terminar a inspeção.

— Mais ou menos. Imagine quantos anos de história estão guardados aqui nesta sala. Não chamaria isso de quinquilharia.

— Você mexe com antiguidades ou algo assim?

Alberto deixou escapar uma expressão de desapontamento.

— Nem todas as pessoas se deixam levar pela correnteza da história, Sofia. Algumas se detêm e recolhem o que ficou largado nas margens do rio.

— Você fala de um jeito esquisito.

— Mas é verdade, minha querida. Não vivemos apenas no nosso próprio tempo. Carregamos conosco uma parte da história também. Lembre-se de que tudo que você vê nesta sala um dia foi novo em folha e tinha uma serventia. Aquela pequena boneca de madeira do século XVI talvez tenha sido feita como um presente de aniversário para uma garota de cinco anos. Talvez por seu velho avô... Aí ela completou dez anos, Sofia. E depois cresceu e se casou. Talvez ela mesma tenha tido uma filha para quem deixou a boneca como herança. Depois ela envelheceu e um dia partiu. Ela viveu uma vida bem longa, mas depois deixou de existir. E jamais voltará a este mundo. No fundo ela esteve aqui para uma rápida visita. Mas sua boneca, essa sim, está ali na prateleira.

— Tudo é tão triste e sisudo visto dessa maneira.

— Mas a vida é triste e sisuda. Nós surgimos do nada num mundo maravilhoso, conhecemos outras pessoas e somos apresentados a elas; caminhamos juntos por uns tempos. Então nos separamos e desaparecemos tão rápida e inesperadamente quanto surgimos.

— Posso perguntar uma coisa?

— Sim. Não estamos mais brincando de esconde-esconde.

— Por que você se mudou para o Chalé do Major?

— Para não ficarmos tão distantes e termos que nos falar somente através de cartas. Eu sabia que aquela velha cabana estava vazia.

— E aí foi se mudar para lá?

— E aí foi só me mudar para lá.

— Então talvez você possa explicar como o pai de Hilde sabia que você ia fazer isso.

— Se eu estiver certo, ele sabe de tudo.

— Mesmo assim não consigo entender como é que um carteiro pode levar a correspondência para um lugar abandonado no meio da mata.

Alberto sorriu astuciosamente.

— Esse tipo de coisa não é nada de mais para o pai de Hilde. É um truque barato, puro teatro para impressionar. Nós estamos vivendo sob a vigilância mais poderosa do mundo.

Sofia sentiu sua temperatura subir.

— Se algum dia eu o encontrar, vou enfiar as unhas nos olhos dele.

Alberto foi até o sofá e sentou-se. Sofia o acompanhou e, já mais calma, sentou-se numa cadeira reclinável.

— Somente a filosofia pode nos aproximar do pai de Hilde — ele disse. — Hoje eu vou lhe contar sobre a Renascença.

— Pode começar.

— Alguns poucos anos depois de Tomás de Aquino a unificação cultural cristã começou a rachar. A filosofia e a ciência se libertaram cada vez mais da teologia da Igreja, mas isso também implicou uma relação mais livre entre a fé e a razão. Mais e mais pessoas passaram a crer que não é possível aproximar-se de Deus por meio da razão, pois Deus é insondável ao nosso raciocínio. O mais importante para o indivíduo não era compreender o mistério cristão, mas se sujeitar à vontade de Deus.

— Estou entendendo.

— O fato de fé e ciência passarem a ter uma relação mais livre entre si permitiu o estabelecimento de um novo método científico bem como um novo fervor religioso. Estavam assim lançadas as bases para duas importantes reviravoltas ocorridas nos séculos XV e XVI: a Renascença e a Reforma.

— Melhor vermos uma coisa de cada vez.

— Com Renascença nos referimos a um impressionante florescimento cultural ocorrido no fim do século XIV, que começou no norte da Itália mas depois se espalhou rapidamente para o Norte da Europa, no decorrer dos séculos XV e XVI.

— Você não disse que "Renascença" quer dizer "renascimento"?

— Sim, e o que iria nascer de novo eram a cultura e a arte dos tempos antigos. Nós nos referimos a um "humanismo renascentista", pois o homem volta a ser o ponto de partida, isso depois de uma longa Idade Média, que enxergava todos os aspectos da vida a partir da luz divina. A palavra de ordem passou a ser "beber nas fontes", e isso queria dizer primeiramente o humanismo da Antiguidade Clássica. Desenterrar esculturas e manuscritos daquela época passou a ser quase um esporte popular. Da mesma forma, falar grego virou moda, e isso nos abriu a possibilidade de renovar nosso conhecimento sobre a cultura grega. Estudar o humanismo grego nos legou um objetivo pedagógico paralelo. O desenvolvimento das ciências humanas levou ao surgimento de uma "formação clássica", criando algo que podemos chamar de "virtudes humanas". "Os cavalos nascem", passou-se a dizer, "mas os homens, não: eles se formam."

— Quer dizer que somos educados para nos tornar humanos?

— Sim, essa era a ideia. Mas, antes de conhecermos de perto as ideias do humanismo renascentista, vamos lembrar as circunstâncias políticas e culturais por trás da Renascença.

Alberto se levantou do sofá e passou a andar pela sala. Depois parou e apontou para um instrumento muito antigo que estava numa das prateleiras.

— O que é aquilo? — perguntou.
— Parece uma bússola antiga.
— Muito bem.

Em seguida ele apontou para uma antiga arma de fogo pendurada na parede atrás do sofá.

— E aquilo lá?
— Uma arma de outra era.
— Muito bem! E isto aqui?

Alberto retirou da estante um enorme volume.

— É um livro velho.
— Para ser mais preciso, trata-se de um incunábulo.
— Incunábulo?
— A palavra na verdade quer dizer "berço". Usa-se para designar livros impressos artesanalmente no nascedouro da imprensa. Isto é, antes do ano 1500.
— É mesmo antigo assim?
— Sim, muito antigo. E essas três descobertas de que falamos, a bússola, a pólvora e a impressão de livros, são pressupostos importantes para essa nova era que chamamos de Renascença.
— Melhor explicar isso com mais detalhes.
— A bússola facilitou a navegação. Em outras palavras, foi fundamental para as grandes descobertas. A pólvora, da mesma forma. As novas armas dos exércitos europeus garantiram a supremacia sobre as culturas americanas e asiáticas, mas a pólvora teve um significado importante também na Europa. A impressão de livros foi fundamental para disseminar os novos pensamentos do humanismo renascentista. E contribuiu para que a Igreja perdesse seu antigo monopólio na formação do conhecimento. Mais tarde viriam os novos instrumentos e invenções, sucedendo-se num ritmo acelerado. Um instrumento importante foi, por exemplo, a luneta. Ela estabeleceu novos patamares para a astronomia.

— E no fim vieram os foguetes e as naves que pousaram na Lua, não foi?

— Agora você avançou muito rápido para o futuro. Mas, sim, na Renascença se iniciou o processo que ao fim e ao cabo permitiu que os homens chegassem até a Lua. Ou, do mesmo modo, até Hiroshima ou Chernobyl. Tudo começou com uma série de mudanças na área cultural e econômica. Uma delas foi a transição de uma economia baseada no comércio de produtos in natura para outra, baseada em moeda. No final da Idade Média cidades inteiras haviam surgido e se fortalecido como decorrência do trabalho manual, do comércio intenso de novos produtos e da evolução de um sistema financeiro e bancário. Uma burguesia urbana passou a ganhar um destaque crescente ao se libertar das suas necessidades naturais básicas. Insumos vitais para a sobrevivência agora podiam ser comprados com dinheiro. Esse desenvolvimento favoreceu a livre-iniciativa, a inteligência e a criação humana. E assim também foram criadas necessidades inteiramente novas.

— Isso tudo me lembrou como eram as cidades gregas dois mil anos antes.

— Pode ser. Eu contei a você como a filosofia grega se libertou da concepção mítica do mundo, ligada à cultura agrária. Os burgueses renascentistas também começaram a se libertar do poder dos senhores feudais e da Igreja. Isso aconteceu ao mesmo tempo que a cultura grega estava sendo redescoberta por conta de um contato mais próximo com os árabes na Espanha e com a cultura bizantina do Oriente.

— Os três rios da Antiguidade se juntando para formar uma correnteza bem maior.

— Você é uma aluna notável. Mas paramos por aqui com a nossa contextualização da Renascença. Vou falar um pouco dos novos pensamentos que surgiram.

— Então vá em frente. Tenho que voltar para casa para o almoço.

Só agora Alberto tornou a sentar no sofá. Ele olhou nos olhos de Sofia.

— Primeiramente, e mais importante, a Renascença produziu uma nova *visão do homem*. O humanismo renascentista demonstrava uma renovada crença no indivíduo e nos valores humanos, algo que contrastava bastante com a visão unilateral da Idade Média, que reforçava a natureza pecadora do homem. Uma das figuras centrais da Renascença chamava-se *Ficino*. Ele proclamou: "Conhece-te a ti mesmo, ó criatura divina vestida em trajes humanos!". Outra, *Pico della Mirandola*, escreveu um tratado intitulado "Sobre a dignidade do homem", algo que seria inconcebível ocorrer na Idade Média. Durante todo esse período, o ponto central de referência era Deus. Os humanistas renascentistas trouxeram essa referência de volta para o homem.

— Mas isso os filósofos gregos também tinham feito.

— É por isso que falamos de um "renascimento" do humanismo da Antiguidade. Mas, num nível mais forte que durante a Antiguidade, o humanismo renascentista era marcado pelo *individualismo*. Não somos apenas homens, somos indivíduos únicos. Esse pensamento levava a um verdadeiro culto irrestrito à genialidade. O ideal passou a ser aquilo que chamamos de "homem renascentista", alguém que atua em todos os aspectos da vida, da arte e da ciência. Esse novo homem também demonstrava interesse na anatomia do corpo humano. Como na Antiguidade, retomaram-se as dissecações de cadáveres para descobrir como o corpo humano era constituído. Isso foi importante tanto para a medicina como para as artes plásticas. Nelas, tornou-se novamente comum representar o nu. Você pode muito bem dizer que isso ocorreu depois de mil anos de pudor. De novo os homens ousavam ser eles mesmos. Não havia mais do que se envergonhar.

— É como se eles estivessem bêbados — disse Sofia, debruçada numa pequena mesa entre ela e seu professor de filosofia.

— Inegavelmente. A nova visão do homem conduziu a uma nova *inspiração para a vida*. Os homens não existiam mais somente para adorar a Deus. Deus os havia criado também para que pudessem desfrutar a si próprios. Agora os homens podiam sentir prazer com a vida de vez em quando. E, agora que podiam se manifestar livremente, abria-se um leque de possibilidades infinitas. O objetivo era ultrapassar todas as fronteiras, algo também novo em relação ao humanismo da Antiguidade. Os humanistas de então diziam que o homem deveria ser comedido, preservando a sabedoria, a temperança e o pudor.

— Mas os humanistas da Renascença perderam o pudor?

— Eles não eram lá muito comedidos. Era como se tivessem acabado de despertar para um novo mundo, tinham adquirido uma forte consciência da sua época. Foi então que criaram o termo "Idade Média" para designar as centenas de anos entre a Antiguidade e seu próprio tempo. Todas as áreas experimentavam um desabrochar único: arte e arquitetura, literatura e música, filosofia e ciência. Vou citar um exemplo concreto. Falamos da Roma antiga, que ostentava os orgulhosos títulos de "cidade das cidades" e "umbigo do mundo". Essa cidade ruiu ao longo da Idade Média, e, no ano 1417, seu milhão de habitantes de outrora fora reduzido a apenas dezessete mil.

— Não mais do que os habitantes de Lillesand.

— Para os humanistas da Renascença tornou-se um objetivo político restaurar a grandeza de Roma. Primeiro, começou-se a construir a grande basílica de São Pedro, sobre a tumba do apóstolo Pedro. E, quando se trata da basílica de São Pedro, não se pode falar de comedimento e pudor. Muitos dos artistas renascentistas se engajaram nesse que foi o maior projeto arquitetônico do mundo. Os trabalhos se iniciaram em 1506 e duraram cento e vinte anos, e ainda se passaram mais cinquenta anos até que a praça de São Pedro diante da basílica fosse totalmente concluída.

— Deve ter ficado uma igreja bem grande.

— Tem mais de duzentos metros de comprimento, cento e trinta de altura e uma área construída de mais de dezesseis mil metros quadrados. Esse exemplo é o bastante para ilustrar o arrojo do homem renascentista. A Renascença trouxe consigo uma nova visão da natureza, que também teve um significado importante. O fato de o homem se sentir à vontade com sua própria existência, desobrigado agora de encará-la como uma mera preparação para a vida no céu, criou uma nova relação dele com o mundo físico. A natureza passou a ser vista como algo positivo. Muitos diziam também que Deus estava presente na sua própria criação. Ele é infinito, então também deve estar em todo lugar. A essa concepção se chama *panteísmo*. Os filósofos medievais tinham enfatizado bem que existe um abismo intransponível entre Deus e sua criação. Agora se afirmava que a natureza é divina; sim, que ela é o resultado do "parto de Deus". Esses novos pensamentos não eram sempre vistos com bons olhos pela Igreja. Um desdobramento dramático disso foi o que ocorreu com *Giordano Bruno*. Ele afirmava não apenas que Deus estava presente na natureza, mas também que o universo era infinito. E por isso recebeu uma punição severa.

— O que aconteceu?

— Ele foi queimado num mercado de flores em Roma, no ano 1600...

— Que horrível... e estúpido. E é isso que você chama de humanismo?

— Não, isso não. Bruno é que era o humanista, não os seus carrascos. Mas na Renascença também floresceu o que chamamos de "anti-humanismo". Com isso me refiro aos poderes autoritários da Igreja e do Estado. Durante a Renascença houve uma série de processos contra bruxas e adivinhos, mágicos e supersticiosos, sangrentas guerras religiosas, e, não menos importante, a brutal conquista da América. Mas o humanismo sempre teve uma origem obscura. Nenhuma época é apenas boa ou má. O bem e o mal têm sido um caminho de duas vias ao longo de toda a história humana. E frequentemente estão intrincados. Isso vale, aliás, para o próximo conceito que vamos estudar. A Renascença também permitiu o surgimento de um novo *método científico*, e vamos falar sobre ele agora.

— Foi aí que os homens construíram as primeiras fábricas?

— Não imediatamente. Mas isso foi uma consequência de todo o desenvolvimento tecnológico que surgiu após a Renascença e da adoção de um novo método científico. Com isso me refiro à nova postura em relação ao que a ciência representa. Os frutos tecnológicos disso tudo brotariam tempos depois.

— Como era esse novo método?

— Primeiramente ele dependia de uma investigação da natureza utilizando-se os próprios sentidos. Já no século XIV muitas pessoas alertavam contra uma fé cega nas velhas autoridades, isto é, tanto os eruditos cristãos como a filosofia da natureza de Aristóteles. Além disso, se combatia a ideia de que um problema poderia ser resolvido apenas através da pura reflexão. Uma crença exagerada na importância da razão imperou durante toda a Idade Média. Agora se dizia que toda investigação da natureza deveria ser feita com base na observação, na experiência prévia e na experimentação. E a isso chamamos de *método empírico*.

— E isso significa...?

— Não significa nada mais que construir o conhecimento sobre as coisas por meio da própria experiência, sem recorrer a pergaminhos empoeirados ou a ideias fantasiosas. Os tempos antigos eram governados por uma sabedoria empírica. Ninguém menos que Aristóteles coletou importantes observações sobre a natureza desse modo. Mas experimentos sistemáticos eram algo completamente novo.

— Mas eles não dispunham de instrumentos sofisticados como hoje, não é mesmo?

— Claro que não dispunham de calculadoras nem de balanças eletrônicas. Mas tinham a matemática, e tinham balanças. E se tornou crucial expressar as observações científicas numa linguagem matemática precisa. "Mede o que é mensurável e torna mensurável o que não o é", disse *Galileu Galilei*, um dos cientistas mais importantes do século XVII. Ele disse também que "o livro da natureza é escrito em linguagem matemática".

— E com todos esses experimentos e medições abriu-se um caminho para as novas descobertas?

— A primeira fase foi o surgimento de um novo método científico. Ele permitiu a revolução tecnológica que rompeu as fronteiras para todas as descobertas que vieram desde então. Você pode afirmar também que os homens começaram a se libertar das limitações impostas pela natureza. A natureza não era mais simplesmente o meio a que pertenciam os homens. Era algo que nós podíamos usar e aproveitar. "Conhecimento é poder", disse o filósofo inglês *Francis Bacon*, para enfatizar que o conhecimento tinha uma importância prática, e era realmente algo novo. Os homens começaram a interferir a sério na natureza e a querer dominá-la.

— Mas isso não teve apenas um lado positivo?

— Não, foi por isso que me referi a uma via de duas mãos em tudo que o homem faz. As descobertas tecnológicas que começaram na Renascença conduziram aos teares e ao desemprego, aos remédios e às novas doenças, à melhoria das técnicas agrícolas e à devastação da natureza, aos eletrodomésticos que facilitam nossa vida, como máquinas de lavar e geladeiras, bem como à poluição e à produção em massa de lixo. Por conta das enormes ameaças atuais ao meio ambiente muitas pessoas passaram a responsabilizar as descobertas tecnológicas por colocarem em risco a própria sobrevivência da natureza. Segundo elas, os homens puseram em marcha um processo que não temos mais condições de controlar. Espíritos mais otimistas, no entanto, dizem que ainda estamos vivendo nossa infância tecnológica. A civilização tecnológica estaria enfrentando suas doenças de infância, mas no decorrer do processo os homens vão dominar a natureza sem ao mesmo tempo colocá-la em risco.

— Qual é a sua opinião sobre isso?

— Que talvez as duas visões tenham um pouco de razão. Em algumas áreas os homens devem parar de interferir na natureza; em outras, é possível fazê-lo sem receio nenhum. A única coisa certa é que não é possível tomarmos um caminho de volta à Idade Média. Desde a Renascença os homens não são mais apenas uma parte da criação divina. Nós começamos a interferir na natureza e conformá-la à nossa própria imagem. E isso diz algo sobre como somos criaturas intrigantes.

— Nós já estivemos na Lua. Na Idade Média se diria que isso seria possível?

— Não, disso você pode ter certeza. E isso nos leva à nova *visão de mundo* vigente na Renascença. Durante toda a Idade Média os homens caminharam sob o céu, observando o Sol, a Lua, as estrelas e os planetas. Mas ninguém tinha dúvida de que a Terra era o centro do universo. Nenhuma dessas observações havia lançado alguma sombra de dúvida sobre a visão vigente na época, de que a Terra estaria imóvel e os "corpos celestes" se movimentariam ao redor dela. É o que denominamos *visão geocêntrica* do universo, que leva em conta a Terra como centro de todas as coisas. A concepção cristã de que Deus reinava sobre todos os corpos celestes também ratificava essa visão.

— Quem dera fosse tão simples.

— Mas em 1543 surgiu um pequeno livro intitulado *Das re-*

voluções das esferas celestes, escrito pelo astrônomo polonês *Nicolau Copérnico*, que morreu no mesmo dia em que o livro foi impresso. Copérnico sustentava que não era o Sol que orbitava a Terra, mas o contrário. Ele dizia que era possível chegar a essa conclusão somente através das observações dos corpos celestes que já haviam sido realizadas. Os homens acreditavam que a Terra girava em torno do Sol só porque ela girava em torno do seu próprio eixo, dizia ele. Observar os corpos celestes teria sido muito mais fácil caso o homem compreendesse que tanto a Terra como os demais planetas se moviam em órbitas circulares ao redor do Sol, no que chamamos de *visão heliocêntrica*, ou seja, de que tudo gira em torno do Sol.

— E era essa a visão correta?

— Não inteiramente. Seu argumento principal, de que a Terra gira em torno do Sol, está correto, é claro. Mas ele dizia também que o Sol era o centro do universo. Hoje sabemos que o Sol é apenas uma das incontáveis estrelas e que todas as estrelas visíveis a olho nu integram apenas uma galáxia entre os muitos milhões de galáxias que existem. Copérnico acreditava além disso que a Terra e os demais planetas faziam movimentos circulares em torno do Sol.

— E isso não está certo?

— Não, Copérnico não tinha como demonstrar os movimentos circulares, exceto por se embasar na antiga concepção de que os corpos celestes eram completamente esféricos e faziam movimentos circulares perfeitos simplesmente porque eram "celestiais". Desde o tempo de Platão, consideravam-se esferas e círculos as mais perfeitas figuras geométricas. Mas no início do século XVII o astrônomo alemão *Johannes Kepler* descortinou os resultados de observações abrangentes que mostravam que os planetas se movem em trajetórias elípticas, ou ovaladas, tendo o Sol como única referência. Além disso, ele comprovou que a velocidade do movimento dos planetas é maior quanto mais próximos eles estiverem do Sol. Em seguida ele comprovou que um planeta se move mais lentamente quanto mais distante sua órbita estiver do Sol. Somente depois de Kepler pudemos compreender que a Terra é um planeta como os demais. Ele enfatizou também que as mesmas leis físicas valem para todo lugar, em todo o universo.

— Como ele podia ter certeza disso?

— Porque ele tinha investigado o movimento dos planetas usando os próprios sentidos, em vez de se fiar cegamente em ensinamentos que datavam da Antiguidade. Mais ou menos na mesma época de Kepler viveu o famoso cientista italiano Galileu Galilei. Ele também se valeu da luneta para observar os corpos celestes. Nas suas observações ele dizia que, assim como a Terra, a Lua tinha montanhas. Galileu descobriu ainda que o planeta Júpiter possuía quatro luas; a Terra não estava sozinha ao ter um satélite natural. O mais importante mesmo foi que Galileu primeiro formulou o chamado *princípio da inércia*.

— E o que ele diz?

— Galileu o enunciou assim: "A velocidade adquirida por um corpo se manterá a mesma enquanto causas externas à sua aceleração ou retardação se mantiverem alheias a ele".

— Para mim tudo bem.

— Mas essa é uma observação notável. Desde a Antiguidade, um dos mais importantes argumentos contrários à ideia de que a Terra girava em torno do seu próprio eixo era o de que ela eventualmente iria se mover tão rápido que uma pedra que fosse arremessada bem para o alto iria cair a muitos e muitos metros de distância do local do arremesso.

— E por que não é assim?

— Se você estiver num vagão de trem em movimento e deixar cair uma maçã no chão, ela não vai cair atrás de você por isso. Ela cai em linha reta, por causa do princípio da inércia. A maçã mantém exatamente a mesma velocidade que tinha quando você a deixou cair.

— Acho que estou entendendo.

— Agora, não havia trem no tempo de Galileu. Mas, se você estiver rolando uma esfera no chão e de repente soltá-la...

— ... ela vai continuar rolando...

— ... porque sua velocidade se mantém depois que você a largou.

— Mas no final ela para sozinha, se tiver espaço suficiente para rolar o bastante.

— Isso porque outras forças vão freando a sua velocidade.

O primeiro freio vem do chão, especialmente se for um piso de madeira malcuidado. Também a gravidade contribui para que a esfera cedo ou tarde interrompa seu movimento. Espere um instante, quero lhe mostrar uma coisa.

Alberto Knox se levantou e foi até a antiga escrivaninha. Ele abriu uma gaveta e dali retirou algo que pôs sobre a mesinha de apoio ao lado do sofá. Era uma espécie de pedaço de madeira em forma de cunha, com uma extremidade bem fina de um lado e uma bem mais grossa do lado oposto. Ao lado do triângulo, que cobria quase a mesa inteira, ele pôs uma bola de gude verde.

— Isso se chama plano inclinado — disse. — O que você acha que vai acontecer se eu soltar essa bolinha aqui em cima, na extremidade mais grossa desse plano inclinado?

Sofia suspirou e respondeu:

— Aposto dez coroas que ela vai rolar até a mesa e depois cair no chão.

— Veremos.

Alberto soltou a bola de gude, que fez exatamente o que Sofia dissera. Rolou até a mesa, continuou até a borda, quicou no chão fazendo um barulho e só foi parar junto à soleira da porta de entrada.

— Impressionante — disse Sofia.

— É mesmo, não é? Galileu fazia exatamente experimentos desse tipo, sabe?

— E ele era burro assim?

— Calma aí! Ele queria investigar tudo recorrendo aos próprios sentidos, e nós vimos apenas o começo. Me diga primeiro por que a bolinha rolou do plano inclinado para baixo.

— Ela começou a rolar porque é pesada.

— Muito bem. E o que é na verdade o peso, minha filha?

— Agora é você que está fazendo perguntas burras.

— Não são perguntas burras se você não consegue respondê-las. Por que a bolinha caiu no chão?

— Por causa da força da gravidade.

— Exatamente, ou por causa da atração gravitacional, como costumamos também dizer. O peso também tem a ver com a gravidade. Foi *essa* força que pôs a bola de gude em movimento.

Alberto já havia apanhado a bola de gude do chão. E estava novamente debruçado no plano inclinado segurando-a numa das mãos.

— Agora vou tentar rolar a bolinha para que ela atravesse o plano inclinado de um lado a outro. Acompanhe bem de perto para ver como ela se comporta.

Ele chegou mais perto, mirou bem e empurrou a bolinha a partir da lateral do plano inclinado. Sofia viu que ela foi logo arrastada e alterou sua trajetória para baixo, em direção à extremidade mais fina.

— O que aconteceu? — perguntou Alberto.

— Ela rolou meio torta porque isto aqui é uma espécie de ladeira.

— Agora eu vou passar um pouco de tinta na bolinha... e aí talvez consigamos ver exatamente o que você chamou de "meio torta".

Alberto pegou um pincel atômico e pintou de preto a bola inteira. Depois fez a mesma coisa que antes. Agora Sofia conseguiu ver exatamente por onde a bolinha passou no plano inclinado, pois ela havia deixado um rastro preto na superfície da madeira.

— Como você descreveria agora esse movimento? — perguntou Alberto.

— É um arco. Parece um pedaço de um círculo.

— Agora, sim!

Alberto olhou para ela e ergueu as sobrancelhas.

— Na verdade não é exatamente um círculo. Essa figura se chama parábola.

— Por mim tudo bem.

— Mas por que será que a bolinha se comporta dessa maneira? Sofia pensou um pouco. Em seguida disse:

— Porque o plano de madeira tem um desnível, e então ela acaba sendo atraída para o chão.

— Sim! Isso é algo mais que uma impressão. Eu convido uma jovem garota para minha casa e ela chega às mesmas conclusões de Galileu apenas depois de um único experimento.

Alberto bateu palmas. Sofia receou que ele estivesse ficando meio louco. Ele continuou:

— Você acabou de ver o que acontece quando duas forças atuam ao mesmo tempo sobre um único e mesmo objeto. Galileu descobriu que o mesmo vale, por exemplo, para uma bala de canhão. Ela é atirada para o céu, continua voando no ar, mas acaba sendo atraída para a Terra. Ela descreve uma trajetória que corresponde àquela da bola de gude sobre o plano inclinado. E isso foi de fato uma grande descoberta na época de Galileu. Aristóteles acreditava que um projétil que fosse lançado no ar primeiro descreveria um pequeno arco e depois cairia verticalmente no chão. Não era bem assim, e ninguém poderia saber se Aristóteles estava certo até que alguém finalmente tivesse *demonstrado* isso.

— Tudo bem por mim. Mas isso é realmente importante?

— E como é! Isso tem uma importância cósmica. Entre todas as descobertas científicas na história da humanidade essa está entre as mais importantes de todos os tempos.

— E eu aposto que você já vai me explicar por quê.

— Mais tarde viria o físico inglês Isaac Newton, que viveu de 1642 a 1727. Foi ele que enunciou a descrição final do sistema solar e do movimento planetário. Ele não só descreveu como os planetas se movimentam ao redor do Sol, mas também explicou por que eles fazem isso. E isso ele pôde fazer, entre outras razões, referindo-se ao que chamamos de dinâmica de Galileu.

— Os planetas são como bolinhas num plano inclinado?

— Algo assim, sim. Mas espere um pouco, Sofia.

— Eu não tenho escolha.

— Kepler já havia indicado que deveria existir uma força que fazia os corpos celestes se atraírem mutuamente. Teria de haver, por exemplo, uma força emanada do Sol capaz de fazer com que os planetas mantivessem sua órbita. Uma força assim, além disso, poderia explicar por que os planetas se movem mais lentamente nas suas órbitas quanto maior é a sua distância do Sol. Kepler disse depois que a alternância de marés (a maré alta e a maré baixa) seria decorrente de alguma força lunar.

— E isso está correto?

— Sim, está. Mas era algo que Galileu rejeitava. Ele fazia troça de Kepler, que havia "dado sua aprovação à ideia de que a Lua rege as águas". Justamente porque rejeitava a ideia de que forças gravitacionais como essas pudessem exercer influência sobre grandes distâncias e, portanto, *entre* os diversos corpos celestes.

— Então ele estava errado.

— Sim, nesse ponto estava. E é muito estranho, porque ele estudara muito a gravidade terrestre e a queda dos corpos. Além disso, tinha provado como forças diferentes podem controlar os movimentos de determinado corpo.

— Mas você não mencionou algo sobre Newton?

— Sim, aí veio Newton. Ele formulou aquilo que chamamos de lei da *gravitação universal*. Essa lei diz que qualquer objeto exerce atração sobre outro objeto com uma força que é proporcional ao tamanho dos objetos e que diminui na proporção do aumento da distância que os separa.

— Acho que entendi. Por exemplo, dois elefantes se atraem com mais força do que dois camundongos. E dois elefantes no mesmo jardim zoológico se atraem mais fortemente do que um elefante indiano na Índia e outro africano na África.

— Você entendeu, sim. E agora vem o mais importante. Newton dizia que essa atração, ou "gravitação", é universal. Quer dizer, vale para qualquer lugar, mesmo no espaço, entre corpos celestes. Conta-se que ele chegou a essa conclusão certa vez, quando estava sentado debaixo de uma macieira. Ao ver uma maçã cair no chão, ficou especulando por que a Lua não era atraída para a Terra pela mesma força e em vez disso continuava a girar ao redor da Terra por toda a eternidade.

— Bem pensado. Se bem que nem tanto.

— Por que não, Sofia?

— Se a Lua fosse atraída para a Terra pela mesma força que faz as maçãs caírem no chão, então a Lua acabaria despencando na Terra, em vez de ficar dando voltas pelo céu como um gato dá voltas num pires de leite quente...

— Agora estamos começando a nos aproximar das leis de Newton sobre os movimentos planetários. No que se refere a como a gravidade terrestre atrai a Lua, você está cinquenta por cento certa, logo está também cinquenta por cento errada. Por que a Lua não cai na Terra, Sofia? É verdade que a atração terrestre exerce sobre ela uma enorme força. Imagine só as forças ne-

cessárias para fazer as águas subirem um metro durante a maré cheia.
— Não, isso eu nem consigo imaginar.
— Pense no plano inclinado de Galileu. O que aconteceu quando eu rolei a bolinha pelo lado do plano?
— São duas forças diferentes que atuam sobre a Lua?
— Exatamente. Quando o sistema solar se formou, a Lua foi impulsionada para fora de sua trajetória, ou seja, para longe da Terra, por uma força violentíssima. Essa força continuará a atuar por toda a eternidade, porque a Lua se movimenta no vácuo espacial, onde não existe atrito...
— Mas ela também fica sendo atraída pela Terra por conta da gravidade terrestre.
— Precisamente. Essas duas forças são constantes, e ambas atuam simultaneamente. Por isso a Lua continua a orbitar a Terra.
— É realmente assim tão simples?
— Simples assim, e justamente essa "simplicidade" era o argumento de Newton. Ele achava que algumas poucas leis da física valiam em todos os lugares do universo. No que diz respeito ao movimento planetário, ele apenas aproveitou duas descobertas de Galileu. A primeira foi o *princípio da inércia*, que nas palavras de Newton foi descrito assim: "Todo corpo permanece em seu estado de repouso ou de movimento uniforme em uma linha reta, a menos que seja forçado a modificá-lo mediante a atuação de forças externas a ele". A segunda lei, Galileu havia demonstrado com a bola de gude sobre o plano inclinado: quando duas forças atuam simultaneamente sobre um corpo, ele se movimentará numa trajetória elíptica.
— E foi assim que Newton conseguiu explicar por que todos os planetas ficam orbitando o Sol?
— Exatamente. Todos os planetas descrevem uma trajetória elíptica em torno do Sol como resultado de dois movimentos diferentes: primeiro o movimento linear que adquiriram quando o sistema solar se formou e, segundo, um movimento na direção do Sol que decorre da atração gravitacional, ou gravidade.
— Bem engenhoso.
— Sem dúvida. Newton demonstrou que as mesmas leis que governam os corpos celestes valem para tudo no universo, tirando

do nosso caminho antigas concepções medievais segundo as quais a Terra seria regida por leis diferentes das leis "celestiais". A visão de mundo heliocêntrica havia enfim tido sua confirmação e sua explicação definitiva.

Alberto tornou a se levantar e guardou o plano inclinado na gaveta de onde o havia tirado. Ele se abaixou para pegar a bola de gude do chão, mas a colocou sobre a mesa que o separava de Sofia.

Sofia achou inacreditável o quanto conseguira descobrir a partir de um pedaço de madeira em forma de cunha e uma bola de gude. Agora, olhando para a bolinha de gude verde — ainda um pouco manchada de tinta preta —, ela não conseguia deixar de imaginar o globo terrestre, e disse:

— E as pessoas tiveram então que aceitar a ideia de que habitavam um planeta qualquer, no meio do imenso universo?

— Sim, essa nova visão de mundo era, de muitas maneiras, estressante para muita gente. A situação pode ser talvez comparada com a explicação de Darwin, muito tempo depois, sobre como o ser humano se desenvolveu a partir dos animais. Em ambos os casos os homens perderam o lugar privilegiado que julgavam ocupar na criação. Em ambos os casos a Igreja exerceu uma resistência poderosa.

— Isso eu posso imaginar. O que foi feito de Deus nisso tudo? Era como se tudo fosse mais fácil quando a Terra estava no centro de tudo, e tanto Deus como todos os corpos celestes ficavam lá no andar de cima.

— Mas essa não foi a maior transformação, apesar de tudo. Quando Newton comprovou que as mesmas leis da física valem para o universo inteiro, isso poderia ser interpretado como um indício de que o poder de Deus estaria abalado. Mas a própria crença de Newton em Deus não foi abalada. Ele considerava as leis da natureza o testemunho de um Deus maior e onipotente. Pior talvez tenha sido a visão que os homens passaram a ter de si mesmos.

— Como assim?

— Da Renascença em diante as pessoas passaram a se comportar como se habitassem um planeta qualquer, inserido num universo infinito. Não tenho certeza de que tenhamos nos acostumado mesmo nos dias de hoje. Mas já na Renascença houve quem

dissesse que o indivíduo jamais tivera tanta importância como naquela época.
— Não estou compreendendo.
— Antes a Terra era o centro do mundo. Mas, quando os astrônomos disseram que não existe algo como um centro no universo, surgiram tantos centros quantas são as pessoas.
— Agora entendo.
— A Renascença nos conduziu a uma nova *relação com Deus*. Depois que a filosofia e a ciência se liberaram da teologia, uma nova maneira de adorar a Deus começou a surgir. Aí veio a Renascença com sua visão individualista do homem. Isso teve importância para a vida religiosa também. Mais importante que a relação com a Igreja como organização, passou a ser a relação pessoal dos indivíduos com Deus.
— Como a oração que cada um faz antes de dormir?
— Sim, ela também. Na Idade Média a Igreja católica, com sua liturgia em latim e suas orações e rituais, havia sido a espinha dorsal da vida religiosa. Apenas padres e monges conseguiam ler a Bíblia, que estava disponível em latim. Mas da Renascença em diante a Bíblia foi traduzida do latim e do grego para as línguas nacionais. Isso foi importante para um movimento que chamamos de *Reforma*...
— Martinho Lutero...
— Sim, Lutero foi importante, mas não foi o único reformador. Havia também reformadores cristãos que escolheram permanecer na Igreja católica romana. Um deles foi o padre e teólogo holandês *Erasmo de Roterdam*.
— Lutero rompeu com a Igreja católica porque se recusou a pagar as indulgências?
— Também, mas isso tem a ver com algo muito mais importante. Segundo Lutero o homem não precisava trilhar o mesmo caminho da Igreja ou dos seus pastores para receber o perdão divino. Pior ainda seria ter que pagar para a Igreja para obter esse perdão. A chamada concessão de indulgências acabou proibida pela Igreja católica em meados do século xvi.
— Acho que Deus ficou feliz com isso.
— Lutero se afastou de grande parte dos costumes e verda-

des religiosas que a Igreja trouxe para si ao longo da Idade Média. Ele pretendia um retorno à verdade religiosa que encontramos no Novo Testamento. "Somente as escrituras", dizia Lutero. Com isso ele queria voltar "às raízes", assim como o humanismo renascentista queria retomar fontes de arte e cultura da Antiguidade. Ele traduziu a Bíblia para o alemão e com isso também fundou os alicerces da escrita alemã moderna. Qualquer um poderia agora ler a Bíblia e de certo modo se tornar o pastor de si mesmo.

— Pastor de si mesmo? Isso não é um pouco demais?

— O que ele queria dizer é que os pastores não eram privilegiados na sua relação com Deus. As comunidades luteranas, por razões práticas, designavam padres para conduzir os serviços religiosos e estes também assumiam as tarefas cotidianas da Igreja. Mas ele não achava que através dos rituais eclesiásticos os homens obteriam o perdão divino e seriam libertados dos seus pecados. A salvação era totalmente "grátis" e seria alcançada somente pela fé, dizia ele. E essa foi uma conclusão a que Lutero chegou lendo a Bíblia.

— Então Lutero era também um típico renascentista?

— Sim e não. Típica da Renascença era a importância que ele dava ao indivíduo e à sua relação com Deus. Então ele aprendeu grego aos trinta e cinco anos e começou sua árdua tarefa de traduzir a Bíblia para o alemão. Usar uma língua nacional em substituição ao latim clássico também era típico da Renascença. Mas Lutero não era um humanista como Ficino ou Leonardo da Vinci. Ele foi criticado por humanistas como Erasmo de Roterdam, que não gostavam da sua visão extremamente negativa do homem. Lutero enfatizava que os homens haviam sido inteiramente corrompidos depois do pecado original. Apenas através da misericórdia divina é que se poderia "justificar" a existência humana, dizia ele. Pois o preço do pecado é a morte.

— Isso soa muito triste, hein?

Alberto Knox se levantou novamente. Pegou a bola de gude verde e preta da mesa e a colocou num bolso da jaqueta.

— Já passou das quatro! — gritou Sofia.

— E a próxima época da história humana é o Barroco. Mas vamos guardá-la para outro dia, querida Hilde.

— Que foi que você disse agora?
Sofia deu um pulo da cadeira.
— "Querida Hilde", você disse.
— Troquei os nomes. Que feio!
— Mas essas trocas nunca são acidentais.
— Talvez você esteja certa. Vai ver o pai de Hilde já está colocando palavras na nossa boca. Acho que ele sempre se aproveita da situação quando estamos cansados. Aí fica mais difícil nos defendermos.
— Você me disse que não é o pai de Hilde. Jura que está dizendo a verdade?
Alberto balançou a cabeça afirmativamente.
— Mas será que eu sou Hilde?
— Estou muito cansado agora, Sofia. Por favor, compreenda. Ficamos aqui sentados por mais de duas horas, e eu falei quase todo o tempo. Você não tinha que ir para casa almoçar?
Sofia percebeu que já era mesmo hora de ir. Enquanto caminhava até a porta, fundia a cabeça com aquela confusão de nomes. Alberto a acompanhou até a saída.
Hermes estava dormindo debaixo de um pequeno guarda-roupa onde estavam pendurados vários trajes estranhos, que mais pareciam figurinos de teatro. Alberto apontou para o cachorro e disse:
— Ele vai levá-la até lá fora.
— Obrigada por tudo hoje — disse Sofia.
Ela deu um pulo e abraçou Alberto.
— Você é o professor de filosofia mais inteligente e mais legal que eu já tive.
Ele abriu a porta, mas, antes de fechá-la, disse:
— Não vai demorar muito para nos vermos de novo, Hilde.
Sofia agora estava sozinha do lado de fora. Alberto havia confundido os nomes outra vez, aquele pilantra. Sofia bem que quis bater novamente na porta, mas alguma coisa a conteve.
Já na rua ela se deu conta de que não tinha trazido dinheiro. Teria que voltar a pé para casa. Que droga! Sua mãe certamente ficaria zangada e preocupada caso ela não chegasse até as seis horas.
Ela percorreu alguns poucos metros e encontrou uma moeda

de dez coroas na calçada. A passagem de ônibus com direito a baldeação custava exatamente isso.

Sofia foi até o ponto e esperou um ônibus que fosse até a praça principal. De lá tomaria outro até sua casa.

Enquanto estava na praça esperando o outro ônibus, Sofia se deu conta da sorte que tivera de encontrar aquelas dez coroas justamente quando mais precisava delas.

Será que o pai de Hilde havia posto a moeda lá? Ele era mestre em colocar objetos diferentes nos locais mais improváveis.

Mas como conseguia fazer isso se estava no Líbano?

E por que Alberto havia trocado os nomes, e duas vezes?

Sofia sentiu um arrepio subir por sua espinha.

O Barroco

... *da mesma matéria de que são feitos os sonhos...*

Passaram-se alguns dias sem que Sofia ouvisse falar de Alberto, embora ela continuasse procurando por Hermes no jardim diversas vezes por dia. Para a mãe ela havia dito que o cão conseguira encontrar o caminho de sua casa sozinho, e que ela fora convidada pelo dono, um velho professor de física, a entrar para uma visitinha. Ele lhe contara sobre o sistema solar e sobre a nova ciência que emergiu a partir do século XVI.

Para Jorunn ela revelou mais detalhes. Contou da visita a Alberto, do cartão-postal no hall e das dez coroas que achou na calçada quando voltava para casa. O sonho com Hilde e a cruz de ouro ela guardou para si.

Na terça-feira 29 de maio, Sofia estava na cozinha secando a louça enquanto sua mãe assistia ao noticiário da TV na sala de estar. Assim que a vinheta de abertura ecoou pela cozinha, Sofia ouviu o apresentador dizer que um major das forças norueguesas da ONU tinha sido morto por uma granada.

Sofia deixou cair o pano de prato na bancada e correu para a sala. Conseguiu ver a foto do soldado na tela durante alguns segundos apenas — e o noticiário logo prosseguiu.

— Essa não! — exclamou Sofia.

A mãe se virou para ela e disse:
— É, a guerra é uma coisa terrível...
Em seguida Sofia desatou a chorar.
— Mas, Sofia, que é isso? Também não é para tanto.
— Eles disseram o nome do soldado?
— Sim... Mas eu não vou lembrar. Ele era de Grimstad.
— Não é a mesma coisa que Lillesand?
— Você está de brincadeira?
— Mas, se a pessoa nasceu em Grimstad, talvez tenha ido estudar em Lillesand.
Ela havia parado de chorar. Então a mãe entrou em ação. Ela se levantou da poltrona e desligou a TV.
— O que é que está se passando, Sofia?
— Nada...
— Como nada? Você tem um namorado, e eu estou começando a desconfiar que ele é bem mais velho do que você. Responda já: você conheceu algum soldado que está no Líbano?
— Não, não é bem isso...
— Você conheceu o *filho* de alguém que está no Líbano, é isso?
— Não! Escute bem. Não conheci nem a filha dele.
— Quem é "ele"?
— Ninguém que lhe diga respeito.
— Ah, não?
— Talvez eu é que devesse fazer umas perguntas agora. Por que papai nunca está em casa? É só porque vocês não têm coragem de se separar? Você não teria um amante e eu e papai não sabemos? Etc. etc. Nós duas podemos muito bem ficar fazendo perguntas uma para a outra.
— Eu acho que nós pelo menos precisamos conversar um pouco.
— Pode ser. Mas agora estou tão exausta que vou subir e me deitar. Além disso, fiquei menstruada.

E assim Sofia subiu rapidamente para o quarto, com o choro preso na garganta.

Depois que ela tomou banho e se deitou debaixo do edredom, sua mãe subiu até o quarto.

Sofia fingiu estar dormindo, embora soubesse que a mãe não

iria acreditar. Ela sabia que a mãe sabia que ela sabia que não iria acreditar. Mesmo assim a mãe fingiu crer que Sofia estava dormindo. Ficou sentada na cabeceira da cama, acariciando-lhe a nuca.

Sofia ficou imaginando como era complicado viver uma vida dupla. Ela começou a se animar com o término do curso de filosofia. Talvez chegasse ao fim até a data do seu aniversário — ou pelo menos até antes do São-João, quando o pai de Hilde retornaria do Líbano...

— Eu quero dar uma festa no meu aniversário — disse ela.
— Legal. Quem você quer convidar?
— Muita gente... Posso?
— Claro que sim. Temos um jardim bem grande, não temos? Talvez o tempo se mantenha firme.
— Mas eu quero comemorar na véspera de São-João.
— O.k., então faremos isso.
— É um dia muito importante — disse Sofia, e agora ela não estava pensando no aniversário.
— Ah, sim...
— Eu acho que amadureci muito nos últimos tempos.
— Não é bom isso?
— Não sei.

Sofia mantinha a cabeça afundada no travesseiro enquanto conversava. Então sua mãe disse:

— Mas, Sofia, você precisa me contar por que está assim tão... desequilibrada ultimamente.
— Você não era desequilibrada quando tinha quinze anos?
— Com certeza eu era. Mas você sabe do que eu estou falando.

Sofia se virou para a mãe.
— O cachorro se chama Hermes — disse ela.
— É?
— Ele pertence a um homem que se chama Alberto.
— Muito bem.
— Ele mora lá embaixo, na Cidade Velha.
— Você levou o cachorro até tão longe?
— Não tem perigo nenhum nisso.
— Você disse que o mesmo cachorro esteve aqui muitas vezes antes.

— Disse?
Agora ela precisava parar para pensar. Queria contar o máximo possível, mas não podia contar tudo.
— Você quase nunca está em casa — começou dizendo.
— Não, tenho estado muito ocupada.
— Alberto e Hermes estiveram aqui muitas vezes antes.
— Por quê? Eles entraram aqui em casa também?
— Será que não dá para você fazer uma pergunta de cada vez? Eles não estiveram dentro de casa. Mas costumam passear pela floresta. Você acha isso tão misterioso assim?
— Não, não há nada de misterioso nisso.
— Como todas as outras pessoas, eles têm que passar pelo nosso portão quando vão passear pela floresta. Um dia, quando eu voltava da escola, vi o Hermes e fui fazer um carinho nele. E foi assim que conheci Alberto.
— E com relação ao coelho branco e aquela história toda?
— Foi Alberto que me falou disso. Ele é um filósofo de verdade. Ele me contou dos filósofos.
— Por cima do portão do jardim?
— Não, nós nos sentamos e conversamos, você sabe muito bem. Mas ele também escreveu algumas cartas para mim, muitas, na verdade. Algumas foram entregues por um mensageiro, outras foram colocadas na caixa de correio quando ele saía para passear.
— Então são essas as "cartas de amor" de que nós falávamos?
— Não são cartas de amor.
— Ele escreveu apenas sobre os filósofos?
— Sim, esteja certa disso. E eu aprendi mais com ele do que nos oito anos que passei na escola. Você já ouviu falar, por exemplo, de Giordano Bruno, que foi morto na fogueira em 1600? Ou da lei da gravitação universal, de Newton?
— Não, tem muita coisa que eu não sei...
— Se estou bem certa, você não sabe nem por que a Terra dá voltas em torno do Sol nem...
— Quantos anos, mais ou menos, ele tem?
— Não faço a menor ideia. Certamente cinquenta.
— E o que ele tem a ver com o Líbano?

Essa foi difícil. Sofia lidava com dez pensamentos por vez. Então recorreu à primeira ideia que apareceu:

— Alberto tem um irmão que é major num batalhão da ONU. E ele é de Lillesand. Pode ser que seja ele o major que morava naquela cabana.

— Alberto não é um nome estranho?

— Talvez.

— Soa meio italiano para um norueguês.

— Eu sei. Quase tudo que é importante vem da Grécia ou da Itália.

— Mas ele fala norueguês?

— Tão bem quanto nós.

— Sabe o que eu acho, Sofia? Acho que você devia convidar esse Alberto para vir aqui em casa um dia. Eu mesma nunca vi um filósofo de verdade.

— Vamos ver.

— Talvez pudéssemos convidá-lo para sua festa de aniversário. É divertido misturar as gerações. E talvez eu também pudesse participar, que tal? Como garçonete. Não seria legal?

— Se ele quiser, tudo bem. Ele é bem mais interessante para conversar do que qualquer garoto da minha classe. Mas...

— O quê?

— Vão pensar que Alberto é seu novo namorado.

— Pois então você diz que não é.

— Veremos então.

— Veremos. E, Sofia, é verdade que as coisas jamais foram boas entre mim e seu pai. Mas jamais houve outra pessoa...

— Agora quero dormir. Estou com cólicas.

— Quer tomar um paracetamol?

— Pode ser.

Quando a mãe voltou com o comprimido e o copo d'água, Sofia já estava dormindo.

Dia 31 de maio caiu numa quinta-feira. Sofia fazia um esforço enorme para suportar as últimas aulas na escola. Em algumas disciplinas ela teve um desempenho melhor depois que começou o curso de filosofia. Na maioria delas ela costumava obter conceitos que variavam entre G e M,* mas nos últimos meses passara a obter M em ciências sociais e nas redações. Apenas em matemática a coisa não ia tão bem.

No último horário o professor devolveu aos alunos uma redação. Sofia havia escrito sobre "O homem e a tecnologia". Ela abordou a Renascença e a importância das descobertas científicas, a nova visão que se tinha da natureza, a frase de Francis Bacon — "Conhecimento é poder" — e o novo método científico. Ela foi bastante cuidadosa ao deixar claro que o método científico veio antes das novas descobertas tecnológicas. E então escreveu sobre o lado ruim da tecnologia. Mas tudo que os homens fazem pode ser usado para o bem e para o mal, concluiu ela. O bem e o mal são como dois fios de lã, um preto e outro branco, entrelaçados. Em alguns momentos estão tão misturados que é impossível diferenciar um do outro.

Ao distribuir os cadernos de redação, o professor olhou para Sofia sem esconder um brilho no olhar.

Ela recebeu um M+ e o comentário: "De onde você tirou tudo isto?".

Sofia pegou o pincel atômico e escreveu com letras bem grandes no caderno: "Estou estudando filosofia". Ao fechar o caderno, de repente alguma coisa escorregou das páginas do meio. Era um cartão-postal do Líbano.

Sofia se debruçou na carteira e leu o que estava escrito.

Querida Hilde,

Quando você estiver lendo isto, nós já teremos nos falado pelo telefone sobre a trágica morte que ocorreu aqui. Eu fico me perguntando se a guerra e a violência poderiam ser evitadas se as pessoas fossem mais inteligentes. Talvez o melhor método contra a guerra e a violência fosse um curso de filosofia. Que tal um "Pequeno guia de filosofia da ONU", do qual cada novo habitante do planeta Terra ganharia um exemplar na sua língua materna? Vou levar a ideia

---

* G (de *godt*, "bom"), o intermediário, e M (de *meget godt*, "muito bom"), o segundo mais alto.

ao secretário-geral da ONU. Pelo telefone você me disse que está conseguindo cuidar melhor das suas coisas. Que bom, porque você é uma das pessoas mais avoadas que eu conheço. E aí você me contou que a única coisa que perdeu desde que nos falamos da última vez foi uma moeda de dez coroas. Vou fazer o que puder para que você a encontre. Embora eu esteja muito longe de casa, posso contar com a ajuda de uma mão amiga na velha Noruega. (Se eu achar a moeda, vou usá-la para comprar seu presente de aniversário.)

Um beijo do papai, que se sente como se a longa viagem de volta já tivesse começado.

Sofia mal acabara de ler o cartão quando soou a sirene marcando o fim da última aula. Novamente sua cabeça era tomada por um redemoinho de pensamentos.

No jardim da escola ela se encontrou com Jorunn como de costume. No caminho de volta para casa Sofia abriu a mochila e mostrou o cartão à amiga.

— De quando é o carimbo? — perguntou Jorunn.

— Certamente de 15 de junho...

— Não, espere... "30/5/1990" está escrito.

— Isso foi ontem... e um dia depois da tragédia no Líbano.

— Eu duvido que um cartão-postal do Líbano chegue na Noruega em apenas um dia — disse Jorunn.

— Pelo menos não para esse endereço esquisito: "Hilde Møller Knag, a/c Sofia Amundsen, Escola Fundamental de Furulia...".

— Você acha que foi o carteiro que trouxe? E aí o professor apenas colocou no seu caderno de redações?

— Não faço a menor ideia. E nem sei se ouso perguntar a ele.

E mais não se falou sobre o tal cartão-postal.

— Vou fazer uma grande festa no jardim na véspera de São-João — disse Sofia.

— Vai convidar garotos também?

Sofia deu de ombros.

— Não precisamos convidar os mais estúpidos.

— Mas você convida o Jørgen?

— Se você quiser. Um esquilo* até que vai bem numa festa no jardim. E pode acontecer de eu convidar Alberto Knox também.
— Você está completamente maluca.
— Eu sei.
E a conversa acabou assim, pouco antes de cada uma tomar seu rumo ao passarem pelo supermercado.

A primeira coisa que Sofia fez ao chegar em casa foi procurar por Hermes no jardim. E hoje ele realmente estava farejando o chão em volta das macieiras.
— Hermes!
O cachorro ficou paralisado por um segundo. Sofia sabia exatamente o que ocorria naquele breve instante: ele a ouvira chamar, reconhecera a sua voz e se pusera a investigar de onde provinha aquele som. Assim que descobriu, partiu em disparada na direção dela. Suas pernas passaram a se mover na velocidade das baquetas de um baterista ao fazer um solo.
Era um bocado de coisas acontecendo num único segundo.
Ele veio correndo, abanando a cauda, e se atirou para Sofia.
— Hermes, menino bonzinho! Pronto, pronto... Sem lamber, garotão. Senta... Muito bem!
Sofia abriu a porta de casa, e nesse instante Sherekan saiu correndo do meio dos arbustos. Ele estava meio desconfiado na presença de um animal estranho. Sofia serviu a ração do gato, despejou alpiste no comedouro dos pássaros, deu uma folha de alface para a tartaruga e escreveu um bilhete para a mãe.
Ela escreveu que levaria Hermes para a casa dele e ligaria caso não estivesse de volta até sete da noite.
Então os dois se puseram em marcha. Dessa vez Sofia não se esqueceu de levar dinheiro. Ela cogitou pegar um ônibus com Hermes, mas se deu conta de que não havia consultado Alberto sobre o assunto.
Enquanto percorria o longo caminho com Hermes seguindo à frente, ela se pôs a pensar no que seria um animal.

* O equivalente em nossa língua seria "Um gatinho".

Qual a diferença entre um cachorro e um homem? Ela se lembrava do que Aristóteles dissera sobre isso, que homens e animais são seres naturais com importantes pontos em comum. Mas havia uma diferença essencial entre um homem e um animal, que era a razão humana.

Como ele poderia estar tão certo dessa diferença?

Demócrito, por sua vez, dizia que homens e animais são bem parecidos, pois ambos são constituídos de átomos. Dizia ainda que nem homens nem animais possuem uma alma imortal. Segundo ele, a alma também é constituída de pequenos átomos que se espalham por todos os lugares assim que a pessoa morre. E ele estava convencido de que a alma humana estaria indissociavelmente ligada ao cérebro.

Mas como a alma poderia ser feita de átomos? A alma não é algo que possamos pegar ou sentir, como o resto do corpo. Ela é algo "espiritual".

Eles tinham alcançado a Grande Praça e se aproximavam do bairro antigo. Quando chegaram no lugar onde Sofia encontrara a moeda de dez coroas, ela instintivamente olhou para a calçada. E lá — precisamente lá onde ela se abaixara para apanhar a moeda, muitos dias antes — havia um cartão-postal no qual se via a foto de um jardim com coqueiros e laranjeiras.

Sofia se abaixou e apanhou o cartão. No mesmo instante Hermes começou a rosnar. Foi como se ele não tivesse gostado de ver aquilo.

No cartão estava escrito:

Querida Hilde,
 A vida consiste numa longa corrente de coincidências. É bem provável que a moeda de dez coroas que você perdeu tenha caído exatamente aqui. Talvez ela tenha sido encontrada na praça em Lillesand, por uma velha senhora que esperava o ônibus para Kristiansand. De Kristiansand ela seguiu viagem para ir ver seus netos, e pode ter perdido, muitas e muitas horas depois, a moeda aqui na Praça Nova. É bem plausível que, no decorrer do mesmo dia, a mesma moedinha tenha sido apanhada por uma garota que estava precisando muito dela para voltar para casa de ônibus. Nunca se vai

saber com certeza, Hilde, mas, se for realmente assim, seria o caso de nos perguntarmos se não haveria uma Providência Divina por trás disso tudo.
  Um beijo do papai, que em espírito já está de volta a Lillesand.
  PS. Eu bem que disse que iria ajudá-la a encontrar as dez coroas.

No lugar reservado ao destinatário estava escrito "Hilde Møller Knag, a/c uma transeunte acidental...". O cartão tinha um carimbo de 15 de junho.

Sofia apressou o passo atrás de Hermes, subindo as escadas. Assim que Alberto abriu a porta, ela disse:

— Saia da frente, velhinho. Chegou o correio.

Ela achava que tinha uma boa razão para estar brava exatamente naquele instante.

Ele a deixou entrar. Hermes se deitou debaixo do guarda-roupa, como fizera da outra vez.

— O major por acaso lhe deixou outro cartão de visita, minha jovem?

Só então Sofia olhou para Alberto. E viu que ele vestia uma nova fantasia. Chamava a atenção primeiramente uma enorme peruca encaracolada, depois uma roupa bem larga, toda plissada. No pescoço ele usava uma echarpe de seda espalhafatosa, e por cima da roupa um sobretudo vermelho. Nas canelas, meias brancas até os joelhos e, nos pés, sapatos pesados de verniz, com laçarotes. A fantasia fez Sofia se lembrar das imagens retratando os trajes da corte do rei Luís XIV.

— Seu bobo — disse ela, entregando-lhe o cartão.

— Hum... E você encontrou mesmo uma moeda de dez coroas no mesmo local onde estava o cartão?

— Exatamente.

— Ele continua cada vez mais ousado. Mas talvez isso venha a calhar.

— Por quê?

— Porque assim fica mais fácil desmascará-lo. Mas esse último truque que ele aprontou foi pomposo e repugnante ao mesmo tempo. Chego a sentir um cheiro de perfume barato.

— Como assim, "perfume barato"?
— Sim, parece elegante, mas no fundo não passa de uma coisa ordinária. Você não está vendo que ele se dá ao luxo de comparar seus métodos de vigilância vagabundos com a Providência Divina?

Ele apontou para o cartão. E em seguida o fez em mil pedaços, exatamente como da outra vez. Para não piorar ainda mais o humor de Alberto, Sofia não mencionou nada sobre o outro cartão, que encontrara no caderno de redações, na escola.

— Vamos nos sentar na sala, querida aluna. Que horas são?
— Quatro.
— E hoje vamos falar do século XVII.

Eles seguiram para a sala com o teto inclinado e a claraboia no alto. Sofia percebeu que Alberto tinha mudado os objetos de lugar desde a visita anterior.

Em cima da mesa havia um estojo antigo com uma coleção de diferentes lentes de óculos. Ao lado do estojo, um livro aberto, muito antigo.

— O que é isso? — perguntou Sofia.
— O livro é a primeira edição da famosa obra de *René Descartes*, o *Discurso do método*, de 1637, uma das peças mais estimadas da minha coleção.

— E o estojo...
— ... é uma coleção exclusiva de lentes, ou vidros óticos. Foram feitos pelo filósofo holandês *Baruch Espinosa* num dia qualquer do século XVII. Me custaram muito dinheiro, mas também estão entre as relíquias que mais aprecio.

— Eu compreenderia melhor o valor do livro e do estojo se pelo menos soubesse quem foram esse tal de Espinosa e esse Descartes.

— Naturalmente. Mas antes vamos nos inserir na época em que eles viveram. Vamos sentar.

E assim eles sentaram como da outra vez. Sofia numa cadeira reclinável e Alberto Knox no sofá. Entre eles, a mesinha com o livro e o estojo. Assim que sentaram, Alberto tirou a peruca e a pôs na mesa de apoio.

— Vamos falar do século XVII, ou melhor, daquilo que costumamos chamar de *período Barroco*.

— Barroco? Que nome mais esquisito.

— A palavra "Barroco" provém de uma palavra que significa "pérola irregular". Era típica da arte barroca a forma cheia de contrastes, em oposição à arte renascentista, mais simples e harmônica. O século XVII foi, em resumo, um período marcado pela tensão entre contrastes extremos. De um lado continuava a predominar a visão de mundo vibrante da Renascença; do outro, muitos que procuravam o extremo oposto dessa abordagem, levando uma vida de reclusão religiosa e negação do mundo. Tanto na arte como na vida podemos encontrar uma profusão de formas opulentas e marcantes. Ao mesmo tempo, nos mosteiros surgiam movimentos cujo objetivo era se recolher do mundo.

— Havia castelos imponentes e mosteiros escondidos, então.

— Podemos dizer que sim. Uma das palavras de ordem do Barroco era a expressão latina "Carpe diem", que quer dizer "Aproveite o dia". Outra expressão latina corrente naqueles dias era o provérbio "Memento mori", que significa "Lembra-te de que vais morrer". Nas pinturas daquele tempo podemos ver a vida usufruída em toda a sua plenitude ao mesmo tempo que existe uma caveira num canto da tela. Em muitas situações o Barroco foi marcado pela vaidade extremada. Mas muitas pessoas também se preocupavam com o reverso dessa medalha, ou seja, com a *transitoriedade* de todas as coisas. Isto é, com o fato de que tudo que é belo ao nosso redor um dia vai morrer e desaparecer.

— Isso é verdade. Acho triste imaginar que nada é para sempre.

— Você está pensando exatamente como muitos faziam no século XVII. Também no campo político o Barroco foi uma era de grandes contrastes. Primeiramente, a Europa estava tomada por guerras de toda sorte. A mais devastadora foi a Guerra dos Trinta Anos, que arrasou boa parte do continente, de 1618 a 1648. Ela consistiu na verdade numa série de guerras menores, que afetaram sobretudo a Alemanha. Em consequência disso, a França foi a potência que emergiu na Europa depois de finda a Guerra dos Trinta Anos.

— E eles guerreavam por quê?

— Era basicamente um conflito entre protestantes e católicos. Mas tinha a ver também com a disputa pelo poder.

— Mais ou menos como no Líbano.

— O século XVII também foi marcado por grandes diferenças

entre classes sociais. Você certamente já ouviu falar da aristocracia francesa e da corte de Versalhes. Não sei se está a par da miséria que se abateu sobre as classes populares. Pois toda *ostentação* é também uma *demonstração de poder*. Já se disse que a situação política do Barroco pode ser comparada à sua arte e arquitetura. Os edifícios do Barroco são cheios de ornamentos e detalhes que disfarçam a estrutura principal. No campo político, o período foi marcado por assassinatos, intrigas e conspirações.

— Não teve um rei sueco que foi morto a tiros num teatro?

— Você deve estar se referindo a Gustavo III, e é de fato um exemplo do que eu estava dizendo. O assassinato de Gustavo III ocorreu em 1792, mas as circunstâncias foram bem barrocas. Ele foi morto durante um grande baile de máscaras.

— Pensei que tinha sido num teatro.

— O baile ocorreu na Ópera, e o assassinato de Gustavo III abreviou o Barroco na Suécia, podemos dizer. Como soberano ele era o que chamamos de "déspota esclarecido", mais ou menos como fora Luís XIV. Gustavo III era um homem extremamente vaidoso, amante das pompas em estilo francês e do linguajar rebuscado. Você pode perceber que ele amava também o teatro...

— E isso selou seu destino.

— Mas o teatro era, durante o Barroco, algo mais que uma forma de arte. Era também o símbolo preeminente daquele tempo.

— Símbolo de quê?

— Da vida, Sofia. Não sei quantas vezes, ao longo do século XVII, se disse que "a vida é um teatro". Só sei que foram muitas. Foi justamente durante o Barroco que o teatro moderno se desenvolveu, com toda a sua gama de equipamentos, cenários e demais ferramentas. No teatro construímos uma ilusão em cima do palco, para depois a desmascararmos ali mesmo, na própria peça, como a própria ilusão. Dessa forma o teatro se torna uma metáfora para a vida humana em toda a sua extensão. O teatro podia demonstrar bem a "arrogância antes da queda". E assim dar uma dimensão inclemente da pequenez humana.

— Shakespeare viveu durante o Barroco?

— Ele escreveu suas grandes peças por volta do ano 1600, com uma perna na Renascença e outra no Barroco. Mas já em

Shakespeare brotam inúmeras citações reforçando a ideia de que a vida é um teatro. Gostaria de ouvir alguns exemplos?
— Claro que sim!
— Na peça *Como gostais* ele escreve:

*O mundo inteiro é um palco
e homens e mulheres, meros atores:
entram e saem de cena,
desempenhando muitos papéis
no curso de toda a sua vida.*

— E em *Macbeth* ele diz:

A vida é uma sombra errante; um pobre comediante que se pavoneia no breve instante que lhe reserva a cena, para depois não ser mais ouvido. É um conto de fadas, que nada significa. Narrado por um idiota cheio de som e fúria.

— Isso é bem pessimista.
— Mas ele dizia que a vida é curta. Você já deve ter ouvido falar da mais conhecida citação de Shakespeare, não?
— "To be or not to be, that is the question."*
— Sim, assim falou o personagem Hamlet. Hoje estamos aqui; amanhã, podemos não estar mais.
— Obrigado por explicar, mas para mim já estava claro.
— Quando não comparavam a vida com um teatro, os poetas do Barroco a comparavam com um sonho. Shakespeare mesmo, por exemplo, disse: "Somos feitos da mesma matéria de que são feitos os sonhos, e nossa breve vida está envolta em sono...".
— Que poético...
— O poeta espanhol *Calderón de La Barca*, que nasceu em 1600, escreveu uma peça intitulada *A vida é sonho*, em que diz: "O que é a vida? Um frenesi. O que é a vida? Uma ilusão, uma sombra, uma ficção, e o bem mais sublime é pequeno, pois toda a vida é sonho, e os sonhos, sonhos são...".

* "Ser ou não ser, eis a questão."

— Talvez ele tenha razão. Uma vez lemos uma peça na escola. Ela se chamava "Jeppe på Bjerget".*

— Do dinamarquês Ludvig Holberg, claro. Aqui no Norte da Europa ele foi um marco importante da transição entre o Barroco e o Iluminismo.

— Jeppe adormece na beira da estrada... e acorda na cama de um barão. E passa a acreditar que sonhou que um dia havia sido um camponês pobre e sem instrução. Mas aí é levado adormecido de volta à estrada e torna a despertar. E acha que sonhou que tinha se deitado na cama de um barão.

— Esse tema Holberg tomou emprestado de Calderón de La Barca, que por sua vez havia se inspirado nas aventuras árabes das *Mil e uma noites*. Mas comparar a vida com um sonho é um tema que podemos encontrar ainda antes, num passado remoto da história, na Índia e na China. No antigo sábio chinês Chuang--Tsé (350 a.C.), por exemplo: ele sonhou certa vez que era uma borboleta, e ao acordar não sabia mais se tinha realmente sonhado com isso ou se a borboleta agora sonhava que era um homem.

— Claro que é impossível determinar quem tem razão nesse caso.

— Na Noruega tivemos um genuíno poeta barroco. Seu nome é *Petter Dass*. Ele viveu de 1647 a 1707. De um lado ele queria retratar a vida aqui e agora, de outro queria enfatizar que somente Deus é eterno e constante.

— "Deus é Deus seja erma toda a terra, Deus é Deus esteja morta toda a vida..."

— Mas no mesmo poema ele aborda a natureza do norte da Noruega, escrevendo sobre o bagre, o bacalhau, o salmão. É uma característica bem típica do Barroco. Num mesmo tempo se misturam coisas terrenas e divinas, o celestial e o mundano. Isso nos remete a Platão e sua diferenciação entre o mundo concreto dos sentidos e o mundo inefável das ideias.

— E com relação à filosofia?

— Ela também foi marcada por embates acirrados entre modos de pensar contraditórios. Como já mencionamos, alguns filó-

---

* "Jeppe da Colina".

sofos diziam que a existência pode ser vista como algo de natureza profundamente espiritual ou anímica. A esse ponto de vista se chama *idealismo*. O ponto de vista oposto chama-se *materialismo*, ou uma filosofia que conduz todos os fenômenos da existência de volta à sua dimensão física. O materialismo teve grandes porta-vozes no século XVII. O mais influente foi o filósofo inglês Thomas Hobbes. Todos os fenômenos, e também os homens e animais, consistem unicamente em partículas materiais, dizia ele. Até mesmo a consciência, ou a alma, humana teria sua origem no movimento de partículas minúsculas pelo cérebro.

— Então ele dizia a mesma coisa que Demócrito, dois mil anos antes.

— Tanto o "idealismo" como o "materialismo" são como um fio condutor ao longo de toda a história da filosofia. Mas raramente estiveram tão evidentes como durante o Barroco. O materialismo passou a beber numa nova fonte com o advento da nova ciência natural. Newton afirmou que as mesmas leis que regem o movimento valem para todo o universo. Ele sustentava que todas as mudanças na natureza, tanto na Terra como no espaço, devem-se à lei da gravidade e do movimento dos corpos. Tudo é portanto regido pelo mesmo sistema imutável de leis, ou pela mesma *mecânica*. Desse modo, em princípio, é possível determinar cada transformação que ocorre na natureza com uma precisão matemática. Newton estava assim concluindo os alicerces do que chamamos de *visão mecanicista do mundo*.

— Ele se referia ao mundo como uma grande máquina?

— Exato. A palavra "mecânica" vem do grego *méchané*, que significa "máquina". Mas vale notar que nem Hobbes nem Newton viam contradição entre a visão mecanicista e a fé em Deus. Não foi bem assim entre os materialistas dos séculos XVIII e XIX. O médico e filósofo francês La Mettrie escreveu, em meados do século XVIII, um livro chamado *L'homme machine*, ou *O homem-máquina*. Assim como as pernas dispõem de músculos para andar, disse ele, o cérebro dispõe de "músculos" para pensar. Tempos depois o matemático francês Laplace expressou o extremo da compreensão mecanicista do mundo com o seguinte pensamento: se uma inteligência pudesse saber a localização de todas as partículas de matéria num determinado momento, "nada seria incerto, e tanto passado como futuro se descortinariam diante de nossos olhos". O que vai acontecer são "cartas marcadas". E a isso chamamos de *determinismo*.

— Então o livre-arbítrio não existiria?

— Não. Tudo é produto de processos mecânicos, inclusive nossos sonhos e pensamentos. No século XIX os materialistas alemães diziam que o processo de pensar se relaciona ao cérebro como a urina aos rins e a bile ao fígado.

— Mas tanto urina como bile são coisas materiais. Os pensamentos, não.

— Você chegou a um ponto importante. Vou lhe contar uma história que expressa a mesma coisa. Era uma vez um cosmonauta e um neurologista, ambos russos, que discutiam religião. O neurologista, diferentemente do cosmonauta, era cristão. "Muitas vezes estive vagando pelo espaço", gabou-se o cosmonauta, "mas jamais vi a Deus nem aos anjos." "E eu já operei muitos cérebros inteligentes", respondeu o médico, "sem jamais ter visto um único pensamento."

— O que não significa que pensamentos não existam.

— Mas isso deixa claro que os pensamentos são uma coisa totalmente distinta de algo que se pode operar ou dividir em partículas menores. Por exemplo, não é tão fácil assim eliminar cirurgicamente uma ilusão. Ela é, por assim dizer, profunda demais para ser removida. Um importante filósofo do século XVII chamado *Leibniz* disse que a grande diferença entre aquilo que é feito de *matéria* e aquilo que é feito de *espírito* é a seguinte: o que é material pode ser dividido em partes cada vez menores. Mas não se pode dividir uma alma em duas.

— Não. Que tipo de faca poderíamos usar, não é?

Alberto se limitou a aquiescer com a cabeça. Então apontou para a mesa entre eles e disse:

— Os mais importantes filósofos do século XVII foram Descartes e Espinosa. Eles também se dedicaram a refletir sobre as questões relativas à "alma" e ao "corpo", e vamos nos debruçar um pouco mais sobre esses dois filósofos em seguida.

— Vamos lá. Mas, se não terminarmos até as sete horas, vou precisar dar um telefonema.

Descartes

... ele queria remover o entulho antes de construir sua casa nova...

Alberto se levantou e tirou o sobretudo vermelho. Ele o pôs numa cadeira e se acomodou novamente no sofá.

— René Descartes nasceu em 1596 e viveu uma vida itinerante na Europa. Quando jovem, ele nutria um desejo enorme de descobrir a natureza do homem e do universo. Mas, depois de ter estudado filosofia, ficou cada vez mais convencido da sua própria ignorância.

— Mais ou menos como Sócrates?

— Sim, mais ou menos. Como Sócrates, ele também estava convencido de que a certeza é algo alcançável apenas por meio da razão. Nem sempre podemos confiar naquilo que está escrito em livros antigos. E jamais podemos confiar naquilo que nos dizem os sentidos.

— Isso Platão também dizia. Ele pensava que apenas a razão pode nos conduzir a um conhecimento seguro.

— Exato. Pode-se traçar uma reta desde Sócrates e Platão, passando por Agostinho, até Descartes. Todos eram marcadamente racionalistas. Eles diziam que a razão é a única fonte segura para o conhecimento. Depois de estudar muito, Descartes chegou à conclusão de que o conhecimento herdado da Idade Média não

253

era necessariamente digno de confiança. Você talvez possa compará-lo com Sócrates, que não confiava nas ideias com que se deparava nas suas andanças pela praça de Atenas. E o que fazemos neste caso, Sofia? Você pode me dizer?

— Passamos a filosofar por conta própria.

— Isso mesmo. Descartes decidiu atravessar a Europa, assim como Sócrates passou a vida inteira dialogando com as pessoas em Atenas. Ele mesmo conta que desde então seu objetivo de vida passou a ser procurar um conhecimento disponível apenas dentro de si mesmo ou no "grande livro do mundo". Foi servir o Exército e assim pôde visitar inúmeros lugares da Europa Central. Tempos depois, morou alguns anos em Paris e, em 1629, viajou para a Holanda, onde viveu pelos vinte anos seguintes trabalhando nos seus escritos filosóficos. Em 1649, foi convidado pela rainha Cristina, da Suécia, a visitar o país. Mas a visita ao que chamou de "terra de ursos, gelo e rochas" o levou a contrair uma pneumonia que viria a matá-lo no inverno de 1650.

— Ele tinha então apenas cinquenta e quatro anos.

— É. Mas teria uma grande importância para a filosofia, mesmo depois de sua morte. Não é exagero nenhum dizer que Descartes fundou a filosofia dos novos tempos. Após a inebriante redescoberta do homem e da natureza na Renascença, era novamente necessário organizar os pensamentos daquela época num sistema filosófico consistente. O primeiro grande construtor desse sistema foi Descartes, e depois dele vieram Espinosa e Leibniz, Locke e Berkeley, Hume e Kant.

— O que você quer dizer com um "sistema filosófico"?

— Quero dizer uma filosofia construída a partir dos alicerces, que tenta revelar todo tipo de esclarecimentos para todas as perguntas filosóficas importantes. A Antiguidade teve seus grandes construtores de sistemas, como Platão e Aristóteles. A Idade Média teve Tomás de Aquino, que queria estabelecer uma ponte entre a filosofia de Aristóteles e a teologia cristã. Aí veio a Renascença, com uma profusão de pensamentos novos e antigos sobre a natureza e a ciência, Deus e os homens. Somente no século XVII a filosofia procurou organizar os pensamentos novos num sistema filosófico claro. O pioneiro nisso foi Descartes. Ele deu a partida no que seria o mais importante projeto filosófico das gerações que se seguiram. Acima de tudo ele se ocupou em estudar aquilo que já sabemos, ou seja, as perguntas que dão *segurança ao nosso conhecimento*. A outra grande questão que tomou seu tempo foi a relação existente entre *o corpo e a alma*. Essas problemáticas marcariam a discussão filosófica pelos cento e cinquenta anos seguintes.

— Então ele estava bem à frente do seu tempo.

— Estava, embora essas perguntas já pairassem no ar naquela época. No que se referia à segurança do conhecimento, muitos expressavam um total ceticismo filosófico. Eles diziam que os homens deveriam apenas se conformar com o fato de nada saberem. Descartes é que não se conformava com isso. Se tivesse se conformado, não teria sido um filósofo de verdade. Mais uma vez podemos traçar um paralelo com Sócrates, que não se deu por satisfeito com o ceticismo dos sofistas. Justamente na época de Descartes a nova ciência da natureza tinha desenvolvido um método que daria uma nova certeza e uma descrição exata dos processos naturais. Descartes passou a especular, então, se não haveria um método semelhante para a reflexão filosófica.

— Estou entendendo.

— Mas esse era apenas um dos problemas. A nova física havia além disso suscitado questões sobre a constituição da matéria, e também sobre o que determinaria os processos físicos na natureza. Mais e mais pessoas defendiam uma concepção mecânica da natureza e, quanto mais mecanicista era a compreensão do mundo, mais urgente se tornava a questão relativa ao corpo e à alma. Antes do século XVII era comum a referência à alma como uma espécie de "espírito vital" presente em todos os seres vivos. O sentido original das palavras "alma" e "espírito" era um "sopro de vida" e uma "ascensão". Isso vale para quase todas as línguas europeias. Para Aristóteles, a alma era algo que perpassava todo o organismo como seu "princípio vital", e também algo impensável distanciado do corpo. Ele também se referia a uma "alma vegetal" ou uma "alma animal", para os animais irracionais. Somente no século XVII os filósofos introduziram uma separação radical entre "corpo" e "alma". A razão para tanto foi que todos os objetos físicos, e mesmo o corpo humano ou o de um animal, eram explicados por meio de processos mecânicos. Mas a alma humana não poderia jamais pertencer a esse "mecanismo corporal". O que seria ela então? Além do mais, era preciso ainda explicar como algo "espiritual" poderia iniciar um processo mecânico.

— Na verdade é muito estranho imaginar isso.

— O que você quer dizer?

— Eu decido que vou levantar este braço, e aí o braço se levanta. Ou eu decido correr para alcançar o ônibus, e no instante seguinte minhas pernas começam a se movimentar como se eu tivesse não apenas duas, mas várias delas. Outras vezes eu penso em algo triste, e as lágrimas começam a rolar no meu rosto. Então deve haver uma relação misteriosa entre o corpo e a consciência.

— Era precisamente esse problema que fermentava na mente de Descartes. A exemplo de Platão, ele estava convencido de que existia uma separação bem definida entre "espírito" e "matéria". Mas Platão não conseguiu responder se é o corpo que influencia a alma ou o contrário.

— Nem eu, e agora estou imaginando a que conclusão Descartes chegou.

— Vamos acompanhar seu próprio raciocínio.

Alberto apontou para o livro em cima da mesa entre eles e continuou:

— Nesse pequeno livro, *Discurso do método*, Descartes propõe a questão: que método um filósofo deve usar para solucionar um problema filosófico? As ciências naturais já tinham desenvolvido seu novo método...

— Você já falou.

— Descartes primeiro afirmou que não devemos dar nada como certo até que estejamos completamente convencidos e seguros de que se trata de algo verdadeiro. Para chegar a isso, pode ser necessário desmembrar um problema maior em tantas partes menores quanto seja possível. Aí podemos começar a partir das soluções mais simples. Talvez possamos afirmar que cada simples pensamento deve ser "pesado e medido", quase como à maneira de Galileu, que queria medir tudo que podia ser medido e tornar possível de ser medido aquilo que não era. Descartes dizia agora que um filósofo poderia partir do pensamento mais simples para alcançar o mais sofisticado. Assim seria possível construir um novo conhecimento. Por fim, era necessário estar absolutamente convencido de que nenhuma hipótese tinha sido descartada e todos os testes possíveis haviam sido realizados. Somente assim a conclusão de um filósofo seria inapelável.

— Soa quase como um problema de matemática.

— Sim, Descartes queria empregar o "método matemático" também nas reflexões filosóficas. Ele queria demonstrar as verdades filosóficas assim como se demonstram equações matemáticas. Seu propósito era empregar a mesma ferramenta que usamos ao lidar com números, ou seja, a *razão*. Pois apenas a razão pode nos conduzir ao conhecimento seguro. Nada nos garante que os sentidos sejam confiáveis. Já mencionamos o parentesco entre Descartes e Platão; este também afirmara que a matemática e as relações numéricas nos proveem um conhecimento mais seguro do que o que nos chega através dos nossos sentidos.

— Mas é possível solucionar questões filosóficas desse modo?

— Vamos nos ater ao próprio raciocínio de Descartes. Seu objetivo era chegar a um conhecimento seguro sobre a natureza da existência, e ele passa a afirmar categoricamente que, como ponto de partida, deve-se duvidar de tudo. Ele desejava construir seu sistema filosófico desde a base.

— Porque, se os alicerces balançam, a casa inteira pode ruir.

— Isso mesmo, minha querida! Para Descartes, não era *razoável* duvidar de tudo, mas por princípio seria *possível* duvidar de tudo. Somente o fato de ler Aristóteles e Platão não nos garante que avançaremos na nossa jornada filosófica. Talvez amplie nosso conhecimento histórico, mas não nosso conhecimento sobre o mundo. Descartes achava importante livrar-se de todo o conhecimento acumulado antes dele para dar início à sua própria pesquisa filosófica.

— Ele queria remover o entulho antes de construir sua casa nova, não é?

— Sim, para ter certeza de que a nova concepção filosófica se sustentaria, ele desejava utilizar somente materiais novos, mais recentes. Mas a dúvida de Descartes ainda é mais profunda. Não podemos nem confiar no que os sentidos nos dizem, acreditava ele. Eles, os sentidos, podem nos ludibriar o tempo inteiro.

— E como isso seria possível?

— Diz-se que, quando sonhamos, vivenciamos algo que é real. Existe mesmo alguma coisa que separe o que sentimos quando despertos daquilo que experimentamos enquanto dormimos? "Quando me debruço sobre o assunto, não encontro uma única característica que diferencie a vigília do sono", escreve Descartes. E ele continua: "Como podes estar certo de que tua vida inteira não passa de um sonho?".

— Jeppe på Bjerget acreditava que apenas havia sonhado que se deitara na cama do barão.

— E, quando estava na cama do barão, acreditou que sua vida como camponês tinha sido um sonho. Por isso Descartes acaba duvidando de absolutamente tudo. Antes dele, muitos outros concluíram suas observações filosóficas aí mesmo.

— Então eles não foram muito longe.

— Mas Descartes aprofundou o seu trabalho exatamente a partir desse ponto. Ele postulou que duvidar de tudo era a única coisa a respeito da qual ele estava absolutamente certo. Então concluiu que se havia algo de que podia ter certeza era o fato de que duvidava de tudo. Entretanto, quando duvidamos de algo, podemos ter certeza também de que estamos raciocinando, e, quando raciocinamos, temos a garantia de que somos seres pensantes. Ou, como ele mesmo disse: "Cogito, ergo sum".

— Que significa...?

— "Penso, logo existo."

— Não me surpreende nem um pouco que ele tenha chegado a essa conclusão.

— Pois bem. Mas chama a atenção a certeza intuitiva com que ele subitamente se considera um ser pensante. Talvez você se lembre de que Platão dizia que o que percebemos com a razão é de fato mais real do que o que percebemos com os sentidos. Para Descartes, era a mesma coisa. Ele não conclui apenas que é um ser pensante: ele compreende ao mesmo tempo que esse ser pensante é mais real que o mundo físico que percebemos com os sentidos. E ele vai além, Sofia. Sua pesquisa filosófica não está nada próxima do fim, de jeito nenhum.

— Pois então pode continuar.

— Descartes se pergunta agora se existe algo mais a que essa certeza intuitiva possa levá-lo, além do fato de que é um ser pensante. Ele conclui também que possui uma ideia bem nítida do que seja um ser perfeito. Essa é uma ideia que sempre o acompanhou, e para Descartes estava claro que ela não poderia ter emanado dele próprio. A ideia de um ser perfeito não poderia jamais ter brotado de algo que, em si mesmo, é imperfeito. Isto é, a ideia de um ser perfeito só poderia surgir do próprio ser perfeito, em outras palavras, de Deus. Para Descartes, a existência de Deus é tão evidente quanto o fato de que um indivíduo, ao raciocinar, torna-se necessariamente um ser pensante.

— Agora acho que ele está começando a tirar conclusões precipitadas. No começo ele tinha sido mais cauteloso.

— Sim, muitas pessoas consideram esse o ponto mais fraco de Descartes. Mas você está falando de conclusões. Na verdade ele não está provando coisa alguma. Descartes apenas disse que todos temos uma ideia do que seria um ser perfeito, e é nessa ideia que reside o fato de que um ser perfeito deve existir. Pois um ser perfeito não seria perfeito caso não existisse. Além disso, não teríamos uma ideia de um ser perfeito caso não existisse esse tal ser. Pois nós somos imperfeitos, e portanto não pode se manifestar a partir de nós, espontaneamente, essa ideia de perfeição. A ideia de um Deus é, segundo Descartes, uma ideia inata, que está entranhada em nós assim que nascemos, "da mesma maneira que um artista marca sua obra quando apõe a ela sua assinatura".

— Mas, mesmo que tenhamos a ideia de um crocofante, isso não significa que podemos encontrar um crocofante por aí.

— Descartes teria dito que a existência de um crocofante independe do conceito "crocofante". No entanto, na concepção de "um ser perfeito" reside o fato de que tal ser possa existir. Segundo Descartes, isso é tão certo quanto a noção de que um ponto qualquer de um círculo estará inerentemente equidistante do seu centro; você jamais poderá dizer que é um círculo uma figura que não atenda a essa precondição. Por fim, você também não poderá se referir a um "ser perfeito" a quem falte a mais importante de todas as características, a própria existência.

— É um jeito bem próprio de pensar.

— É um jeito marcadamente "racionalista" de pensar. Descartes, como Sócrates e Platão, dizia que existe uma correlação entre o pensamento e a existência. Quanto mais evidente algo for para o pensamento, mais certo será o fato de esse algo existir.

— Até aqui ele chegou à conclusão de que é um ser pensante e que existe um ser perfeito.

— E a partir daí ele prossegue. No que concerne a todas as ideias que temos sobre a realidade exterior, o Sol e a Lua, por exemplo, poderíamos conjecturar que tudo não passa de imagens oníricas. Mas essa realidade exterior também possui características que podemos perceber através da razão. As relações matemáticas, por exemplo. Quer dizer, coisas que podem ser medidas: comprimento, largura, profundidade. Tais características "quantitativas" são tão claras e perceptíveis para a razão quanto o fato de que eu sou um ser pensante. Características "qualitativas" como cor, cheiro e gosto estão, por sua vez, ligadas aos nossos sentidos, e não conseguem descrever com precisão essa realidade exterior.

— Então a natureza não é um sonho, afinal?

— Não, e nesse ponto Descartes novamente recorre à ideia que temos do ser perfeito. Quando nossa razão reconhece algo claro e evidente, como as relações matemáticas do mundo exterior, então fica claro que aquela coisa deve mesmo ser assim. Um Deus perfeito não iria nos ludibriar. Descartes invoca uma "garantia divina" para afirmar que tudo que reconhecemos por meio da nossa razão corresponde à realidade.

— Certo. Agora ele concluiu que é um ser pensante, que existe um Deus e também uma realidade exterior.

— Só que a realidade exterior é fundamentalmente diferente da realidade dos pensamentos. Descartes agora afirma que existem duas diferentes formas de realidade, ou duas "substâncias". A primeira é o "pensamento" ou alma, a segunda é a sua extensão, ou "matéria". A alma é pura consciência, ela não ocupa lugar no espaço e, portanto, não pode ser dividida em partes menores. A matéria, ao contrário, é só uma extensão, ocupa lugar no espaço e sempre pode ser dividida em partes cada vez menores. Segundo Descartes, ambas as substâncias provêm de Deus, pois apenas Ele mesmo pode existir independente de qualquer outra coisa. Embora tanto os "pensamentos" como as "extensões" derivem de Deus, são duas coisas totalmente independentes uma da outra. O pensamento é inteiramente livre em relação à matéria, e também o contrário: os processos materiais se dão totalmente independentes do pensamento.

— E dessa forma a criação divina foi dividida em duas.

— Justamente. Dizemos que Descartes é um dualista, o que significa que ele estabelece uma divisão nítida entre a realidade espiritual e a realidade "extensória", ou material. Por exemplo, apenas o ser humano possui uma alma. Os animais irracionais pertencem, todos eles, à realidade material, e sua vida e seus movimentos são regidos pelas leis mecânicas. Descartes considerava os animais irracionais uma espécie sofisticada de autômatos, ou robôs. No que se refere à realidade material, sua percepção era absolutamente mecanicista, precisamente como os materialistas.

— Eu tenho sérias dúvidas de que Hermes seja uma máquina ou um robô. Descartes decerto não gostava de animais. E quanto a nós? Nós também somos robôs?

— Sim e não. Descartes concluiu que os homens são *seres duais*, que pensam e ocupam lugar no espaço. Os homens possuem tanto uma alma como uma extensão material. Algo parecido também já tinham dito Santo Agostinho e São Tomás de Aquino. Eles diziam que o homem é dotado de um corpo, como os animais, mas também possui uma alma, como os anjos. Segundo Descartes, o corpo humano é uma bela peça mecânica. Mas os homens também contam com uma alma que pode agir livremente em relação ao corpo. Os processos corporais não contam com tal liberdade, eles obedecem a suas próprias regras. Porém, ao recorrermos à razão, não estamos utilizando algo que pertença ao corpo, mas à alma, que é dissociada da realidade material. Eu devo acrescentar que Descartes não excluía a hipótese de que os animais pudessem pensar. Se contassem com essa faculdade, contudo, também estariam sujeitos à dualidade entre "pensamento" e "matéria".

— Já conversamos sobre isso. Se eu decidir que devo correr para alcançar o ônibus, o "robô" inteiro vai começar a se mexer. E, se por acaso eu perder o ônibus, vou começar a chorar.

— Nem mesmo Descartes se negava a admitir o constante

intercâmbio que existe entre corpo e alma. Enquanto a alma habita o corpo, Descartes acreditava, ela estaria conectada a ele por meio de um órgão específico localizado no cérebro, ao qual chamava de "glândula pineal", onde se processariam constantes trocas entre "espírito" e "matéria". Desse modo a alma era afetada por sentimentos e por sensações relacionadas às necessidades corporais. Mas a alma também poderia se libertar de tais impulsos, considerados "inferiores", e agir independente do corpo. O objetivo seria deixar a razão assumir o controle, uma vez que, independente de quão severa seja a minha dor de barriga, a soma dos ângulos internos de um triângulo sempre será cento e oitenta graus. Dessa maneira o pensamento poderia se elevar acima das vicissitudes do corpo e galgar o patamar da "razão". Vista assim, a alma é totalmente livre do corpo. Nossas pernas poderão um dia ficar velhas e enfraquecidas, nossas costas, alquebradas, nossos pensamentos poderão falhar, mas dois mais dois sempre será igual a quatro desde que a razão esteja presente em nós. A razão não envelhece nem fraqueja; nosso corpo, sim. Para Descartes, a alma é a própria razão. Sentimentos inferiores e vis, como o ódio e o desejo, são urgências ligadas às funções corporais, portanto à realidade material.

— Não consigo aceitar que Descartes compare o corpo com uma máquina ou um robô.

— A comparação deve-se ao fato de que os homens, na época de Descartes, eram fascinados pelas máquinas e engrenagens, como a dos relógios antigos, que pareciam funcionar sozinhos. A palavra "autômato" significa exatamente "algo que se move por conta própria". Claro que esse movimento "por conta própria" não passava de uma ilusão. Um relógio astronômico, por exemplo, é construído pela mão humana e dela recebe corda para funcionar. Descartes tinha razão quando dizia que tais aparelhos artificiais são extremamente rudimentares, compostos de algumas poucas peças, se comparados com a quantidade de ossos, músculos, nervos, artérias e veias que compõe o corpo de homens e animais. Por que Deus não seria capaz de dar forma a homens e animais a partir de leis mecânicas?

— Hoje em dia se fala muito em "inteligência artificial".

— Sim, são os autômatos ou robôs da nossa época. Construímos máquinas capazes de nos iludir se passando por seres inteligentes. Tais máquinas teriam deixado Descartes apavorado. Talvez ele passasse a duvidar de que a razão humana seja tão livre e independente como imaginara. Pois existem filósofos que afirmam que a alma humana leva uma vida tão restrita como a dos processos corporais. A alma de um homem, é claro, é infinitamente mais complexa do que qualquer programa de computador, mas há quem diga que, de modo geral, somos tão cativos quanto tais programas. Mas venha cá, Sofia. Quero lhe mostrar uma coisa.

Alberto apontou na direção de uma grande escrivaninha na extremidade oposta da sala. Sobre ela havia um pequeno monitor. Ele se levantou e caminhou até lá. Sofia o seguiu.

Alberto ligou o computador e logo apareceu um C: na parte superior da tela. Ele digitou "Laila" e disse:

— É um programa interativo bem avançado.

Em instantes surgiu a seguinte frase na tela:

— Olá, eu sou Laila. Você está sentado confortavelmente?

Embora ainda nem estivesse sentada, Sofia digitou três letras:

— Sim.

Alberto lhe trouxe então uma cadeira.

— Como é seu nome? — apareceu na tela.

— Sofia Amundsen — escreveu Sofia.

E o programa respondeu:

— Rua Kløver, 3. Prazer em encontrá-la por aqui, Sofia. Você está animada para sua festa de quinze anos?

Sofia levou um susto. Alberto pôs a mão no seu ombro e disse:

— Eu apenas forneci a ela seu nome, endereço e a data do seu nascimento. É como apresentamos alguém a um conhecido. É sempre bom saber alguma coisa de antemão nesses casos.

— Nada mau... — escreveu Sofia.

— Você está passando mal, Sofia? Tente digitar frases inteiras.

— Estou muito bem, obrigada. Posso lhe perguntar uma coisa?

— Que bom que você está bem. Fique à vontade para me perguntar o que quiser.

— Quantos anos você tem?

— Fui escrita em Atlanta, em 8 de agosto de 1988, mas fui

traduzida para o norueguês na Universidade Técnica da Noruega, em 28 de março de 1990.

— Caramba!

— Eu disse para você usar frases inteiras.

— Eu disse apenas "caramba"!

— Não compreendo gírias, apesar de conhecer mais de cem mil palavras. Você não quis dizer "católica"?

— Não. Era só uma interjeição de admiração.

— Você é cristã, Sofia?

— Não sei.

— Não saber algo é geralmente um estágio intermediário no caminho para o conhecimento.

— Sócrates certamente teria dito o mesmo. E, já que estamos falando dele, Descartes também.

— Sócrates foi um filósofo grego que viveu entre 470 e 399 a.C. Para saber mais, tecle F7. Descartes foi um filósofo francês que viveu de 1596 a 1650. Para saber mais, tecle F8.

— Obrigada, isso já é suficiente. Posso perguntar algo mais?

— Que bom que foi suficiente. Pode perguntar.

Alberto sorriu com satisfação. Sofia escreveu:

— Quem é Hilde Møller Knag?

— Hilde Møller Knag mora em Lillesand e tem exatamente a mesma idade de Sofia Amundsen.

— Como você sabe disso?

— Não sei dizer como, mas encontrei esses dados em algum lugar do meu disco rígido.

Sofia sentiu a mão novamente tocar seu ombro.

— Eu forneci a ela umas poucas informações de que dispúnhamos sobre Hilde.

— Você sabe alguma coisa mais sobre Hilde? — escreveu Sofia.

— O pai de Hilde é observador da ONU no Líbano. Ele tem a patente de major e costuma enviar cartões-postais com frequência para a filha.

— Quero que você o encontre!

— Não posso. Ele não está em nenhum dos meus arquivos e não estou conectada a nenhuma outra base de dados.

— Eu disse: encontre-o!!!!

— Você está zangada, Sofia? Tantas exclamações são um claro indício de sentimentos extremados.
— Eu quero falar com o pai de Hilde!
— Você tem problemas para controlar sua vontade. Se quiser falar sobre sua infância, tecle F9.
Novamente Alberto pôs a mão no ombro de Sofia.
— Ela tem razão. Isso aqui não é nenhuma bola de cristal, minha querida. "Laila" é apenas um software.
— Cale a boca! — escreveu Sofia.
— Como quiser, Sofia. Nosso contato inicial durou treze minutos e cinquenta e dois segundos. Eu me lembrarei de tudo que dissemos. E agora vou encerrar o programa.
Novamente apareceu um C: no alto da tela.
— E agora vamos continuar nosso curso — disse Alberto.
Mas Sofia já havia teclado outra coisa.
— Knag — escreveu ela.
No segundo seguinte surgiu uma mensagem na tela:
— Aqui estou eu.
Agora foi a vez de Alberto levar um susto.
— Quem é você? — escreveu Sofia.
— Major Albert Knag, ao seu dispor, diretamente do Líbano. Quais são as ordens?
— É pior do que eu pensava — murmurou Alberto. — O sujeitinho conseguiu invadir meu disco rígido.
Ele afastou Sofia um pouco para o lado e sentou-se diante da tela.
— Que truque você utilizou para conseguir entrar no meu micro? — escreveu ele.
— Uma bobagem, caro colega. Posso aparecer exatamente onde eu bem entender.
— Seu vírus de computador nojento!
— Opa, opa! Calma! Neste momento eu sou um "vírus de aniversário". Posso mandar uma lembrança muito especial?
— Não, obrigado. Já temos lembranças demais por aqui.
— Mas serei breve: tudo isso é para você, querida Hilde. De novo quero lhe dar muitos parabéns pelos seus quinze anos. Desculpe o mau jeito, mas quero que meus desejos de feliz aniversá-

rio brotem ao redor de onde você estiver. Um beijo do papai, que morre de saudade de estar perto de você.

Antes de Alberto conseguir escrever algo mais, novamente surgiu o C: na tela.

Alberto digitou o comando "dir knag*.*" e a seguinte mensagem apareceu de volta:

```
knag.lib   147.643   15/6/90   14:57
knag.lil   326.439   23/6/90   22:34
```

Alberto digitou "erase knag*.*" e desligou o computador.

— Pronto, agora eu o apaguei. Mas é impossível saber onde ele vai aparecer novamente.

Ele permaneceu sentado olhando para a tela e então disse:

— O pior de tudo foi o nome. Albert Knag...

Só então Sofia se deu conta da semelhança entre os nomes. Albert Knag e Alberto Knox. Mas Alberto estava tão furioso que ela não ousou dizer nada. Eles retomaram seus lugares na sala de estar.

Espinosa
... Deus não é um titereiro...

Eles ficaram ali sentados em silêncio durante um bom período. Por fim Sofia disse algo apenas para fazer Alberto pensar em outra coisa.

— Descartes deve ter sido um homem bem estranho. Ele ficou famoso?

Alberto suspirou profundamente um par de vezes para afinal responder:

— Ele teve uma influência muito grande. O mais importante talvez tenha sido o que ele representou para outro grande filósofo. Estou me referindo ao holandês Baruch Espinosa, que viveu de 1632 a 1677.

— Você vai falar sobre ele também?

— Esse era o nosso plano. E isso nos deixará longe de provocações militares.

— Sou toda ouvidos.

— Espinosa pertencia à comunidade judaica de Amsterdam, mas não demorou para que ele fosse banido e amaldiçoado sob a acusação de heresia. Poucos filósofos dos tempos modernos foram tão perseguidos e humilhados por causa de suas ideias quanto esse homem. Ele chegou até a sofrer uma tentativa de assassinato.

Isso porque ele criticava a religião oficial. Ele achava que o que mantinha o cristianismo e o judaísmo de pé eram apenas os dogmas rígidos e os rituais vazios. Ele próprio foi o primeiro a fazer o que chamamos de "interpretação crítica" da Bíblia.

— Explique melhor.

— Ele contestava a visão vigente de que cada mínima palavra da Bíblia teria sido inspirada por Deus. Quando lemos a Bíblia, devemos sempre ter em mente em qual época ela foi escrita. Uma tal leitura "crítica" vai nos possibilitar perceber uma série de contradições entre os diferentes evangelhos. Sob a superfície do Novo Testamento encontramos um Jesus que poderíamos bem chamar de porta-voz de Deus. Pois os ensinamentos de Jesus representavam exatamente uma libertação da rigidez do judaísmo. Jesus pregava uma "religião racional" que tinha o amor como virtude maior. Espinosa refere-se aqui tanto ao amor de Deus como ao amor ao próximo. Mas o cristianismo em pouco tempo também ficou refém de dogmas inflexíveis e rituais vazios.

— Imagino que as igrejas e as sinagogas não engoliam com facilidade essas ideias.

— Quando a coisa piorou, Espinosa foi largado à própria sorte até pela família. Queriam deserdá-lo por conta de sua heresia. O paradoxal nisso tudo é que poucos homens haviam defendido a liberdade de expressão e a tolerância religiosa de maneira tão enérgica como o próprio Espinosa. A imensa oposição que ele teve que enfrentar o compeliu a uma vida pacífica e reclusa, dedicada à filosofia. Ele ganhava a vida polindo lentes óticas. Algumas delas acabaram vindo parar em meu poder.

— Impressionante.

— Existe algo quase simbólico no fato de que ele vivia de polir lentes. É mesmo dever dos filósofos ajudar os homens a enxergar a existência a partir de uma nova perspectiva. Um aspecto fundamental na filosofia de Espinosa é exatamente contemplar as coisas do "ponto de vista da eternidade".

— Do ponto de vista da eternidade?

— Sim, Sofia. Você acha que consegue ver sua própria vida inserida num contexto cósmico? De alguma forma você teria que se distanciar de si mesma, se abstrair do aqui e agora...

— Hum... Não é assim tão fácil.

— Lembre-se de que a sua existência nada mais é que uma ínfima parcela do tempo da natureza. E de que você está inserida num contexto imensamente maior...

— Acho que compreendo o que você quer dizer.

— Mas será que você consegue também sentir isso? Quero dizer, será que você consegue perceber a existência da natureza inteira, sim, do universo inteiro, num único instante?

— Depende. Talvez eu precisasse de algumas dessas lentes.

— Não estou pensando apenas no espaço sideral infinito. Me refiro também a um espaço temporal infinito. Algum dia, há trinta mil anos, um garotinho habitou o vale do Reno, onde hoje é a Alemanha. Ele era uma parte pequenina da natureza, uma gotinha num oceano imenso. Você também, Sofia, é uma parte ínfima da natureza. Entre você e aquele garoto não existe nenhuma diferença.

— Só que eu estou viva agora.

— Muito bem, mas era exatamente disso que você deveria se abstrair. Quem será você daqui a trinta mil anos?

— Isso era considerado heresia?

— Veja bem... Espinosa não disse apenas que tudo que existe está na natureza. Ele também estabeleceu uma correlação entre Deus e a natureza. Ele via Deus em tudo que existe, e tudo que existe em Deus.

— Então ele era panteísta.

— Correto. Para Espinosa, Deus não havia criado o mundo e ficado de fora da sua criação. Não, Deus *é* o mundo. Às vezes ele se expressa de maneira um pouco diferente e afirma que o mundo *é em Deus*. Aqui ele se remete ao discurso de Paulo aos atenienses no Areópago. "É Nele que vivemos, nos locomovemos e existimos", Paulo disse. Mas vamos acompanhar o raciocínio de Espinosa. Seu livro mais importante chama-se *A ética fundamentada pelo método geométrico*.

— Ética... e método geométrico?

— Soa um pouco estranho aos nossos ouvidos. Mas por ética os estudiosos da filosofia entendem a maneira como devemos viver para alcançar uma vida boa. É nessa acepção que falamos, por exemplo, da ética de Sócrates ou de Aristóteles. Somente nos nossos dias é que o conceito de ética foi reduzido ao conjunto de normas que deveríamos observar a fim de não passar a perna nos nossos semelhantes.

— Isso porque pensar na própria felicidade pode ser interpretado como egoísmo?

— Quase isso. Quando Espinosa utiliza a palavra "ética", ela pode ser traduzida tanto como "arte de viver" quanto como "moral".

— Mas ainda assim... "arte de viver fundamentada pelo método geométrico"!?

— O método geométrico diz respeito à linguagem ou à forma de representação. Você se lembra de que Descartes queria empregar o método matemático também na reflexão filosófica. Mas ele se referia a uma reflexão filosófica construída a partir de conclusões eminentemente racionais, lógicas. Espinosa situa-se na mesma tradição racionalista. Na sua ética ele desejava mostrar como a vida humana é determinada pelas leis da natureza. Devemos, portanto, nos libertar de nossos sentimentos e afetos. Somente assim encontraremos a paz e seremos afortunados, dizia ele.

— Nós não somos governados só pelas leis da natureza, somos?

— Bem, Espinosa não é um filósofo fácil de compreender, Sofia. Vamos ver uma coisa de cada vez. Você se lembra de que Descartes dizia que a realidade consiste em duas substâncias bem distintas, a saber: o "pensamento" e sua "extensão", a matéria.

— Como eu poderia esquecer?

— A palavra "substância" pode ser traduzida como aquilo de que é composta uma coisa, a essência dessa coisa, aquilo que conduz ao seu íntimo ou raiz. Descartes também raciocinava tendo como ponto de partida tais substâncias. Para ele, tudo ou era "pensamento" ou era "extensão".

— Não precisa repetir.

— Mas Espinosa não aceitava essa divisão. Ele dizia que existe apenas uma única substância. Tudo que existe pode ser reduzido a uma única e mesma coisa, acreditava ele, a que denominou simplesmente *Substância*. Outras vezes ele se refere a ela como Deus ou natureza. Espinosa não tem uma compreensão de mundo dualista como Descartes. Dizemos que ele é um *monista*, isto é, alguém que relaciona a natureza inteira e todas as relações vitais a uma única e mesma substância.

— Eles não poderiam ter discordado mais...
— A divergência entre Descartes e Espinosa não é tão grande como se costuma afirmar. Descartes dizia também que apenas Deus tem o dom de existir por si mesmo. Somente quando Espinosa equipara Deus à natureza, ou Deus à sua criação, é que ele se afasta uma boa distância de Descartes e também da tradição judaico-cristã.
— Porque nesse caso a natureza é Deus, e ponto final.
— Mas, quando Espinosa emprega a palavra "natureza", ele não está se referindo somente à natureza visível. Com Substância, Deus ou natureza ele quer dizer tudo que existe, tudo que existe também no mundo espiritual.
— Tanto "pensamentos" quanto "extensões", então.
— Sim, você disse certo. Segundo Espinosa, nós, homens, conhecemos duas das características ou manifestações de Deus. Espinosa as chama de *atributos* divinos, e ambos os atributos são exatamente os "pensamentos" e "extensões" a que se referiu Descartes. Deus, ou a natureza, manifesta-se, pois, em pensamentos ou extensões. Contudo, pode ser que Deus possua infinitas outras criações além dos "pensamentos" e das "extensões", mas nos foi dado conhecer apenas esses dois..
— Muito bem, mas foi um jeito muito enrolado de dizer isso.
— Sim, mas quase sou obrigado a usar um martelo e um cinzel para poder atravessar o linguajar de Espinosa. O consolo é que, no final, existe um pensamento puro e cristalino como um diamante.
— Estou esperando por ele ansiosa.
— Tudo que existe na natureza é, portanto, ou pensamento ou extensão. Os fenômenos mais simples com os quais nos deparamos no nosso cotidiano, por exemplo, uma flor ou um poema de Henrik Wergeland, são diferentes *modi* dos atributos dos pensamentos ou das extensões. Com *modus*, plural *modi*, nos referimos a uma determinada manifestação dessa substância, um modo pelo qual Deus, ou a natureza, se expressa. Uma flor é um *modus* de um atributo extensão, e um poema sobre essa mesma flor é um *modus*

do atributo pensamento. Mas os dois são, no fundo, expressões diversas da Substância, Deus ou natureza.
— Que sujeito mais complicado!
— É somente o linguajar que ele usa que parece complicado. Sob a superfície das suas concepções existe um conhecimento maravilhoso, ainda que tão gritantemente simples, que não pode jamais ser alcançado pela linguagem coloquial.
— Ainda assim eu acho que fico com a linguagem coloquial mesmo.
— Perfeitamente. Vou então tomar você mesma como exemplo. Quando você sente dor de barriga, quem sente dor de barriga?
— Ué? Você não falou? Eu.
— O.k. E mais tarde, quando você lembra que teve dor de barriga, quem é que lembra?
— Eu, também.
— Porque você é *uma* pessoa, que pode muito bem hoje ter dor de barriga, e outro dia estar com outro ânimo. Espinosa dizia que todas as coisas físicas que nos cercam ou se manifestam à nossa volta são expressões de Deus ou da natureza. Assim também são todos os pensamentos que são pensados: são pensamentos de Deus ou da natureza. Pois tudo é um. Existe apenas um Deus, uma natureza ou uma Substância.
— Mas, quando penso em algo, sou eu mesma que penso. E, quando me movimento, sou eu quem se movimenta. Por que botar Deus nisso?
— Gostei da sua pergunta. Mas quem é você? Você é Sofia Amundsen, mas também é a expressão de algo muito maior. Você pode muito bem dizer que *você* pensa ou *você* se movimenta, mas você também não poderia afirmar que é a natureza que pensa seus pensamentos ou se movimenta por você? É quase uma questão de quais lentes você escolhe usar para enxergar tudo isso.
— Você está dizendo que eu não sou capaz de determinar aquilo que posso fazer?
— Bom, você talvez tenha a liberdade de mover seu polegar da forma que quiser. Mas ele é capaz de se mover apenas de acordo com a natureza que tem. Ele não pode saltar da sua mão e sair por aí, passeando ao seu bel-prazer. Do mesmo modo você tem o

seu lugar aqui no todo, minha cara. Você é Sofia, mas também é um dedinho do corpo de Deus.

— Então é Deus quem determina o que eu posso fazer?

— Ou a natureza, ou as leis da natureza. Espinosa dizia que Deus (ou as leis da natureza) é a *causa interna* de tudo que acontece. Ele não é uma causa externa, pois Deus se manifesta através das leis da natureza, e somente através delas.

— Não sei se vejo diferença.

— Deus não é um titereiro, um manipulador de marionetes que puxa as cordinhas e determina assim tudo que pode acontecer. Um "mestre de marionetes" controla seus bonecos pelo lado de fora, e é, pois, uma *causa externa* ao movimento que realizam. Mas não é assim que Deus governa o mundo. Ele o governa através das leis da natureza. Dessa forma, Deus, ou a natureza, é a causa interna de tudo que acontece. Isso significa que tudo acontece por necessidade, porque tem que acontecer. Espinosa tinha uma visão determinista da vida na natureza.

— Acho que você já mencionou coisa parecida.

— Talvez você esteja pensando nos *estoicos*. Eles também enfatizavam que tudo acontece porque tem que acontecer. Por isso julgavam tão importante enfrentar as ocorrências da vida com "tranquilidade estoica". Os homens não deveriam se deixar tomar pelos seus sentimentos. Esta é, resumindo bem, a ética de Espinosa.

— Acho que compreendo o que ele queria dizer. Mas não me acostumo com a ideia de que não posso ter controle sobre mim mesma.

— Vamos novamente voltar àquele menino da Idade da Pedra, que viveu há trinta mil anos. À medida que o tempo passou, ele foi crescendo, atirou sua lança contra animais selvagens, amou uma mulher que deu à luz seus filhos e, pode estar certa, ele também cultuou os deuses da sua tribo. O que você diria: ele determinou tudo isso sozinho?

— Não sei.

— Ou imagine um leão na África. Você acha que ele escolhe ser um predador? Será por isso que ele se atira contra um antílope em disparada? Talvez ele devesse escolher viver como um vegetariano?

— Não, os leões vivem de acordo com a natureza deles.

— Ou de acordo com as leis da natureza. E você também, Sofia, pois você também é parte da natureza. E agora, naturalmente, amparada em Descartes, você pode até fazer a ressalva de que o leão é um animal selvagem, não um homem dotado de um espírito livre. Mas imagine um bebê recém-nascido, uma menina. Ela chora e se mexe. Se não lhe dão leite, ela suga o dedo. Ela tem livre-arbítrio?
— Não.
— E quando essa pequena criança vai adquirir livre-arbítrio? Aos dois anos ela fica correndo por toda parte, apontando para tudo o que está ao seu redor. Aos três, faz birra e perturba sua mãe e, aos quatro, de repente passa a ter medo do escuro. Onde está a liberdade, Sofia?
— Não sei.
— Quando completa quinze anos, se põe diante do espelho e experimenta se maquiar. É agora que ela tomará suas decisões pessoais e fará o que bem entender?
— Entendo o que você está querendo dizer.
— Essa menina é Sofia Amundsen, ela sabe muito bem disso. Mas ela também vive segundo as leis da natureza. A questão é que ela não se apercebe disso, porque existem inúmeras razões, infinitas razões, por trás de cada coisa que ela decide fazer.
— Acho que não estou a fim de escutar mais.
— Mas você vai pelo menos responder uma última pergunta. Imagine duas árvores bem antigas num grande jardim. Uma cresceu num local ensolarado, com acesso a um solo fértil e água em abundância. A outra, num solo estéril, sob a sombra. Qual delas, você acha, é a árvore maior? E qual delas terá dado mais frutos?
— Claro que a árvore que teve as melhores condições.
— Segundo Espinosa, essa é a árvore livre. Ela teve liberdade total para desenvolver suas possibilidades intrínsecas. Se, porém, se tratar de uma macieira, ela não terá tido possibilidade de dar peras ou ameixas. O mesmo vale para nós, seres humanos. Podemos retardar nosso desenvolvimento e nosso crescimento pessoal, por exemplo, devido a condições políticas. Pressões externas são capazes de nos tolher. Somente quando "libertamos" as possibilidades que nos são inatas é que vivemos como homens livres. Mas somos tão governados pelo nosso potencial interno e pelas

circunstâncias exteriores quanto aquele menino da Idade da Pedra no vale do Reno, o leão na África ou a macieira no jardim.
— Já estou prestes a desistir.
— Espinosa enfatiza que somente um único ser é "causa completa e absoluta" de si mesmo e pode agir em total liberdade. Só Deus ou a natureza é a manifestação livre, "não casual", desse processo. Um homem pode até aspirar à liberdade de viver imune às atribulações externas. Mas jamais vai experimentar de fato o "livre-arbítrio". Não podemos determinar tudo que acontece com nosso próprio corpo, que é um *modus* do atributo extensão. E não conseguimos nem "escolher" o que pensamos. Portanto, o homem não possui uma "alma livre", que de resto está aprisionada num corpo mecânico.
— Isso aí é que é difícil de entender.
— Espinosa dizia que são as vicissitudes humanas, por exemplo, a ambição e o prazer, que nos impedem de alcançar a verdadeira felicidade e harmonia. Mas, se reconhecermos que tudo acontece porque tem que acontecer, poderemos chegar à compreensão da natureza como um todo. Poderemos atingir uma experiência cristalina de que tudo está conectado, tudo é um. Nosso objetivo é enxergar tudo que existe num só olhar. Aí então alcançaremos a suprema felicidade e compreensão. Isso é o que Espinosa chamou de ver tudo *sub specie æternitatis*.
— Que significa...?
— Ver tudo do ponto de vista da eternidade. Não foi disso que começamos falando?
— Então é bom terminarmos agora. Tenho que me apressar para chegar em casa.
Alberto se levantou, tirou uma grande fruteira da prateleira e sentou-se à mesa.
— Você não quer uma fruta antes de ir embora?
Sofia escolheu uma banana. Alberto preferiu uma maçã verde.
Ela começou a descascar a banana e de repente disse:
— Tem alguma coisa aqui.
— Onde?
— Aqui, dentro da casca. Parece uma coisa escrita com caneta preta...

Sofia se inclinou e mostrou a fruta para Alberto. Ele leu em voz alta:

— *Aqui estou eu de novo, Hilde. Estou em todos os lugares, minha cara. Parabéns pelo seu aniversário!*

— Muito engraçado — disse Sofia.

— Ele está cada vez mais ardiloso.

— Mas isso é... impossível. Você sabe se eles plantam bananas no Líbano?

Alberto balançou a cabeça.

— Eu que não vou comer isso.

— Deixe estar. Alguém que escreve um bilhete de aniversário para a filha dentro da casca de uma banana é naturalmente um sujeito maluco. Mas também tem que ser muito esperto.

— É, as duas coisas.

— Então podemos afirmar que Hilde tem um pai bem inteligente? Ele não é nada bobo.

— Eu sempre achei isso. Aliás, pode muito bem ter sido ele quem fez você de repente me chamar de Hilde da última vez que eu estive aqui. Vai ver é ele que está colocando palavras na nossa boca.

— Nada pode ser descartado. Mas também precisamos duvidar de tudo.

— Pois tudo que sabemos em toda a nossa existência pode não passar de um sonho.

— Mas não vamos nos apressar. Tudo também pode ter uma explicação bem simples.

— De qualquer forma eu preciso ir. Minha mãe está esperando.

Alberto levou Sofia até a porta. Assim que ela saiu, ele disse:

— Ainda nos veremos, querida Hilde.

E em seguida a porta se fechou atrás dela.

Locke

... tão limpa e vazia quanto uma lousa antes de o professor entrar na classe...

Sofia chegou em casa às oito e meia da noite. Uma hora e meia depois do combinado — que, para dizer a verdade, nem tinha sido combinado. Ela apenas não havia almoçado e deixara um bilhete para a mãe avisando que estaria de volta antes das sete.

— Assim não dá, Sofia. Precisei ligar para o serviço de informações e perguntar o telefone de um Alberto na Cidade Velha. E ainda tive que ouvir a telefonista rir de mim.

— Não foi fácil sair mais cedo. Acho que estamos diante de um grande mistério.

— Bobagem.

— Não, é verdade.

— Você o convidou para a festa no jardim?

— Ah, não! Esqueci.

— Pois agora não vejo a hora de conhecê-lo. Amanhã vai ser o dia. Não é bom para uma menina da sua idade ficar se encontrando com um homem mais velho desse jeito.

— De qualquer forma você não tem motivos para se preocupar com Alberto. Pior talvez seja o pai de Hilde.

— Que Hilde?

— A filha de um homem que está no Líbano. Parece que ele é um belo de um pilantra. Talvez ele controle o mundo inteiro...

— Se você não me apresentar logo a esse Alberto, vou proibi-la de se encontrar com ele novamente. Não sinto confiança nele, pelo menos não antes de saber como ele é.

Sofia teve então uma ideia. Ela subiu correndo para o quarto.

— Mas o que é que foi agora? — gritou sua mãe.

— Você já vai saber como ele é. Mas depois quero que me dê um pouco de sossego.

Ela acenou com a fita e caminhou para o videocassete.

— Ele deu essa fita para você?

— É de Atenas...

Em instantes a tela mostrava imagens da Acrópole. Sentada diante da TV, a mãe ficou boquiaberta quando Alberto surgiu e se dirigiu diretamente a Sofia.

Foi então que Sofia se deu conta de algo que havia esquecido. A Acrópole era um lugar aonde acorriam pessoas de inúmeras agências de viagem. No meio de um grupo de turistas alguém segurava um cartaz. Nele estava escrito HILDE.

Alberto continuava a percorrer a Acrópole. Logo passou pelo portal de acesso ao Areópago, onde Paulo falou aos atenienses. Depois continuou a se dirigir a Sofia desde a antiga praça.

Com os olhos grudados nas imagens, a mãe comentava o vídeo com frases pela metade:

— Incrível... esse é o Alberto? E lá vem essa história de coelho de novo. Mas... sim, é com você mesmo que ele está falando, Sofia. Eu não sabia que são Paulo tinha passado por Atenas.

O vídeo se aproximava do ponto em que a antiga Atenas de repente começava a se erguer das ruínas. Pouco antes de esta parte se iniciar, Sofia parou a fita. Ela já havia apresentado a mãe a Alberto e não via necessidade de apresentá-la também a Platão.

O silêncio tomou conta da sala.

— Você não achou que ele é bem legal? — entusiasmou-se Sofia.

— Ele deve ser uma pessoa admirável, que gravou um vídeo em Atenas somente para mostrar para uma jovem que acabou de conhecer. Quando ele esteve em Atenas?

— Não faço ideia.

— Mas tem mais uma coisa.

— Ele se parece muito com o major que morou naquela cabana na floresta.
— Talvez seja ele mesmo, mamãe.
— Mas ninguém tem notícia dele há mais de vinte anos.
— Talvez ele tenha se mudado algumas vezes. Para Atenas, por exemplo.
A mãe balançou a cabeça.
— Quando eu o vi uma vez na década de 1970, ele não parecia tão mais jovem do que esse Alberto que eu vi hoje. E ele tinha um sobrenome estrangeiro.
— Knox?
— Sim, talvez, Sofia. Talvez ele se chamasse Knox.
— Ou seria Knag?
— Não, não estou bem certa... De que Knox ou Knag você está falando?
— Um é Alberto, o outro é o pai de Hilde.
— Acho que fiquei confusa.
— Tem comida em casa?
— Você pode esquentar as almôndegas.

Passaram-se então duas semanas sem que Sofia ouvisse falar de Alberto. Ela recebeu um novo cartão de aniversário destinado a Hilde. Embora a data do aniversário de Sofia estivesse próxima, para ela não chegara nenhum cartão de aniversário.

Uma tarde Sofia foi até a Cidade Velha e bateu na porta da casa de Alberto. Ele não estava, mas deixara um bilhete pregado na porta. No bilhete estava escrito:

Parabéns, Hilde. O momento da grande virada se aproxima. A hora da verdade, minha querida. Toda vez que penso nisso, quase morro de rir. Claro que tem a ver com Berkeley, mas aguente firme que a hora vai chegar.

Sofia arrancou o bilhete e, antes de partir, o enfiou na caixa de correspondência de Alberto.

Pilantra! Será que teria viajado de novo para Atenas? Como

podia deixar Sofia sozinha com a cabeça cheia de perguntas sem resposta?

Ao voltar da escola no dia 14 de junho, Sofia encontrou Hermes rondando pelo jardim. Ela correu ao encontro dele, que correspondeu fazendo o mesmo. Ela o abraçou com força, como se ele fosse a resposta para todos aqueles enigmas.

Ela deixou novamente um bilhete para a mãe, mas dessa vez escreveu também o endereço de Alberto.

Enquanto caminhavam pela cidade, Sofia se pôs a pensar sobre o dia seguinte. Não pensava tanto no seu próprio aniversário, que seria comemorado na véspera de São-João. Mas amanhã também era o aniversário de Hilde. Sofia estava convencida de que ia acontecer algo de extraordinário no dia seguinte. Seria no mínimo o fim de todos aqueles cartões-postais do Líbano.

Depois de cruzar a Grande Praça e seguir para a Cidade Velha, eles passaram por um parquinho. Hermes se deteve diante de um banco, como se esperasse que Sofia sentasse ali.

E foi o que ela fez, afagando o pescoço do cachorro de cor amarelada e olhando dentro dos olhos dele. De repente um tremor percorreu o corpo do animal. Ele vai começar a latir, imaginou Sofia.

Sua mandíbula também tremeu, mas Hermes nem rosnava nem latia. Foi então que ele abriu a boca e disse:

— Parabéns, Hilde!

Sofia ficou imóvel como uma estátua. O cachorro tinha falado com ela?

Não, aquilo só podia ser coisa da sua imaginação, porque ela estava constantemente pensando em Hilde. Mas no seu íntimo ela estava convencida de que Hermes havia pronunciado aquelas duas palavras. E elas foram ditas num tom grave e metálico.

Em seguida tudo voltou a ser como antes. Hermes latiu duas vezes para chamar a atenção — como se quisesse encobrir o fato de que acabara de falar como gente — e seguiu caminho em direção à casa de Alberto. Assim que chegaram no vão de entrada, Sofia olhou para o céu. O dia inteiro fizera tempo bom, mas agora nuvens pesadas começavam a se formar no horizonte.

Quando Alberto abriu a porta, Sofia disse:

— Nada de frases corteses, por favor. Você é um bobão e sabe disso muito bem.
— Que foi agora, minha querida?
— O major ensinou Hermes a falar.
— Puxa vida. Ele chegou a tanto?
— Pode crer que sim.
— E o que ele disse?
— Adivinhe.
— Ele deve ter dito "parabéns" ou algo assim.
— Bingo.

Alberto fez Sofia entrar. Ele estava usando uma nova fantasia. Não tão diferente da anterior, mas dessa vez com menos laços, rendas e pregas.

— Mas tem outra coisa — disse Sofia.
— O quê?
— Você não encontrou o bilhete na caixa de correspondência?
— Ah, o bilhete. Joguei fora imediatamente.
— Por mim ele pode morrer de rir toda vez que pensa em Berkeley. Mas o que é que há com esse filósofo que o faz agir assim?
— Teremos que esperar para ver.
— Mas é hoje que você vai me contar sobre Berkeley?
— É hoje, sim.

Alberto se acomodou na poltrona. E então disse:

— Da outra vez que estivemos nesta sala, eu lhe contei sobre Descartes e Espinosa. Concordamos que eles dois tinham um ponto importante em comum. Ambos eram *racionalistas* convictos.

— E um racionalista é alguém que acredita fortemente no que lhe diz a razão.

— Sim, um racionalista tem na razão a fonte primária do seu conhecimento. E acredita também que os homens possuem certas ideias inatas, ou seja, que já existem na consciência humana independentemente de quaisquer experiências. E, quanto mais clara for essa ideia, tanto mais certo será o fato de que ela corresponde a algo real. Você lembra que Descartes possuía uma noção clara e nítida do que seria um "ser perfeito". A partir dessa noção ele concluiu que Deus realmente existe.

— Não sou de esquecer as coisas facilmente.

— Um pensamento racionalista assim era típico da filosofia do século XVII. Ele também predominou durante a Idade Média, e nos recordamos ainda de Platão e Sócrates. Mas no século XVIII ele começou a sofrer críticas cada vez mais profundas. Muitos filósofos passaram a adotar a premissa de que não somos absolutamente desprovidos de consciência até que tenhamos uma primeira experiência sensorial. Essa visão é chamada de *empirismo*.
— É dos empiristas que você vai falar hoje?
— Vou tentar. Os empiristas, ou "filósofos da experiência", mais importantes foram Locke, Berkeley e Hume, e os três eram britânicos. Os mais preeminentes racionalistas do século XVII foram o francês Descartes, o holandês Espinosa e o alemão Leibniz. Por isso é que fazemos uma distinção marcante entre o *empirismo britânico* e o *racionalismo continental*.
— Tudo bem, mas você disse muita coisa em pouco tempo. Pode, por favor, repetir o que significa "empirismo"?
— Um empirista pretende que todo o conhecimento sobre o mundo tenha origem naquilo que os sentidos nos dizem. A formulação clássica de uma doutrina empirista provém de Aristóteles. Ele disse que "não há consciência que não tenha primeiro passado pelos sentidos". Essa visão traz em si uma crítica contundente a Platão, para quem os homens vinham ao mundo trazendo consigo "ideias" inatas, provenientes do mundo das ideias. Locke repete as palavras de Aristóteles, mas as utiliza numa crítica a Descartes.
— "Não há consciência que não tenha primeiro passado pelos sentidos"?
— Não nascemos com ideias nem com uma visão de mundo já formada. Antes de termos *visto* o mundo em que nos inserimos, não sabemos absolutamente nada sobre ele. Se porventura tivermos uma impressão ou uma ideia que não possa ser relacionada à nossa experiência sensorial, então essa impressão ou ideia será falsa. Quando, por exemplo, utilizamos palavras como "Deus", "eternidade" ou "substância", a nossa razão estanca. Pois ninguém jamais *experimentou* Deus, a eternidade ou aquilo que os filósofos denominaram "substância". Se assim for, os teóricos vão escrever estudos que no fim não acrescentarão nenhuma novidade ao conhecimento que acumulamos. Um sistema filosófico baseado

nessa concepção, ainda que sofisticado, talvez até possa impressionar, mas não passará de fantasia. Os filósofos dos séculos XVII e XVIII haviam herdado uma grande quantidade de estudos concebidos dessa maneira. Que agora precisavam ser reexaminados cuidadosamente com uma lupa. As ideias vazias que continham precisavam ser descartadas. Talvez pudéssemos comparar todo esse processo à mineração de ouro. A maior parte dos materiais não passa de areia e seixos, mas no meio daquilo tudo haverá uma pepita brilhando.

— E essas tais pepitas seriam as verdadeiras experiências?

— Ou pelo menos as ideias que podem ser relacionadas às experiências humanas. Pois, para os empiristas britânicos, era fundamental investigar todas as ideias humanas, para saber se elas corresponderiam a experiências reais. Mas vamos ver um filósofo de cada vez.

— Pode começar.

— O primeiro foi o inglês *John Locke*, que viveu entre 1632 e 1704. Seu livro mais importante chama-se *Um ensaio sobre o entendimento humano* e foi publicado em 1690. Ele tenta nesse livro esclarecer duas questões. Primeiramente ele pergunta onde os homens adquirem suas ideias e pensamentos. A segunda pergunta que faz é se podemos confiar naquilo que nos dizem os sentidos.

— Um baita de um projeto!

— Vamos abordar uma questão por vez. Locke estava convencido de que todos os nossos pensamentos e ideias não passam de um reflexo de tudo aquilo que já tenhamos visto e ouvido. Antes de percebermos algo com os sentidos, nossa consciência é como uma "tábula rasa", isto é, uma lousa vazia.

— Isso fala por si.

— Antes de sentirmos algo, a consciência está tão limpa e vazia quanto uma lousa antes de o professor entrar na classe. Locke compara a consciência também com um quarto sem mobília. Mas aí começamos a sentir. Enxergamos o mundo ao nosso redor, sentimos cheiros, gostos, tocamos e ouvimos coisas. E ninguém experimenta isso de forma mais intensa que um bebê. Desse modo se dá o que Locke chamava de *ideias sensoriais simples*. Mas a consciência não se comporta de forma passiva ante as impressões exteriores.

Uma transformação ocorre também no interior da consciência. As ideias sensoriais simples são reprocessadas através do pensamento, do raciocínio, da crença e da dúvida. E aí se dá aquilo que Locke chamava de *ideias reflexivas*. Ele também faz uma divisão entre o que é "sensação" e o que é "reflexão". Porque a consciência não é um mero receptor passivo. Ela organiza e reprocessa todas as impressões sensoriais que recebe assim que elas nos chegam. E é precisamente aqui que devemos estar vigilantes.

— Vigilantes?

— Locke enfatiza que a única coisa que percebemos através dos sentidos são as impressões simples. Quando, por exemplo, eu como uma maçã, não consigo senti-la inteiramente através de uma impressão única e simples. Na verdade eu recebo uma vasta gama dessas "impressões simples": que ela é verde, fresca, cheirosa, suculenta e um pouco ácida. Somente depois de ter comido muitas maçãs é que sou capaz de pensar que estou comendo "uma maçã". Locke diz que a partir desse instante passamos a ter a *noção complexa* do que seja "uma maçã". Quando éramos pequenos e provamos uma maçã pela primeira vez, não tínhamos essa noção complexa. Mas aí víamos aquela coisa verde, fresquinha, saborosa e suculenta... nham, nham... ah, e azedinha também. Com o tempo vamos ligando os pontos dessas tantas impressões sensoriais e formando conceitos como "maçã", "pera" e "laranja". Mas todos os materiais que integram nosso conhecimento sobre o mundo só podem, no fim das contas, ser percebidos através do nosso sistema sensorial. O conhecimento que não possa ser reduzido a uma simples impressão sensorial é, portanto, falso e deve ser descartado.

— Mas podemos ao menos ter certeza de que as coisas que ouvimos, cheiramos e degustamos são exatamente como as percebemos.

— Sim e não, e essa é a segunda questão para a qual Locke procura uma resposta. Primeiro ele esclareceu onde obtemos nossas ideias e conceitos. Mas aí ele pergunta se o mundo é realmente do jeito que nós o percebemos. Não é assim tão simples, Sofia. Não vamos nos precipitar. Precipitar-se é a única coisa que um filósofo de verdade não pode fazer.

— Retiro o que disse.

— Locke diferencia qualidades sensoriais "primárias" e "secundárias", segundo a nomenclatura que utilizou. E aqui ele estende a mão aos filósofos que o precederam, por exemplo, Descartes.

— Explique melhor!

— Com *qualidades sensoriais primárias* Locke se refere ao comprimento, forma, movimento e quantidade das coisas. No que diz respeito a essas propriedades, podemos ter certeza de que os sentidos nos transmitem as suas características exatas. Mas também podemos perceber outras propriedades através dos sentidos. Dizemos que uma coisa é doce ou azeda, verde ou vermelha, quente ou fria. A isso Locke chama de *qualidades sensoriais secundárias*. Tais impressões, como cor, aroma, gosto ou som, não reproduzem as propriedades verdadeiras presentes nas coisas em si. Elas nos transmitem apenas a influência que a realidade exterior exerce sobre nossos sentidos.

— Gosto não se discute.

— Exatamente. Sobre as características primárias, como dimensão e peso, todos podemos estar de acordo, porque são inerentes às próprias coisas. Mas as características secundárias, como cor ou gosto, podem variar de animal para animal e de pessoa para pessoa, dependendo da constituição e do funcionamento do sistema sensorial de cada indivíduo.

— Quando Jorunn chupa uma laranja, ela sente a mesma coisa que as pessoas sentem quando chupam um limão. Ela não consegue chupar mais que um gomo de cada vez. "Que azedo", ela diz. E eu costumo achar que aquela mesma laranja é ótima, bem doce.

— E nenhuma das duas está nem certa nem errada. Vocês apenas descrevem como a laranja impressiona os seus sentidos. O mesmo vale para a percepção das cores. Talvez você não goste de um determinado tom de vermelho. Se Jorunn acabou de comprar um vestido dessa cor, talvez seja melhor você guardar sua opinião sobre ele. Vocês percebem a mesma cor de modo diferente, mas o vestido não é nem feio nem bonito por isso.

— Mas todos concordamos que uma laranja é arredondada.

— Sim, se você está segurando uma laranja arredondada, não é possível "achar" que ela é triangular. Você pode "achá-la" doce ou azeda, mas jamais poderá "achar" que ela pesa oito quilos se o seu peso for somente duzentos gramas. Você pode até "acreditar" que ela pese vários quilos, mas isso não vai dar em nada. Se muitas pessoas forem adivinhar quantos quilos uma coisa pesa, alguém sempre estará mais certo que os demais. O mesmo vale para a quantidade das coisas. Ou há novecentos e oitenta e seis grãos de ervilha num vidro ou não. O mesmo vale para o movimento. Ou o carro está se movendo ou está parado.

— Entendi.

— No que se refere à realidade "extensória" Locke também concorda com Descartes, isto é, afirma que a realidade possui determinadas características que o homem pode fazer uso da razão para perceber.

— Não é difícil concordar com isso.

— Por outro lado, Locke abriu as portas para o que chamou de conhecimento intuitivo ou "demonstrativo". Ele dizia, por exemplo, que certos fundamentos éticos valem para todos. Ele professava a chamada *doutrina do direito natural*, um pensamento bem racionalista. Outro traço claramente racionalista: Locke dizia que a existência de um Deus repousa na razão humana.

— Talvez ele estivesse certo.

— No quê?

— Que existe um Deus.

— Pode ser, é claro. Mas ele não trata isso como uma questão de fé. Ele diz que o reconhecimento da existência de Deus pelos homens tem raízes na razão. *Esse* é um traço racionalista do seu pensamento. Devo acrescentar que ele defendia a liberdade de opinião e a tolerância. Também se ocupava da defesa da igualdade entre os sexos. A ideia de mulher como ser subalterno ao homem era uma típica criação humana, dizia ele. Sendo assim, era algo que poderia ser modificado.

— Não discordo nem um pouco.

— Locke foi um dos primeiros filósofos modernos a tratar das questões de gênero. Ele influenciaria mais tarde seu compatriota e xará *John Stuart Mill*, que também desempenhou um papel importante na igualdade de direitos entre os sexos. Locke estava à frente do seu tempo ao adotar muitos pensamentos liberais que só iriam florescer plenamente sob o Iluminismo francês, no século

XVIII. Ele foi, por exemplo, o primeiro a defender o que chamamos de *princípio de divisão entre poderes*.

— Que quer dizer o compartilhamento dos poderes do Estado em diferentes instituições.

— Você se lembra a quais instituições estamos nos referindo?

— O Legislativo, que elabora as leis, ou a Assembleia Nacional ou Parlamento. O poder que julga, ou o Judiciário. E o poder que governa, ou Executivo.

— Essa divisão tripartite provém do filósofo iluminista francês *Montesquieu*. Locke indicou primeiramente que os poderes Legislativo e Executivo deviam estar separados para evitar o surgimento de um tirano. Ele foi contemporâneo de Luís XIV, que concentrava todos os poderes nas próprias mãos. "O Estado sou eu", costumava afirmar. Dizemos que ele foi um absolutista. Hoje o chamaríamos de "ditador" ou "governante arbitrário". Para assegurar a existência de um estado de direito, os representantes do povo deveriam elaborar as leis e o rei ou o governo deveriam colocá-las em funcionamento, dizia Locke.

Hume
... atira-o então às chamas...

Alberto estava com os olhos fixos na mesinha entre eles. A certa altura, virou-se e olhou pela janela.
— Está nublado — disse Sofia.
— Sim, parece que vai chover.
— É agora que vamos falar de Berkeley?
— Ele foi o segundo dos três empiristas britânicos. Mas, já que ele de certa forma pertence a uma categoria bem própria, vamos primeiro nos concentrar em *David Hume*, que viveu de 1711 a 1776. Sua filosofia permanece uma das mais importantes entre os empiristas. Ele teve uma projeção ainda maior por ter inspirado o grande filósofo *Immanuel Kant* a trilhar seu próprio projeto filosófico.
— Não importa que eu esteja muito mais interessada na filosofia de Berkeley?
— Não importa, não, senhora. Hume cresceu na Escócia, nos arredores de Edimburgo, numa família que esperava que ele se tornasse um jurista. Mas ele concluiu que "sentia uma insuperável aversão a tudo que não fosse filosofia e erudição". Ele viveu em pleno Iluminismo, era contemporâneo de grandes pensadores franceses como Voltaire e Rousseau, e viajou bastante pela Euro-

pa até, pouco antes do fim da vida, estabelecer-se novamente em Edimburgo. Seu trabalho mais importante, *Tratado sobre a natureza humana*, foi publicado quando Hume contava vinte e oito anos. Mas ele mesmo afirmava que desde os quinze já tinha as ideias para esse livro.

— Estou vendo que é melhor eu apressar o passo.

— Você já está no caminho.

— Mas, se eu quiser elaborar meu próprio projeto filosófico, ele será bem diferente do que vi até aqui.

— Tem alguma coisa em especial de que você esteja sentindo falta?

— Primeiramente, todos os filósofos de que você me falou eram homens. E homens vivem num mundo bem específico, só deles. Eu me interesso mais pelo mundo real. De flores e animais e crianças, que nascem e crescem. Os seus filósofos costumam falar de "homens", e de quando em quando surge uma obra sobre a "natureza humana". Mas é quase como se esses "homens" estivessem sempre na meia-idade. A vida começa, apesar de tudo, com a gravidez e o nascimento. Eu vi poucas fraldas e choro de bebê até aqui. E talvez também haja muito pouco amor e amizade.

— Você obviamente está coberta de razão. Mas talvez o próprio Hume seja um filósofo que pensa um pouco diferente. Mais que para qualquer outro filósofo, para ele o ponto de partida é o mundo cotidiano. Eu creio também que Hume tem uma preocupação muito forte com o modo como as crianças, que são os novos habitantes do mundo, experimentam a existência.

— Vou prestar bastante atenção.

— Como empirista, Hume percebeu que era tarefa sua livrar-se de todos os conceitos e pensamentos rebuscados a que os homens haviam chegado. Por escrito e oralmente, circulava naquele tempo toda sorte de conceitos antigos, tanto da Idade Média como dos filósofos racionalistas do século XVII. Hume queria retomar o sentimento imediato com que os homens experimentam o mundo. Nenhuma filosofia "em nenhum momento jamais poderá nos conduzir de volta às nossas lidas cotidianas ou nos fornecer regras de conduta diferentes daquelas que alcançaremos refletindo sobre a vida cotidiana".

— Até aqui tudo soa muito instigante. Você pode citar um exemplo?

— Na época de Hume havia uma crença disseminada na existência de anjos. Por anjos nós entendemos figuras humanoides com asas. Por acaso você já viu um anjo, Sofia?

— Não.

— Mas você já viu uma forma humanoide?

— Que pergunta boba.

— E asas também?

— Claro. Mas nunca num homem.

— Segundo Hume, um anjo é um *conceito complexo*. Ele consiste em duas experiências que não estão ligadas na realidade mas que ainda assim se conectam na fantasia humana. Em outras palavras, é uma noção falsa e deve imediatamente ser jogada fora. É isto que devemos fazer nas nossas ideias e pensamentos, uma faxina. Ou, como Hume disse: "Ao tomarmos na mão um livro, então questionemos: ele contém algum raciocínio abstrato concernente a dimensões ou quantidades? Não. Contém alguma experiência racional concernente ao conhecimento ou à existência? Não. Atira-o então às chamas, pois todo o seu conteúdo não passará de sofismas, frutos somente da imaginação".

— Muito drástico!

— Mas por trás de tudo o mundo permanece, Sofia. Mais límpido e com os contornos mais definidos do que antes. Hume pretende um retorno à experiência de mundo que a criança tem, antes de todos os pensamentos e reflexões ocuparem lugar na consciência. Você não disse que todos os filósofos dos quais falamos viviam em seu próprio mundo, enquanto você estava mais interessada no mundo real?

— Disse coisa parecida, sim.

— Hume teria dito o mesmo. Mas vamos acompanhar seu raciocínio mais a fundo.

— Estou esperando.

— Hume começa dizendo que os homens têm dois tipos diferentes de raciocínio, que são as *impressões* e as *ideias*. Por "impressão" ele entende a percepção imediata da realidade exterior. Por "ideia" ele entende a lembrança que temos dessa impressão.

— Um exemplo, por favor?
— Se você se queimar no fogão, terá uma "impressão" imediata. Mais tarde você vai se lembrar dessa queimadura. E a isso Hume chama de "ideia". A diferença é que a "impressão" é mais forte e mais viva do que a lembrança que se terá dela mais tarde. Você pode dizer que a impressão sensorial é original, enquanto a "ideia", ou memória da impressão sensorial, é a sua cópia desbotada. Pois a "impressão" é a causa direta da "ideia" que armazenamos na consciência.
— Até aqui estou acompanhando.
— Em seguida Hume enfatiza que tanto uma "impressão" como uma "ideia" podem ser *simples* ou *complexas*. Você se recorda de que mencionamos a maçã quando falávamos de Locke. O contato direto com uma maçã é uma "impressão complexa". Da mesma forma, a imagem de maçã que temos na consciência é uma "ideia complexa".
— Desculpe interromper, mas isso é tão importante assim?
— Se é importante? Claro! Mesmo que os filósofos tenham se debruçado sobre boa parte de problemas aparentemente superficiais, não se pode recuar no meio da construção de um raciocínio. Hume certamente daria razão a Descartes quanto à importância de elaborar um raciocínio desde o alicerce.
— Eu desisto.
— Hume argumentava que às vezes podemos formar tais "ideias" sem que elas tenham correspondente na realidade. E assim criamos ideias falsas e concepções que não existem na natureza. Já mencionamos os anjos. Anteriormente havíamos falado de "crocofantes". Outro exemplo é o Pégaso, o cavalo alado. Em todos esses casos devemos reconhecer que a consciência, por assim dizer, criou isso tudo sozinha, colando partes de coisas distintas. Ela pegou as asas de uma impressão, cavalo de outra impressão, e as duas partes coladas surgiram no teatro da mente como uma "impressão" verdadeira. Nada disso existe de verdade. A consciência recortou e colou essas coisas, e assim deu forma a uma "ideia" ou concepção falsa.
— Compreendo. E agora compreendo por que isso é importante.
— Que bom. Hume queria investigar cada concepção, cada

ideia humana, para assegurar-se de que sua formulação teria, de alguma forma, correspondência na realidade. Ele perguntava: "De que impressão ou impressões vem esta ideia?". Primeiro era preciso saber de quais "ideias simples" um conceito complexo era derivado. Assim ele teria um método crítico para analisar as concepções humanas. E desse modo poderíamos fazer uma espécie de faxina nos nossos pensamentos e conceitos.

— Pode dar um ou dois exemplos?

— Na época de Hume havia muitas pessoas com concepções claras de "céu" ou da "Nova Jerusalém". Talvez você se lembre de que Descartes dizia que ideias "claras e evidentes" por si sós eram uma garantia de que tais ideias existiriam na realidade.

— Como já disse, não sou de esquecer as coisas facilmente.

— É evidente para nós que "céu" no sentido de "paraíso celeste" é uma ideia extremamente complexa. Vamos listar apenas alguns elementos: no "céu" existem um "portão de pérolas", "ruas de ouro", "anjos" em profusão etc. Mas ainda é preciso decompor esses elementos em fatores mais simples, porque "portão de pérolas", "ruas de ouro" e "anjos" também são ideias complexas. Só quando constatamos que nossa concepção de céu consiste em ideias simples como "pérolas", "portão", "rua", "ouro", "figuras humanoides vestidas de branco" e "asas" é que podemos questionar se realmente existiriam "impressões simples" correspondentes a elas.

— E temos. Mas já cortamos e colamos as "impressões simples", juntando todas elas para construir uma figura onírica.

— Exatamente como você falou. Porque é isso mesmo que fazemos quando sonhamos, usamos tesoura e cola. Mas Hume deixa bem claro que todos os insumos que utilizamos para construir nossos sonhos devem um dia ter chegado à nossa consciência como "impressões simples". Alguém que jamais viu "ouro" nunca poderia conceber a ideia de uma rua de ouro.

— Ele é bem esperto. E quanto à ideia clara e evidente de Deus que Descartes tinha?

— Hume também tem uma resposta para isso. Digamos que imaginamos Deus como um ser infinitamente "inteligente, sábio e bom". Logo, possuímos uma "ideia complexa" que consiste em algo infinitamente inteligente, infinitamente sábio e infinitamente bom. Se jamais tivéssemos experimentado inteligência, sapiência e bondade, jamais conseguiríamos conceber esses atributos divinos. Talvez, na nossa concepção, Deus seja também um "pai rigoroso e justo", uma concepção composta dos elementos "pai", "rigoroso" e "justo". Depois de Hume, muitos críticos da religião apontaram que essa ideia de Deus nos conduz diretamente às experiências que tivemos com nosso próprio pai quando éramos crianças. A ideia de pai levou à ideia de um "pai celeste", já se disse.

— Talvez isso seja verdade. Mas eu jamais aceitei que Deus seja necessariamente um ser do sexo masculino. Minha mãe, por exemplo, para equilibrar um pouco as coisas, costuma dizer "Ó, minha Deusa!".

— Hume quer também atacar todas as ideias e concepções que não tenham sua impressão sensorial correspondente. Ele pretende "eliminar toda a discussão sem propósito que, durante tanto tempo, tem assombrado o pensamento metafísico e o tem condenado ao descrédito". Também no nosso cotidiano utilizamos os conceitos complexos sem sequer nos questionarmos se possuem alguma validade. Isso vale, por exemplo, para a ideia de "eu" ou para o autoconhecimento. Claro que esse conceito foi fundamentado antes da filosofia de Descartes; ele foi a ideia clara e evidente sobre a qual sua filosofia se ergueu.

— Espero que Hume não tente negar que eu sou eu. Porque então ele seria só mais um falastrão.

— Sofia, se existe uma única coisa que eu gostaria que você aprendesse neste curso de filosofia é esta: não tire conclusões precipitadas.

— Continue.

— Não, você mesma pode empregar o método de Hume para descobrir o que você entende por seu "eu".

— Então eu primeiro preciso perguntar se a ideia de "eu" é uma ideia simples ou complexa.

— E o que você acha?

— Devo admitir que me acho bastante complexa. Meu humor, por exemplo, varia muito. E posso ser bem indecisa em relação a alguma coisa. Além disso, posso gostar e não gostar da mesmíssima pessoa.

— Portanto, a ideia de "eu" é uma "ideia complexa".
— O.k. Agora devo perguntar se tenho uma "impressão complexa" que corresponda ao meu próprio "eu". Será que tenho? Será que sempre tive?
— Algo a faz pensar diferente?
— Eu estou em constante mudança. Não sou hoje a mesma pessoa que era há quatro anos. Tanto o meu humor quanto as opiniões que tenho de mim mesma mudam a cada instante. Acontece de às vezes eu me achar uma pessoa "totalmente nova".
— A sensação de que possuímos uma personalidade imutável não poderia ser mais falsa. A ideia do seu "eu" é na verdade uma longa cadeia de impressões simples, que você jamais experimentou a um só tempo. Ela, nossa personalidade, é "nada mais que um acúmulo ou uma coleção de experiências diferentes sucedendo-se umas às outras numa velocidade imperceptível, em constante mutação ou movimento", diz Hume. A consciência é "uma espécie de teatro onde as diferentes experiências, uma após a outra, se exibem, entrando, saindo e retornando ao palco, dissipando-se e misturando-se umas às outras, num desdobrar infinito de atos e situações". O que Hume quer dizer é o seguinte: não existe uma "personalidade" estática, debaixo ou ao redor da qual giram as experiências e as sensações. Seria mais como os fotogramas de um rolo de filme. Como se movimentam tão rápido, não percebemos que o filme é um "complexo" de imagens individuais. Mas na verdade as imagens não estão juntas. Na verdade o filme é o resultado de muitos instantes individuais.
— Eu acho que agora desisto.
— Quer dizer que você acha que a sua personalidade é imutável?
— Acho que sim.
— Mas agorinha mesmo você disse outra coisa! Vou dizer mais. A análise que Hume fazia da consciência humana e a sua recusa em aceitar que o homem tem uma personalidade imutável haviam sido propostas quase dois mil e quinhentos anos antes, do outro lado do planeta.
— Por quem?
— Por Buda. Beira o inacreditável como as postulações de ambos são similares. Buda considerava a vida humana uma su-

cessão contínua de processos físicos e mentais que modificavam as pessoas de instante em instante. Recém-nascidos não são os mesmos quando adultos, e eu não sou o mesmo que era ontem. Jamais posso afirmar "isto é meu", dizia Buda, bem como jamais posso afirmar "este sou eu". Não existe um "eu", nem nenhuma personalidade é imutável.

— Sim, é surpreendente como lembra as ideias de Hume.

— Num prolongamento do conceito de um "eu imutável", muitos racionalistas deram como certo que o homem possui uma "alma" imortal.

— Mas isso também não seria uma ideia falsa?

— Sim, para Hume e para Buda pelo menos. Sabe o que Buda disse a seus discípulos pouco antes de morrer?

— Não, como eu poderia saber?

— "É transitório tudo que é complexo", ele disse. Talvez Hume dissesse a mesma coisa. Ou Demócrito, por sua vez. Sabemos ao menos que Hume rejeitava toda e qualquer tentativa de demonstrar a imortalidade da alma ou a existência de Deus. O que não quer dizer que ele descartava ambas as hipóteses, mas crer que é possível comprovar uma religião através da razão humana é um desvario racionalista. Hume não era cristão, mas também não era nenhum ateísta convicto. Ele era o que chamamos de *agnóstico*.

— Que significa...?

— Um agnóstico é alguém que não sabe se Deus existe. Em seu leito de morte, Hume recebeu a visita de um amigo que lhe perguntou se ele não acreditava na existência de vida após a morte. E Hume teria respondido: "Também é possível um pedaço de carvão ser atirado ao fogo e não se queimar".

— Sei...

— A resposta foi típica de alguém de pensamento isento e sem fronteiras. Ele reconhecia como verdadeiro somente aquilo de que seus sentidos lhe davam plena segurança. Todas as demais possibilidades ficavam em aberto. Ele não rejeitava o cristianismo nem a crença em milagres. Mas ambos subsistem na *fé*, não no conhecimento ou na razão. Você pode dizer, se preferir, que os últimos elos da corrente que prendia fé e conhecimento foram partidos pela filosofia de Hume.

— Você disse que ele não rejeitava a hipótese de milagres?
— O que não significa que acreditasse neles, ao contrário. Ele registra que as pessoas têm uma necessidade forte de acreditar em eventos que hoje talvez chamássemos de "sobrenaturais". Não é apenas coincidência o fato de que todos os milagres de que temos notícia aconteceram em algum lugar remoto ou há muito, muito tempo. Hume recusa-se a acreditar em milagres porque jamais experimentou um. Mas também nunca experimentou o fato de que milagres não acontecem.
— Explique melhor isso.
— Um milagre, segundo Hume, é uma ruptura das leis da natureza. Mas não faz sentido dizer que *experimentamos* as leis da natureza. Experimentamos uma pedra cair no chão se a largamos, e, caso ela não caísse, teríamos experimentado isso também.
— Eu diria que teria sido um milagre, ou algo sobrenatural.
— Você crê, portanto, que existem duas naturezas, uma "natural" e outra "sobrenatural". Será que assim você não está tomando o caminho de volta ao discurso racionalista?
— Talvez, mas eu acredito que a pedra cairia no chão toda vez que eu a largasse.
— E por quê?
— Agora acho que você está sendo implicante.
— Não estou sendo implicante, Sofia. Para um filósofo nunca é errado fazer perguntas. Talvez estejamos discutindo o ponto mais importante da filosofia de Hume. Responda agora: por que você está tão certa de que a pedra sempre cairá no chão?
— Já vi isso acontecer tantas vezes que estou certa de que vai acontecer de novo.
— Hume diria que você experimentou muitas vezes a queda de uma pedra no chão. Mas você nunca experimentou *o fato de ela nunca ter caído*. Seria comum dizer que a pedra cai por causa da lei da gravidade. Mas nós jamais experimentamos uma lei assim. Experimentamos apenas a queda das coisas.
— E não é a mesma coisa?
— Não exatamente. Você disse que acha que a pedra vai cair porque já viu isso muitas vezes. O argumento de Hume é justamente esse. Você vai ficando tão acostumada com uma coisa de-

pois da outra que, com o passar do tempo, espera que a pedra caia no chão sempre que a largar. Dessa forma adquirimos as noções daquilo que chamamos "leis imutáveis da natureza".

— Mas será que ele acha possível acreditar que uma pedra não vai cair no chão se a largarmos?

— Vai ver ele estava tão convencido quanto você de que ela cairia no chão a cada nova tentativa que fizesse. Mas ele ressalva que não experimentou *por que* isso acontece.

— Não estamos novamente nos distanciando um pouco das crianças e das flores?

— Não, ao contrário. Você pode muito bem usar crianças como testemunhas de defesa de Hume. Quem, você acha, ficaria mais surpreso ao ver uma pedra flutuando uma ou duas vezes acima do chão, você ou uma criança de um ano?

— Eu ficaria mais surpresa.

— Por quê, Sofia?

— Provavelmente porque eu sei melhor que uma criança pequena como isso seria contrário à natureza.

— Porque ela ainda não aprendeu como a natureza é.

— Ou porque para ela a natureza ainda não se transformou num *hábito*.

— Entendo o seu ponto de vista. Hume queria que as pessoas aguçassem seus sentimentos.

— Já que é assim, vou lhe propor a seguinte tarefa: se você e uma criancinha assistissem a um grande número de mágica, se, por exemplo, vissem as coisas começarem a flutuar, do nada, qual de vocês acharia o show de mágica mais divertido?

— Seguramente eu.

— E por quê?

— Porque eu compreenderia que aquilo seria loucura.

— Muito bem. A criancinha não vê graça nenhuma nas leis da natureza sendo contrariadas, porque ela mesma ainda não teve a oportunidade de conhecer quais e como são essas leis.

— Acho razoável dizer isso.

— E nós aqui continuamos bem no núcleo da filosofia da experiência de Hume. Ele teria dito que uma criança ainda não se tornou escrava do hábito das suas expectativas. A mente da criança é, portanto, menos preconceituosa que a sua. Podemos até especular se a criança não seria o maior filósofo que existe. A criança é capaz de formular perguntas sem opiniões preconcebidas. E isso, minha querida Sofia, é a maior virtude da filosofia. A criança percebe o mundo tal como ele é, sem acrescentar algo mais às experiências que vive.

— Eu me sinto muito mal sempre que percebo que estou sendo preconceituosa.

— Quando Hume aborda a questão da força do hábito, ele se concentra no que chama de *lei da causa*. Essa lei postula que tudo que acontece deve possuir uma causa. Hume se vale de duas bolas de bilhar como exemplo. Se você rolar uma bola de bilhar preta na direção de uma bola branca que esteja parada sobre a mesa, o que acontece com a bola branca?

— Se a bola preta atingir a branca, a branca vai começar a se movimentar.

— Muito bem, e por que ela age assim?

— Porque foi atingida pela bola preta.

— Nesse caso, é importante mencionar que o impacto da bola preta é a causa para que a bola branca se ponha em movimento. Mas agora devemos lembrar que só podemos expressar algo com certeza se já o tivermos experimentado.

— Já experimentei isso muitas vezes. No porão de Jorunn tem uma mesa de bilhar.

— Hume diria que a única coisa que você experimentou foi que a bola preta bate na branca e depois disso a bola branca passa a rolar sobre a mesa. Você não experimentou a causa pela qual a bola branca começa a rolar. Você experimentou um evento seguindo-se a outro no tempo, mas não experimentou o fato de o segundo evento acontecer *por causa* do primeiro.

— Isso não é um pouco capcioso demais?

— Não, isso é importante. Hume sublinha que a expectativa de que um evento suceda ao outro não reside nos objetos em si, mas na nossa consciência. E, como vimos, as expectativas têm a ver com o hábito. Nada garante que uma criança pequena arregalaria os olhos de espanto se uma bola atingisse a outra e ambas continuassem paradas como antes. Quando falamos em "leis da natureza" ou em "causa e efeito", estamos falando na verdade do hábito das pessoas e não daquilo que é "racional". As leis da natureza não são racionais nem irracionais, elas apenas são. A expectativa de que aquela bola branca se ponha a rolar ao ser atingida pela bola preta não é, por conseguinte, inata às pessoas. Não nascemos com uma expectativa pronta sobre como o mundo ou como as coisas devem se comportar. O mundo é assim como é, ele é algo que experimentamos pouco a pouco.

— De novo tenho a impressão de que isso não pode ser tão importante assim.

— Pode ser importante se nossas expectativas nos compelem a tirar conclusões precipitadas. Hume não se nega a admitir que existem "leis naturais" imutáveis, mas, como não estamos na posição de experimentá-las, podemos ser induzidos a tirar conclusões precipitadas.

— Você pode dar exemplos?

— Se eu vir uma manada de cavalos pretos, isso não significa que todos os cavalos são pretos.

— Claro que nisso você tem razão.

— E, apesar de ter visto apenas corvos pretos durante minha vida inteira, isso não significa que não exista um corvo branco. Tanto para um filósofo como para um cientista, é importante não descartar a hipótese de que um corvo branco possa existir. É quase como se você dissesse que a busca por um "corvo branco" é a tarefa mais importante da ciência.

— Entendi.

— No que diz respeito à relação entre causa e efeito, talvez haja muitas pessoas que considerem o raio a causa do trovão, porque sempre se ouve uma trovoada depois do raio. Esse exemplo não é assim tão diferente do exemplo com as duas bolas de bilhar. Mas é verdade que o raio é a causa do trovão?

— Não exatamente. Na verdade o raio e o trovão ocorrem no mesmo instante.

— Porque tanto raio como trovão decorrem de uma descarga elétrica. Ainda que sempre experimentemos ouvir uma trovoada depois de ver o raio, não significa que o raio é a causa do trovão. Na verdade existe um terceiro fator que desencadeia os outros dois.

— Entendi.
— Um empirista do nosso século XX, *Bertrand Russell*, nos dá um exemplo ainda mais grotesco. Uma galinha que todo dia vive a experiência de receber ração quando o avicultor passa diante do galinheiro, vai fatalmente concluir que existe uma relação entre a aproximação do avicultor e a comida sendo depositada no comedouro.
— Mas um dia a galinha não pode encontrar sozinha sua própria comida?
— Um dia o avicultor entra no galinheiro e torce o pescoço da galinha.
— Ai, que horrível!
— O fato de uma coisa suceder a outra no tempo não implica necessariamente uma relação causal. Advertir as pessoas do perigo de tirar conclusões precipitadas é uma das tarefas primordiais da filosofia. De fato, esse tipo de conclusão é a causa de muitas formas de superstição.
— Como?
— Você vê um gato preto atravessando a rua. Mais tarde você leva um tombo e quebra um braço. Mas isso não implica a existência de uma relação causal entre os dois eventos. No contexto científico também é importante não tirar conclusões precipitadas. Ainda que muitas pessoas fiquem curadas depois de ter tomado determinado remédio, isso não significa que foi aquele remédio que as curou. Por isso é importante ter um grande grupo de controle de pessoas que pensam que tomaram o mesmo remédio mas na verdade tomaram apenas farinha com água. Se elas também se curarem, deve haver um terceiro fator responsável por tê-las curado, por exemplo, a crença no efeito do remédio.
— Acho que estou começando a entender o que quer dizer empirismo.
— E também no que diz respeito à ética e à moral Hume abalou as estruturas do pensamento racionalista. Os racionalistas diziam que a capacidade de distinguir o certo do errado está incutida na razão humana. Esse assim chamado pensamento do direito natural pode ser encontrado em muitos filósofos, de Sócrates a Locke. Porém, segundo Hume, não é a razão que determina o que vemos e fazemos.

— E o que é então?

— São os nossos *sentimentos*. Se você se propõe a ajudar alguém necessitado, são os seus sentimentos que a movem, não a sua razão.

— E se por acaso eu não estiver a fim de ajudar?

— De novo são os seus sentimentos aflorando. Não é sensato nem insensato não ajudar alguém que esteja precisando. Mas pode ser cruel.

— Mas deve haver algum tipo de limite. Todo mundo sabe que não é certo matar outro ser humano.

— Segundo Hume, todas as pessoas possuem um sentimento em relação ao bem-estar e ao mal-estar dos semelhantes. Também temos a capacidade de demonstrar compaixão. Mas nada disso tem a ver com a razão.

— Não sei se concordo muito com isso.

— Não é sempre insensato tirar alguém do nosso caminho, Sofia. Quando se quer conquistar uma coisa ou outra, isso pode ser até bem efetivo.

— Não! Sabe do que mais? Eu me recuso a pensar assim!

— Então talvez você possa me explicar por que não se deve matar alguém que nos incomoda.

— Porque essa outra pessoa tem amor pela vida. Por isso ela não pode ser morta.

— Essa é uma explicação lógica?

— Não sei.

— Essa conclusão a que você chegou deriva de uma oração descritiva: "Porque essa outra pessoa tem amor pela vida" para outra que denominamos *oração normativa*: "Por isso ela não pode ser morta". Do ponto de vista estritamente racional isso não faz sentido. Você poderia muito bem afirmar que "existem muitas pessoas que sonegam impostos, logo eu também devo sonegá-los". Hume enfatiza que não se deve jamais partir de uma *sentença do ser* para uma *sentença do dever ser*. Ainda assim isso é bastante comum, até mesmo em artigos de jornais, programas de partidos políticos e discursos no Legislativo. Devo citar alguns exemplos?

— Por favor.

— "Há cada vez mais pessoas que desejam viajar de avião.

Portanto, é necessário construir mais aeroportos." Você acha que essa frase faz sentido?

— Não, isso é loucura. Temos que pensar no meio ambiente também. Acho que deveríamos construir mais ferrovias em vez disso.

— E quando se diz: "Construir mais plataformas de petróleo vai aumentar o padrão de vida da população em dez por cento, portanto devemos pôr as novas plataformas em operação o mais rápido possível"?

— Tolice. Aqui também precisamos pensar no meio ambiente. Além disso, o padrão de vida norueguês já é elevado o bastante.

— É muito comum dizermos que "esta lei foi promulgada pelo Congresso, portanto todos os cidadãos do país devem respeitá-la". Mas não raro ocorrem conflitos entre as convicções mais íntimas dos cidadãos forçados a obedecer a essas "leis promulgadas".

— Compreendi.

— Também dissemos que não podemos demonstrar por meio da razão como devemos nos comportar. Uma conduta responsável não vai aguçar nossa razão, mas certamente vai aguçar nosso sentimento em relação ao bem-estar alheio. "Não representa nenhum conflito para a razão preferir a destruição do mundo a um simples arranhão no dedo", disse Hume.

— É uma afirmação horrível.

— Que pode se tornar ainda mais horrível. Você sabe que os nazistas assassinaram milhões de judeus. Você diria que existia algo de errado com a razão desses homens ou que, na verdade, errado era o sentimento dos nazistas?

— Primeiramente o que estava errado era o sentimento deles.

— Muitos deles eram perfeitamente lúcidos. Em geral existe um calculismo frio por trás de desfechos trágicos como esse. Depois da guerra muitos nazistas foram julgados e condenados, mas não porque foram "insensatos". Foram condenados porque foram cruéis. Normalmente ocorre de pessoas mentalmente perturbadas serem absolvidas do que fazem. Diz-se que elas são "inimputáveis legalmente" ou mesmo que podem ter "agido sob forte emoção". Mas nunca acontece de alguém ser absolvido de um crime por "ausência de sentimento".

— Só faltava essa!

— Mas não precisamos nos deter nos exemplos mais grotescos. Se uma enchente catastrófica deixa milhares de pessoas desabrigadas e necessitando de ajuda, são nossos sentimentos que nos fazem agir. Se fôssemos desprovidos de sentimentos e deixássemos essa decisão a cargo da nossa "razão fria", talvez achássemos que seria até bom que milhares de pessoas morressem de vez em quando para minimizar a ameaça de superpopulação mundial.

— Eu fico furiosa só de pensar que alguém possa pensar assim.

— Mas não é a sua razão que fica furiosa.

— Obrigada, agora já chega.

Berkeley
... como um planeta ao redor de um sol flamejante...

Alberto se levantou e caminhou até a janela que dava para a cidade. Sofia o seguiu.

Logo surgiu um pequeno avião a hélice sobrevoando as casas. Uma faixa estava amarrada à sua cauda. Sofia achou que se tratasse da propaganda de um grande show que seria realizado nas redondezas. Mas, quando o avião se aproximou, o que ela viu foi algo totalmente diferente:

FELIZ ANIVERSÁRIO DE QUINZE ANOS, HILDE!

— Que desnecessário isso — foi o único comentário que Alberto fez.

Do sul chegavam nuvens escuras que começavam a encobrir a cidade. O pequeno avião desapareceu no meio delas.

— Estou com medo de que caia uma tempestade — disse Alberto.

— Acho que eu vou pegar o ônibus para casa.

— Só espero que o major não esteja por trás da tempestade também.

— Mas ele pode ser tão poderoso?

Alberto nem respondeu. Ele voltou para a sala e sentou-se ao lado da mesinha.

— Temos que falar um pouco de Berkeley.
Sofia já estava sentada. Ela se pegou roendo as unhas.
— *George Berkeley* foi um bispo irlandês que viveu de 1685 a 1753 — começou Alberto, e não disse mais nada durante um bom tempo.
— Berkeley foi um bispo irlandês... — retomou Sofia.
— Mas ele foi também filósofo...
— E?
— Ele achava que a filosofia e a ciência do seu tempo ameaçavam a visão de mundo cristã. Ele achava, além disso, que o materialismo, cada vez mais consistente e difundido, também era uma ameaça à crença cristã de que Deus criou e mantém vivo tudo que existe na natureza...
— E?
— Ao mesmo tempo Berkeley foi um dos empiristas mais coerentes que existiram.
— Ele dizia que não podemos saber mais sobre o mundo do que aquilo que sentimos?
— Mais que isso. Berkeley afirmava que as coisas no mundo são exatamente da maneira como as sentimos, mas elas não são "coisas".
— Agora você precisa explicar melhor.
— Você se lembra de que Locke dizia que não podemos expressar nada sobre as "qualidades secundárias" das coisas. Não podemos afirmar que uma maçã *é* verde ou ácida. Nós apenas sentimos a maçã dessa maneira. Mas Locke também disse que as "qualidades primárias", como velocidade, peso e densidade, pertencem de fato à realidade exterior que nos rodeia. Essa realidade exterior possui, portanto, uma "substância" física.
— Minha memória continua funcionando muito bem. E acho que além disso Locke mencionou uma diferença importante.
— Seria muito bom, Sofia, se fosse apenas isso.
— Continue então.
— Locke disse também, como Descartes e Espinosa, que o mundo físico é uma realidade.
— E?
— É exatamente isso que Berkeley põe em dúvida, e ele o faz

amparado num empirismo muito consistente. Ele diz que a única coisa que existe é o que podemos sentir. Mas não sentimos "a matéria" ou "as coisas". As coisas que percebemos não são "tangíveis". Pressupor que aquilo que sentimos possui uma "substância" por trás de si seria chegar a uma conclusão precipitada. Não temos absolutamente nenhuma experiência capaz de sustentar tal afirmação.

— Bobagem. Basta olhar aqui.

Sofia bateu na mesa com o punho cerrado.

— Ai! — disse ela, ao bater com força. — Isso não é a prova de que a mesa é de fato tanto matéria quanto substância?

— O que você sentiu?

— Senti que bati em algo bem duro.

— Você experimentou claramente o impacto de algo duro, mas não sentiu a verdadeira *matéria* da mesa. Do mesmo modo você pode sonhar que está batendo em alguma coisa dura, embora no sonho essa coisa não exista, não é mesmo?

— Não no sonho.

— Além do quê, qualquer um pode dizer que é possível induzir alguém a achar que "sentiu" alguma dessas coisas, não? Uma pessoa pode ser hipnotizada e achar que sentiu calor ou frio, um carinho na pele ou um soco bem no rosto.

— Mas, se a mesa não é mesmo dura, o que foi que me fez percebê-la assim?

— Berkeley achava que foi uma *vontade ou espírito*. Para ele, todas as nossas ideias têm uma causa exterior à nossa própria consciência, mas essa causa não é de natureza material. Ela é de natureza espiritual.

Sofia havia começado a roer as unhas novamente. Alberto continuou:

— Segundo Berkeley, minha própria alma pode ser a razão das ideias que tenho, como ocorre quando estou sonhando, mas somente outra vontade ou espírito pode ser a causa das ideias que compõem o nosso mundo material. Tudo "se deve àquele espírito que influencia 'tudo em tudo' e do qual 'decorrem todas as coisas'", dizia ele.

— E que espírito seria esse?

— Berkeley naturalmente está pensando em Deus. Ele dizia que, "ao fim e ao cabo, podemos alegar que a existência de Deus pode ser percebida com mais profundidade que a existência dos homens".

— Por acaso ele não estava convencido da nossa própria existência?

— Bem... Tudo que vemos e sentimos é "obra do poder divino", dizia Berkeley. Pois Deus está "intimamente localizado na nossa consciência e nela processa toda a multiplicidade de ideias e sensações às quais estamos constantemente sujeitos". Toda a natureza à nossa volta e nossa existência inteira repousam portanto em Deus. Ele é a única causa de tudo que é.

— Estou confusa, para dizer o mínimo.

— "Ser ou não ser" não é, pois, a questão mais importante. Importa também perguntar *o que* somos. Somos na verdade homens de carne e osso? Nosso mundo consiste em coisas reais ou tudo aquilo que nos rodeia não passa de consciência?

Sofia ainda roía as unhas. Alberto continuou:

— Pois não é apenas a realidade material que Berkeley põe em xeque. Ele questiona também que o "tempo" e o "espaço" tenham uma existência absoluta ou independente. Até o que conhecemos por tempo e espaço pode ser algo que existe apenas na nossa consciência. O que é uma ou duas semanas para nós não é necessariamente uma ou duas semanas para Deus...

— Você disse que "para Berkeley" esse espírito no qual tudo repousa é o Deus cristão.

— Claro que disse. Mas para nós...

— Sim?

— ... para nós essa "vontade ou espírito" que "influencia tudo em tudo" pode muito bem ser o pai de Hilde.

Sofia ficou em silêncio por alguns instantes. Seu rosto parecia um grande ponto de interrogação. Ao mesmo tempo, dava a impressão de que algo ficava bem claro na sua mente.

— Você acha mesmo?

— Não vejo outra possibilidade. Essa talvez seja a única maneira de explicar tudo que passamos. Estou me referindo aos cartões e aos acontecimentos que pareciam brotar em todos os lugares. Estou me referindo ao fato de Hermes começar a falar, e também às coisas que eu disse sem querer.

— Eu...

— Imagine que eu a chamei de Sofia, Hilde! O tempo inteiro eu sabia que você não se chama Sofia.

— O que é que você está dizendo? Agora, sim, você parece que está pensando em círculos.

— Sim, em círculos. Eu estou girando, minha querida. Como um planeta ao redor de um sol flamejante.

— E esse sol é o pai de Hilde?

— Acho que você pode dizer que sim.

— Você está dizendo que ele tem sido uma espécie de Deus para nós?

— Sem meias palavras, sim. Mas ele devia se envergonhar.

— E quanto a Hilde?

— Ela é um anjo, Sofia.

— Um anjo?

— Ela é aquela a quem o "espírito" se dirige.

— Você acha que Albert Knag está nos contando sobre Hilde?

— Ou então escrevendo sobre nós mesmos. Pois nós não podemos sozinhos sentir do que a realidade é feita, ao menos assim aprendemos. Não podemos saber se nossa realidade exterior é feita de ondas sonoras ou de papel escrito. Segundo Berkeley, tudo que podemos saber é que somos espírito.

— E Hilde é um anjo...

— Ela é um anjo, sim. E vamos parando por aqui. Parabéns, Hilde!

Nesse momento a sala se iluminou com uma luz azulada. Alguns segundos depois, ouviu-se um trovão ensurdecedor, e o prédio inteiro estremeceu.

Alberto permanecia sentado, com um olhar perdido.

— Eu tenho que ir para casa — disse Sofia.

Ela se levantou e correu até a porta. O barulho da fechadura acordou Hermes, que estava dormindo debaixo do guarda-roupa. Quando ela saiu, pareceu-lhe que ele disse alguma coisa:

— Até mais, Hilde.
Sofia desceu correndo as escadas e saiu do prédio. Na rua, não se via ninguém. Uma chuva torrencial começara a cair.

Dois carros passaram espirrando água na calçada, mas Sofia não conseguia ver nenhum ônibus. Ela atravessou correndo a Grande Praça em direção ao centro da cidade. Enquanto isso, um único pensamento martelava sua mente.

"Amanhã é meu aniversário", pensava ela. Não era amargo demais descobrir que a vida não passa de um sonho um dia antes de completar quinze anos? Era como sonhar que se ganhou um milhão na loteria e, momentos antes de receber o prêmio, se dar conta de que tudo não passou de um sonho.

Sofia rapidamente cruzou a quadra de esportes, que já estava toda encharcada. Ela então viu que alguém vinha correndo em sua direção. Era sua mãe. Os raios rasgavam o céu sem trégua.

Quando se encontraram, a mãe lhe deu um abraço.

— O que está acontecendo com a gente, minha filha?

— Não sei — disse Sofia, chorando. — Parece um pesadelo.

Bjerkely

... um antigo espelho mágico que sua bisavó comprara de uma cigana...

Hilde Møller Knag acordou no seu quarto, uma água-furtada na antiga Vila do Capitão, nos arredores de Lillesand. Ela olhou o relógio, eram quase seis horas. Ainda assim já estava claro. Uma larga réstia de sol cobria quase toda a parede.

Ela se levantou e caminhou até a janela. No trajeto, inclinou-se sobre a escrivaninha e arrancou uma folha do calendário de mesa. Quinta-feira, 14 de junho de 1990. Amassou a folha e a atirou no cesto de papéis.

Sexta-feira, 15 de junho de 1990. Era o que o calendário marcava agora, e isso tinha um significado especial para ela. Ainda em janeiro ela havia escrito "quinze anos" naquela folha. Ela achava extraordinário completar quinze anos num dia 15. Algo que jamais voltaria a acontecer.

Quinze anos! Não seria esse o primeiro dia da sua "vida de adulta"? Ela não conseguia mais voltar para a cama. Além disso, era o último dia de aula antes das férias. Hoje haveria apenas uma reunião geral na igreja, à uma da tarde. E mais: dali a uma semana seu pai voltaria do Líbano. Ele prometera estar em casa na véspera de São-João.

Hilde parou diante da janela, observando o jardim, o píer e o atracadouro pintado de vermelho. O barco a vela ainda não estava pronto para a temporada de verão, mas o velho bote estava lá, amarrado ao atracadouro. Era preciso retirar a água acumulada dentro dele depois da forte chuva.

Enquanto admirava a pequena baía, lembrou-se de que, quando tinha seis para sete anos, entrou no bote e começou a remar sozinha pelo fiorde. Mas se desequilibrou e a muito custo conseguiu voltar para terra firme, totalmente encharcada, arrastando-se no meio da mata de arbustos densos. Quando ela chegou no jardim em frente de casa, sua mãe correu ao seu encontro. O bote e o par de remos ficaram à deriva no fiorde. Ainda acontecia de ela sonhar com o bote abandonado ao longe, deixado à própria sorte. Foi uma experiência terrível.

O jardim não era especialmente exuberante nem especialmente bem cuidado. Mas era grande, e pertencia a ela. Uma macieira retorcida pela ação do vento e alguns arbustos que quase nunca davam bagas conseguiam sobreviver às fortes tempestades de inverno.

Entre as escarpas e as rochas, sobre a relva plana do jardim, ficava o balanço infantil. Parecia bem abandonado sob a luz da manhã, sobretudo porque as almofadas tinham sido removidas. Sua mãe teria corrido até lá na noite anterior, antes da chuva, a tempo de salvá-las da tempestade.

O imenso jardim era rodeado por bétulas, que protegiam um pouco seu interior contra os ventos fortes. Por conta dessas árvores a propriedade recebera, mais de cem anos antes, o nome de Bjerkely.*

O bisavô de Hilde construíra a casa quase no fim do século XIX. Ele era capitão do último dos navios a vela em operação na Noruega, e por isso até hoje se referiam à residência como Vila do Capitão.

Naquela manhã os jardins ainda traziam as marcas da forte chuva que caíra à noite. Hilde acordara várias vezes com o barulho dos trovões. Agora não havia uma única nuvem no céu.

* Em norueguês, "bétula" é *bjørk*. Bjerkely seria o equivalente a "matagal de bétulas".

O tempo ficava muito agradável logo depois das tempestades de verão. As últimas semanas tinham sido quentes e secas, a extremidade das folhas das bétulas começara a amarelar. Agora era como se o mundo tivesse sido lavado para ficar novinho em folha outra vez. E naquela manhã era como se toda a infância de Hilde tivesse ido embora, carregada pela água.

"Tão certa como a dor da planta quando brotam os ramos..." Não foi uma poeta sueca quem disse isso? Ou seria finlandesa?

Hilde postou-se diante do enorme espelho de latão pendurado sobre a antiga cômoda do seu bisavô.

Era bonita? Feia ela não era. Talvez fosse algo entre uma coisa e outra.

Hilde tinha cabelos louros e compridos. Ela sempre achou que seus cabelos poderiam ser mais claros ou mais escuros. Aquele tom intermediário era tão inexpressivo. Para compensar, ela reparou nos cachos bem cheios. Muitas das suas amigas passavam horas enrolando o cabelo, mas aqueles cachos eram naturais. E ela também podia contar com os olhos verdes, cintilantes. "São verdes mesmo?", costumavam perguntar seus tios e tias, inclinando-se para vê-los de perto.

Ela ficou admirando seu reflexo e pensando se a imagem que via era de uma garota ou de uma jovem mulher. Chegou à conclusão de que não era nem uma coisa nem outra. Seu corpo talvez parecesse bem feminino, mas o rosto tinha a textura de uma maçã que ainda não estava madura.

Havia algo no antigo espelho que sempre a fazia lembrar-se do pai. No passado aquele espelho fora pendurado no "ateliê" dele. O ateliê, localizado sobre o atracadouro, era o cômodo que servia de biblioteca, abrigo e estúdio. Albert, como Hilde o chamava quando ele estava em casa, sempre desejou escrever uma obra de fôlego. Ele se aventurou pelo romance uma vez, mas foi uma tentativa inútil. Alguns poemas e desenhos seus retratando a paisagem do jardim tinham sido publicados com certa regularidade no *Fædrelandsvennen*.* Hilde ficava tão orgulhosa quanto ele

---

* "O amigo da pátria-mãe".

próprio ao ver seu nome impresso no jornal local. Albert Knag. Pelo menos em Lillesand aquele nome soava especial. Seu bisavô também se chamava Albert.

Ah, sim, o espelho. Muitos anos antes seu pai dissera de brincadeira que nunca conseguira piscar com os dois olhos diante de um espelho. Até que conseguiu fazê-lo exatamente diante daquele ali, um antigo espelho mágico que sua bisavó comprara de uma cigana pouco antes de se casar.

Hilde bem que tentou durante um bom tempo, mas ver os dois olhos piscando era tão difícil quanto correr da própria sombra. Por fim acabou ganhando o espelho de herança da avó. Ao longo de toda a sua infância ela tentou por diversas vezes realizar esse feito impossível.

Não era de admirar que ela estivesse tão pensativa hoje. Tampouco era de admirar que estivesse tão pensativa a respeito de si mesma. Quinze anos...

Só então ela lançou um olhar para a mesa de cabeceira. Havia um enorme pacote sobre ela. Embrulhado num lindo papel azul-celeste envolto numa fita de seda vermelha. Claro que era um presente de aniversário!

Seria *o* presente? Seria o grande PRESENTE de seu pai, aquele em torno do qual ele fizera tanto mistério? Ele gerou muita expectativa ao enviar tantos cartões do Líbano. Mas em seguida se impôs uma "forte censura".

O presente era algo que "não parava de crescer", ele tinha escrito. Depois ele também adiantou algo sobre uma garota que em breve ela iria conhecer — alguém para quem ele enviava cópias de todos os cartões. Hilde tentou arrancar da sua mãe o que ele queria dizer com aquilo, mas ela não fazia a menor ideia.

O mais estranho foi um comentário: o presente talvez pudesse ser "compartilhado com outras pessoas". Não era à toa que ele trabalhava na ONU. Se o pai de Hilde tivesse apenas uma ideia fixa — e ele tinha várias —, seria que a ONU deveria ter uma espécie de responsabilidade sobre os governos do mundo inteiro. "Quem dera a ONU possa unir as pessoas", escrevera ele num dos cartões.

Será que ela poderia abrir o pacote antes que a mãe subisse cantando "Parabéns", trazendo suco, pãezinhos e a bandeira da Noruega?* Decerto poderia. Ou o presente não estaria ali.

Hilde caminhou silenciosamente pelo quarto e pegou o pacote de cima da mesa de cabeceira. Era pesado! Havia um cartão: "Para Hilde, pelos seus quinze anos. Do seu pai".

Ela sentou na cama e começou a desamarrar com cuidado a fita de seda vermelha, para depois poder rasgar o papel.

Era um fichário enorme.

Era isso o presente? Era esse o presente de quinze anos do qual tanto se falou? Era esse o presente que "não parava de crescer" e, além disso, poderia ser compartilhado com outras pessoas?

Uma rápida passada de olhos revelava que o fichário estava cheio de folhas datilografadas. Hilde reconheceu os tipos da máquina de escrever que seu pai levara para o Líbano.

Será que ele havia escrito um livro inteiro para ela?

Na folha de rosto estava manuscrito, em letras bem grandes:
O MUNDO DE SOFIA.

Um pouco mais embaixo havia algo, dessa vez escrito à máquina:

AQUILO QUE O SOL É PARA A TERRA INFÉRTIL, O VERDADEIRO CONHECIMENTO É PARA OS QUE A HABITAM.
N. F. S. Grundtvig**

Hilde folheou as páginas. No alto da página seguinte se iniciava o primeiro capítulo. O título era "O Jardim do Éden". Ela se acomodou na cama, apoiou o fichário no colo e começou a ler.

Sofia Amundsen voltava da escola para casa. O primeiro trecho do caminho ela fez com Jorunn. Elas conversavam sobre robôs.

---

* É costume na Noruega usar bandeiras do país na decoração de festas importantes, como aniversários e Natal.
** Autor dinamarquês (1783-1872). A citação no original está em dinamarquês, idioma muito semelhante ao norueguês. Os falantes de ambas as línguas e do sueco entendem-se sem grandes dificuldades.

Jorunn dizia que o cérebro humano era como um computador sofisticado. Sofia não sabia ao certo se concordava. Um homem não deveria ser mais que uma máquina?

Hilde continuou a leitura e logo se esqueceu de tudo o mais, inclusive de que era seu aniversário. De quando em quando um pensamento solto conseguia se intrometer nas linhas que lia.
 Seu pai tinha escrito um romance? Será que finalmente retomara o grande romance que planejava escrever e o concluíra no Líbano? Tantas vezes ele reclamara que o tempo ali demorava a passar.
 O pai de Sofia também tinha viajado para longe. Decerto era ela que Hilde deveria conhecer.

Ao mesmo tempo, lhe ocorria o contrário: primeiro ela teve uma forte sensação de que um dia deixaria de existir, e logo percebeu quão infinitamente maravilhosa é a vida... De onde vem o mundo?... No fim das contas, algo teria que ter surgido a partir do nada. Mas isso fazia sentido? Não seria também impossível imaginar que o universo sempre existira?

Hilde leu sem parar, até pular da cama de susto ao ler que Sofia Amundsen recebera um cartão-postal do Líbano. "Hilde Møller Knag, a/c Sofia Amundsen. Rua Kløver, 3..."

Querida Hilde,
 Meus parabéns pelos seus quinze anos. Como você sabe, quero lhe dar um presente que a ajude a crescer como pessoa. Desculpe-me por enviar o cartão por intermédio de Sofia. Foi mais fácil assim.
 Beijos,
 Papai.

Que pilantra! Hilde sempre admirava as palhaçadas que seu pai fazia, mas daquela vez ele a tinha deixado de queixo caído. Em vez de pôr o cartão no pacote, ele o embutira no próprio presente.

Mas e a pobre Sofia? Ela, sim, devia estar totalmente confusa.

Por que um pai enviaria um cartão de aniversário para o endereço de Sofia quando estava mais que evidente que era destinado a outro lugar? Que pai trataria de fazer com que sua própria filha recebesse um cartão destinado a outra pessoa? O que ele queria dizer com "mais fácil assim"? E, principalmente, como ela conseguiria encontrar a tal Hilde?
Não, como ela conseguiria?
Hilde continuou a folhear e começou a ler o segundo capítulo. Ele se chamava "A cartola". Logo ela deparou com uma extensa carta que uma pessoa misteriosa escrevera para Sofia. Hilde prendeu a respiração.

Interessar-se pelo porquê da vida não é um interesse "casual", como colecionar selos. Quem se interessa por perguntas assim está se ocupando de algo que as pessoas vêm discutindo desde quando começamos a habitar este planeta...

"Sofia estava totalmente embevecida." E Hilde também. Seu pai não lhe escrevera um livro qualquer como presente de quinze anos, mas um livro maravilhoso e cheio de enigmas.

Resumindo: um coelho branco é retirado de uma cartola. Como é um coelho enorme, esse truque leva bilhões de anos para acontecer. Na ponta dos pelinhos nascem todas as crianças. E como elas se encantam com esse truque de mágica! Mas, à medida que envelhecem, elas vão afundando lentamente para a base dos pelos do coelho. E por lá ficam...

Não era apenas Sofia que experimentava a sensação de encontrar um lugar confortável bem na base da pelagem do coelho

branco. Hoje Hilde completava quinze anos. Ela também sentia que já era tempo de decidir para qual lado se dirigir.
Ela leu sobre os filósofos da natureza gregos. Hilde sabia que seu pai gostava de filosofia. Ele escrevera no jornal que a filosofia deveria ser uma disciplina normal no currículo escolar. "Por que a filosofia deveria ser incluída no currículo escolar?", era o título do artigo. Ele mencionara isso nos encontros de pais e mestres na escola. E ela havia ficado envergonhada.
Hilde olhou para o relógio e já eram sete e meia. Na certa ainda levaria mais uma hora até que sua mãe subisse com a bandeja trazendo seu café da manhã de aniversário. Ainda bem, porque agora mesmo ela estava muito ocupada pensando em Sofia e nas questões filosóficas. Ela leu o capítulo intitulado "Demócrito". De imediato se pôs a refletir sobre uma pergunta: "Por que o Lego é o brinquedo mais genial do mundo?". Depois encontrou "um grande envelope amarelo" na caixa de correio.

Demócrito concordava com seus antecessores ao afirmar que as mudanças na natureza não ocorreriam porque algo realmente se "transformava". Ele presumiu que todas as coisas deveriam ser feitas de pecinhas muito pequenas, invisíveis, eternas e imutáveis. E chamou essas pecinhas de *átomos*.

Hilde ficou chocada quando descobriu que Sofia encontrara sua echarpe de seda debaixo da cama. Então fora *lá* que ela havia ido parar? Mas como a echarpe poderia ter entrado na história assim tão de repente? Ela deveria estar em algum outro lugar...
O capítulo sobre Sócrates começou com Sofia lendo no jornal "algumas linhas sobre o batalhão norueguês das Nações Unidas no Líbano". Típico do pai dela. Ele fazia de tudo para que as pessoas na Noruega se importassem um pouco com o trabalho de manutenção da paz realizado pelas tropas da ONU. Como ninguém parecia se importar com aquilo, então que Sofia se interessasse. Talvez assim também ele conseguisse um pouco de atenção da mídia.

Ela não conseguiu deixar de rir ao ler o último PS na carta que o professor de filosofia escreveu para Sofia.

PS. PS. *Se você por acaso encontrar uma echarpe vermelha, peço, por gentileza, que cuide dela muito bem. Acontece de às vezes eu acabar me confundindo e trocando alguns pertences. Sobretudo na escola ou em lugares parecidos, e esta é uma escola de filosofia.*

Hilde escutou passos na escada. Devia ser sua mãe com a bandeja de aniversário. Quando ela bateu na porta, Hilde já estava lendo sobre o vídeo de Atenas que Sofia encontrara no esconderijo no jardim.
— Parabéns a você, nesta data querida...
A mãe começou a cantar ainda enquanto subia a escada.
— ... muitas felicidades, muitos anos de vida...
— Pode entrar — disse Hilde, enquanto lia sobre o professor de filosofia que se dirigia a Sofia diretamente da Acrópole. Ele se parecia muito com o pai de Hilde, com uma "barba preta bem aparada" e uma boina azul.
— Parabéns, Hilde!
— Hum...
— Que foi agora, Hilde?
— Pode pôr aí em cima.
— Você não vai...?
— Não está vendo que eu estou muito ocupada?
— Pense que você está completando quinze anos.
— Você já esteve em Atenas, mamãe?
— Não, por quê?
— É muito estranho que os templos antigos continuem lá. Eles têm dois mil e quinhentos anos. O maior se chama, aliás, Morada das Virgens.
— Você abriu o presente do papai?
— Que presente?
— Hilde, olhe para mim *aqui*. Você não parece bem.
Hilde deixou o fichário cair sobre as pernas.
Sua mãe se achegou na cama. Na bandeja ela trazia velas acesas, pãezinhos, suco de laranja e um pequeno pacote também.

Mas, como ela só tinha duas mãos, pusera a bandeira da Noruega debaixo do braço.

— Muito obrigada, mamãe. Você é muito bacana, mas compreenda que essa não é uma boa hora.

— Mas você não tem que ir à igreja antes da uma da tarde?

Só então Hilde se deu conta de onde estava, e de que a mãe havia posto a bandeja em cima da mesa de cabeceira.

— Desculpe. Eu estava completamente absorvida por isto aqui.

Ela apontou para o fichário e continuou:

— É do papai...

— O que ele escreveu, Hilde? Estava quase tão ansiosa quanto você. Faz muito tempo que ele não me escreve coisas sensatas.

Por algum motivo Hilde ficou constrangida.

— Ah... É só uma história.

— Uma história?

— Sim, uma história. É um livro de filosofia também. Algo assim.

— Você não vai abrir o meu presente?

Hilde percebeu que seria uma desfeita, então abriu o presente da mãe. Era uma pulseira de ouro.

— É linda! Muito obrigada!

Hilde se levantou e abraçou a mãe.

Depois elas sentaram na cama e ficaram conversando por alguns minutos.

— Agora pode ir — disse Hilde. — Agora mesmo ele está no alto da Acrópole.

— Ele quem?

— Não faço ideia, nem Sofia. É exatamente essa a questão.

— O.k., eu tenho que ir para o trabalho. Tome seu café logo então. Seu vestido está pendurado lá embaixo.

Enfim a mãe desapareceu escada abaixo. Assim como o professor de filosofia, que sumiu por entre as escadarias da Acrópole e apareceu depois no platô do Areópago, antes de sumir e reaparecer de novo na antiga praça de Atenas.

Hilde estremeceu ao ler que as construções se erguiam das ruínas. Uma das ideias fixas de seu pai era que todos os países-

-membros da ONU deveriam construir uma cópia idêntica da antiga praça de Atenas, onde discutiriam questões filosóficas, além de tratados de desarmamento. Um projeto de tal envergadura conseguiria unir a humanidade num objetivo comum, dizia ele. "Afinal, nós já fomos capazes de construir plataformas de petróleo no mar e foguetes que vão para a Lua."

Logo ela estava lendo sobre Platão. "Nas asas do amor a alma quer retornar para seu 'lar' no mundo das ideias. Ela quer se libertar da prisão do corpo..."

Sofia tinha saído do meio dos arbustos do seu esconderijo para correr atrás de Hermes, mas ele foi mais rápido. Depois de ter lido sobre Platão, ela se embrenhou na floresta e chegou numa cabana vermelha perto de um pequeno lago. Numa parede estava pendurado um quadro de Bjerkely. Pela descrição ficava evidente que era a Bjerkely de Hilde. E também havia um quadro de um homem chamado Berkeley. "Não era curioso?"

Hilde pôs o enorme fichário em cima da cama, foi até a estante e começou a folhear a enciclopédia que ganhara ao completar catorze anos. Berkeley... pronto!

Berkeley, *George, 1685-1753, filósofo irl., bispo de Cloyne. Negava a existência de um mundo material além da consciência humana. Nossas percepções sensoriais nos são reveladas por Deus. B. também é conhecido por sua crítica das ideias gerais abstratas. Principal obra: A Treatise Concerning the Principles of Human Knowledge* (1710).*

Sim, era curioso. Hilde ficou imóvel por alguns instantes, antes de voltar para a cama e pegar novamente o fichário.

De algum modo fora o seu pai que tinha pendurado os dois quadros. Poderia haver alguma relação entre eles além da semelhança dos nomes?

Berkeley era, portanto, um filósofo que negava a existência de um mundo material além da consciência humana. Afirmações muito estranhas de fazer. Mas tampouco era fácil contestar essas

---

* "Tratado sobre os princípios do conhecimento humano".

afirmações. De qualquer forma, era algo que se adequava perfeitamente ao mundo de Sofia. Suas "percepções sensoriais" eram reveladas pelo pai de Hilde.

Ela ficou sabendo de mais coisas à medida que avançou na leitura. Hilde ergueu os olhos da página e riu ao ler sobre Sofia olhando para o espelho e vendo uma garota piscar os dois olhos ao mesmo tempo. "Foi como se a Sofia do espelho piscasse de volta. Foi como se ela quisesse dizer: estou vendo você, Sofia. Estou aqui do outro lado."

Lá na cabana ela também encontrou uma carteira verde — com dinheiro e tudo o mais. Como a carteira teria ido parar lá?

Bobagem! Por um ou dois segundos Hilde chegou a acreditar que Sofia realmente a havia encontrado. Depois tentou vivenciar tudo aquilo pela perspectiva da própria Sofia. Para Hilde também, tudo aquilo era inexplicável e misterioso.

Pela primeira vez Hilde sentiu um frio no estômago ao se imaginar encontrando Sofia pessoalmente. Sentiu vontade de conversar com ela e descobrir como tudo aquilo se encaixava.

Mas agora Sofia deveria sair da cabana antes de ser pega em flagrante lá dentro. Claro que a essa altura o bote boiava à deriva no meio do lago. Seu pai tinha que relembrá-la do incidente dela com o bote!

Hilde tomou um gole do suco e deu uma mordida num pãozinho recheado de salada de camarão enquanto lia a carta sobre Aristóteles, o "organizador" que havia criticado a teoria de Platão.

Aristóteles achava que não existe consciência nenhuma que antes não tenha passado pelos sentidos. Platão poderia ter afirmado que nada na natureza existe sem que antes tenha passado pelo mundo das ideias. Dessa maneira, Aristóteles acreditava que Platão "duplicava a quantidade das coisas" que existiam.

Hilde ainda não sabia que Aristóteles foi o inventor daquele jogo do "reino vegetal, animal ou mineral".

Aristóteles queria dar uma bela arrumada no quarto da jovem natureza. Ele tentou demonstrar que todas as coisas na natureza pertencem a diferentes grupos e subgrupos.

Quando ela leu sobre a visão que Aristóteles tinha das mulheres, ficou tão decepcionada quanto irritada. Uma pessoa pode ser um filósofo sábio — e um perfeito idiota ao mesmo tempo.

Sofia se inspirou em Aristóteles para arrumar seu quarto. E lá, no meio da bagunça, encontrou uma meia três-quartos branca que, cerca de um mês antes, havia simplesmente sumido da gaveta de Hilde! Sofia colocou num fichário todas as folhas que Alberto lhe escrevera. "Já eram mais de cinquenta." Hilde, por sua vez, já chegara à página 137, pois, além de todas as cartas de Alberto Knox com o curso de filosofia, tinha que ler a história de Sofia.

O capítulo seguinte chamava-se "O helenismo". A primeira coisa que acontece nesse capítulo é que Sofia encontra um cartão-postal com um jipe da ONU, que traz um carimbo de 15 de junho, do "Batalhão da ONU". Mais uma vez um cartão que o pai de Hilde colocara no fichário em vez de enviar pelo correio:

Querida Hilde,
Acredito que você está comemorando seus quinze anos. Ou já estamos no dia seguinte? Não importa, não faz a menor diferença, desde que o presente esteja aí. De algum modo ele vai durar a sua vida inteira. Mas queria novamente lhe dar os parabéns. Agora você já pode imaginar por que estou enviando este cartão aos cuidados de Sofia. Tenho certeza de que ela vai repassá-lo a você.
PS. Mamãe contou que você perdeu sua carteira. Prometo lhe devolver as cento e cinquenta coroas. Uma segunda via da carteira de estudante você certamente vai obter na escola antes das férias de verão.
Um beijo carinhoso,
Papai.

Nada mau, pois assim ela acabara de ficar cento e cinquenta

coroas mais rica. Talvez seu pai achasse que um presente feito em casa como aquele fichário não fosse o suficiente.

Ficava claro que no dia 15 de junho também era o aniversário de quinze anos de Sofia. Mas o calendário de Sofia não havia ainda passado da primeira metade de maio. Na certa seu pai estava escrevendo exatamente aquele capítulo quando resolveu antecipar o "cartão de aniversário" para Hilde.

Enquanto isso, a pobre Sofia corria para o supermercado para encontrar Jorunn:

Quem era Hilde? Por que o pai dela dera como certo que Sofia iria encontrá-la? Qualquer que fosse a resposta, não fazia sentido ele destinar as cartas a Sofia em vez de enviá-las diretamente para sua filha.

Hilde também teve a sensação de flutuar no quarto quando leu sobre Plotino:

Eu digo que há algo do mistério divino em tudo que existe. Podemos testemunhar isso admirando um girassol ou uma papoula. Mais desse mistério insondável podemos ver numa borboleta pousada num galho — ou num peixinho dourado nadando num aquário. Mas chegamos mais perto de Deus através da alma que existe dentro de nós. Somente por meio dela é que podemos nos reunir ao grande mistério da vida. Sim, em momentos extraordinários podemos experimentar, no nosso íntimo, esse *mistério divino*.

Era a coisa mais formidável que Hilde jamais lera. Mas era também a mais simples. Tudo é um, e esse "um" é o mistério divino do qual todos fazem parte.

Isso na verdade não era algo em que se precisasse acreditar. "É simplesmente assim", pensou Hilde. "Cada um que substitua a palavra 'divino' pela que achar melhor."

Ela virou a página para o capítulo seguinte. Sofia e Jorunn iam passar a noite de 17 de maio acampando, então seguiram para o Chalé do Major...

Hilde mal acabara de ler outras páginas quando ficou irritada, se levantou da cama e passou a andar em círculos pelo quarto com o fichário debaixo do braço.

Tanta indiscrição ela jamais tinha visto. Na pequena cabana no meio da floresta seu pai simplesmente permite que as duas garotas encontrem cópias de todos os cartões-postais que ele enviara a Hilde na primeira metade de maio. E as cópias eram autênticas. Hilde costumava ler duas ou três vezes cada um dos cartões que recebia do pai. Ela sabia de cor cada palavra deles.

> *Querida Hilde,*
> *Estou tão abarrotado de segredos sobre o seu aniversário que várias vezes por dia interrompo o que estou fazendo e penso em ligar para você e contar tudinho. É uma vontade que não para de crescer. E você sabe, quando uma coisa não para de crescer, ela fica difícil de esconder...*

Sofia recebeu uma nova carta de Alberto. Era sobre judeus, gregos e os dois grandes perímetros culturais. Hilde apreciava aquela perspectiva ampla da história. Algo assim eles jamais ensinavam na escola. Eram só detalhes e mais detalhes. Quando acabou de ler essa parte, seu pai havia conseguido lhe dar uma nova perspectiva de Jesus e da cristandade.

Ela gostou muito da citação de Goethe: "Aquele que depois de três milênios não é capaz de se ter na própria conta estará fadado a viver uma vida de ignorância".

O capítulo seguinte começava com um pedaço de papel grudado na janela da cozinha de Sofia. Era, claro, mais uma lembrança de aniversário para Hilde.

> *Querida Hilde,*
> *Não sei se a comemoração do seu aniversário já não terá passado quando você receber este cartão. Espero que não. De todo modo espero que não tenham se passado muitos dias. Que para Sofia tenha*

se passado uma ou duas semanas não significa para nós a mesma medida de tempo. Eu devo chegar mesmo na véspera de São-João. E aí vamos passar um tempão no balanço do jardim olhando para o mar.

Nesse instante Alberto ligou para Sofia, foi a primeira vez que ela ouviu a sua voz.

— Assim parece que você está falando de uma guerra.
— Melhor chamar de batalha espiritual. Temos que chamar a atenção de Hilde e atraí-la para o nosso lado antes que o pai dela volte para casa, em Lillesand.

E assim Sofia encontrou Alberto Knox vestido como um monge da Idade Média na antiga igreja de pedra do século XII.
Ah, a igreja! Hilde olhou as horas. Uma e quinze... Ela se esquecera do compromisso.
Talvez não fosse uma desfeita tão grande faltar à igreja no dia do seu próprio aniversário, mas algo nisso a deixava triste. Ela não poderia receber os parabéns dos colegas. Se bem que este ano ela já recebera desejos de feliz aniversário além da conta.
Assim mesmo, logo mais ela teria que ouvir um longo sermão. Alberto não tinha nenhuma dificuldade em interpretar o papel de pastor.
Ao ler sobre Sophia, que surgia para Hildegard em visões, teve novamente que consultar a enciclopédia. Mas não encontrou nada sobre nenhuma das duas. Não era típico? Sempre que se tratava de mulheres ou de algo relacionado ao feminino, a enciclopédia era um lugar tão deserto quanto uma cratera lunar. Será que as enciclopédias eram censuradas por um conselho composto somente de homens?
Hildegard von Bingen exerceu os ofícios de oradora, escritora, médica, botânica e pesquisadora da natureza. "Talvez ela possa ser tomada como símbolo de que na Idade Média as mulheres costumavam ter os pés mais no chão e ter uma abordagem mais

científica das coisas." Mas mesmo assim não havia uma única letra escrita sobre ela na enciclopédia de Hilde. Que vergonha!

Hilde nunca ouvira dizer que Deus teria um "lado feminino" ou uma "natureza maternal". Ela se chamava Sophia — e também sobre isso não se gastara nem uma gota de tinta na enciclopédia.

O mais próximo disso que encontrou foi um verbete sobre a igreja de Santa Sofia, em Constantinopla. "Hagia Sophia", ela se chamava, que significava "Sagrada Sabedoria". A capital de um país e inúmeras rainhas tinham recebido seus nomes em homenagem a essa "sabedoria", mas a enciclopédia não mencionava uma única palavra sobre o fato de ela ser feminina. Seria ou não seria censura?

Fora isso, era quase certo que Sofia começava a se mostrar na "visão interior" de Hilde. Ela passou a acreditar que diante de si havia uma garota de cabelos negros...

Quando Sofia voltou para casa, depois de passar quase uma noite inteira na igreja de Santa Maria, foi até o espelho que tinha trazido da cabana na floresta.

Olhou bem no espelho e viu o contorno bem definido do seu rosto pálido, emoldurado por cabelos muito lisos, incapazes de ficarem presos num penteado diferente do "natural": totalmente escorridos. Mas atrás desse rosto lhe pareceu surgir o fantasma de outra garota.

De repente essa outra garota começou a piscar os dois olhos energicamente. Foi como se ela quisesse sinalizar que estava de fato do outro lado do espelho. Isso durou poucos segundos. E então ela se foi.

Quantas vezes Hilde não havia ficado diante do espelho daquela mesma maneira, procurando a imagem de outra pessoa? Mas como seu pai poderia saber disso? E não era uma garota de cabelos escuros que ela tentava encontrar? Sua bisavó comprara o espelho de uma cigana que tinha os cabelos escuros...

Hilde sentiu tremer a mão que segurava o fichário. Ela não tinha dúvida de que existia uma Sofia de verdade "do outro lado".

Agora Sofia sonhava com Hilde em Bjerkely. Hilde não conseguia vê-la nem ouvi-la, mas aí — sim, aí Sofia encontrou a corrente de ouro que Hilde deixara no píer. E a cruz de ouro também — gravada com as iniciais de Hilde e tudo o mais —, a cruz foi parar na cama de Sofia, que as encontrou assim que despertou daquele sonho.

Hilde parou para pensar. Será que ela havia perdido a corrente com a cruz também? Ela foi até a cômoda, pegou a caixinha de joias, e a corrente com a cruz, presente de batismo da sua avó, não estava lá!

Então realmente ela havia perdido aquela joia. Muito bem! Mas como seu pai poderia saber disso se ela mesma não tinha a menor ideia?

E mais: Sofia tinha visto nitidamente que o pai de Hilde voltara da missão no Líbano. Mas ainda faltava uma semana inteira para isso. Ela teria tido um sonho profético? Seu pai por acaso queria dizer que, no seu retorno para casa, de alguma forma Sofia estaria lá também? Ele tinha escrito algo sobre ela conhecer uma amiga nova...

Uma certeza tão breve quanto cristalina deixou Hilde convencida de que Sofia era bem mais que papel e tinta. Ela existia de verdade.

O Iluminismo
... de como fabricar agulhas ao modo de fundir canhões...

Hilde começara a ler o capítulo sobre a Renascença, mas ouviu sua mãe entrar em casa. Ela olhou para o relógio. Eram quatro horas.
A mãe subiu rapidamente as escadas e abriu a porta.
— Você não foi para a igreja?
— Claro que fui.
— Mas... e foi vestida como?
— Do mesmo jeito que agora.
— De camisola?
— Hum... Eu fui para a igreja de Santa Maria.
— Igreja de Santa Maria?
— Aquela velha igreja da Idade Média.
— Hilde!
Ela deixou cair o fichário no colo e olhou para a mãe.
— Perdi a hora, mamãe. Fiquei chateada, mas, olha, estou lendo uma coisa que é muito empolgante!
A mãe não conseguiu conter o riso.
— É um livro mágico — acrescentou Hilde.
— É, sim. E mais uma vez: parabéns, Hilde!
— Ah, não. Não sei se aguento receber mais parabéns.

— Mas eu ainda não... bom, vou tirar um cochilo e depois vou fazer um almoço empolgante. Comprei alguns morangos.
— Vou ficar lendo.

Depois disso sua mãe saiu e Hilde continuou a leitura.

Sofia acompanhou Hermes pela cidade. Na escadaria da casa de Alberto ela encontrou outro cartão proveniente do Líbano. Também esse era datado de 15 de junho.

Só então ela compreendeu a sistemática das datas: os cartões com datas de antes de 15 de junho eram "cópias" de cartões que Hilde havia recebido anteriormente. Mas os que eram datados a partir de 15 de junho ela estava lendo pela primeira vez no fichário.

Querida Hilde,
Sofia agora veio até a casa do professor de filosofia. Logo ela completará quinze anos, mas você fez quinze ontem mesmo. Ou seria hoje, Hildinha? Se for hoje, deve ser mais para o fim do dia. É que os nossos relógios não caminham juntos...

Hilde leu sobre como Alberto contou a Sofia sobre a Renascença e a nova ciência, os racionalistas do século XVII e o empirismo britânico.

Por diversas vezes ela sentiu um frio na barriga ao deparar com novos cartões-postais e mensagens de parabéns que seu pai havia tratado de inserir na história: dentro de um caderno de redações, no interior da casca de uma banana, na memória de um computador. Sem o menor esforço, tinha até conseguido fazer com que Alberto "se confundisse" e chamasse Sofia de Hilde. Mas o mais incrível foi ter feito Hermes dizer "Parabéns, Hilde!".

Hilde concordava com Alberto em que seu pai tinha passado da conta ao se comparar com Deus e com a Providência Divina. Mas com quem ela estaria concordando, afinal? Não era seu próprio pai quem colocara essa crítica — ou autocrítica — nas palavras de Alberto? Ela chegou à conclusão de que a comparação com Deus talvez não fosse tão imprópria assim. Seu pai era quase um Deus onipotente no mundo de Sofia.

Quando Alberto começou a contar sobre Berkeley, Hilde estava no mínimo tão curiosa quanto Sofia. O que aconteceria agora? Tudo levava a crer, desde bem antes desse capítulo, que algo importante aconteceria na passagem sobre esse filósofo, que havia negado a existência de um mundo material além da consciência humana. Hilde tinha decorado as palavras da enciclopédia.

O capítulo se iniciou com Alberto e Sofia olhando pela janela e descobrindo que o pai de Hilde enviara um avião com uma faixa de parabéns. Ao mesmo tempo nuvens carregadas de chuva começavam a encobrir a cidade.

"Ser ou não ser" não é, pois, a questão mais importante. Importa também perguntar *o que* somos. Somos na verdade homens de carne e osso? Nosso mundo consiste em coisas reais ou tudo aquilo que nos rodeia não passa de consciência?

Não era estranho que Sofia tivesse começado a roer as unhas. Hilde nunca teve esse costume, mas agora estava com a cabeça na lua.

E aí chegou a grande hora: "... para nós essa 'vontade ou espírito' que 'influencia tudo em tudo' pode muito bem ser o pai de Hilde".

— Você está dizendo que ele tem sido uma espécie de Deus para nós?
— Sem meias palavras, sim. Mas ele devia se envergonhar.
— E quanto a Hilde?
— Ela é um anjo, Sofia.
— Um anjo?
— Ela é aquela a quem o "espírito" se dirige.

Em seguida Sofia deixou Alberto para trás e saiu correndo em plena tempestade. Não teria sido a mesma tempestade que açoitara Bjerkely na noite anterior, poucas horas depois de Sofia ter saído correndo pela cidade?

* * *

"Amanhã é meu aniversário", pensava ela. Não era amargo demais descobrir que a vida não passa de um sonho um dia antes de completar quinze anos? Era como sonhar que se ganhou um milhão na loteria e, momentos antes de receber o prêmio, se dar conta de que tudo não passou de um sonho.

Sofia rapidamente cruzou a quadra de esportes, que já estava toda encharcada. Ela então viu que alguém vinha correndo em sua direção. Era sua mãe. Os raios rasgavam o céu sem trégua.

Quando se encontraram, a mãe lhe deu um abraço.

— O que está acontecendo com a gente, minha filha?

— Não sei — disse Sofia, chorando. — Parece um pesadelo.

Hilde sentiu os olhos rasos d'água. "To be or not to be, that is the question."

Ela atirou o fichário debaixo da cama e se pôs a andar em círculos pelo quarto. Por fim, deteve-se diante do espelho de latão e lá ficou até que a mãe viesse chamá-la para o almoço. Quando ela bateu na porta, Hilde não fazia a menor ideia de quanto tempo permanecera naquela posição. Mas tinha certeza, certeza absoluta, de que a imagem no espelho havia piscado os dois olhos.

Durante o almoço ela tentou se mostrar uma aniversariante agradecida pelas homenagens. Mas não conseguia parar de pensar em Alberto e Sofia.

Como eles reagiriam quando descobrissem que era o pai de Hilde quem estava determinando o rumo dos acontecimentos? Muito embora fosse provável que... Bobagem! Era bobagem imaginar que desconfiassem de alguma coisa. Não era seu pai que estabelecia o que eles deviam saber? De qualquer forma o problema permanecia o mesmo: quando Sofia e Alberto "soubessem" como tudo se relacionava, de algum modo era o fim do caminho.

Ela quase ficou com um belo pedaço de batata entalado na garganta quando se deu conta de que o mesmo problema poderia

331

valer para o seu próprio mundo. A humanidade fazia constantes avanços na compreensão das leis da natureza. Mas será que a história continuaria avançando quando as últimas peças do quebra-cabeça fossem colocadas em seus lugares? A humanidade estaria se aproximando do fim da história? Não haveria uma relação entre a evolução do pensamento e da ciência e o efeito estufa e a devastação das florestas? Talvez não fosse tão estúpido assim chamar de "pecado original" a incessante busca humana pelo conhecimento...

A ideia era tão importante e assustadora que Hilde procurou apenas esquecê-la. Ela queria compreender melhor as coisas prosseguindo a leitura do presente que ganhara do pai.

— Me diga se você quer mais alguma coisa — disse sua mãe, cantando, quando acabaram de comer sorvete com morangos italianos. — Hoje você pode fazer tudo que tiver vontade.

— Eu sei que vai parecer estranho, mas tudo que eu quero fazer é continuar lendo o presente que ganhei do papai.

— Tudo bem, mas tome cuidado para ele não deixar você completamente louca.

— Isso não vai acontecer.

— Nós podemos ver TV mais tarde comendo uma pizza, que tal?

— Pode ser.

Hilde começou a imaginar como Sofia falava com sua mãe. Seu pai não teria emprestado à mãe de Sofia algumas características de sua própria mãe? Por precaução ela decidiu não mencionar coelhos brancos que são retirados de cartolas do universo. Pelo menos não hoje.

— Ah — disse Hilde, ao se levantar da mesa.

— Que foi?

— Não consigo achar minha corrente com a cruz.

A mãe a olhou com uma expressão misteriosa.

— Eu a encontrei no píer faz umas semanas. Você deve tê-la perdido lá, sua bobinha!

— Você contou isso ao papai?

— Não lembro. Quer dizer, talvez tenha dito...

— E onde está ela, então?

A mãe foi buscar sua própria caixa de joias. Hilde ouviu um grito de espanto vindo do quarto. Em instantes ela estava de volta.

— Quer saber? Agora sou eu que não estou conseguindo encontrá-la.

— Foi o que pensei.

Ela abraçou a mãe e subiu correndo para o quarto na água-furtada. Finalmente. Agora poderia continuar lendo sobre Sofia e Alberto. Ela se deitou na cama como antes, com o pesado fichário apoiado no colo.

Na manhã seguinte Sofia acordou com a mãe entrando no quarto. Ela trazia uma bandeja cheia de presentes. Numa garrafa vazia de refrigerante ela havia colocado a bandeira da Noruega.

— Parabéns, Sofia!

Sofia espantou o sono esfregando os olhos. Ela tentou recordar tudo que se passara no dia anterior. Mas tudo eram peças soltas de um quebra-cabeça. Uma das peças era Alberto, Hilde e o major eram a outra. Uma era Berkeley, a outra, Bjerkely. A peça maior era a forte tempestade. Ela quase havia tido um colapso nervoso. A mãe a ajudara a se enxugar e a pusera para dormir lhe dando um copo de leite quente com mel. Ela dormiu como um tijolo.

— Acho que sobrevivi — murmurou ela.

— Claro que sim. E hoje você faz quinze anos!

— Tem certeza?

— Absoluta. Por acaso uma mãe não iria saber quando sua filha única nasceu? Dia 15 de junho de 1975... à uma e meia da tarde, Sofia. Foi o momento mais feliz de toda a minha vida.

— Você tem certeza de que tudo isso não passa de um sonho?

— Tem que ser um sonho muito bom esse que termina com pãezinhos e suco e presentes de aniversário, não?

Ela pôs a bandeja com os presentes numa cadeira e saiu do quarto por um instante. Quando voltou, trazia outra bandeja, com pães e sucos, que colocou em cima da cama de Sofia.

Seguiu-se então uma manhã de aniversário como todas as outras, com presentes sendo abertos e a mãe se lembrando de quando sentira as primeiras dores do parto, quinze anos antes. Da mãe ela ganhou uma raquete de tênis. Ela nunca jogara tênis, mas havia uma quadra a apenas alguns minutos da rua Kløver. Seu pai tinha enviado um aparelho de TV com rádio FM embutida. A tela não era maior que um porta-retratos. E também havia presentes de tios e de amigos da família.

A certa altura a mãe disse:
— O que você acha de eu não ir trabalhar hoje?
— Por quê?
— Você estava realmente perturbada ontem. Se não se sentir melhor, acho que podemos marcar uma hora com um psicólogo.
— Não, não é preciso.
— Foi só a tempestade ou foi aquele Alberto também?
— E com você, o que há? "O que está acontecendo com a gente, minha filha?", você perguntou.
— Eu imaginei que você estava perambulando pela cidade e se encontrando com pessoas estranhas. Talvez a culpa seja minha.
— Não é "culpa" de ninguém que eu faça um curso de filosofia no meu tempo livre. Pode ir trabalhar. Nós vamos para a escola às dez. Só para pegar o boletim e nos divertir um pouco.
— Você sabe quais serão suas notas?
— Sei que tirei notas melhores que no semestre passado, pelo menos...

Pouco depois de a mãe ter saído, o telefone tocou.
— Alô, Sofia Amundsen.
— É Alberto.
— Oh...
— O major não economizou munição ontem.
— Não estou entendendo o que você quer dizer.
— A tempestade, Sofia.
— Não sei no que acreditar.
— Essa é a primeira virtude de um filósofo. Estou orgulhoso de ver o quanto você aprendeu em tão pouco tempo.
— Estou com medo de que nada seja real.
— Isso se chama angústia existencial e, em geral, é apenas uma transição para um novo conhecimento.

— Acho que preciso dar uma pausa no curso.
— Tem muitas rãs no seu jardim ultimamente?
Sofia deu risada. Alberto continuou:
— Eu acho que nós devemos continuar. Aliás, meus parabéns. Temos que concluir o curso antes do São-João. É a nossa última esperança.
— Última esperança de quê?
— Você está sentada? Vou precisar de um pouco de tempo para explicar.
— Estou sentada.
— Você se lembra de Descartes?
— "Penso, logo existo"?
— No que se refere às nossas próprias dúvidas metódicas, estamos na estaca zero. Não sabemos nem mesmo se pensamos. Talvez cheguemos à conclusão de que nós mesmos *somos* pensamento. Temos um bom motivo para acreditar que somos uma invenção do pai de Hilde e dessa forma somos uma espécie de presente de aniversário para a filha do major, que está em Lillesand. Você me entende?
— Entendo...
— Mas aqui existe uma contradição inerente. Se nós somos uma invenção, não teríamos o direito de *acreditar* em coisa alguma. Portanto, esta conversa que estamos tendo pelo telefone seria pura e simplesmente impossível de acontecer.
— E então não teríamos um mínimo de livre-arbítrio. O major é que planejaria tudo que dizemos e fazemos. Nesse caso podemos simplesmente desligar o telefone.
— Não, você está sendo simplista demais.
— Pois explique!
— Você quer dizer que as pessoas planejam tudo aquilo que sonham? Pode ser verdade que o pai de Hilde *saiba* tudo que fazemos. Fugir da sua onisciência pode ser tão difícil quanto correr da própria sombra. Mas... e aqui está o ponto a partir do qual eu comecei a bolar um plano... não é certo que o major já tenha decidido tudo que vai acontecer. Pode ser que ele não determine nada até o momento em que as coisas aconteçam, no momento exato em que as cria. Precisamente nesse instante pode ser que tomemos a iniciativa que vai direcionar o que dizemos e fazemos. Dessa forma

somos tão indefesos e permeáveis a condições externas como cachorros adestrados, aviões a hélice com faixas amarradas na cauda, mensagens escritas em cascas de banana ou tempestades feitas sob encomenda. Mas não podemos descartar o fato de que temos uma vontade própria, por mais fraca que ela seja.

— Mas como isso pode ser possível?

— O major é naturalmente onisciente no nosso pequeno mundo, mas isso não significa que ele seja onipotente. Devemos apesar de tudo continuar vivendo nossa vida como se ele não existisse.

— Acho que compreendo o que você quer dizer.

— A verdadeira conquista seria conseguirmos fazer algo por nossa própria conta, algo que nem mesmo o major conseguisse descobrir.

— Como isso pode ser possível se nós nem existimos?

— Quem disse que nós não existimos? A pergunta não é *se* existimos, mas *o que* somos e *quem* somos. Ainda que se prove que somos apenas impulsos na consciência partida em dois do major, isso não nos retira nossa porção de existência.

— Nem nosso livre-arbítrio?

— Estou contando com essa hipótese, Sofia.

— Mas o pai de Hilde pode muito bem estar ciente de que você conta com essa hipótese.

— Certamente. Mas ele não conhece detalhes do plano. Estou tentando encontrar um ponto arquimediano.

— Um ponto arquimediano?

— *Arquimedes* foi um cientista do helenismo. "Dê-me um ponto de apoio fixo", dizia ele, "e eu moverei o planeta." É um ponto assim que devemos encontrar para escaparmos do universo interior do major.

— Vai ser uma tarefa bem difícil.

— E só conseguiremos completá-la quando tivermos terminado nosso curso de filosofia. Até lá ele nos terá em suas mãos. Ele provavelmente decidiu que eu devo guiá-la através dos séculos até nossa própria época. Mas dispomos de apenas alguns dias até que ele embarque num avião no Oriente Médio de volta para a Noruega. Se não conseguirmos nos soltar da sua imaginação grudenta antes que ele chegue a Bjerkely, estaremos perdidos.

— Você está me assustando...

— Primeiramente eu tenho que lhe transmitir as noções mais fundamentais do Iluminismo francês. Depois temos que trilhar a filosofia de Kant antes de nos aproximarmos do Romantismo. Não podemos nos esquecer de Hegel, que para nós será de grande valia. E com ele não teremos como evitar a indignação de Kierkegaard diante da filosofia hegeliana. Teremos que dizer algumas palavras sobre Marx, Darwin e Freud. Se conseguirmos depois tecer alguns comentários sobre Sartre e o existencialismo, poderemos pôr em prática o nosso plano.

— É muita coisa para apenas uma semana.

— Por isso precisamos começar já. Você pode vir aqui agora?

— Tenho que ir para a escola. Vamos ter uma festinha de despedida da turma e depois vamos receber os boletins.

— Esqueça isso! Se formos somente consciência pura, o gostinho de refrigerantes e docinhos não passará de produto da nossa imaginação.

— Mas o boletim...

— Sofia, ou você vive num universo maravilhoso, num ponto minúsculo num planeta de uma das muitas centenas de milhões de galáxias, ou é o produto de impulsos eletromagnéticos da consciência do major. E aí você vem me falar de "boletim"! Ora, faça-me o favor!

— *Sorry*.

— Mas, antes de nos encontrarmos, dê uma passadinha pela escola. Se você não for, isso pode influenciar negativamente Hilde no seu último dia de aula. Ela certamente irá à escola mesmo no seu aniversário, porque ela é um anjo.

— Então eu passo aí assim que terminar o evento na escola.

— Nós podemos nos encontrar no Chalé do Major.

— No Chalé do Major?

— ... clique!

Hilde manteve o fichário no colo. Seu pai acabara de deixá-la com a consciência pesada, pois ela havia perdido o último dia de aula. Aquele pilantra!

Ela ficou ali por uns instantes, imaginando que tipo de plano Alberto tinha em mente. Deveria passar logo para a última página do fichário? Não, isso seria trapacear, ela preferiu continuar a leitura.

Num ponto pelo menos ela estava plenamente convencida de que Alberto tinha razão. Uma coisa era o fato de que seu pai tinha uma espécie de visão panorâmica sobre tudo que se relacionava a Sofia e Alberto, mas, quando ele sentava para escrever, por certo não sabia tudo que iria acontecer com eles. Talvez na pressa ele escrevesse algo de que só se daria conta bem mais tarde. E justamente nesse intervalo de tempo Sofia e Alberto contavam com alguma liberdade.

Novamente Hilde teve a sensação de que Sofia e Alberto existiam de verdade. Era assim na superfície calma do oceano, ela comparou: a aparente tranquilidade escondia o que estava se passando nas profundezas.

Mas por que ela pensou nisso?

Não era, contudo, um pensamento capaz de abalar a aparente calma da superfície.

Na escola Sofia recebeu muitos parabéns e foi mimada como uma criança. Talvez até tenha recebido atenção em demasia, pois todos estavam felizes de antemão com as notas, os refrigerantes e as férias.

Assim, mal o professor encerrou a festa desejando a todos boas férias de verão, Sofia disparou na direção de casa. Jorunn tentou segurá-la um pouco mais ali, mas Sofia gritou de volta que tinha outro compromisso.

Na caixa de correio ela encontrou dois cartões vindos do Líbano. Em ambos estava escrito HAPPY BIRTHDAY — 15 YEARS.* Eram desses cartões de aniversário que vêm com mensagens impressas.

Um cartão era destinado a "Hilde Møller Knag a/c Sofia Amundsen...". Mas o outro era para a própria Sofia. Os dois tinham o carimbo "Batalhão da ONU", de 15 de junho.

* "Feliz Aniversário — 15 anos", em inglês.

Sofia leu o seu cartão primeiro:

Querida Sofia Amundsen,
  Hoje é seu aniversário. Meus parabéns, Sofia. Devo lhe agradecer por tudo que tem feito por Hilde até aqui.
  Um abraço,
  Major Albert Knag.

No cartão de Hilde estava escrito:

Querida Hildinha,
  Não sei nem que dia nem que horas são agora em Lillesand. Mas, como disse antes, isso não tem a menor importância. Se estou certo, não me atrasei nesta última, ou pelo menos penúltima, lembrança de aniversário. Mas você não pode se atrasar também! Alberto vai daqui a pouco falar das ideias iluministas francesas. Ele vai se concentrar em sete pontos, que são:
  1. a revolta contra as autoridades
  2. o racionalismo
  3. a doutrina iluminista
  4. o otimismo cultural
  5. de volta à natureza
  6. o cristianismo humanista
  7. os direitos humanos

Era evidente que o major os tinha bem no centro da mira.

Sofia trancou a porta de casa depois de ter deixado em cima da mesa da cozinha seu boletim repleto de notas boas. Imediatamente se embrenhou na sebe e saiu correndo pela floresta.

De novo teve que atravessar remando o pequeno lago. Alberto estava no pórtico de entrada da cabana quando ela chegou. Ele acenou para que ela sentasse ao seu lado.

Fazia um tempo bom, mas uma corrente de ar frio e úmido soprava do lago. Era como se a tempestade ainda não tivesse ido embora.

— Vamos direto ao assunto — disse Alberto. — Depois de Hume o construtor de sistemas filosóficos foi o alemão *Kant*. Mas a França teve ao longo do século XVIII muitos pensadores de importância. Podemos dizer que o peso filosófico na Europa estava na Inglaterra na primeira metade do século XVIII, em meados do século deslocou-se para a França e no fim do período foi para a Alemanha.

— Migrou do oeste para o leste, portanto.

— Isso. Vou abordar brevemente alguns pensamentos que muitos dos filósofos iluministas franceses tinham em comum. Refiro-me a nomes importantes como *Montesquieu*, *Voltaire*, *Rousseau* e muitos, muitos outros. Eu vou me concentrar em sete pontos.

— Ah, sim. Já fiquei sabendo disso. E de uma maneira bem chata.

Sofia lhe entregou o cartão do pai de Hilde. Alberto deu um suspiro profundo.

— Ele bem podia ter se poupado disso... Nosso primeiro ponto é, portanto, a *revolta contra as autoridades*. Muitos dos filósofos iluministas franceses tinham visitado a Inglaterra, que em diversos aspectos era um país mais liberal que a pátria deles. Eles ficaram fascinados pelas ciências naturais inglesas, sobretudo por Newton e sua física universal. Mas também se inspiraram na filosofia britânica, particularmente em Locke e sua filosofia política. De volta à França eles começaram pouco a pouco a se rebelar contra as autoridades constituídas. Era importante manter-se cético em relação às verdades estabelecidas, eles diziam. A ideia era que o próprio indivíduo deveria encontrar as respostas para todas as perguntas. A tradição herdada de Descartes também era fonte de inspiração.

— Porque ele havia construído tudo a partir dos alicerces.

— Exatamente. A revolta contra as autoridades não tardou a incluir a Igreja, a nobreza e a aristocracia. Essas instituições eram, no correr do século XVIII, muito mais poderosas na França do que na Inglaterra.

— E aí houve a Revolução.

— Em 1789, sim. Mas as novas ideias vieram antes. Nosso próximo ponto é o *racionalismo*.

— Pensei que o racionalismo tivesse morrido com Hume.

— Hume mesmo só morreu em 1776. Isso foi cerca de vinte anos depois de Montesquieu e apenas dois anos antes de Voltaire e Rousseau, cuja morte se deu em 1778. Mas os três haviam estado em Londres e conheciam bem a filosofia de Locke. Você talvez se lembre de que Locke não era um empirista tão coerente assim. Ele dizia, por exemplo, que tanto a fé em Deus como determinadas normas morais estão fundamentadas na razão humana. E esse é o núcleo da filosofia iluminista francesa.

— Você disse também que os franceses sempre foram mais racionalistas que os britânicos.

— E essa diferença tem raízes que remontam diretamente à Idade Média. Onde os ingleses se referem ao *common sense*, "senso comum", os franceses dizem *évidence*. A expressão inglesa pode ser traduzida por "experiência" e a francesa por "evidência", ou razão.

— Estou percebendo.

— Em linha com os humanistas da Antiguidade, como Sócrates e os estoicos, a maioria dos filósofos iluministas tinha uma fé inabalável na razão humana. Era algo tão característico que muitos simplesmente chamam o Iluminismo francês de "racionalismo". A nova ciência natural havia concluído que a natureza em tudo era racional. Os filósofos iluministas passaram então a tomar como sua tarefa estabelecer fundamentos para a moral, a religião e a ética em consonância com a imutável razão humana. Isso conduziu à *doutrina iluminista*.

— E esse era o terceiro ponto.

— Era chegada a hora de uma grande parcela da população ser "iluminada". Esse era um pré-requisito para melhorar a sociedade. Culpavam-se a necessidade e as más condições de vida pela ignorância e pela superstição. A educação, tanto de crianças quanto de adultos, passou a requerer maior atenção. Não é por acaso que a pedagogia como ciência surgiu durante o Iluminismo.

— As disciplinas escolares vêm da Idade Média, e a pedagogia, do Iluminismo, então.

— Pode-se dizer que sim. Mas o marco do pensamento iluminista foi, bem tipicamente, um grande léxico. Estou me referindo à *Enciclopédia*, que foi impressa em vinte e oito volumes, de 1751 a 1772, com verbetes de autoria de todos os grandes filósofos iluministas. "Tudo se acha aqui", dizia-se, "de como fabricar agulhas ao modo de fundir canhões."

— O ponto seguinte era o *otimismo cultural*.
— Você pode fazer o favor de largar esse cartão enquanto eu estou falando?
— Desculpe.
— Quando a razão e o conhecimento estivessem disseminados, diziam os filósofos iluministas, a humanidade teria sua grande libertação. Era só uma questão de tempo até que a ignorância e a irracionalidade fossem varridas dando lugar a uma humanidade esclarecida, ou "iluminada". Essa ideia foi mais ou menos predominante na Europa Ocidental até algumas dezenas de anos atrás. Hoje em dia não estamos mais tão convencidos de que todo "desenvolvimento" seja para o bem. Mas essa crítica à "civilização" já havia sido feita pelos filósofos iluministas.
— Então deveríamos ter dado ouvidos a eles.
— Simplesmente a palavra de ordem era que nos dirigíssemos *de volta à natureza*. Mas com "natureza" os filósofos iluministas queriam dizer quase a mesma coisa que "razão". Pois a razão humana provém justamente da natureza, e não da Igreja ou da "civilização". Apontava-se em geral os "povos naturais" como exemplos de saúde e felicidade, em contraposição aos europeus, justamente porque não eram civilizados. Foi Rousseau quem estabeleceu a máxima: "Devemos nos voltar à natureza". Pois a natureza é boa, assim como as pessoas são, "de natureza", boas. É na sociedade que reside o mal. Rousseau dizia também que as crianças devem viver tanto quanto possível na sua "inocência" natural. Você pode muito bem dizer que a ideia de a infância ter um valor em si decorre diretamente do Iluminismo. Até então a infância era tratada como uma preparação para a vida adulta. Mas nós somos humanos, afinal, e vivemos nossa vida na Terra também enquanto crianças.
— Eu concordo totalmente.
— Não menos importante: a religião deveria ser professada "naturalmente".
— O que eles queriam dizer com isso?
— A religião deveria estar em paralelo com a razão "natural". Muitos lutaram por aquilo que podemos chamar de uma catequese humanizada, um *cristianismo humanista*, o sexto item na nossa lista. Claro que entre eles existiam vários materialistas convictos,

que não acreditavam em Deus e se diziam adeptos de um ponto de vista ateísta. Mas os filósofos iluministas diziam que não era razoável imaginar um universo sem Deus. O mundo era intrinsecamente racional para ser de outra maneira. A mesma visão tinha, por exemplo, Newton. Dessa forma também era considerado razoável crer na imortalidade da alma. Como para Descartes, a pergunta sobre se o homem possui uma alma imortal era uma questão mais concernente à razão do que à fé.

— É exatamente isso que eu acho estranho. Para mim isso é um exemplo típico de algo em que acreditamos, não daquilo que sabemos.

— Mas você não vive no século XVIII. Aquilo que, segundo os filósofos iluministas, deveria ser apartado do cristianismo eram os dogmas e princípios religiosos irracionais que, ao longo da história, haviam sido misturados aos ensinamentos simples que Cristo nos legou.

— Agora, sim, eu concordo.

— Muitos deles também professavam o chamado *deísmo*.

— Pode explicar!

— Com "deísmo" nos referimos a uma crença que parte do princípio de que Deus criou o mundo um dia, há muito, muito tempo atrás, mas desde então não mais se revelou a nós. Desse modo Deus foi reduzido ao "ser supremo" que somente se manifesta aos homens por meio da natureza e de suas leis, e nunca por meio de uma manifestação "sobrenatural". Um "Deus filosófico" como esse também encontramos em Aristóteles. Para ele Deus era a "primeira causa" do universo, ou seu "primeiro movimento".

— Agora só falta mais um ponto, *os direitos humanos*.

— Em compensação, talvez seja o mais importante de todos. Você pode dizer que, em geral, os filósofos iluministas franceses eram mais práticos que os filósofos ingleses.

— Eles punham em prática as consequências da sua filosofia, é isso?

— Sim, os filósofos iluministas não se debruçavam sobre pontos de vista teóricos a respeito do papel do homem na sociedade. Eles lutavam ativamente pelo que chamavam de "direitos naturais" dos cidadãos. Num primeiro momento isso tinha a ver com a luta contra a censura, pela liberdade de imprensa portanto. Mas, no que se referia à religião, à moral e à política, deveria ser assegurado o direito individual de livre expressão de cada um. Depois havia também a luta contra a escravidão negra e por um tratamento mais humanitário aos criminosos.

— Acho que eu assino embaixo da maior parte disso aí.

— O princípio da "inviolabilidade do indivíduo" foi estabelecido por fim na "Declaração dos direitos do homem e do cidadão", promulgada pela Assembleia Nacional Francesa em 1789. Essa "declaração dos direitos humanos" foi de importância fundamental na elaboração da Constituição da Noruega, de 1814.

— Mas ainda hoje muitas pessoas precisam lutar por esses direitos.

— Sim, infelizmente. Mas os filósofos iluministas queriam deixar claro que certos direitos nos são garantidos pelo simples fato de termos nascido seres humanos. Continuamos a nos referir a um "direito natural" que frequentemente pode estar em contradição com as leis vigentes num país. Continuamos a ver indivíduos, ou até mesmo populações inteiras, evocarem esses "direitos naturais" para chamar nossa atenção contra injustiças, privação de liberdade e repressão.

— E quanto ao direito das mulheres?

— A Revolução Francesa de 1789 estabeleceu uma série de direitos que deveriam valer para todos os "cidadãos". Mas um cidadão era normalmente referido como um homem. No entanto, exatamente durante a Revolução Francesa é que vemos os primeiros exemplos de lutas feministas.

— Já não era sem tempo.

— Já em 1787 o filósofo iluminista *Condorcet* escreveu um artigo sobre os direitos femininos. Ele dizia que as mulheres tinham os mesmos "direitos naturais" que os homens. Durante a própria Revolução de 1789 as mulheres eram bastante ativas na luta contra a antiga sociedade feudal. Foram elas que, por exemplo, levaram a cabo os protestos contra o rei, que no fim teve que abandonar o castelo de Versalhes. Em Paris foram estabelecidos vários grupos femininos. Além de reivindicarem os mesmos direitos assegurados aos homens, as mulheres lutavam por mudanças nas leis matrimoniais e por melhores condições sociais.

— E elas conseguiram obter os mesmos direitos?
— Não. Como tantas vezes depois na história, a questão dos direitos femininos sempre foi associada à eclosão de uma revolução. Mas, assim que as coisas se acomodavam numa nova ordem, os homens tratavam de estabelecer a mesma sociedade predominantemente masculina.
— Típico.
— Uma das que mais lutaram pelos direitos das mulheres durante a Revolução Francesa foi *Olympe de Gouges*. Em 1791, portanto dois anos depois da Revolução, ela publicou uma declaração sobre os direitos da mulher. A declaração sobre os "direitos do cidadão" não trazia nenhum artigo sobre os "direitos naturais" da *mulher*. Olympe de Gouges estendia os mesmos direitos dos homens às mulheres.
— E como isso terminou?
— Ela foi sentenciada à morte na guilhotina em 1793. E as mulheres, proibidas de tomar parte em qualquer atividade política.
— Nossa!
— Só no século XIX a luta feminista começou a avançar, tanto na França como no restante da Europa. Foi lenta e gradualmente que essa luta passou a render frutos. Mas, por exemplo, na Noruega o direito de voto foi estendido às mulheres apenas em 1913. E ainda hoje mulheres de vários países têm muito por que lutar.
— Elas podem contar com o meu apoio.

Alberto admirou a vista do lago. Depois ele disse:
— Acho que era tudo que eu queria lhe dizer sobre a filosofia do Iluminismo.
— Como assim, "acho"?
— Não sinto que surgirão outras coisas.
Assim que ele se calou, algo pareceu se mexer sob a água. Bem no meio do lago começaram a emergir bolhas, e logo em seguida uma coisa enorme e horrível se ergueu sobre a superfície.
— Uma serpente marinha! — gritou Sofia.
A criatura escura retorceu o corpo para a frente e para trás algumas vezes, tornou a mergulhar, e a água voltou a ficar calma.
Alberto apenas virara de costas.

— Vamos entrar — disse ele.
E assim ambos se levantaram e entraram na pequena cabana.
Sofia foi logo até os quadros de Berkeley e Bjerkely, apontou Bjerkely e disse:
— Acho que Hilde mora em algum lugar dessa pintura.
No meio dos quadros havia agora uma faixa bordada com os dizeres LIBERDADE, IGUALDADE E FRATERNIDADE.
Sofia se dirigiu a Alberto:
— Foi você que pendurou isto aqui?
Ele se limitou a balançar a cabeça com uma expressão de tristeza.
Sofia então descobriu um envelope sobre o console da lareira. "Para Hilde e Sofia", estava escrito nele. Sofia soube imediatamente de quem era.
Ela abriu o envelope e leu em voz alta:

Minhas queridas,
O professor de filosofia de Sofia deveria também ter enfatizado quão importante a filosofia iluminista francesa tem sido para os ideais e princípios nos quais a ONU se baseia. Há duzentos anos as palavras "liberdade, igualdade e fraternidade" serviram para unir os cidadãos franceses. Hoje em dia as mesmas palavras devem ser usadas para unir toda a humanidade. Como nunca antes, é preciso que a humanidade seja uma grande família. Nossos descendentes são nossos próprios filhos e netos. Que mundo eles herdarão de nós?

A mãe de Hilde gritou por ela avisando que o seriado da TV iria começar dali a dez minutos e que ela já havia colocado a pizza no forno. Hilde estava completamente exausta depois do tanto que lera. E estava de pé desde as seis da manhã.
Ela se dispôs a passar o resto da noite celebrando seus quinze anos junto com a mãe. Mas primeiro tinha que pesquisar algo na enciclopédia.
Gouges... não. De Gouges? Não também. Olympe de Gouges, então. Nada! A enciclopédia não continha uma linha sobre a mu-

lher que fora condenada por seu engajamento político feminista. Não era um escândalo? Porque ela não era mais um personagem que seu pai tinha inventado, ou era?

Hilde desceu até o térreo para buscar uma enciclopédia ainda maior.

— Vou só dar uma olhada numa coisa — disse ela a uma mãe intrigada.

Pegou um volume que ia de FORV até GP e voltou correndo para o quarto.

Gouges... sim, aqui!

Gouges, *Marie Olympe de (1748-93), autora francesa, muito atuante durante a Revolução Francesa, entre outras coisas por publicar brochuras alentadas contendo questões sociais além de uma série de peças teatrais. Ela é uma das poucas pessoas que, durante a Revolução, trabalharam para que os direitos humanos abrangessem as mulheres, e publicou em 1791 a "Declaração dos direitos da mulher". Foi decapitada em 1793 porque ousou defender Luís XVI e criticar Robespierre. (Lit.: L. Lacour, "Les origines du féminisme contemporain", 1900)*

Kant

*... o céu estrelado acima de mim
e a lei moral dentro de mim...*

Só por volta da meia-noite é que o major Albert Knag ligou para casa para dar os parabéns a Hilde pelos seus quinze anos.
Foi a mãe de Hilde que atendeu o telefone.
— É para você, Hilde.
— Alô?
— É o papai.
— Você é maluco? Já é quase meia-noite.
— Queria só lhe dar parabéns...
— Você passou o dia fazendo isso.
— ... mas queria esperar o fim do dia para telefonar.
— Por quê?
— Você não recebeu o presente?
— Claro! Muito obrigada.
— Não me mate de curiosidade. O que achou?
— Muito legal! Quase não parei nem para comer.
— Você tem que comer.
— Mas é tão empolgante.
— Até onde você leu? Me diga, Hilde.
— Eles entraram no Chalé do Major porque você começou a assustá-los com uma serpente marinha...
— O Iluminismo.

— E Olympe de Gouges.
— Então pelo jeito eu não me enganei de todo.
— Como assim, não se enganou?
— Acho que só falta você receber mais uma mensagem de parabéns. Mas, para compensar, nessa eu coloquei até um pouco de música.
— Vou continuar lendo na cama até pegar no sono.
— A leitura está sendo útil para alguma coisa?
— Aprendi mais no dia de hoje do que... do que em qualquer outro dia antes. É inacreditável que não tenha se passado nem um dia desde que Sofia achou o primeiro envelope ao voltar da escola.
— É estranho como o tempo voa nessas horas.
— Mas eu sinto um pouco de pena dela.
— Da mamãe?
— Não. Da Sofia, claro.
— Oh...
— Ela está assustada demais, coitada.
— Mas ela é apenas... quero dizer...
— Você está querendo dizer que ela não passa de algo que você inventou.
— Alguma coisa assim, é.
— Eu acho que Sofia e Alberto *existem*.
— Vamos conversar sobre isso quando eu chegar em casa.
— Certo.
— Então tenha um bom final de aniversário.
— Como assim?
— Boa noite, quero dizer.
— Boa noite.

Quando Hilde foi se deitar meia hora depois, o dia continuava tão claro que era possível enxergar o jardim e a floresta ao longe. Não escurecia nessa época do ano.

Ela ficou brincando com os pensamentos, imaginando como seria viver aprisionada num quadro pendurado numa pequena cabana no meio da floresta. Será que seria possível sair da moldura e dar uma espiada ao redor?

Antes de cair no sono, ela leu mais algumas páginas do enorme fichário.

***

Sofia pôs o cartão do pai de Hilde de volta no console da lareira.
— Essa história da ONU pode ser realmente importante — disse Alberto. — Mas não gosto que ele interfira no que eu estou dizendo aqui.
— Acho que você não precisa levar isso tão a sério.
— De agora em diante não vou mais me preocupar com fenômenos como serpentes marinhas e coisas parecidas. Vamos nos sentar aqui diante da janela. Vou lhe contar sobre Kant.
Sofia descobriu que havia um par de óculos sobre uma mesinha entre duas poltronas. Ela reparou bem que ambas as lentes eram vermelhas.
Seriam óculos de sol reforçados?
— Já são quase duas horas — disse ela. — Preciso chegar em casa antes das cinco. Minha mãe certamente planejou algo para o aniversário.
— Então dispomos de três horas.
— Pode começar.
— *Immanuel Kant* nasceu na Prússia oriental, na cidade de Könisberg, em 1724. Filho de um seleiro, viveu lá quase a vida inteira, até morrer aos oitenta anos. Ele vinha de um lar muito cristão. Um elemento fundamental para a filosofia dele era sua forte convicção religiosa cristã. Assim como para Berkeley, para Kant era importante salvar os fundamentos da fé cristã.
— Já ouvi falar de Berkeley o bastante, obrigada.
— Dos filósofos de que tratamos até agora, Kant foi o primeiro que trabalhou como professor de filosofia numa universidade. Ele foi o que chamamos de "filósofo acadêmico".
— Filósofo acadêmico?
— A palavra "filósofo" tem hoje em dia dois significados diferentes. Primeiramente, refere-se a alguém que tenta achar suas próprias respostas para questões filosóficas. Mas um "filósofo" pode ser também alguém que é especialista na história da filosofia, sem que necessariamente tenha desenvolvido uma teoria filosófica.
— E Kant foi um filósofo assim?
— Ele foi as duas coisas. Se tivesse sido apenas um professor

brilhante, portanto um especialista nas ideias de outros filósofos, não teria conquistado seu lugar na história da filosofia. Mas é importante destacar que Kant tinha um domínio completo da tradição filosófica. Ele conhecia muito bem o trabalho de racionalistas como Descartes e Espinosa, e de empiristas como Locke, Berkeley e Hume.

— Já não disse para você não mencionar mais esse Berkeley?

— Sabemos que os racionalistas diziam que a razão para todo o conhecimento humano repousa na consciência humana. E sabemos também que, para os empiristas, todo o conhecimento sobre o mundo provém da experiência dos sentidos. Além disso, Hume havia delimitado bem as fronteiras entre as conclusões a que podemos chegar a partir dos nossos sentidos.

— E com quem Kant concordava?

— Ele dizia que todos tinham um pouco de razão mas também estavam um pouco errados. A pergunta que tomava seu tempo era: o que podemos saber sobre o mundo? Esse era um projeto filosófico comum a todos os que vieram depois de Descartes. Eles apontavam duas possibilidades: o mundo é exatamente como o percebemos com os sentidos ou ele é como se revela para nós à luz da nossa razão?

— E o que dizia Kant?

— Kant dizia que *tanto* os sentidos *como* a razão têm um papel importante no modo como experimentamos o mundo. Mas dizia que os racionalistas carregaram nas tintas naquilo que a razão é capaz de fazer, e também achava que os empiristas atribuíram uma importância demasiada à experiência sensorial.

— Se você não der logo um exemplo, vamos ficar dando voltas aqui.

— Como ponto de partida, Kant concorda com Hume e os empiristas quanto ao fato de que todos os nossos conhecimentos sobre o mundo provêm das experiências sensórias. Mas... e aqui ele estende a mão aos racionalistas... também a nossa razão contém pressupostos importantes para o modo *como* descobrimos o mundo que nos cerca. Existem certas condicionantes que determinam nossa visão de mundo.

— Isso foi o exemplo?

— Vamos tentar um pequeno exercício. Você pode pegar os óculos ali na mesa? Pronto, obrigado. Agora, ponha-os!

Sofia pôs os óculos e passou a enxergar tudo vermelho. As cores mais claras ficaram vermelho-claras e as escuras, vermelho-escuras.

— O que você está vendo?

— Exatamente o mesmo que antes, só que em vermelho.

— Isso porque as lentes dos óculos estabelecem um limite claro sobre como você vai perceber a realidade. Tudo que você está vendo é parte do seu mundo exterior, mas o modo *como* você o percebe tem a ver com as lentes que está usando. Você não pode dizer que o mundo *não é* vermelho se é assim que o enxerga.

— Não, claro que não...

— Se você caminhasse agora pela floresta, ou de volta à Curva do Capitão, iria enxergar tudo aquilo que sempre viu. Mas, não importa o que aconteça, verá tudo em vermelho.

— Até que eu tire os óculos.

— Isso mesmo, Sofia, exatamente isso. Kant dizia que há certas premissas subjacentes na nossa razão, e tais premissas impregnam todas as nossas experiências.

— Que premissas são essas?

— Não importa o que vejamos, sempre perceberemos tudo como fenômenos no *tempo* e no *espaço*. Para Kant, "tempo" e "espaço" eram as duas "formas intuitivas" do homem. E ele enfatiza que essas duas "formas" estão presentes na nossa consciência *antes* de qualquer experiência. Isso significa que temos como *saber* de alguma coisa antes de termos tido qualquer experiência dela, que depois pode ser percebida como fenômeno no tempo e no espaço. Não temos como nos livrar dos "óculos" da razão.

— Ele dizia que perceber as coisas no tempo e no espaço é uma característica inata a nós, humanos?

— De certo modo, sim. As coisas que vemos dependem, claro, de termos crescido em locais diferentes como a Índia ou a Groenlândia. Mas no geral percebemos o mundo como processos no tempo e no espaço. E isso podemos afirmar de antemão.

— Mas tempo e espaço não são coisas *exteriores* a nós?

— Não. Importa para Kant que tempo e espaço são grandezas que pertencem à constituição humana. Tempo e espaço são acima de tudo propriedades da nossa compreensão, não propriedades do mundo.

— É uma maneira inteiramente nova de abordar essa questão.
— A consciência humana não é uma espécie de "lousa" que registra passivamente os impulsos externos que nos transmitem os sentidos. Ela é uma instância ativa e conformadora. A própria consciência impõe sua marca na nossa visão de mundo. Talvez possamos comparar isso com o que acontece quando despejamos água numa jarra de vidro. A água toma a forma da jarra. De maneira similar, nossas impressões sensoriais se moldam às nossas "formas intuitivas".
— Acho que compreendi o que você quer dizer.
— Kant ressalta que não é apenas a consciência que se adapta às coisas. As coisas também se adaptam à consciência. Ele mesmo chamou a isso de "revolução copernicana" do conhecimento humano. Com isso ele queria dizer que, para a tradição filosófica, essa concepção era tão nova e radical quanto a afirmação de Copérnico de que a Terra gira em torno do Sol, e não o contrário.
— Compreendo agora por que ele disse que tanto os racionalistas quanto os empiristas tinham um pouco de razão. Os racionalistas de certa forma deixaram de lado a importância da experiência, e os empiristas fecharam os olhos para como nossa própria razão deixa marcas na nossa percepção de mundo.
— E também a própria *lei da causalidade*, que segundo Hume os homens eram incapazes de experimentar, é, segundo Kant, uma parte da razão humana.
— Pode explicar!
— Você deve se lembrar do que disse Hume sobre a força do hábito que nos faz enxergar uma relação de causa e efeito por trás de todos os processos da natureza. Segundo Hume, não podemos sentir que a bola de bilhar preta é a causa de a bola branca passar a se movimentar. Portanto, não podemos comprovar que é a bola preta que sempre será capaz de pôr a bola branca para rolar.
— Eu lembro.
— Pois exatamente isso que segundo Hume não pode ser comprovado é o que Kant aponta como uma característica da razão humana. A lei da causalidade é eterna e absoluta simplesmente porque a razão humana percebe tudo que acontece como uma relação entre causa e efeito.

— E, sem medo de errar, eu afirmaria novamente que a lei da causalidade está na natureza e não dentro de nós mesmos.

— O argumento de Kant é que, apesar de tudo, ela está em nós. De resto ele concorda com Hume sobre não podermos saber com certeza como o mundo é "em si". Só podemos saber como o mundo se apresenta "para mim", ou seja, para cada indivíduo. Kant estabelece essa diferença entre "das Ding an sich" e "das Ding für mich", e essa é sua principal contribuição à filosofia.

— Não sou tão boa assim em alemão.

— Kant estabelece uma importante diferença entre "a coisa em si" e "a coisa para mim". Como as coisas são "em si" é algo de que jamais poderemos estar plenamente certos. Só podemos saber de fato como as coisas "se mostram" para nós. Em compensação, podemos afirmar com exatidão, através das nossas experiências, como as coisas são percebidas pela razão humana.

— Podemos?

— Ao sair de casa de manhã, você não consegue saber de antemão como será aquele dia. Mas pode saber que aquilo que vai ver e experimentar será percebido como eventos no tempo e no espaço. Pode também estar certa de que a lei da causalidade será válida simplesmente porque você a carrega consigo, como uma parte da sua consciência.

— Mas e como poderíamos ter sido criados de outra maneira?

— Sim, poderíamos ter um sistema sensorial diferente, com sentidos totalmente diferentes. E assim teríamos uma experiência diferente do tempo e do espaço. Poderíamos também ser criados de forma a não procurar as causas dos eventos ao nosso redor.

— Você pode citar algum exemplo?

— Imagine um gato deitado no chão de casa. E agora imagine uma bola rolando pelo chão. O que o gato vai fazer nesse caso?

— Isso eu já vi várias vezes em casa. O gato vai correr atrás da bola.

— Muito bem. Agora imagine que, em vez do gato, você é que estivesse deitada no chão. Se visse que de repente uma bola vem rolando pelo chão, iria imediatamente correr atrás dela?

— Primeiro de tudo eu iria me virar para ver de onde ela vinha.

— Sim, porque você é um ser humano e quer investigar as causas de todas as coisas. A lei da causalidade é, portanto, uma parte da sua própria constituição.

— É mesmo?

— Hume dizia que não podemos nem sentir nem comprovar as leis da natureza. Isso deixou Kant inquieto, porque ele acreditava que poderia comprovar a vigência absoluta das leis da natureza ao demonstrar que na verdade estamos nos referindo a leis do conhecimento humano.

— Um bebê também iria se virar para ver de onde vinha a bola?

— Provavelmente não. Mas Kant se refere à razão como uma característica imatura na infância, que será desenvolvida com o passar do tempo, à medida que a criança disponha de materiais para seus sentidos poderem trabalhar. Mas isso de modo algum dá margem a nos referirmos a uma razão vazia.

— Claro. A razão só pode ser uma coisa maravilhosa.

— Podemos tentar resumir. Segundo Kant, existem duas condições que norteiam como os homens experimentam o mundo. A primeira é a condição exterior, sobre a qual não podemos saber nada antes de a sentirmos. Podemos chamá-la de *material* do conhecimento. A segunda é uma condição intrínseca aos seres humanos, por exemplo, quando percebemos tudo como eventos no tempo e no espaço e, além disso, como processos que seguem uma lei de causalidade imutável. A isso chamamos de *forma* do conhecimento.

Alberto e Sofia permaneceram sentados por mais um instante, olhando pela janela. De repente Sofia bateu os olhos numa garotinha que surgiu de trás das árvores, na margem oposta.

— Olhe ali! — disse Sofia. — Quem é ela?

— Eu não tenho a menor ideia.

Ela apareceu por alguns segundos apenas, depois sumiu. Sofia notou que a garota tinha algo vermelho na cabeça.

— Não podemos nos distrair com coisas desse tipo.

— Continue então.

— Kant indicou também que existem fronteiras bem claras entre o que os homens podem e o que não podem reconhecer com a razão. Você pode muito bem dizer que os "óculos" da razão é que estipulam essas fronteiras.

— Como assim?

— Você lembra que os filósofos anteriores a Kant haviam discutido as verdadeiras "grandes" questões filosóficas? Por exemplo, se os homens possuem uma alma imortal, se existe um Deus, se a natureza é constituída de partículas indivisíveis e se o universo é finito ou infinito.
— Sim.
— Kant dizia que os homens não podem ter um conhecimento seguro sobre questões assim. Isso não significa que ele tenha evitado tais questionamentos. Ao contrário. Se ele tivesse evitado tais questionamentos, nem poderia ser chamado de filósofo.
— E ele fez o quê, então?
— Ah, agora você tem que ter um pouco de paciência. No que se refere a essas grandes questões filosóficas, Kant diz que a razão opera além dos limites do que nós, homens, podemos conhecer. Ao mesmo tempo é uma característica intrínseca da natureza humana, ou da razão humana, um ímpeto básico de elaborar essas questões. Mas, quando perguntamos, por exemplo, se o universo é finito ou infinito, fazemos uma pergunta sobre um todo do qual somos uma pequena parte. Esse todo jamais poderemos conhecer na sua completude.
— Por que não?
— Quando você pôs os óculos de lentes vermelhas, vimos que, segundo Kant, existem dois elementos que condicionam nosso conhecimento do mundo.
— Que são a experiência sensorial e a razão.
— Sim, o material para nosso conhecimento nos chega através dos sentidos, mas esse material se subordina às características da razão. Por exemplo, é parte integrante das características da razão perguntar sobre as causas de um evento.
— Como, por exemplo, de onde veio a bola que rola pelo chão.
— Ou isso ou qualquer outra coisa. Mas, quando nos indagamos de onde vem o universo, especulando todas as respostas possíveis, de algum modo a razão estanca. Ela não possui nenhum material sensorial para "tratar", não possui nenhuma experiência com que possa trabalhar. Pois nós jamais experimentamos a grande realidade da qual nosso ser é apenas uma ínfima parte.
— É como se fôssemos um pedacinho da bola que rola pelo chão. E então não podemos jamais saber de onde ela veio.

— Mas sempre será possível, como uma característica da razão humana, *perguntar* de onde essa bola veio. Por isso perguntamos, perguntamos e perguntamos, nos angustiamos ao máximo para encontrar respostas para as perguntas mais complexas. O problema é que não teremos uma terra firme onde nos apoiar, jamais obteremos respostas seguras, porque a nossa razão estará em ponto morto.

— Ah, claro. Essa sensação aí eu sei bem como é.

— No que concerne a perguntas como essa, que abrangem toda a realidade, Kant mostrou que dois pontos de vista exatamente opostos sempre parecerão tão prováveis quanto improváveis à luz do que nos pode dizer a nossa razão.

— Exemplos, por favor.

— Faz tanto sentido dizer que o universo teve um começo no tempo como dizer que não teve começo nenhum. Mas as duas possibilidades são igualmente impossíveis de a razão conceber. Podemos afirmar que o universo sempre existiu, mas algo *pode* sempre ter existido sem que tenha tido um princípio? Agora vamos trocar nossa perspectiva para o ponto de vista oposto. Diremos que o mundo teve de começar em algum momento, então ele deve ter surgido a partir do nada, do contrário estaríamos falando de uma transformação atrás de outra. Mas será que existe alguma coisa que possa ter surgido do nada, Sofia?

— Não, as duas possibilidades são igualmente inconcebíveis. Ao mesmo tempo, uma delas deve estar correta e a outra, não.

— Então você lembra que Demócrito e os materialistas diziam que a natureza deveria se constituir de algumas partes menores, comuns a tudo que existe. Outros, por exemplo, Descartes, diziam que a realidade estendida sempre pode ser dividida em pedaços cada vez menores. Quem tem razão?

— Todos... nenhum.

— Mais adiante muitos filósofos apontaram a liberdade como a característica humana mais importante. Ao mesmo tempo encontramos filósofos, por exemplo, os estoicos e Espinosa, que defendiam que tudo acontece necessariamente por força das leis da natureza. Sobre isso Kant também diz que a razão humana não pode emitir um juízo seguro.

— É tão sensato como insensato sustentar as duas afirmações.

— Por fim, não podemos pura e simplesmente comprovar a existência de Deus com o auxílio da razão. Nesse ponto os racionalistas, por exemplo, Descartes, tentaram demonstrar que deve haver um Deus simplesmente porque temos um conceito de um "ser completo". Outros, por exemplo, Aristóteles e Tomás de Aquino, diziam que deve existir um Deus porque todas as coisas têm que ter uma causa primeira.

— E o que Kant dizia?

— Ele rejeitava essas duas concepções. Nem a razão nem a experiência possuem fundamentos seguros para sustentar que existe um Deus. À luz da razão, é tão sensato como insensato fazer essa afirmação.

— Mas você começou dizendo que Kant queria salvar os fundamentos da fé cristã.

— Sim, ele abre um espaço exatamente para uma dimensão religiosa. Onde a razão e a experiência não alcançam existe um vazio que só pode ser preenchido pela *fé* religiosa.

— E assim ele salvou o cristianismo?

— Ah, sim, podemos dizer que sim. Agora talvez seja importante mencionar que Kant era protestante. Desde a Reforma, o protestantismo era fundamentado na fé. Já a Igreja católica vinha manifestando, desde o começo da Idade Média, desconfiança na razão como um sustentáculo da fé.

— Estou entendendo.

— Mas Kant foi um pouco além de simplesmente afirmar que essas questões extremas deveriam ser deixadas a critério da fé humana. Ele dizia que o mínimo necessário para a moral humana eram os pressupostos de que os homens têm uma *alma imortal*, de que *existe um Deus* e de que os homens possuem *livre-arbítrio*.

— Então ele agiu quase como Descartes. Primeiro ele foi extremamente crítico em relação àquilo que podemos ou não compreender. Depois mete Deus e tudo o mais na conversa de trás para a frente.

— Porém, ao contrário de Descartes, ele deixa bem claro que não foi a razão que o conduziu até ali, mas a fé. Ele mesmo chamava de postulados práticos a crença em que existem uma alma imortal, um Deus e o livre-arbítrio.

— O que significa isso?
— "Postular" é afirmar algo que não se pode comprovar. Com "postulados práticos" Kant se referia a algo que se deve reafirmar como necessário para a "prática" humana, ou seja, para a sua moral. "É moralmente necessário supor a existência de Deus", dizia ele.

De repente alguém bateu na porta. Sofia se pôs de pé imediatamente, mas, como Alberto não fez nem menção de se levantar, ela disse:
— Não temos que ver quem é?
Alberto deu de ombros, e a muito custo se levantou. Eles abriram a porta e lá fora estava uma garotinha num vestido branco de verão com um chapeuzinho vermelho na cabeça. Era a menina que eles tinham avistado do outro lado da margem. Ela carregava uma cesta com comida.
— Oi — disse Sofia. — Quem é você?
— Você não está vendo que eu sou a Chapeuzinho Vermelho?
Sofia olhou para Alberto, que balançou a cabeça como se não fosse com ele:
— Você ouviu o que ela disse.
— Estou procurando a casa da vovó — disse a garota. — Ela é velhinha e está doente, e eu estou levando uma comidinha para ela.
— Pois ela não mora aqui — disse Alberto. — Então é melhor você se apressar e tomar outro rumo.
Ele disse isso com aquele movimento de mão que fazemos quando queremos espantar uma mosca.
— Mas eu tenho que entregar uma carta — continuou a garotinha com o chapéu vermelho na cabeça.
Ela tirou da cesta um envelope branco e o entregou a Sofia. Em seguida deu meia-volta e se foi.
— Cuidado com o lobo — gritou Sofia para ela.
Alberto já voltava para o seu lugar. Sofia o seguiu, e eles sentaram nas poltronas como antes.
— Imagine só, a Chapeuzinho — disse Sofia.
— E não faz sentido nenhum precavê-la contra o lobo. Ela irá para a casa da vovozinha e lá será devorada pelo lobo. Ela nunca aprende, é algo que vai se repetir por toda a eternidade.

— Mas nunca ouvi dizer que ela batesse na porta de outra casa antes de chegar na casa da vovó.
— Bobagem, Sofia.
Só então Sofia pôs os olhos no envelope. "Para Hilde", estava escrito. Ela abriu o envelope e leu o seu conteúdo em voz alta.

Querida Hilde,
Se o cérebro das pessoas fosse tão simples ao ponto de podermos compreendê-lo, nós seríamos então tão estúpidos que não conseguiríamos fazê-lo.
Um beijo,
Papai.

Alberto anuiu com a cabeça.
— É verdade. E Kant poderia ter dito algo parecido. Não podemos achar que um dia compreenderemos quem somos. Talvez possamos compreender uma flor ou um inseto em toda a sua grandeza, mas nunca a nós mesmos. Menos ainda podemos esperar que um dia alcancemos a compreensão de todo o universo.
Sofia leu aquela frase maravilhosa no bilhete mais duas ou três vezes, mas Alberto continuou:
— Não vamos mais nos distrair com serpentes marinhas e coisas do gênero. Antes de terminarmos por hoje, vou falar um pouco da ética de Kant.
— Seja breve, por favor. Tenho que ir para casa logo.
— O ceticismo de Hume sobre o que a razão e os sentidos podem nos transmitir forçou Kant a se deter novamente em muitas das questões importantes da vida. Isso incluía questões relativas à esfera moral.
— Hume deixou bem claro que não é possível determinar o que é certo e o que é errado. Não podemos chegar a conclusões partindo de uma "sentença do ser" para uma "sentença do dever ser".
— Segundo Hume nem nossa razão nem nossa experiência são capazes de distinguir entre o certo e o errado. Isso quem faz são os nossos sentimentos, pura e simplesmente. Essa afirmação aos olhos de Kant era por demais frágil.
— Eu posso compreender muito bem por quê.
— Kant partia de um pressuposto, com base em experiências

que haviam sido marcantes para ele, que considerava a distinção entre certo e errado uma questão real e palpável. Aqui ele concorda com os racionalistas, que diziam que repousa na razão humana a capacidade de separar o certo do errado. Todas as pessoas sabem o que é certo e o que é errado, e não o sabemos apenas por termos aprendido, mas porque essa capacidade é inerente ao nosso conhecimento. Segundo Kant, todas as pessoas possuem uma "razão prática", ou seja, uma capacidade racional que nos diz em qualquer tempo o que é certo e o que é errado na esfera moral.

— É algo inato, então.

— A capacidade de discernir o certo do errado é tão inata quanto as demais faculdades da razão. Desse modo todas as pessoas possuem as mesmas formas de compreensão... quando presenciamos um evento com uma causa definida, por exemplo... e, portanto, têm acesso a uma mesma *lei moral* universal. Essa lei moral possui a mesma validade absoluta que as leis da física. Ela é tão fundamental para nossa vida moral quanto é fundamental para nossa vida racional o fato de que tudo tem uma causa, ou que sete mais cinco é igual a doze.

— E o que diz essa lei moral?

— Como ela antecede toda e qualquer experiência, ela é "formal". Isso quer dizer que ela não se vincula a nenhuma situação determinada que envolva uma escolha. Ela vale para toda e qualquer pessoa, em toda e qualquer sociedade, em todo e qualquer tempo. Ela não lhe dirá o que fazer numa situação determinada. Ela diz como você deve agir em todas as situações.

— Mas que utilidade em si teria uma "lei moral" que não é capaz de me dizer o que fazer numa situação determinada?

— Kant formula a lei moral como um *imperativo categórico*. Com isso ele diz que a lei moral é "categórica", isto é, vale para todas as situações. Ela é também "imperativa", ou seja, é uma obrigação da qual não podemos nos desvencilhar.

— Ah...

— Kant formula esse "imperativo categórico" de diversas maneiras. Primeiramente ele diz que *devemos sempre nos comportar desejando que as leis que observamos possam ao mesmo tempo se transformar em leis gerais.*

— Quando faço alguma coisa, tenho que me certificar de que todos farão o mesmo naquela mesma situação.

— Exatamente. Somente assim você agirá em consonância com a lei moral existente dentro de você. Kant formulou o "imperativo categórico" também afirmando que *devemos tratar o outro como um fim em si mesmo, não como um meio para chegar a outra coisa.*

— Não podemos "usar" as outras pessoas para obter vantagens.

— Não, porque todas as pessoas são um objetivo em si mesmas. Mas isso não vale apenas para as outras pessoas, vale para nós mesmos também. Você não pode usar a si mesmo apenas como um meio para conseguir outra coisa.

— Isso me faz lembrar a "regra de ouro", que diz que não devemos fazer ao próximo o que não queremos que ele nos faça.

— Sim, isso também é uma diretriz formal que compreende todas as situações que envolvem escolhas éticas. Você pode muito bem chamar de "regra de ouro" o que Kant expressou como sendo a "lei moral".

— Mas essas são apenas afirmações. Hume tinha razão afinal ao dizer que não podemos provar com a razão aquilo que é certo ou errado.

— Segundo Kant a lei moral é tão absoluta e tão abrangente quanto, por exemplo, a lei da causalidade. Ela também não pode ser comprovada pela razão, mas de toda forma é algo inevitável. Nenhum homem está acima dela.

— Tenho a impressão de que estamos falando mesmo é de consciência. Porque todas as pessoas têm uma consciência, não têm?

— Sim, quando Kant descreve a lei moral, é a consciência humana que ele está descrevendo. Não podemos provar o que a consciência diz, mas mesmo assim podemos sabê-lo.

— Algumas vezes eu sou boazinha e legal com outras pessoas simplesmente porque sei que aquilo será bom para mim. Pode ser uma maneira de ser aceita por outras pessoas.

— Mas, se você age assim apenas para se tornar popular e querida pelas pessoas, então não está agindo de acordo com a lei moral. Talvez você esteja agindo apenas superficialmente de acordo com ela, e isso é até bom, mas, para que uma conduta seja chamada de moral de fato, ela deve resultar de uma superação pessoal. Somente quando você faz algo porque sabe que é seu *dever* obedecer à lei moral é que pode falar de uma conduta moral. A ética de Kant chama-se por isso mesmo *ética do dever*.

— Eu acho que é meu dever economizar dinheiro para doar para as crianças carentes ou para ajudar os sem-teto.

— Sim, e o que é decisivo é que você faça porque acha que é o certo. Ainda que o dinheiro que você economizou seja desviado no caminho, ou não alimente as bocas que deveria alimentar, você obedeceu à lei moral. Sua atitude foi correta, e para Kant a atitude é algo decisivo para que possamos chamar de correta uma conduta moral. Não são as consequências da atitude que são decisivas, mas a atitude em si. Por isso também chamamos a ética de Kant de *ética da atitude*.

— Por que era tão importante para ele saber exatamente quando agimos em consonância com a lei moral? O mais importante não é que possamos de verdade ajudar o próximo?

— Claro, Kant certamente concordaria com isso. Mas apenas quando sabemos no nosso íntimo que estamos agindo em consonância com a lei moral é que agimos com *liberdade*.

— Só quando obedecemos a uma lei é que agimos com liberdade? Não é um pouco estranho isso?

— Não, segundo Kant. Você lembra que ele teve que "afirmar" ou "postular" que as pessoas têm livre-arbítrio? Esse é um ponto importante, porque Kant também disse que tudo obedece à lei da causalidade. Como então poderíamos ter livre-arbítrio?

— Não me pergunte.

— Kant aqui divide a humanidade em dois grupos, de um modo que evoca a mesma divisão feita por Descartes, para quem o homem era um "ser dual" por possuir um corpo e uma razão. Para Kant, somos seres dotados de sentidos, capazes de sentir, permanentemente entregues à imutável lei da causalidade. Não determinamos, claro, o que podemos sentir, as sensações advêm das nossas necessidades e nos impactam, queiramos ou não. Mas os homens não são apenas seres com sentimentos. Somos também seres racionais.

— Pode explicar!

— Como seres dotados de sentidos, pertencemos totalmente à ordem da natureza. Somos, portanto, sujeitos à lei da causalidade.

Desse ângulo, não possuímos nenhum livre-arbítrio. Mas como seres racionais fazemos parte daquilo que Kant chamou de "das Ding an sich", ou o mundo assim como ele é em si, independente de nossos sentidos. Apenas quando seguimos a nossa "razão prática", que nos permite fazer uma escolha moral, é que temos livre-arbítrio. Pois, quando nos submetemos à lei moral, somos nós mesmos que determinamos a lei que vai nos governar.

— Isso de certo modo é verdade. Sou eu mesma, ou algo dentro de mim, que diz que não devo ser hostil às outras pessoas.

— Quando você escolhe não ser hostil, ainda que isso possa ir de encontro aos seus interesses, você está agindo com liberdade.

— Não se pode ser livre e independente apenas fazendo o que se tem vontade.

— Podemos virar "escravos" de muitas coisas. Sim, o homem pode se tornar escravo do seu próprio egoísmo. São necessárias exatamente independência e liberdade para irmos além dos nossos próprios interesses e desejos.

— E quanto aos animais? Eles obedecem apenas aos seus desejos e instintos. Eles não teriam a liberdade de obedecer a uma lei moral?

— Não, e é exatamente essa liberdade que nos torna humanos.

— Agora eu compreendi.

— Por fim talvez possamos dizer que Kant foi afortunado o bastante para encontrar uma saída para o impasse a que a filosofia havia chegado com o conflito entre racionalistas e empiristas. Com Kant também chega ao fim uma época na história da filosofia. Ele morreu em 1804, quando florescia outra época a que chamamos Romantismo. Na sua lápide em Königsberg foi inscrita uma das suas citações mais conhecidas: "Duas coisas me enchem a alma de crescente admiração e respeito, quanto mais intensa e frequentemente o pensamento delas se ocupa: o céu estrelado acima de mim e a lei moral dentro de mim". E ele continua: "São para mim provas de que há um Deus sobre mim e um Deus dentro de mim".

Alberto se recostou na poltrona.

— Já é o bastante — disse ele. — Acho que dissemos o mais importante sobre Kant.

— Além do quê, já são quatro e quinze.
— Mas tem outra coisa. Espere um instantinho, por favor.
— Eu jamais saio da sala antes que o professor diga que a aula terminou.
— Por acaso eu mencionei que, para Kant, não temos nenhuma liberdade se vivermos apenas como seres dotados de sentidos?
— Sim, você disse algo assim.
— Mas, se seguirmos a razão universal, seremos livres e independentes. Disse isso também?
— Sim. Por que está repetindo tudo agora?
Alberto se aproximou de Sofia, olhou-a bem dentro dos olhos e disse baixinho:
— Não acredite em tudo que vê, Sofia.
— O que você quer dizer com isso?
— Simplesmente vire de costas.
— Agora é que não estou entendendo nada mesmo.
— É muito comum dizer coisas como "só acredito vendo". Mas você não deve acreditar nem vendo.
— Você já disse coisa parecida antes.
— Sim, sobre Parmênides.
— Mas continuo sem entender aonde você quer chegar.
— Ora, nós estávamos conversando lá fora e aí apareceu uma "serpente marinha" se contorcendo na água.
— Não foi esquisito?
— De jeito nenhum. Depois veio aqui na porta Chapeuzinho Vermelho. "Estou procurando a casa da vovó." Tudo isso é falso, é distração. Tudo são truques do major. Assim como a mensagem na casca de banana e a tempestade inesperada...
— Você acha que...
— Mas eu disse que tinha um plano. Enquanto seguirmos nossa razão, ele não será capaz de nos ludibriar. E aí estaremos de certa maneira livres. Pois ele pode nos fazer "sentir" qualquer coisa, e nada mais será capaz de me surpreender. Se por acaso uma nuvem de elefantes escurecer o céu, vou me limitar a esboçar um sorriso. Porque sete mais cinco *são* doze. Esse é um conhecimento que sobrevive a esses efeitos especiais. A filosofia é o oposto da mistificação.

Sofia ficou olhando admirada para Alberto.
— Agora pode ir — concluiu ele. — Eu voltarei a convocá-la para falarmos do Romantismo. Vamos também falar de Hegel e Kierkegaard. Mas falta apenas uma semana para o major aterrissar no aeroporto de Kjevik. Nesse ínterim temos que tentar nos libertar das suas fantasias malucas. Não vou dizer mais nada, Sofia. Mas tenha certeza de que estou arquitetando um plano mirabolante para nós dois.
— Então eu já vou.
— Espere. Talvez tenhamos nos esquecido do mais importante.
— O quê?
— Cantar "Parabéns", Sofia. Hoje Hilde completa quinze anos.
— E eu também.
— Você também, claro.
Ambos se levantaram e cantaram:
— *Parabéns a você, nesta data querida, muitas felicidades, muitos anos de vida!*

Já eram quatro e meia. Sofia correu em direção ao lago e remou até a margem oposta. Arrastou o bote para fora da água e disparou floresta adentro.

Quando chegou à trilha, subitamente viu algo se mexendo detrás da cortina de árvores. Sofia imaginou que fosse Chapeuzinho Vermelho caminhando sozinha à procura da casa da vovó, mas a figura atrás das árvores era bem menor.

Ela se aproximou. A criatura não era maior que uma boneca, tinha uma cor amarronzada e estava vestida com um suéter vermelho.

Sofia ficou petrificada quando se deu conta de que estava diante de um ursinho de pelúcia.

Que alguém tivesse perdido um ursinho de pelúcia na floresta não era nada estranho. Mas aquele ursinho parecia estar vivo, e parecia muito ocupado com alguma coisa.

— Olá — disse Sofia.
A pequena figura olhou bruscamente para ela.
— Meu nome é Ursinho Pooh — disse ele. — E infelizmente eu me embrenhei aqui nesta floresta neste que era para ter sido um lindo dia. E quem é você, que eu nunca vi antes?

— Talvez eu é que nunca tenha estado aqui antes — disse Sofia.
— Então, sinta-se em casa aqui no Bosque dos Cem Acres.
— Não, esse tamanho é muito grande. Lembre-se de que eu sou um ursinho pequenino.
— Já ouvi falar de você.
— Então você deve ser a Alice. Christopher Robin me falou de você certa vez, o que não deixa de ser uma forma de nos conhecermos. Você bebeu um líquido de um frasco e foi encolhendo, encolhendo, e ficou pequena demais. Mas aí bebeu de outro frasco e cresceu de novo. A gente precisa ter cuidado com o que põe na boca. Um dia eu comi tanto que minha barriga ficou tão grande quanto a toca de um coelho.
— Eu não sou a Alice.
— Quem nós somos não tem a menor importância. O que importa é o que somos. É o que costuma dizer o Corujão, e ele é muito inteligente. Sete mais cinco são doze, ele me disse certa vez numa bela manhã de sol. Bisonho e eu ficamos maravilhados, não nos damos bem com números. Mais fácil é prever o tempo...
— Meu nome é Sofia.
— Muito prazer, Sofia. Como disse, eu acho que você deve ser nova por estas paragens. Mas agora o ursinho tem que ir. Precisamos achar o caminho para a casa do Leitão. Vamos encontrar os amigos numa grande festa no jardim do Abel.

Ele acenou para Sofia e só então ela notou que ele trazia uma carta na outra pata.
— O que você está segurando? — perguntou ela.
O Ursinho Pooh exibiu a carta e disse:
— Foi isso que me fez perder o caminho.
— Mas é só um pedaço de papel.
— Não, não é "só um pedaço de papel". É uma carta para a Hilde do espelho.
— Ah. Então eu posso entregá-la.
— Mas você não é a garota do espelho, é?
— Não, mas...
— Uma carta sempre deve ser entregue pessoalmente ao destinatário. Ontem à noite Christopher Robin me explicou isso direitinho.

— Mas eu conheço a Hilde.
— Não importa. Por mais que você conheça uma pessoa, não tem o direito de ler suas cartas.
— Eu estou dizendo que posso entregá-la para Hilde.
— Ah, bom, isso é outra coisa. Por favor, então, Sofia. Só quando eu me livrar desta carta é que vou conseguir achar o caminho para a casa do Leitão. Para encontrar a Hilde do espelho, você primeiro tem que achar um espelho bem grande. Mas isso não é nada fácil de encontrar por aqui.

O ursinho entregou a carta para Sofia e começou a correr pela floresta com seus passinhos curtos. Quando ele estava bem distante, Sofia abriu a folha e leu o que estava escrito:

Querida Hilde,
É uma vergonha que Alberto não tenha contado a Sofia que Kant defendia a criação de uma "assembleia popular". No seu texto "À paz perpétua" ele escreveu que todas as nações deveriam se unir numa assembleia popular cuja função seria encontrar meios para uma convivência pacífica entre as diferentes nações. Cerca de cento e vinte e cinco anos depois que esse texto foi publicado, em 1795 a chamada Liga das Nações foi instituída, logo após a Primeira Guerra Mundial. Após a Segunda Guerra Mundial a Liga daria lugar à ONU. Você pode muito bem dizer que Kant é uma espécie de pai da ideia das Nações Unidas. O argumento de Kant é que a "razão prática" dos homens forçaria os Estados a deixar para trás uma "condição natural" que conduz a sucessivas guerras, criando uma ordem mundial capaz de evitá-las. Ainda que o caminho até a criação de uma tal assembleia seja bem longo, é dever de todos assegurar o "estabelecimento de uma paz abrangente e duradoura". Para Kant, o surgimento de uma assembleia desse gênero era um objetivo remoto. Pode-se dizer inclusive que talvez seja esse o objetivo mais distante da filosofia. Ainda estou no Líbano neste instante.
Beijos,
Papai.

Sofia enfiou a carta no bolso e continuou seu caminho para casa. Alberto a prevenira justamente daquele tipo de encontro que acabara de ocorrer na floresta. Mas ela sentiu que não poderia ter deixado aquele ursinho vagar pela floresta procurando pela Hilde do espelho.

O Romantismo
*... o caminho permeado de mistérios
conduz ao nosso interior...*

Hilde deixou cair o fichário no colo. E depois o deixou cair no chão.

O quarto estava mais claro do que quando ela fora se deitar. Ela olhou para o relógio. Eram quase três horas da madrugada. Ela se revirou na cama e tentou adormecer. Antes de cair no sono, imaginou por que seu pai fora escrever logo sobre Chapeuzinho Vermelho e o Ursinho Pooh.

Ela dormiu até as onze da manhã. Ao acordar, sentiu que sonhara intensamente a noite inteira, mas não conseguia lembrar o que havia sonhado. Era como se ela tivesse visitado outra realidade.

Desceu e preparou seu café. A mãe estava vestida com o velho macacão azul. Ela iria até o atracadouro para fazer uma faxina no barco. Fazia tempo que ele não velejava, mas deveria estar pronto para isso antes que o pai de Hilde voltasse do Líbano.

— Você não quer vir me dar uma mãozinha?

— Agora tenho que ler um pouco. Eu desço com chá e um lanchinho para nós antes do meio-dia?

— Você disse antes do meio-dia? Já são mais de onze...

Depois de comer, Hilde arrumou a cama e se acomodou com o fichário no colo.

***

Sofia cruzou a sebe, e logo estava no jardim que um dia ela havia comparado ao Jardim do Éden.

Ela viu galhos e folhas espalhados pelo chão, efeito da tempestade da noite anterior. Era como se houvesse uma espécie de correlação entre os dois eventos: de um lado a tempestade e os galhos e folhas, do outro o encontro com Chapeuzinho Vermelho e o Ursinho Pooh.

Sofia foi até o balanço e retirou as folhas que haviam caído ali. Seria bom se as almofadas tivessem uma capa de plástico para que eles não precisassem recolhê-las toda vez que chovia.

Ela entrou em casa. Sua mãe acabara de chegar. Ela estava pondo algumas garrafas de refrigerante na geladeira. Na bancada da cozinha havia bombas de creme e um pequeno *kransekake*.*

— Você vai dar uma festa? — perguntou Sofia, que tinha se esquecido do próprio aniversário.

— Nós vamos fazer aquela grande festa no próximo sábado, mas achei que merecíamos uma comemoração extra hoje.

— O quê, por exemplo?

— Eu convidei Jorunn e os pais dela para virem aqui.

Sofia deu de ombros.

— Por mim, tudo bem.

Os convidados chegaram um pouco antes das sete e meia. Ficou um clima meio formal, porque os pais das garotas não eram muito íntimos.

Não demorou muito, e Sofia e Jorunn subiram para o quarto para fazer os convites da festa. Já que teriam que convidar Alberto Knox também, Sofia achou que o convite deveria ser para uma "festa filosófica no jardim". Jorunn não reclamou, afinal o aniversário era de Sofia e festas temáticas estavam em voga.

Por fim elas conseguiram chegar a um rascunho. Duas horas

---

* Literalmente, "bolo de rodelas". Espécie de rocambole doce tradicional em forma de anéis de diâmetros diferentes, empilhados do maior para o menor, confeitados e decorados com bandeiras norueguesas, típico de datas festivas.

haviam transcorrido, e as duas garotas estavam exaustas de tantas gargalhadas que deram.

> *Querido(a)...*
> *Queremos convidar você para uma festa filosófica no jardim da rua Kløver, 3, sábado, 23 de junho (véspera de São-João), às 19h. Ao longo da noite esperamos solucionar o mistério da vida. Traga uma roupa quente e venha contribuir com ideias que possam desvendar os grandes enigmas da filosofia. Não será permitido acender fogueiras por conta do risco de incêndio na floresta aqui vizinha, mas sua imaginação pode e deve estar bem acesa. Haverá ao menos um filósofo verdadeiro entre nós. A festa será restrita aos convidados. (Não será permitida a entrada da imprensa!)*
> *Contamos com a sua presença.*
> *Jorunn Ingebritsen (comitê de organização) e Sofia Amundsen (anfitriã).*

Quando desceram, as garotas pelo menos encontraram os adultos mais descontraídos do que estavam antes.

Sofia deu à mãe o convite passado a limpo com caneta-tinteiro.

— Dezoito cópias, por favor — disse ela. Elas haviam combinado que a mãe de Sofia faria as cópias no escritório.

A mãe deu uma lida no convite e o entregou ao pai de Jorunn.

— Vejam só se ela não está ficando maluca.

— Está parecendo que vai ser uma baita festa — disse o pai de Jorunn, estendendo o convite para sua esposa. — Eu quero muito vir.

Enquanto lia o texto, a mãe de Jorunn disse:

— Eu me rendo. Você não vai nos convidar, Sofia?

— Então são vinte cópias — disse Sofia, levando a sério o que eles tinham dito.

— Você está é bem maluca — disse Jorunn.

Antes de se deitar nessa noite, Sofia passou um bom tempo olhando pela janela. Ela se lembrou de quando vira a silhueta de Alberto no escuro, tarde da noite. Mais de um mês havia se passado. Mas essa noite estava bem clara, pois era verão.

Alberto não se manifestou até a manhã de terça-feira, quando telefonou para Sofia mal sua mãe havia saído para o trabalho.
— Sofia Amundsen?
— Alberto Knox!
— Eu imaginava.
— Desculpe não ter ligado antes, mas estive trabalhando muito no nosso plano. Agora que o major está totalmente concentrado em você, eu fico mais livre e posso trabalhar sossegado.
— Que estranho.
— Nessas horas eu posso me esconder um pouco, sabe? Até o melhor detetive do mundo tem suas limitações quando depende do trabalho de uma só pessoa... Eu recebi o seu cartão.
— O meu convite.
— Você quer mesmo que eu vá?
— Por que não?
— Nunca se sabe o que pode acontecer numa festa assim.
— Você vem?
— Claro que sim. Mas tem outra coisa. Você já se deu conta de que a festa será no mesmo dia em que o pai de Hilde volta do Líbano?
— Para dizer a verdade, não.
— Não é possível que ele a tenha deixado organizar essa festa por acaso, logo no dia em que ele volta para Bjerkely.
— Como eu disse, nem tinha pensado nisso.
— Mas ele pensou. Então nos falamos. Você pode vir até o Chalé do Major ainda hoje pela manhã?
— Na verdade eu tinha que cuidar do jardim, limpar os canteiros de flores.
— Então que tal às duas da tarde? Você consegue?
— Eu vou, sim.

Alberto Knox estava novamente sentado no pórtico quando Sofia chegou.
— Sente-se aqui — disse ele, indo direto ao assunto. — Nós já falamos da Renascença, do Barroco e do Iluminismo. Hoje vamos falar do *Romantismo*, que é como chamamos o derradeiro grande

período cultural da Europa. Estamos nos aproximando do fim de uma longa história, minha querida.
— O Romantismo durou tanto assim?
— Ele começa bem no fim do século XVIII e dura até meados do século XIX. Mas depois de 1850 não faz muito sentido nos referirmos a uma "época" que inclua sozinha literatura, poesia, filosofia, arte, ciência e música.
— E o Romantismo foi uma época assim?
— Costuma-se dizer que o Romantismo foi a última "contribuição coletiva" da Europa para nossa cultura. Ele começou na Alemanha, e consistia numa reação ao culto unilateral à razão representado pelo Iluminismo. Depois de Kant e de sua racionalidade fria, os jovens alemães queriam respirar ares mais leves.
— E o que eles puseram no lugar do Iluminismo?
— As novas palavras de ordem eram "sentimento", "fantasia", "experiência" e "anseio". Alguns pensadores do Iluminismo individualmente, Rousseau, por exemplo, haviam indicado a importância dos sentimentos, mas o fizeram como uma crítica à ênfase unilateral da razão pelos iluministas. Durante o Romantismo, essa se tornou a principal corrente na vida cultural alemã.
— Kant não era mais popular naquele tempo?
— Sim e não. Muitos românticos se comportavam como herdeiros de Kant, pois ele afirmara que existem limites acerca do que podemos saber sobre "das Ding an sich", ou a coisa em si. Por outro lado, Kant demonstrara a importância da contribuição do "eu" na formação do conhecimento. Agora o caminho estava liberado para que o indivíduo fizesse sua própria interpretação da existência. Os românticos converteram isso num culto quase irrestrito ao indivíduo. Isso também conduziu ao surgimento de gênios da arte.
— Houve muitos desses gênios?
— Um exemplo é *Beethoven*. Em sua música se revela alguém que expressa seus próprios sentimentos e angústias. Beethoven é visto como um artista "livre", ao contrário de mestres do Barroco, como *Bach* e *Händel*, que compunham suas obras para louvar a Deus, ou frequentemente sob regras estritas.

— Dele só conheço a *Sonata ao luar* e a *Quinta sinfonia*.*

— Mas, ao ouvi-las, você pode perceber o quanto a *Sonata ao luar* é romântica, e como Beethoven transmite uma sensação dramática na *Quinta sinfonia*.

— Você disse que os humanistas da Renascença também eram individualistas.

— Sim, há muitos traços de união entre a Renascença e o Romantismo. Um deles é o peso que se dá à arte como forma de expressão e conhecimento humano. Nesse ponto Kant também deu sua contribuição. Na sua estética ele pesquisou o que acontece quando somos arrebatados pelo belo, uma obra de arte, por exemplo. Quando nos dedicamos a admirar uma obra de arte sem outros interesses a não ser os da experiência artística, isso nos aproxima de experimentar "das Ding an sich", ou a coisa em si, como ela é.

— O artista pode então nos transmitir algo que o filósofo não consegue expressar?

— Era essa a concepção romântica. Segundo Kant, o artista joga livremente com sua capacidade de cognição. O escritor alemão *Schiller* levou adiante essa ideia de Kant. Ele escreveu que a verdade do artista é como um brinquedo, e somente quando brincamos somos livres, pois assim podemos elaborar nossas próprias leis. Os românticos sustentavam que apenas a arte poderia nos aproximar daquilo que é "indizível". Algumas pessoas levam esse conceito ao pé da letra e chegam a comparar o artista a Deus.

— Pois os artistas criam sua própria realidade, assim como Deus criou o mundo.

— Costuma-se dizer que o artista possui uma "força criadora", uma visão interna capaz de criar novos universos. No seu delírio artístico ele seria capaz de remover as fronteiras entre sonho e realidade. *Novalis*, um dos jovens gênios do Romantismo, disse que "o mundo se torna sonho, o sonho se torna realidade". Ele mesmo escreveu um romance ambientado na Idade Média intitulado *Heinrich von Ofterdingen*, que ficou inacabado, com a morte de Novalis em 1801, mas teve uma enorme repercussão assim mesmo. Nele somos apresentados ao jovem Heinrich na sua busca pela "flor

---

* *Sinfonia do destino*, no original.

azul", que certa vez ele avistou num sonho e desde então se pôs a procurar. O romântico inglês *Coleridge* expressou a mesma ideia desta maneira:

> *What if you slept? And what if, in your sleep, you dreamed? And what if, in your dream, you went to heaven and there plucked a strange and beautiful flower? And what if, when you awoke, you had the flower in your hand? Ah, what then?**

— Que lindo.
— Esse anseio por algo distante e inatingível era um traço típico dos românticos. Ele em geral conduzia também a uma nostalgia de tempos antigos, como a Idade Média, que passava agora a ser fortemente cultuada, ao contrário do que ocorria durante o Iluminismo, quando se enfatizavam apenas seus aspectos negativos. Os românticos também se interessavam por culturas remotas, por exemplo, "as terras do Oriente" e seus mistérios. Eles se sentiam atraídos pela noite, pelo "crepúsculo", por ruínas antigas e pelo sobrenatural. Ocupavam-se do que costumamos chamar de "lado oculto" da existência, isto é, o obscuro, o estranho e o misterioso.
— Parece ter sido uma época muito interessante. Quem eram esses "românticos"?
— O Romantismo foi acima de tudo um fenômeno urbano. Já no começo do século XVIII houve um florescimento da cultura urbana em muitos locais da Europa, em especial na Alemanha. Os "românticos" típicos eram homens jovens, muitos deles ainda estudantes, embora nem sempre se dedicassem muito aos estudos. Eles tinham uma postura de vida marcadamente antiburguesa e podiam, por exemplo, se referir a policiais e proprietárias de pensões como "filisteus" ou mesmo como "inimigos", pura e simplesmente.
— Eu que não queria ser dona de pensão nessa época.
— A primeira geração dos românticos, por volta de 1800, era bem jovem, e podemos dizer que o movimento romântico marcou a primeira revolta juvenil da Europa. Os românticos possuíam muitas

---

* "E se você adormecesse? E se, no sono, sonhasse? E se, no sonho, subisse ao céu e lá colhesse uma flor bela e estranha? E se, ao despertar, tivesse aquela flor na mão? Ah, e então?", em inglês.

semelhanças com a cultura hippie que surgiria cento e cinquenta anos mais tarde.
— Flores, cabelos compridos, solos de guitarra e uma certa preguiça?
— Sim. Dizia-se que "a ociosidade é o ideal do gênio e a lassidão é a primeira virtude do romântico". Era dever do romântico viver a vida, ou, melhor dizendo, vivê-la em devaneios. As obrigações e tarefas da lida diária eram para ser deixadas a cargo dos filisteus.
— Henrik Wergeland foi um romântico?
— Tanto Wergeland como *Welhaven* eram românticos. Wergeland também trazia consigo muitos ideais do Iluminismo, mas a forma como viveu... uma vida tão inspirada quanto errática... possui as características mais marcantes de um romântico. Suas paixões e seus galanteios eram típicos do Romantismo. Sua Stella, a musa a quem dedicava seus poemas, era tão distante e inatingível quanto a "flor azul" de Novalis. Novalis mesmo se apaixonou por uma garota de apenas catorze anos de idade. Ela morreu quatro dias depois de completar quinze anos, mas Novalis continuou adorando-a enquanto viveu.
— Ela morreu quatro dias depois de completar quinze anos, você disse?
— Sim...
— Eu completo quinze anos e quatro dias *hoje*.
— Tem razão.
— Como ela se chamava?
— Ela se chamava Sophie.
— Como?
— Sim, o nome dela...
— Você está me apavorando. Será que é só coincidência?
— Não sei, Sofia. Mas ela se chamava Sophie.
— Continue!
— Novalis mesmo morreu quando tinha apenas vinte e nove anos. Ele era um dos chamados "jovens mortos". Porque muitos românticos morreram muito jovens, frequentemente de tuberculose. Alguns também cometiam suicídio...
— Eu, hein!
— Os que envelheceram abandonaram o Romantismo por vol-

ta dos trinta anos. Alguns se tornaram bem burgueses e conservadores.
— Passaram para o lado do inimigo?
— É, talvez. Mas estávamos falando da paixão romântica. O amor inatingível já havia sido introduzido por Goethe em seu romance epistolar *Os sofrimentos do jovem Werther*, publicado em 1774. O pequeno livro termina com o jovem Werther disparando contra o peito porque não pode ter aquela a quem ama...
— Isso não seria ir longe demais?
— Os índices de suicídio cresceram bastante depois que o romance foi publicado. Durante um período o livro chegou até a ser proibido na Dinamarca e na Noruega. Ser romântico não era nada fácil. Sentimentos e emoções muito fortes estavam em jogo.
— Quando você diz "romântico", eu penso logo naqueles quadros enormes de paisagens. Imagino florestas misteriosas, natureza selvagem... normalmente envolta em névoa.
— Um dos principais traços do Romantismo era exatamente o anseio pela natureza e pela mística da natureza. Como dissemos, não se encontra esse tipo de característica no campo, ele é típico da cidade. Você se recorda de Rousseau e do seu lema "De volta à natureza". Com o Romantismo esse ideal avançou muito. O Romantismo representou também uma reação ao universo mecanicista do Iluminismo. Já se disse que o Romantismo traz em si um renascimento da antiga *consciência cósmica*.
— Pode explicar!
— Com isso quero dizer a concepção da natureza como uma unidade, como um todo. Aqui um fio condutor liga os românticos diretamente a Espinosa e também a Plotino e a filósofos renascentistas como *Jacob Böhme* e Giordano Bruno. Eles experimentaram a sensação de um "eu" divino inserido na natureza.
— Eles eram panteístas...
— Tanto Descartes quanto Hume tinham deixado bem claro que havia uma divisão marcante entre o "eu" e a realidade estendida. Kant também deixou bem clara a separação entre o eu cognitivo e a natureza "em si". Agora se dizia que a natureza era um grande "eu". Os românticos utilizavam a expressão "alma do mundo" ou "espírito do mundo".

— Sei.
— O mais destacado filósofo do Romantismo foi *Schelling*, que viveu de 1775 a 1854. Ele tentou demolir as barreiras existentes entre "espírito" e "matéria". Toda a natureza (tanto a alma humana quanto a realidade física) é a expressão de um único Deus, ou o "espírito do mundo", segundo ele.
— Isso me faz lembrar Espinosa.
— "A natureza é o espírito visível, e o espírito é a natureza invisível", dizia Schelling. Pois em toda a natureza podemos reconhecer um "espírito estruturante". Ele disse também que "a matéria é uma inteligência latente".
— Melhor você explicar direito.
— Schelling enxergava na natureza um "espírito do mundo", mas enxergava esse mesmo espírito na consciência humana. Dito assim, na verdade tanto a natureza como a consciência humana seriam expressões da mesma coisa.
— Sim, e por que não?
— Podemos procurar o "espírito do mundo" tanto na natureza como dentro de nós mesmos. Novalis pôde então dizer que "o caminho permeado de mistérios conduz ao nosso interior". Ele queria dizer que as pessoas carregam o universo inteiro dentro de si e podem experimentar os segredos do mundo mergulhando em si mesmas.
— Uma bela imagem.
— Para muitos românticos, a filosofia, a pesquisa da natureza e a poesia compunham uma só unidade, localizada num patamar superior. Não importava que o objeto fosse uma inspiração para um poema, a vida das flores e a composição das rochas, tudo eram faces diferentes da mesma moeda. Pois a natureza não é nenhum mecanismo sem vida, ela pulsa e é um "espírito do mundo".
— Se você continuar, acho que vou acabar virando uma romântica.
— Nascido na Noruega, o pesquisador *Henrik Steffens*, chamado por Wergeland de "a folha de louro que o vento levou da Noruega" por ter se estabelecido na Alemanha, esteve em Copenhague em 1801 para uma palestra sobre o Romantismo alemão. Ele caracterizou o movimento romântico com estas palavras: "Cansados

da infinita peleja contra a matéria bruta, escolhemos um caminho alternativo e almejamos nos encontrar no infinito. Mergulhamos dentro de nós e criamos um novo universo...".
— Como você consegue decorar isso tudo?
— Não é nenhum grande feito, minha cara.
— Continue!
— Schelling também enxergava uma "evolução" na natureza, da terra e das rochas à consciência humana. Ele apontava as transformações graduais da natureza inanimada até as formas de vida mais complexas. A visão romântica estava marcadamente impregnada da observação da natureza como um organismo, isto é, como uma entidade única em permanente desenvolvimento das suas possibilidades e características. A natureza é como uma flor em que despontam folhas e pétalas. Ou como um poeta de quem florescem poemas.
— Isso não faz lembrar Aristóteles?
— Claro. A filosofia da natureza no Romantismo tem raízes aristotélicas e neoplatônicas. Aristóteles tinha uma visão mais orgânica dos processos naturais do que os materialistas mecanicistas.
— Certo.
— Pensamentos semelhantes podem ser encontrados em relação a uma nova visão da história. Quem teve um grande significado para os românticos foi o filósofo da história *Herder*, que viveu de 1774 a 1803. Ele também achava que o curso da história é marcado por interconexões, desdobramentos e propósitos. Dizem que ele tinha uma visão "dinâmica" da história porque a abordava como um processo. Os filósofos do Iluminismo frequentemente viam a história como algo "estático". Para eles havia apenas uma única razão universal ou abrangente, que se manifestava, às vezes mais, outras vezes menos, durante as diversas épocas. Herder afirmava que cada época na história possui seus próprios valores. Assim como cada povo possui seus costumes, sua "alma coletiva". A questão é se saberíamos viver inseridos em culturas alheias, sob outras perspectivas e pressupostos.
— Assim como temos que nos colocar na pele de outras pessoas para compreendê-las melhor, para compreender melhor outras culturas devemos vivenciá-las.

— Hoje em dia isso é quase uma obviedade. Mas durante o Romantismo era uma descoberta. O Romantismo também colaborou para o fortalecimento do sentimento de identidade nacional. Não foi por acaso que nossa luta pela soberania nacional da Noruega eclodiu em 1814.

— Certo.

— Como o Romantismo abarca tantas áreas do conhecimento, torna-se importante dividi-lo em duas vertentes importantes. Primeiro, quando nos referimos ao Romantismo, estamos falando do *Romantismo universal*. Nesse caso estamos falando dos românticos que se ocupavam da natureza, da alma universal e dos gênios artísticos. Essa forma de Romantismo floresceu antes e teve seu apogeu na cidade alemã de Jena, por volta do ano 1800.

— E a segunda forma de Romantismo?

— Foi o chamado *Romantismo nacional*. Ele surgiria um pouco depois, sobretudo na cidade alemã de Heidelberg. O Romantismo nacional era primeiramente voltado para a história "popular", para o idioma e, em larga medida, para tudo que dizia respeito à cultura dita popular ou "folclórica". Pois também o "povo" era visto como um organismo capaz de desenvolver as possibilidades que eram inerentes a ele, exatamente como a natureza e a história.

— Diz-me onde moras e eu te direi quem és.

— O Romantismo universal e o Romantismo nacional estão unidos principalmente pela palavra-chave "organismo". Os românticos se referiam tanto a uma planta como a um povo como organismos vivos. O idioma era um organismo; sim, e mesmo a natureza tida como um único ser era referida como um organismo vivo. Aqui não há fronteiras bem demarcadas entre as duas vertentes do Romantismo. O espírito do mundo estava presente no povo e na cultura popular, assim como na natureza e na arte.

— Compreendi.

— Herder já havia compilado canções populares de muitos países e deu a essa compilação o título *Stimmer der Völker in Liedern*.* Ele mesmo chamou as canções populares de "idioma materno dos povos". Em Heidelberg passou-se a compilar contos e

---

* "Vozes dos povos em canções", em alemão.

canções folclóricas. Você certamente já ouviu falar dos contos dos *irmãos Grimm*.

— Ah, claro. "Branca de Neve", "Chapeuzinho Vermelho", "A Gata Borralheira", "João e Maria"...

— E muitos, muitos mais. Na Noruega tivemos *Asbjørnsen* e *Moe*, que percorreram o país inteiro para coletar a "poesia própria do povo" em contos e aventuras infantis. Era como a colheita de uma fruta que de repente se descobriu suculenta e nutritiva. E era preciso se apressar, pois as frutas já haviam começado a cair das árvores. *Landstad* reuniu canções populares e *Ivar Aasen* foi responsável por fazer uma compilação do nascente idioma norueguês. Também os mitos antigos e os poemas épicos da era pagã foram redescobertos em meados do século XVIII. Compositores de toda a Europa passaram a utilizar melodias populares em suas composições. Eles tentavam assim construir uma ponte entre a música popular e a música artística.

— Música artística?

— Por música artística entendemos a música composta por um indivíduo específico, por exemplo, Beethoven. A música popular, ou folclórica, não era feita por uma pessoa, mas pelo próprio povo. Por isso não sabemos exatamente de onde vêm as melodias populares. Da mesma forma diferenciamos contos e aventuras populares de contos artísticos.

— E o que são contos artísticos?

— São aventuras criadas por um autor, caso, por exemplo, de *Hans Christian Andersen*. Contos e aventuras eram gêneros bastante cultivados e apreciados pelos românticos. Um dos mestres dessa arte na Alemanha foi *Hoffmann*.

— Acho que já ouvi falar dos *Contos de Hoffmann*.

— O conto era o ideal literário entre os românticos, quase como o teatro era a expressão artística do Barroco. Ele dava ao autor possibilidades infinitas para "brincar" com sua criação.

— Ele podia brincar de Deus e inventar seu próprio mundo.

— Exatamente. E aqui talvez seja bom pararmos e fazermos um breve resumo do que já dissemos.

— Por favor!

— Os filósofos do Romantismo entendiam "alma do mundo" como um "eu" que, numa condição mais ou menos onírica, era capaz de conceber as coisas que existem. O filósofo *Fichte* apontou que a natureza provinha de uma realidade criativa superior e inconsciente. Schelling afirmou algo semelhante, que o mundo era "em Deus". Alguma coisa em Deus é consciente, dizia ele, porém na natureza existem facetas que representam o inconsciente em Deus, pois Deus também possui um lado "obscuro".

— Uma ideia tão assustadora quanto fascinante. Me lembra Berkeley.

— Era quase da mesma maneira que se concebia a relação entre os autores e suas obras. Os contos e aventuras possibilitaram a eles brincar com a sua "capacidade de criar mundos". E o ato da criação por si só não é tão consciente assim. Os escritores experimentavam uma força interior assumindo o controle de si mesmos. Era quase como se estivessem hipnotizados quando escreviam.

— É mesmo?

— Mas eles podiam de repente romper essa ilusão. Podiam incluir na narrativa alguns breves comentários irônicos para seus leitores, de modo que eles pudessem se dar conta de que uma aventura era uma fantasia.

— Sei.

— E assim os autores levavam os leitores a lembrar que a própria existência deles era uma aventura. Essa forma de romper a ilusão é chamada de "ironia romântica". Nosso *Ibsen* permite a um dos personagens de *Peer Gynt* dizer que "não se morre no meio do quinto ato".

— Posso perceber que essa é uma réplica um tanto engraçada. Pois ele está dizendo ao mesmo tempo que tudo é apenas fantasia.

— É uma fala tão paradoxal que podemos tomá-la como um encerramento.

— O que você quer dizer com isso?

— Nada, Sofia. Mas nós vimos que a paixão de Novalis se chamava Sophie como você e morreu quando tinha apenas quinze anos e quatro dias...

— Você viu que eu fiquei assustada com isso.

Alberto tinha uma expressão grave no rosto. E continuou:

— Mas você não precisa ficar com medo de ter o mesmo destino da amada de Novalis.

— Por que não?

— Porque ainda faltam muitos capítulos para este livro terminar.
— O que é que você está dizendo?
— Estou dizendo que quem está lendo a narrativa de Sofia e Alberto pode sentir na ponta dos dedos que ainda faltam muitas páginas para o fim da história. Nós só chegamos ao Romantismo.
— Você está me deixando confusa.
— Na verdade é o major que está tentando deixar Hilde confusa. Não lhe parece simples, Sofia? Pronto. Fim desta seção!

Alberto mal acabara de falar quando um garoto apareceu correndo do meio da floresta. Ele vestia trajes árabes e tinha um turbante na cabeça. Numa das mãos trazia uma lâmpada a óleo.
Sofia pegou Alberto pelo braço.
— Quem é ele? — perguntou.
O próprio garoto respondeu.
— Eu sou Aladim e vim direto do Líbano.
Alberto o fitou bem sério.
— E o que você tem dentro da sua lâmpada, garoto?
Ele esfregou a lâmpada e dela saiu uma grossa nuvem de fumaça. Do meio da fumaça surgiu uma figura humana. Era um homem com uma barba cerrada como a de Alberto, e tinha uma boina azul na cabeça. Flutuando na fumaça, ele disse o seguinte:
— Você está me ouvindo, Hilde? Estou atrasado para lhe dar mais uma vez parabéns. Agora quero dizer apenas que Bjerkely e Sørlandet são para mim uma pequena aventura. Nos veremos daqui a alguns dias.
Logo depois a fumaça foi sugada para o lugar de onde saíra. O garoto pôs a lâmpada debaixo do braço e desapareceu correndo pela floresta.
— Isso é... completamente inacreditável — disse Sofia.
— Bobagem, minha cara.
— O gênio da lâmpada falou exatamente do mesmo jeito que o pai de Hilde.
— Bem, era o espírito dele.
— Mas...
— Tanto você quanto eu e tudo que nos rodeia está aconte-

cendo nas profundezas da consciência do major. Já é tarde da noite de sábado 28 de abril, e em volta dele dormem todos os soldados da ONU, e ele mesmo não tardará a cair no sono. Mas ele tem que terminar o livro que dará de presente de quinze anos a Hilde. Por isso ele precisa continuar trabalhando, Sofia, o pobre homem não consegue descansar nem um pouco.

— Acho que desisto.
— Fim desta seção!

Sofia e Alberto permaneceram sentados, contemplando o pequeno lago. Alberto mais parecia petrificado. Depois de uns instantes Sofia tomou coragem e cutucou o ombro dele.

— Você virou pedra?
— Ele interferiu diretamente. As últimas falas foram escritas por ele. Ele devia se envergonhar. Mas dessa forma ele também se entregou totalmente. Agora sabemos que vivemos nossa vida dentro de um livro que o pai de Hilde vai dar a ela de presente de aniversário. Você ouviu o que eu disse? Não, quer dizer, não fui bem "eu" quem disse isso.

— Se isso for verdade, eu vou querer sair de dentro desse livro e seguir meu próprio caminho.

— E é precisamente esse o meu plano secreto. Mas, para que isso aconteça, precisamos tentar incluir Hilde na narrativa. Ela está lendo cada palavra que dizemos agora. Assim que a tivermos atraído para cá, será muito mais difícil para ele contatá-la novamente. Precisamos aproveitar a oportunidade já.

— O que vamos dizer a ela?
— Acho que não falta muito tempo para que o major adormeça sobre a máquina de escrever, ainda que seus dedos se movimentem com uma rapidez febril.

— Que coisa estranha de imaginar!
— Mas é justamente nesses momentos que ele pode escrever coisas das quais vai se arrepender depois. E ele não dispõe de líquido corretor, Sofia. É uma parte importante do meu plano, ele não poderá apagar o que escrever. Eu conto com o fato de que ninguém vai emprestar ao major Albert Knag um vidrinho de líquido corretor.

— De mim ele não vai conseguir nem uma gotinha.
— Neste instante quero conclamar a pobre garota a se rebelar contra seu próprio pai. Ela deveria se envergonhar por se deixar levar por este jogo de sombras de mau gosto. Se ele pelo menos estivesse aqui, iria sentir na pele a nossa revolta.
— Mas ele não está aqui.
— Ele está aqui, sim, de alma e de espírito, mas seu corpo está a salvo no Líbano. Pois tudo à nossa volta é o "eu" do major.
— Mas ele também é algo mais do que podemos ver aqui.
— Porque somos apenas sombras na alma do major. E não é fácil para uma sombra atacar seu mestre, Sofia. É preciso coragem e esperteza além da conta. Mas temos a possibilidade de sensibilizar Hilde. Somente um anjo pode se rebelar contra Deus.
— Podemos pedir a Hilde que o receba fazendo caretas e mostrando a língua quando ele chegar em casa. Ela pode dizer que o acha um grosso. Ela pode destruir o seu barco, ou pelo menos quebrar os faróis...

Alberto balançou a cabeça e disse:
— Ela pode também escapar dele. É muito mais fácil para ela que para nós. Ela pode sumir da casa do major para nunca mais aparecer. Não seria uma lição e tanto para um major que fica brincando com sua "capacidade de criar mundos" às nossas custas?
— Já posso até ver. O major viajando mundo afora atrás de Hilde. Mas Hilde está longe porque não aguenta mais viver com um pai que se diverte às custas de Alberto e Sofia.
— Ele se diverte às nossas custas, sim. Foi o que eu quis dizer quando afirmei que ele nos usa como animadores de festinhas. Mas é bom que ele tome cuidado, Sofia. E Hilde também.
— Como assim?
— Você está bem sentada?
— Sim, só espero que não me apareça outro gênio da lâmpada...
— Tente imaginar que tudo que vivemos se passa na consciência de outra pessoa. Nós não temos, portanto, uma alma própria, somos a alma de outra pessoa. Até aqui estamos na trilha filosófica que conhecemos bem. Tanto Berkeley quanto Schelling estariam de orelhas em pé.
— E aí?

— Vamos supor que essa alma é o pai de Hilde Møller Knag. Ele está no Líbano escrevendo um livro de filosofia para os quinze anos de sua filha. Quando Hilde acordar no dia 15 de junho, vai encontrar o livro em cima da mesa de cabeceira, e então ela e outras pessoas poderão ler sobre nós. Já sabemos há muito tempo que o "presente" era para ser compartilhado com outras pessoas.
— Eu me lembro disso.
— Hilde está lendo o que eu estou dizendo para você agora, depois que um belo dia seu pai, que está lá no Líbano, inventou que eu estou lhe contando que ele está no Líbano inventando que eu estou lhe contando que ele está no Líbano...

O mundo rodopiou na cabeça de Sofia. Ela ainda estava tentando recordar o que ouvira a respeito de Berkeley e dos românticos. Alberto Knox continuou:

— Mas nem por isso eles deveriam se dar por satisfeitos, porque ri melhor quem ri por último.
— Você está falando de quem?
— De Hilde e do pai dela. Não era deles que estávamos falando?
— Mas por que eles não deveriam se dar por satisfeitos?
— Porque eles também podem ser apenas imaginação.
— Quê?
— Se foi possível para Berkeley e para os românticos, deve ser possível para eles também. Talvez o major também seja uma sombra cujo enredo gira em torno dele e de Hilde, e naturalmente também de nós, porque também somos uma parte da vida deles.
— Seria pior ainda. Aí seríamos sombras de sombras.
— Mas pode ser que outro escritor esteja escrevendo um livro que trata de um major da ONU chamado Albert Knag, que escreve um livro para sua filha Hilde. Esse livro trata de um certo Alberto Knox que de repente começa a enviar cartas sobre filosofia para Sofia Amundsen, na rua Kløver, número 3.
— Você acredita nisso?
— Estou apenas dizendo que é possível. Para nós esse escritor seria como um "Deus oculto", Sofia. Ainda que tudo que façamos e falemos parta Dele, pois nós somos Ele, jamais poderemos saber algo sobre Ele. Nós estamos bem no fundo do menor compartimento que existe.

Sofia e Alberto ficaram ali sentados sem dizer nada por mais um bom tempo. Foi Sofia então que quebrou o silêncio:

— Mas, se existir alguém que esteja escrevendo uma história sobre o pai de Hilde no Líbano do mesmo jeito que ele escreveu a *nossa* história...

— Sim?

— ... então esse escritor também não pode se dar por satisfeito.

— O que você quer dizer?

— Ele está lá, e bem dentro da sua cabeça estamos Hilde e eu. Mas não podemos também supor que ele viva sua vida de acordo com uma consciência superior?

Alberto novamente balançou a cabeça.

— Claro, Sofia. Isso também é possível. E, se for assim, ele nos permitiu ter este diálogo filosófico exatamente por contar com essa possibilidade. Nesse caso ele queria enfatizar que ele também não passa de uma sombra indefesa e que este livro no qual Hilde e Sofia vivem suas vidas é na verdade um livro didático sobre filosofia.

— Um livro didático?

— Pois tudo que conversamos, todos os nossos diálogos...

— Sim?

— Eles são na verdade um monólogo.

— Agora eu passei a achar que tudo se desfaz em consciência e espírito. Estou feliz que ainda existam filósofos por aí. A filosofia que começou tão orgulhosa com Tales, Empédocles e Demócrito não pode terminar por aqui, certo?

— De jeito nenhum. Ainda vou lhe contar sobre Hegel. Ele foi o primeiro filósofo que tentou carregar sozinho a filosofia nas costas depois de os românticos terem afirmado que tudo se desfazia em espírito.

— Estou ansiosa.

— Antes que outros gênios, espíritos e sombras nos interrompam, vamos entrar?

— Além do mais, está um pouco frio aqui fora.

— Fim desta seção!

Hegel
... o que é mais sensato prevalecerá...

Hilde sentiu um cheiro no ar e deixou cair o fichário no chão do quarto. Ela permaneceu deitada na cama olhando bem para o teto. Lá em cima algo parecia caminhar em círculos.
Certamente seu pai tinha conseguido deixá-la confusa. Aquele pilantra! Como ele teve a ousadia?
Sofia havia tentado falar diretamente com ela. Ela lhe pediu que se rebelasse contra seu próprio pai. E de fato conseguiu plantar uma ideia na cabeça de Hilde. Um plano...
Sofia e Alberto podiam tanto quanto um fio de cabelo da cabeça do major. Mas não Hilde. Por meio dela seria possível para Sofia aproximar-se de Albert Knag.
Ela concordava com Sofia e Alberto: seu pai tinha ido longe demais com a brincadeira com as sombras. Ainda que ele tivesse criado Alberto e Sofia, deveria haver limites para as demonstrações de poder que ele se dava o direito de fazer.
Sofia e Alberto, coitados! Eles eram tão indefesos diante da imaginação do major quanto a tela do cinema diante do projetor.
Claro que Hilde iria lhe dar uma lição quando ele retornasse! Na sua mente ela já tinha o esboço de um plano.
Ela foi até a janela e deu uma olhada na baía. Já eram quase duas horas. Ela abriu a janela e gritou na direção do atracadouro.

— Mamãe!
Sua mãe logo apareceu.
— Vou levar uns sanduíches para nós daqui a uma hora, que tal?
— O.k.
— Vou só ler um pouco sobre Hegel.

Alberto e Sofia haviam sentado novamente, cada um na sua poltrona, diante da janela que dava para o pequeno lago.
— *Georg Wilhelm Friedrich Hegel* foi um filho legítimo do Romantismo — disse Alberto. — Você pode até dizer que ele acompanhou a evolução do espírito alemão. Ele nasceu em Stuttgart em 1770 e começou a estudar teologia em Tübingen quando completou dezoito anos. A partir de 1799 colaborou com Schelling em Jena, justamente quando o movimento romântico experimentava seu apogeu. Depois de atuar como docente em Jena, ele se tornou professor em Heidelberg, o núcleo do Romantismo nacional na Alemanha. Por fim ele exerceu o cargo de professor em Berlim a partir de 1818, justamente quando a cidade tinha se transformado numa espécie de centro intelectual da Alemanha. Em novembro de 1831 ele morreu de cólera, mas o "hegelianismo" já havia se espalhado por quase todas as universidades alemãs.
— Ele presenciou o que aconteceu de mais importante naquela época, então.
— Sim, e isso vale para sua filosofia. Hegel reuniu e desenvolveu as principais ideias que haviam surgido entre os românticos. Mas ele também era um crítico severo, por exemplo, da filosofia de Schelling.
— O que ele via de errado em Schelling?
— Tanto Schelling como os demais românticos tinham dito que a razão mais profunda da existência seria o chamado "espírito do mundo". Hegel também emprega a expressão "espírito do mundo", mas lhe dá um novo significado. Quando Hegel menciona o "espírito do mundo" ou a "razão do mundo", ele está se referindo ao somatório de todas as manifestações humanas. Pois apenas o homem possui um "espírito". Nesse sentido ele pode falar da marcha de um "espírito do mundo" ao longo da história. Apenas não devemos

esquecer que ele está se referindo à vida humana, aos pensamentos humanos e à cultura humana.

— Então esse espírito é bem menos fantasmagórico. Ele não está à espreita como uma "inteligência adormecida" dentro de pedras e árvores.

— Você está bem lembrada do que disse Kant sobre "das Ding an sich", a coisa em si. Ainda que ele rejeitasse o fato de o homem ter um conhecimento claro dos segredos mais profundos da natureza, dizia que existe um tipo de "verdade" irrevelada. Hegel dizia que "a verdade é subjetiva". Com isso também contestava a existência de qualquer "verdade" acima ou fora da razão humana. Todo conhecimento é um conhecimento humano, afirmou ele.

— Ele queria que a filosofia pusesse de novo os pés no chão, certo?

— Sim, você pode falar dessa forma. Se bem que a filosofia de Hegel é tão diversificada e tão nuançada, que por vezes teremos que ser bem específicos em alguns dos tópicos principais. É quase uma imprecisão dizer que Hegel tinha sua própria "filosofia". O que chamamos de filosofia de Hegel é primeiramente um *método* de compreender o curso da história. Por isso não é possível falar de Hegel sem falar da história da humanidade. A filosofia de Hegel não nos ensina coisa alguma sobre "a natureza interior da existência", mas nos ensina a pensar de maneira extremamente rica.

— E isso talvez seja o bastante.

— Comum a todos os sistemas filosóficos antes de Hegel era a tentativa de estabelecer critérios eternos para o que os homens podem saber sobre o mundo. Isso valia indistintamente para Descartes, Espinosa, Hume e Kant, por exemplo. Cada um deles havia tentado investigar quais são os fundamentos do conhecimento humano. Mas eles sempre se expressaram com pressupostos *atemporais* para o conhecimento do homem sobre o mundo.

— Mas não é esse o dever do filósofo?

— Hegel dizia que isso não é possível. Ele achava que os fundamentos do conhecimento humano mudam de geração para geração. Portanto, não existem "verdades eternas". Não existe uma razão atemporal. O único ponto fixo em que a filosofia pode se apoiar é a própria história.

— Não, é melhor você explicar isso aí. Se a história está em permanente transformação, como pode ser um ponto fixo?
— Um rio também está em permanente transformação. Mas isso não significa que você não possa falar sobre ele. Contudo, não pode afirmar em que local do vale o rio seria "mais verdadeiro".
— Não, porque o rio será sempre um rio ao longo de todo o seu leito.
— Para Hegel, a história era como o curso de um rio. Cada mínimo movimento da água em algum ponto do fluxo é na verdade determinado pela correnteza e pelo movimento das águas rio acima. Mas também são importantes as pedras e as curvas do trecho que você estiver observando.
— Acho que compreendi.
— Até a história do pensamento, ou a história da razão, é como o curso de um rio. Lá estão contidas as "cachoeiras" de pensamentos tradicionais de pessoas que viveram antes do nosso tempo, assim como as condições vigentes na nossa contemporaneidade, que determinam a nossa maneira de pensar. Você não pode, portanto, sustentar que um determinado pensamento esteja certo para sempre, por toda a eternidade. Mas ele pode estar correto aqui e agora.
— Isso não significaria dizer que tudo estaria meio certo, ou que tudo estaria meio errado?
— Não, mas tudo pode estar certo ou errado em relação a um contexto histórico. Se agora em 1990 você defender a escravidão, na melhor das hipóteses vão rir de você. Mas isso não soaria incorreto dois mil e quinhentos anos atrás. Naquela época já havia vozes progressivas contrárias à escravidão, convém ressaltar. Mas podemos recorrer a um exemplo mais recente. Não era tão "insensato" devastar grandes áreas de florestas para deixar a terra limpa para a lavoura. Agir assim é terrivelmente "insensato" hoje em dia. Nós temos uma compreensão diferente, e melhor, para fazer essa reflexão.
— Agora, sim, eu compreendi.
— Também no que concerne à reflexão filosófica Hegel apontou como a razão é dinâmica; sim, ela é um processo. E "verdade" é o nome que damos a esse processo. Não existem critérios além do processo histórico capazes de determinar o que é "mais verdadeiro" ou "mais sensato".

— Exemplos, por favor.

— Você não pode simplesmente pinçar pensamentos diferentes, sejam eles da Antiguidade, da Idade Média, da Renascença ou do Iluminismo, e dizer que eles estavam certos ou errados. Portanto, jamais pode afirmar que Platão estava errado e Aristóteles certo. Também não pode dizer que Hume estava errado enquanto Kant ou Schelling estavam certos. Essa é uma maneira "a-histórica" de pensar.

— Isso não me soa bem mesmo.

— Você também não pode de jeito nenhum separar um filósofo, ou mesmo qualquer pensamento, falando em linhas gerais, do contexto histórico desse filósofo ou desse pensamento. Mas, e agora estamos nos aproximando de um novo ponto: como há sempre coisas novas surgindo, a razão é "progressiva". Isso quer dizer que o conhecimento está em constante movimento adiante e acompanha o progresso humano. Ele marcha com a história.

— Então talvez a filosofia de Kant esteja mais correta que a de Platão, afinal.

— Sim, o "espírito do mundo" se desenvolveu, e se ampliou, desde Platão até Kant. Isso era de esperar. Se retomarmos a metáfora do rio, podemos dizer que ele recebeu água de mais afluentes. Passaram-se afinal mais de dois mil anos. Kant não deve esperar que sua "verdade" fique estática em alguma curva do rio como as rochas imóveis que lá estão. E o pensamento de Kant será retrabalhado mais à frente, sua "razão" também estará exposta às críticas das gerações seguintes. E foi exatamente isso que aconteceu.

— Mas esse rio de que estamos falando...

— Sim?

— Para onde ele corre?

— Hegel achava que o "espírito do mundo" está em constante desenvolvimento rumo a uma consciência cada vez maior de si mesmo. Assim acontece também com o rio, cujas margens ficam cada vez mais largas à medida que ele se aproxima do mar. Segundo Hegel, a história trata do longo despertar do "espírito do mundo" para a consciência de si mesmo. O mundo permanecerá aqui, mas através da cultura e do progresso humano o "espírito do mundo" fica cada vez mais consciente de suas qualidades.

— Como ele podia ter tanta certeza disso?

— Ele afirma que isso é uma realidade histórica. Não se trata, portanto, de uma espécie de profecia. Quem quer que estude história verá que a humanidade caminha rumo a um "autoconhecimento" e a um "autodesenvolvimento" cada vez maiores. Segundo Hegel, um estudo da história demonstra que a humanidade avança a passo firme para mais *racionalidade* e *liberdade*. Mesmo que enfrente alguns contratempos, o percurso da história será sempre "adiante". Dizemos que a história escreve a si mesma, possui um "propósito definido".

— A evolução continua então. Que bom!

— Sim, a história é como uma única e longa corrente de pensamentos, embora esteja sujeita a determinadas regras, segundo Hegel. Alguém que estude a história com profundidade vai notar que um pensamento se estabelece embasado em outros pensamentos estabelecidos anteriormente. Mas, assim que se firma, um novo pensamento será imediatamente contestado por outro, ainda mais recente. Surge então um terceiro pensamento que aproveita o que há de melhor nos outros dois pontos de vista que o precederam. A isso Hegel chamou de evolução *dialética*.

— Você me daria um exemplo?

— Os pré-socráticos, você deve lembrar, discutiram a questão da substância primordial e suas transformações.

— Acho que lembro...

— Mas depois os eleatas disseram que qualquer transformação na verdade seria impossível. Eles se obrigaram a negar todas as transformações que percebiam, ainda que seus sentidos as registrassem muito bem. Os eleatas afirmavam isso peremptoriamente, e esse ponto de vista Hegel chamou de *posição*.

— E?

— Cada vez que uma afirmação categórica como essa é feita, ela vai revelar uma afirmação contrária, que Hegel chamava de *negação*. A negação para a filosofia dos eleatas veio de Heráclito, para quem "tudo flui". Estabeleceu-se então uma tensão entre duas visões diametralmente diferentes. Mas essa tensão foi anulada quando Empédocles apontou que ambas estavam um pouco certas e um pouco erradas.

— Está ficando mais claro...

— Os eleatas estavam certos ao afirmar que nada se transforma de verdade, mas não estavam certos quando diziam que não podemos confiar nos nossos sentidos. Heráclito acertou ao dizer que podemos confiar nos nossos sentidos, mas errou ao crer que tudo flui.

— Pois havia várias e não apenas uma substância fundamental. A composição pode se alterar, mas não a substância em si.

— Exato. O ponto de vista de Empédocles, que o elabora a partir dos dois pontos de vista opostos, é chamado por Hegel de *negação da negação*.

— Mas que nome, hein!

— Ele denominou os três estágios do conhecimento de "tese", "antítese" e "síntese". Você pode afirmar, por exemplo, que o racionalismo de Descartes era uma tese, que foi contestada pelo empirismo de Hume, a sua "antítese". Mas essa contradição existente, a tensão entre dois modos de pensar opostos, foi dissolvida pela "síntese" de Kant. Kant favoreceu os racionalistas num aspecto e os empiristas em outro. Também demonstrou que racionalistas e empiristas estavam errados em pontos importantes. Mas a história não termina com Kant. A sua síntese serve de ponto de partida para novas reflexões, também divididas numa corrente formada por três partes, ou "tríade". Para cada síntese haverá a oposição de uma nova antítese.

— Isso é muito teórico.

— Sim, teórico de fato é. Mas Hegel não tem a intenção de moldar a história numa espécie de fôrma. Ele dizia que poderia interpretar esse modelo dialético a partir da própria história. E assim dizia ter descoberto determinadas leis para a evolução da razão, ou para a marcha do "espírito do mundo" no curso da história.

— Compreendi.

— Mas a dialética de Hegel não se refere somente à história. Quando discutimos ou debatemos algo, também agimos dialeticamente. Tentamos apontar as deficiências de um modo de pensar. Hegel chamava isso de "pensamento negativo". Mas, ao apontarmos as deficiências de um modo de pensar, preservamos aquilo que ele tem de melhor.

— Exemplo!

— Quando um socialista e um direitista sentam à mesa para

resolver um problema da sociedade, logo se revelará uma tensão entre dois modos de pensar. Isso não significa que um esteja completamente certo e o outro completamente errado. Podemos muito bem chegar à conclusão de que os dois têm um pouco de razão e estão um pouco enganados. À medida que a discussão transcorre, decerto surgirá uma crítica que preservará o que houver de melhor em cada um dos argumentos.

— Espera-se que sim.

— Mas, quando nós estamos no meio de uma discussão assim, nem sempre é fácil saber o que é mais razoável ou racional. O que está certo ou errado, de uma certa forma, cabe à história decidir. O que é mais sensato prevalecerá.

— O que sobreviver é o que está certo.

— Ou ao contrário: o que está certo é que vai sobreviver.

— Você não teria um exemplo mais palpável?

— Há cento e cinquenta anos muita gente lutava pela igualdade de direitos entre homens e mulheres. Muitos também a combatiam. Quando analisamos a argumentação dessas duas partes hoje, não é difícil apontar de quem eram os argumentos mais "sensatos". Mas não devemos esquecer que estamos olhando pelo retrovisor. É *evidente* que os defensores da igualdade tinham razão. Muita gente hoje em dia ficaria envergonhada se conhecesse a opinião de seus bisavôs sobre esse assunto.

— Sim, isso eu posso imaginar. Mas o que diria Hegel?

— Sobre a igualdade?

— Não era sobre isso que estávamos falando?

— Quer ouvir uma citação dele?

— Claro!

— "A diferença entre um homem e uma mulher é a mesma existente entre um animal e uma planta. O animal corresponde melhor ao caráter masculino, a planta mais ao feminino, pois seu desenvolvimento ocorre de uma forma mais tranquila, e tem como princípio a indeterminação na totalidade dos seus sentimentos. Caso a mulher esteja à frente do governo, estará o Estado em perigo, pois ela não age em consonância com as aspirações da maioria, mas influenciada por opiniões ocasionais. A formação das mulheres ocorre, não se sabe bem como, à semelhança da nossa respiração: elas absorvem todas as ideias, mas ao longo da vida não dão mostras de expirar conhecimento. O homem, ao contrário, precisa galgar sua posição por meio de seus pensamentos e de grandes habilidades técnicas."

— Obrigada, já chega! Não quero mais ouvir citações como essa.

— Mas essa citação é um exemplo magnífico da percepção de que aquilo que é "sensato" está em constante mutação. Ela também mostra que Hegel era um produto típico da sua época. Assim como nós somos da nossa. Nossas percepções "óbvias" não vão resistir ao teste da história.

— Você tem algum exemplo?
— Não, eu não tenho exemplo nenhum.
— Como não?
— Porque aí eu iria mencionar algo que ainda está em vias de se transformar. Não poderia afirmar, por exemplo, que dirigir automóveis é estúpido porque polui a natureza. Muitas pessoas até já afirmam isso, mas de todo modo não seria um bom exemplo para se dar aqui. Mas a história vai mostrar que muito do que vivemos hoje em dia como obviedades gritantes não conseguirá passar no seu teste.

— Compreendi.
— Além disso, podemos notar algo mais: exatamente porque muitos contemporâneos de Hegel externaram comentários rudes sobre a suposta inferioridade da mulher é que o movimento de emancipação feminina se fortaleceu.

— Mas como isso foi possível?
— Eles propuseram uma "tese" ou uma "posição". O motivo para tanto foi que as mulheres já haviam começado a levantar suas bandeiras. Nem sempre é necessário deixar evidente uma posição sobre a qual já existe um consenso. Mas, quanto mais fortes e toscos eram seus argumentos sobre a inferioridade feminina, mais forte era a "negação".

— Acho que entendi.
— O melhor que pode acontecer, você pode concluir, é que uma ideia enfrente a oposição mais enérgica possível. Quanto mais forte a oposição, mais forte será a reação que ela vai encontrar. É como a corrente de água que move o moinho: quanto mais forte ela for, mais rápido ele vai girar.

— Eu acho que meu moinho está girando bem rápido depois disso.

— Também do ponto de vista lógico ou filosófico frequentemente há uma tensão dialética entre dois conceitos.

— Por favor, exemplos.

— Se eu abordar o conceito de "ser", não tenho como evitar a abordagem do conceito oposto, isto é, o "não ser". Não se pode refletir sobre a existência sem considerar que, no instante seguinte, pode-se deixar de existir. A tensão entre o "ser" e o "não ser" é solucionada pelo conceito de "transição". Para que algo exista, é necessário que transite a um só tempo entre o ser e o não ser.

— Entendi.

— A razão de Hegel é uma *razão dinâmica*. Como a realidade está impregnada de contradições, a descrição dessa realidade deve obrigatoriamente dar lugar a elas. Aqui temos um exemplo: diz-se que o físico Niels Bohr tinha uma ferradura pendurada na porta de entrada da sua casa.

— Para dar sorte.

— Mas isso é uma superstição, e Niels Bohr era tudo menos supersticioso. Certo dia, ao receber a visita de um amigo, ele ouviu o seguinte comentário: "Mas você não acredita nessas coisas". "Não", respondeu Bohr, "mas ouvi dizer que mesmo assim isso funciona."

— Perdi o fio da meada.

— A resposta foi bastante dialética, alguns diriam até que foi contraditória. Niels Bohr, a exemplo do poeta norueguês *Vinje*, era conhecido por sua "visão dualista" do mundo. Certa vez ele disse que existiam dois tipos de verdades. Existiam as verdades superficiais, cujos opostos estavam, obviamente, errados. Mas também existiam as verdades mais profundas, cujos opostos estavam tão corretos quanto elas mesmas.

— Que tipos de verdades seriam essas?

— Se eu, por exemplo, disser que a vida é curta...

— Concordo.

— Mas em outra circunstância posso abrir os braços e dizer que a vida é longa.

— Você tem razão. De certa forma isso também é verdade.

— Para terminar, você vai ouvir um exemplo de como uma

tensão dialética pode liberar uma ação espontânea que leva a uma mudança repentina.
— Vamos lá!
— Imagine uma garotinha que sempre diz assim para sua mãe: "Sim, mamãe", "Certo, mamãe", "Como você quiser, mamãe", "Já vou fazer isso, mamãe".
— Chego a sentir calafrios só de imaginar.
— Até o dia em que sua mãe fica tão irritada com essa filha tão obediente e lhe dá um grito, bem nervosa: "Não seja tão obediente!". E aí a garota responde: "Está bem, mamãe!".
— Eu daria uma palmada nela!
— Sim. E o que faria se, em vez disso, ela tivesse dito: "Mas eu quero ser obediente, mamãe!".
— Seria uma resposta bem estranha. Talvez ela levasse a palmada do mesmo jeito.
— Em outras palavras, a situação chegou a um impasse. A tensão dialética era tal que *urgia* ocorrer uma transformação.
— A palmada, você quer dizer?
— Devemos agora mencionar um último traço da filosofia de Hegel.
— Estou só esperando.
— Você lembra quando mencionamos o individualismo característico dos românticos?
— "O caminho permeado de mistérios conduz ao nosso interior."
— É exatamente esse individualismo que encontra sua "negação" ou contraditório na filosofia de Hegel. Hegel atribui um peso enorme ao que chama de forças "objetivas", como se refere à família e ao Estado. Podemos talvez afirmar que Hegel não enxerga o indivíduo isoladamente. Para ele, o indivíduo é uma parte orgânica da comunidade. A razão ou o "espírito do mundo" é algo que só transparece nos relacionamentos entre as pessoas.
— Explique melhor.
— A razão se evidencia sobretudo através do idioma. E o idioma é o universo em que nascemos. A língua norueguesa vai esplendidamente bem sem o sr. Hansen, mas o sr. Hansen passaria por muitos apertos se não pudesse contar com a ajuda da língua norueguesa. Não é, portanto, o indivíduo isolado que faz o idioma, mas o contrário.

— Sim, acho que posso concordar com isso.

— Assim como o indivíduo nasce imerso num idioma, ele também nasce imerso nos seus pressupostos históricos. E ninguém é livre dessa relação. Quem não consegue encontrar seu lugar no Estado é, portanto, um indivíduo a-histórico. Esse era um pensamento importante também para os filósofos de Atenas, você deve se recordar. Da mesma maneira que não se pode conceber um Estado a que não pertençam cidadãos, não se podem conceber cidadãos sem que pertençam a um Estado.

— Compreendi.

— Segundo Hegel, o Estado é algo "mais" que o cidadão individual. E é mais que a soma de todos os seus cidadãos também. Para Hegel, também é impossível "se desligar da sociedade". Alguém que vira as costas para a sociedade onde vive com o propósito de "encontrar a si" é, portanto, um tolo.

— Não sei se concordo totalmente com isso, mas o.k.

— Segundo Hegel, não é o indivíduo que "encontra a si", e sim "o espírito do mundo".

— O espírito do mundo encontra a si mesmo?

— Hegel disse que "o espírito do mundo" se volta para si mesmo em três estágios. Ele pretendeu que o "espírito do mundo" toma consciência de si mesmo em três instantes diferentes.

— Pode completar o pensamento, por favor?

— Primeiro o "espírito do mundo" se encontra no indivíduo. A isso Hegel chama de *razão subjetiva*. Uma forma superior de consciência é quando o "espírito do mundo" se percebe na família, na sociedade ou no Estado. Hegel denomina isso de *razão objetiva*, pois ela decorre da inter-relação entre as pessoas. Mas existe ainda o terceiro estágio...

— Mal posso esperar.

— A forma mais elevada de autoconhecimento é quando o "espírito do mundo" atinge a *razão absoluta*. E a "razão absoluta" é a arte, a religião e a filosofia. Destas, a filosofia é a forma mais elevada da razão, pois na filosofia está refletido o papel do "espírito do mundo" na sua realidade histórica. Também é somente na filosofia que o "espírito do mundo" encontra a si mesmo. Se preferir, você pode dizer que a filosofia é o espelho do "espírito do mundo".

— Isso parece tão misterioso que vou precisar de um tempo para processar. Mas gostei disso que você falou por último.
— Eu disse que a filosofia é o espelho do "espírito do mundo".
— Bela frase. Você acha que isso pode ter a ver com aquele espelho com moldura de latão?
— Sim, já que você perguntou.
— De que jeito?
— Eu imagino que esse "espelho de latão" tenha um significado especial, já que ele vem sempre à baila.
— Você tem alguma ideia de que significado seria esse?
— Não, não. Eu disse apenas que esse espelho não seria mencionado com tanta frequência caso não tivesse um significado especial para Hilde e seu pai. Que significado seria esse somente Hilde poderia dizer.
— Isso foi uma ironia romântica?
— Que pergunta inútil, Sofia.
— Por quê?
— Não somos nós que podemos ser os *autores* dessa ironia. Somos apenas *vítimas* indefesas dela. Se uma criança faz um desenho no papel, não podemos perguntar ao papel que desenho é aquele.

Sofia sentiu um frio percorrer sua espinha.

Kierkegaard

... a Europa caminha para a bancarrota...

Hilde olhou o relógio. Já passava das quatro horas. Ela pôs o fichário na escrivaninha e desceu correndo para a cozinha. Tinha que levar o lanche até o atracadouro antes que sua mãe desistisse de esperar. Ainda teve tempo de dar uma olhadela no espelho de latão no meio do caminho.

Ela logo pôs a água do chá para ferver e preparou alguns sanduíches com toda a pressa do mundo. Certamente iria pregar uma peça no seu pai. Hilde se descobria cada vez mais aliada a Sofia e Alberto. E começaria a pôr seu plano em prática ainda em Copenhague...

Pouco tempo depois ela já estava no atracadouro carregando uma grande bandeja.

— Aqui está o nosso lanche — anunciou.

A mãe tinha na mão uma lixa e um pedaço de madeira. Prendeu os cabelos que lhe caíam sobre o rosto, já cobertos por uma camada de serragem, e disse:

— Então vamos mesmo pular o almoço.

Elas sentaram no píer e começaram a comer.

— Quando papai chega? — perguntou Hilde logo em seguida.

— No sábado. Você sabe muito bem.

— Mas a que horas? Você não disse que primeiro ele vai passar por Copenhague?
— Disse... — A mãe mastigava um pedaço de sanduíche de patê de fígado com pepino. — ... ele deve chegar em Copenhague por volta das cinco horas. O avião para Kristiansand decola às oito e quinze. Acho que ele aterrissa em Kjevik às nove e meia.
— Então ele vai passar algumas horas no aeroporto de Kastrup...
— Por quê?
— Por nada... Estava apenas pensando como seria a viagem.
Continuaram a comer. Quando Hilde achou que já era hora de prosseguir a conversa, ela perguntou:
— Você tem tido notícias de Anne e Ole ultimamente?
— Sim, eles costumam ligar de vez em quando. Eles virão nos visitar algum dia nas férias de julho.
— Antes não?
— Acho que não.
— Então eles estarão em Copenhague esta semana?
— Por que essas perguntas, Hilde?
— Por nada. É só para conversarmos.
— Mas é a segunda vez que você menciona Copenhague.
— Sério?
— Nós dissemos que seu pai vai fazer uma escala na Dinamarca...
— E foi por isso que eu pensei na Anne e no Ole.
Assim que terminaram a refeição, Hilde devolveu os pratos e xícaras à bandeja.
— Vou continuar a leitura, mamãe.
— Tudo bem, pode ir...
Será que havia uma ponta de desprezo naquela resposta? As duas tinham combinado deixar o barco pronto para velejar antes que o pai retornasse.
— Papai me fez prometer que eu vou terminar o livro antes que ele volte.
— Acho estranho ele querer controlar as coisas aqui em casa.
— Se você ao menos soubesse quantas coisas ele controla... — disse Hilde num tom de voz misterioso. — E você nem imagina como ele é bom nisso.

Depois subiu para o quarto e retomou a leitura.

De repente alguém bateu na porta. Alberto olhou bem sério para Sofia.
— Não vamos deixar que nos atrapalhem.
As batidas continuaram, mais fortes.
— Vou lhe falar de um filósofo dinamarquês que ficou muito perturbado com a filosofia de Hegel — anunciou Alberto.
As batidas eram tão fortes agora que a porta inteira estremecia.
— Naturalmente o major enviou mais um personagem fantástico para ver se nós caímos de novo no seu truque — continuou ele.
— Esse é o tipo de coisa que não lhe custa nada.
— Mas, se nós não abrirmos para ver quem é, não vai custar nada para ele destruir a casa inteira com essas batidas.
— Talvez você tenha razão. Vamos ver quem é.
Eles foram até a porta. Pela intensidade das batidas, Sofia imaginou se tratar de alguém bem forte. Mas na escada do lado de fora havia apenas uma garotinha com um vestido florido de verão e um cabelo louro, comprido e liso. Em cada mão ela trazia um pequeno frasco. Um era vermelho, o outro era azul.
— Olá — disse Sofia. — Quem é você?
— Eu me chamo Alice — disse a garota timidamente.
— Como eu pensava — disse Alberto, balançando a cabeça. — Alice no País das Maravilhas.
— Mas como ela veio parar aqui?
A própria Alice respondeu:
— O País das Maravilhas é uma terra sem fronteiras. Isso significa que ele está em todo lugar, quase como a ONU. Ele devia, aliás, integrar a ONU como membro honorário. Tínhamos que ter um representante em cada comitê. Porque a ONU também surgiu da fantasia dos homens.
— Ah! Olha o major aí! — murmurou Alberto.
— E o que a traz aqui? — perguntou Alice.
— Eu gostaria de dar a Sofia estes vidrinhos filosóficos.
Ela entregou a Sofia os dois frascos. Ambos eram transparentes, um continha um líquido vermelho e no outro o líquido era azul.

No vermelho estava escrito BEBA-ME e no azul estava escrito BEBA-ME TAMBÉM.

No instante seguinte um coelho branco passou correndo na frente da cabana. Ele se erguia sobre duas patas e vestia um paletó com colete. Quando estava bem diante da porta, tirou um relógio da algibeira e disse:

— É tarde! É tarde! É tarde!

Depois disso continuou a correr. Alice se pôs a persegui-lo, mas, antes de partir, voltou-se para eles, cumprimentou-os e disse:

— Vai começar tudo de novo.

— Mande lembranças para Diná e para a Rainha — gritou Sofia, pois Alice já saíra em disparada.

Alberto e Sofia ficaram na entrada da cabana examinando os frascos.

— BEBA-ME e BEBA-ME TAMBÉM — Sofia leu em voz alta. — Não sei se eu ousaria. Talvez seja veneno.

Alberto fez de conta que não ouviu.

— Foi o major que os enviou, e tudo que parte dele é pura consciência. Esses líquidos não passam de suco de imaginação.

Sofia tirou a rolha do frasco vermelho e com cuidado o aproximou da boca. O líquido era adocicado e tinha um sabor esquisito, mas não era só isso. Ao mesmo tempo algo estranho começou a acontecer com as coisas ao seu redor.

Foi como se o lago, a floresta e a cabana passassem a flutuar. Depois foi como se tudo se fundisse numa só pessoa, e essa pessoa era a própria Sofia. Ela lançou um olhar para Alberto, mas era também como se ele fosse parte da sua alma.

— Que estranho — disse ela. — Eu continuo vendo tudo como antes, mas agora é como se tudo estivesse interligado. Sinto que tudo é uma única consciência.

Alberto concordou com a cabeça, mas Sofia teve a impressão de que era ela mesma quem fazia aquele gesto.

— É o panteísmo ou a filosofia unicista — disse ele. — É o espírito do mundo dos românticos. Eles também experimentavam tudo como um imenso "eu". Também é Hegel, que não enxergava só o indivíduo e via tudo como uma expressão unitária da razão do mundo.

— Devo beber o líquido do outro frasco também?

— É o que diz o rótulo.

Sofia destampou o frasco azul e bebeu todo o seu conteúdo de um só gole. Era um gosto mais refrescante e ácido que o do líquido do frasco vermelho. Mas dessa vez também tudo ao seu redor se transformou bruscamente.

Alguns segundos depois o efeito da bebida vermelha havia cessado, de modo que as coisas pareciam ter voltado aos seus lugares. Alberto era Alberto, as árvores da floresta eram árvores da floresta, e o lago voltou a ter a superfície calma de sempre.

Mas isso durou apenas um segundo, porque tudo que Sofia via começou a se dissolver. A floresta deixou de ser uma floresta, cada mínima árvore parecia um mundo em si. Cada galho, por menor que fosse, era uma aventura em si, sobre a qual se poderiam contar mil outras histórias fantásticas.

O pequeno lago não tardou a se transformar num oceano infinito — não em profundidade ou largura, mas em detalhes cintilantes e movimentos cheios de sutilezas. Sofia sentiu que poderia passar uma vida inteira apenas descrevendo aquele cenário, pois, mesmo quando a vida inteira cessasse de existir, ele continuaria a ser um mistério insondável.

Ela ergueu o olhar para a copa de uma árvore, onde três pequenos pardais se divertiam saltitando. Sofia vira que os pássaros estavam pousados numa árvore antes de tomar o líquido do frasco vermelho, mas só agora pôde observá-los direito. O líquido vermelho que ela bebera apagara todos os contrastes e diferenças individuais.

Sofia se levantou então do degrau onde estava sentada e ajoelhou na grama. Ela descobriu um mundo novo — quase como quando se mergulha pela primeira vez nas profundezas do mar com os olhos abertos. Na terra, em meio às folhas e ao musgo, a vida pululava em pequenos detalhes. Sofia viu uma aranha batucando com as patas no musgo... uma joaninha escalando as folhas mais altas da grama... um exército inteiro de formiguinhas marchando no chão — embora cada formiga movesse as pernas do seu próprio jeito.

O mais estranho foi quando ela se levantou novamente e olhou para Alberto, que continuava no mesmo lugar, na soleira da porta da cabana. Ela viu nele um ser fantástico, que parecia ter vindo de outro planeta — ou talvez um personagem saído de outra história. Ao mesmo tempo, ela percebeu de um jeito todo novo que ela mesma era um indivíduo único. Ela não era somente um ser humano, não era somente uma garota de quinze anos. Ela era Sofia Amundsen — alguém que nenhuma outra pessoa poderia ser.

— O que você está vendo? — perguntou Alberto.

— Estou vendo que você é uma coisa muito estranha.

— É mesmo?

— Acho que jamais vou compreender como é ser outra pessoa. Nenhuma pessoa neste mundo é igual a outra.

— E o que viu na floresta?

— Ela não é mais como era antes. É como se tivesse se transformado num universo inteiro de aventuras fantásticas.

— Foi como eu pensei. O frasco azul é o individualismo. Ele é, por exemplo, a reação de *Søren Kierkegaard* à filosofia unicista do Romantismo. Mas há outro dinamarquês contemporâneo de Kierkegaard: o famoso escritor Hans Christian Andersen, que já mencionamos. Ele tinha essa visão aguçada para uma miríade de detalhes preciosos da natureza. Um filósofo com essa mesma característica foi o alemão Leibniz, que viveu mais de cem anos antes. Ele reagira à filosofia unicista de Espinosa da mesma maneira que Kierkegaard reagiu à de Hegel.

— Eu estou escutando o que você está dizendo, mas ao mesmo tempo está me dando uma vontade danada de rir.

— Compreendo muito bem. Então é bom você dar um golinho no líquido vermelho de novo. Vamos sentar aqui na escada e dizer algumas palavras sobre Kierkegaard antes de dar nossa conversa por encerrada.

Sofia sentou ao lado de Alberto. Bebeu um gole do líquido vermelho e as coisas que flutuavam no ar voltaram aos seus lugares. Na verdade até um pouco demais, pois para Sofia foi como se as diferenças entre elas tivessem deixado de ser marcantes. Então ela pôs a língua na borda do frasco azul novamente, e aí, sim, o mundo voltou a ser como era antes de Alice ter aparecido com aqueles dois vidrinhos.

— Mas o que é o *certo*? — perguntou ela. — É o líquido vermelho ou o azul que nos transporta para a experiência que é mais correta?

— Tanto um quanto o outro, Sofia. Não podemos dizer que os

românticos estavam errados, porque só existe uma realidade. Mas talvez eles tenham sido muito parciais.

— E quanto ao líquido azul?

— Acho que Kierkegaard tomou uns belos goles dele. Ele já tinha um olhar aguçado para a importância do indivíduo. Não somos apenas "produtos do nosso tempo". Cada um de nós é, além disso, um indivíduo único e singular, que vive apenas esta existência.

— E com isso Hegel não se importava muito.

— Não, ele estava muito ocupado com as grandes linhas da história. Isso deixava Kierkegaard enfurecido. Para ele, tanto a filosofia unicista dos românticos quanto o "historicismo" de Hegel haviam drenado a responsabilidade de cada indivíduo sobre sua própria vida. Para Kierkegaard, Hegel e os românticos eram farinha do mesmo saco.

— Acho que compreendo por que ele ficou bravo.

— Søren Kierkegaard nasceu em Copenhague em 1813 e foi educado de forma muito rígida por seu pai. Do pai ele também herdou uma melancolia religiosa.

— Isso não parece muito bom.

— Exatamente por causa dessa melancolia ele se sentiu compelido a romper seu noivado, o que não foi bem-aceito pelos cidadãos de Copenhague. Ele não tardou a ser tratado como um pária social e virou motivo de chacotas; mas também não tardou a dar o troco. Cada vez mais ele se tornou aquilo que Ibsen chamou de "inimigo do povo".

— Por causa de um noivado desmanchado?

— Não apenas por isso. Especialmente no fim da vida, Kierkegaard tornou-se um crítico ácido da cultura do seu tempo. "Toda a Europa caminha para a bancarrota", disse ele. Ele quis deixar bem claro que vivia uma época sem paixão e engajamento. Sua crítica dirigia-se sobretudo à inércia dentro da Igreja, em particular ao que nos referimos como "cristãos de domingo".

— Hoje em dia é mais comum falarmos dos "cristãos da crisma".* A maioria só aceita ser crismada por causa dos presentes.

---

* O sacramento da crisma, ou "confirmação" como lá é conhecido, é muito popular na Noruega de maioria luterana de hoje, e marca o início da adolescência com celebrações festivas.

— É, você compreendeu o ponto. Para Kierkegaard o cristianismo era ao mesmo tempo tão arrebatador e tão contrário à razão que só podia ser "ou isto ou aquilo". Não era possível ser cristão "só um pouco" ou "até certo ponto". Pois ou Jesus ressuscitou no terceiro dia ou não. E, se ele realmente voltou dos mortos, se realmente morreu por nossos pecados, isso é algo tão avassalador que deveria nortear toda a nossa vida.

— Entendi.

— Mas aí Kierkegaard descobriu que tanto a Igreja quanto a maioria dos seus contemporâneos tinham uma postura muito flexível sobre as questões religiosas. Para Kierkegaard mesmo, religião e razão eram como fogo e água. Não basta crer que o cristianismo é "verdadeiro". A verdadeira fé cristã implica seguir os passos de Cristo.

— E o que isso tinha a ver com Hegel?

— Opa! Espere, talvez tenhamos começado pelo lado errado.

— Então, por favor, engate a ré e comece do começo.

— Kierkegaard começou a estudar teologia muito cedo, aos dezessete anos, mas com o tempo ele ficou cada vez mais interessado nas questões filosóficas. Aos vinte e oito ele concluiu seu mestrado com a tese "Sobre o conceito de ironia". Nela ele acerta as contas com a ironia romântica e a maneira irresponsável como os românticos brincam com a ilusão. A essa forma de ironia ele contrapõe a "ironia socrática". Como sabemos, Sócrates também empregava a ironia como recurso filosófico, porém com propósitos bem mais sérios. Ao contrário dos românticos, Sócrates era, como Kierkegaard denominou, um "pensador existencial", isto é, um pensador que transporta sua existência inteira para os domínios da sua reflexão filosófica.

— Sei.

— Depois do rompimento do noivado, em 1841 Kierkegaard viaja para Berlim, onde assiste a conferências de Schelling, entre outros filósofos.

— Ele chegou a encontrar Hegel?

— Não, Hegel morrera havia dez anos, mas o espírito de sua filosofia predominava em Berlim e também em grande parte da Europa. Seu "Sistema" passou a ser utilizado como uma espécie de explicação genérica para todos os tipos possíveis de questionamen-

to. Kierkegaard observou que tais "verdades objetivas" das quais a filosofia hegeliana se ocupava eram inteiramente irrelevantes para responder aos dilemas existencialistas que afligem o indivíduo.
— Qual verdade seria relevante então?
— Mais importante do que encontrar a "Verdade" com V maiúsculo, para Kierkegaard é preciso encontrar as verdades que sejam importantes para a vida de cada indivíduo. É importante encontrar "a verdade para mim". Assim ele contrapõe as duas instâncias: o indivíduo, a quem chama de *o simples*, e *o sistema*. Kierkegaard dizia que Hegel havia esquecido que ele próprio era um ser humano. Ele escreveu esta diatribe contra o típico professor hegeliano: "Enquanto o honrado e especulativo Sr. Professor explica toda a existência, distraidamente se esquece até do próprio nome, esquece-se de que é um ser humano, uma pessoa de carne e osso, e não um fantástico trecho de 3/8 de um §".
— E o que é o ser humano, segundo Kierkegaard?
— Você não pode responder essa pergunta em toda a sua magnitude. Uma descrição abrangente da natureza humana ou do "ser" humano é, para Kierkegaard, totalmente desimportante. A *existência* do indivíduo é o que conta. E as pessoas não vivem sua própria existência sentadas atrás de uma escrivaninha. É quando agimos, e especialmente quando fazemos as *escolhas* mais relevantes, que nos relacionamos com nossa própria existência. Conta-se uma história sobre Buda que explica muito bem o que Kierkegaard quis dizer.
— Sobre Buda?
— Sim, porque a filosofia de Buda parte do princípio da existência humana. Era uma vez um monge que acreditava ter dado respostas imprecisas a perguntas importantes, como o que seriam o mundo e o ser humano. Buda respondeu citando o exemplo de alguém ferido por uma seta envenenada. O ferido não tem o menor interesse em saber do que a seta é feita, em que tipo de veneno ela foi embebida ou de que ângulo ele foi atingido.
— Ele quer na verdade alguém que remova a seta e lhe dê um antídoto para o veneno, não é?
— Sim, não é verdade? Isso é que é existencialmente importante para ele. Tanto Buda como Kierkegaard tinham consciência plena de que a vida não dura mais que um breve instante. Ou, como já se

disse: não se espera de um homem que fique sentado atrás de uma escrivaninha especulando sobre a natureza do espírito do mundo.

— Compreendi.

— Kierkegaard disse também que a verdade é "subjetiva". Com isso ele não queria dizer que não faz diferença o modo como pensamos ou no que acreditamos. Ele quis dizer que as verdades que realmente importam são verdades *pessoais*. Somente tais verdades serão "verdades para mim".

— Você pode dar um exemplo de uma verdade assim?

— Uma questão importante é, por exemplo, se o cristianismo é verdadeiro. Não é uma pergunta para a qual se possa ter uma abordagem teórica ou acadêmica. Para alguém que tenha "consciência da própria existência", trata-se de uma questão de vida ou morte. Também não é algo que possamos debater a nosso bel-prazer. Ao contrário, é algo que pede uma abordagem apaixonada e ao mesmo tempo de total introspecção.

— Sei.

— Se você cair na água, não vai querer ficar teorizando sobre se vai ou não se afogar. Nem será "interessante" ou "desinteressante" especular se há crocodilos por lá. Tudo ali é uma questão de vida ou morte.

— Se é!

— Também é preciso discernir a questão sobre a existência ou não de Deus da relação individual que se pode ter com essa mesma questão. Diante dessa dúvida cada pessoa fica completamente só, porque de questões de tamanha importância só podemos nos aproximar através da *fé* individual. As coisas que podemos descobrir por meio da razão são, segundo Kierkegaard, totalmente irrelevantes.

— Melhor você explicar isso.

— Oito mais quatro é igual a doze, Sofia. Podemos ter certeza disso. Esse é um exemplo das tais "verdades racionais" a que todos os filósofos depois de Descartes se referiram. Mas nós por acaso incluímos equações matemáticas nas preces que fazemos antes de dormir? São coisas sobre as quais nos poremos a pensar quando estivermos prestes a morrer? Não, tais verdades talvez sejam "objetivas" e "abrangentes", mas por isso mesmo são absolutamente inúteis na existência de cada indivíduo.

— E com relação à fé?

— Você não tem como saber se uma pessoa a perdoou depois de você ter feito algo de mal a ela. Exatamente por isso essa é uma questão existencial para você. É uma questão relacionada à sua existência. Você também não tem como saber se outra pessoa gosta de você. Você pode acreditar ou talvez ter esperança de que isso seja verdade. Mas para você essas questões serão mais importantes do que o fato de que a soma dos ângulos de um triângulo sempre totaliza cento e oitenta graus. Da mesma forma ninguém fica pensando em coisas como a "lei da causalidade" ou "formas intuitivas" logo que dá o primeiro beijo.

— Não, isso seria muita loucura.

— A fé é importante em questões de natureza religiosa. Sobre isso Kierkegaard escreveu: "Pudesse eu objetivamente compreender a Deus, não iria crer, mas exatamente porque não posso é que preciso crer. E, se quiser me conservar nessa crença, devo constantemente tratar de me ater à incerteza objetiva, pois na incerteza objetiva estou sobre setenta mil braças d'água, e, no entanto, creio".

— Que frase pesada!

— Antes de Kierkegaard houve muitas tentativas de provar a existência de Deus, ou ao menos de compreendê-lo por meio da razão. Mas, quando aceitamos de bom grado tais provas ou argumentos racionais sobre a existência de Deus, perdemos a própria noção da fé, e com ela se vai também o fervor religioso. Pois fundamental não é saber se o cristianismo é verdadeiro, mas se é verdadeiro para mim. Durante a Idade Média a mesma coisa era expressa pela fórmula "credo quia absurdum".

— Como?

— Significa "creio porque é absurdo". Se o cristianismo apelasse ao nosso lado racional, e não ao nosso outro lado, então não se trataria de uma questão de fé.

— Agora compreendi melhor.

— Vimos então o que Kierkegaard queria dizer com "existência", o que entendia por "verdade subjetiva" e por "fé". Essas três concepções foram estabelecidas como uma crítica à tradição filosófica, especialmente a Hegel, mas nelas também havia uma "crítica à civilização". Na sociedade urbana moderna a humanidade foi transformada em "público" ou "coletividade", dizia ele, e a característica mais marcante desse "ror" é uma diluição do seu discurso. Hoje talvez falássemos em "conformismo", ou seja, todos temos uma opinião ou posição a respeito de alguma coisa, mas somos incapazes de defendê-la com a devida paixão.

— Eu fico aqui imaginando que Kierkegaard bem poderia depenar umas galinhas* junto com os pais de Jorunn.

— Ele não era lá muito flexível. Sua escrita era mordaz e de uma ironia amarga. Ele podia, por exemplo, surgir com frases como "a multidão é a inverdade", ou "a verdade está sempre na minoria". Ele também apontava que a maioria das pessoas tinha uma relação superficial e descompromissada com a existência.

— Colecionar bonecas Barbie já é ruim. Pior ainda é *ser* uma Barbie...

— Isso nos leva à doutrina de Kierkegaard sobre os "três estágios no caminho da vida".

— O que você disse?

— Para Kierkegaard existiam três diferentes possibilidades para a existência. Ele utiliza a palavra "estágios" para designá-las: o *estágio estético*, o *estágio ético* e o *estágio religioso*. Quando recorre a essa designação, ele o faz para deixar claro que é possível viver nos dois patamares inferiores e subitamente ascender num *salto* para o estágio mais alto. Mas muitas pessoas vivem no mesmo estágio a vida inteira.

— Aposto que já, já vem uma explicação. E estou ficando curiosa para saber em que estágio eu me encontro agora.

— Quem vive no *estágio estético* vive o instante e sempre procura o prazer. O que é bom, o que é belo, plástico ou agradável. Visto assim, alguém que viva nessas condições está preso ao mundo dos sentidos. O esteta fica à mercê dos seus próprios prazeres e sensações. Tudo que o aborrece ou lhe "enche o saco", como dizemos, é para ele negativo.

— Ah, eu acho que conheço muito bem isso aí.

— O romântico típico é também um típico esteta. Pois não estamos tratando apenas dos prazeres sensoriais. Alguém que tenha

---

* "Depenar umas galinhas junto com alguém" é uma expressão idiomática norueguesa que significa algo como "dar uma bela lição".

uma relação lúdica com a realidade, com a arte ou com a filosofia com que porventura trabalhe, vive num estágio estético. Mesmo diante da dor e do sofrimento pode-se sempre ter uma abordagem estética, ou "distanciada". Para o esteta, a vaidade sempre assumirá o comando da situação. Ibsen descreveu um esteta característico no personagem Peer Gynt.

— Acho que compreendo o que você quer dizer.
— Você está se reconhecendo aqui?
— Não inteiramente. Mas acho que o major pode ser um pouco assim.
— É, talvez, Sofia... Muito embora isso seja outra daquelas ironias românticas vulgares que ele tanto aprecia. Você deveria lavar a boca!
— O quê?
— É, tem razão. Não é culpa sua.
— Continue!
— Alguém que viva num estágio estético pode rapidamente experimentar uma sensação de aflição ou um sentimento de vazio. Mas, se isso ocorrer, também haverá esperança. Segundo Kierkegaard a *angústia* é algo quase positivo. É a expressão de que esse alguém atravessa uma "situação existencial". Assim ele, o esteta, poderá enfim dar aquele *salto* e ascender para um estágio superior. Mas esse salto ou acontece ou não. Não adianta se angustiar, estar prestes a dar esse salto e não dá-lo. Novamente falamos de uma situação que envolve escolhas. Ou isto ou aquilo. Só que ninguém mais poderá dar esse salto por você. É você somente quem deverá escolher por e para si.

— É como quando alguém quer largar a bebida ou as drogas.
— Talvez. Quando Kierkegaard descreve essa "instância decisória", ele evoca o dizer de Sócrates: a fonte de todo conhecimento verdadeiro é o nosso interior. Da mesma forma as *escolhas* que permitem ao homem saltar do estágio estético ou ético para o estágio religioso devem vir do seu íntimo. Ibsen também retrata isso em *Peer Gynt*. Outra descrição magistral de como as escolhas existenciais brotam no interior do ser humano, em meio a dúvidas e carências, nos dá o escritor russo Dostoiévski no seu grande romance sobre Raskolnikov.

— Na melhor das hipóteses as pessoas podem escolher outra condição de vida.

— E assim talvez passem a viver no *estágio ético*. Esse estágio é marcado pela seriedade e pelas escolhas consistentes, feitas segundo avaliações morais. Essa condição lembra um pouco a ética do dever de Kant. Procuramos viver segundo a lei moral. Como Kant, Kierkegaard dirige sua atenção para o temperamento humano. O essencial não é, necessariamente, aquilo que se considera certo ou errado. O essencial são as escolhas que se fazem em relação àquilo que é "certo ou errado". Os estetas, por exemplo, só se ocupam do que é "divertido ou entediante".

— Mas não corremos o risco de nos tornarmos sérios *demais* se vivermos desse modo?

— Claro. Segundo Kierkegaard o *estágio ético* não é de forma alguma tranquilizador. Mesmo o homem mais sério eventualmente se cansará de tanto zelo e dedicação. Muitas pessoas podem ter essa reação de fadiga quando envelhecem. Alguns podem retornar à vida lúdica do estágio estético. Mas alguns dão um novo salto para o estágio religioso. Eles ousam dar o salto rumo às "setenta mil braças d'águas" da fé. Escolhem a fé em vez do prazer sensorial e do dever ético. E, mesmo que, na expressão de Kierkegaard, seja "terrível estar à mercê das mãos vivas de Deus", é aí que os homens encontram a verdadeira consolação.

— O cristianismo, portanto.

— Sim, para Kierkegaard o *estágio religioso* era o cristianismo. Mas isso teve uma grande importância também para pensadores não cristãos. No século XX surgiu uma "filosofia da existência" que foi inspirada nesse filósofo dinamarquês.

Sofia finalmente olhou para o relógio.

— Já são quase sete. Tenho que ir voando para casa. Senão minha mãe vai enlouquecer.

Ela se despediu do seu professor de filosofia com um aceno e saiu correndo na direção do lago onde estava ancorado o bote com os remos.

Marx

... um espectro ronda a Europa...

Hilde se levantou da cama e ficou diante da janela contemplando a baía. Ela começara o sábado lendo sobre os quinze anos de Sofia. No dia anterior ela mesma havia festejado seu aniversário.

Se seu pai tinha calculado que ela seria capaz de adiantar tanto assim a leitura, ele estava sendo muito otimista. No dia anterior ela não havia feito nada além de ler. Mas ele estava certo quando disse que faltava apenas mais uma mensagem para felicitá-la. Foi quando Alberto e Sofia cantaram "Parabéns". Hilde achou aquilo ridículo.

Sofia chamou seus convidados para participar da "festa filosófica no jardim" no mesmo dia em que o pai de Hilde regressaria do Líbano. Hilde estava convencida de que naquela data aconteceria algo de que nem ela nem seu pai faziam a menor ideia.

Mas pelo menos uma coisa era certa: assim que chegasse em Bjerkely, seu pai teria que cair na real. Era o mínimo que ela achava que poderia fazer por Sofia e Alberto. Afinal, eles haviam pedido socorro...

Sua mãe ainda estava no atracadouro. Hilde desceu para o térreo e pegou o telefone. Procurou o número de Anne e Ole em Copenhague e teclou.

— Anne Kvamsdal.

— Olá! Aqui é a Hilde.

— Hilde! Que bom falar com você! Como vão as coisas aí em Lillesand?

— Tudo bem, férias, verão e tudo o mais. E agora só falta uma semana para papai voltar do Líbano.

— Que bacana, hein, Hilde?

— Sim, não vejo a hora. E sabe do que mais? Foi exatamente por isso que eu liguei.

— Ah, é?

— Eu acho que ele vai fazer uma escala no Kastrup por volta das cinco horas do sábado dia 23. Vocês por acaso estarão em casa?

— Acho que sim...

— Pensei cá comigo se vocês não poderiam me fazer um favorzinho.

— É só pedir.

— Mas é uma coisa bem especial, o.k.? Nem sei se vai dar certo.

— Agora você me deixou curiosa...

Hilde começou a contar sua história. Ela falou do fichário, de Alberto e de Sofia num só fôlego. Várias vezes teve que repetir tudo de novo porque ou ela ou sua tia caíam na gargalhada. Mas, quando desligou o telefone, seu plano já estava em curso.

Agora ela precisava cuidar de certos preparativos também na Noruega. Se bem que... não era o caso de ter tanta pressa.

O resto da tarde e a noite ela passou com sua mãe. Elas foram ao cinema em Kristiansand. Quiseram fazer algo especial, porque no dia anterior nem comemoraram direito os quinze anos de Hilde. Quando passaram pela pista para o aeroporto de Kjevik, mais umas peças vieram se juntar ao grande quebra-cabeça em que Hilde não parava de pensar.

Só quando ela foi se deitar, tarde da noite, é que pôde continuar a ler as páginas do fichário.

Quando Sofia atravessava a sebe, o relógio já marcava quase oito horas. Sua mãe arrumava os canteiros de flores da entrada da casa quando ela chegou.

— De onde você vem?
— Atravessei a cerca viva.
— Atravessou?
— Você não sabe que existe uma trilha lá do outro lado?
— Mas onde você *estava*, Sofia? Mais uma vez você não veio almoçar e não deu notícias.
— Estava com a cabeça quente. O dia estava tão bonito que eu fui dar uma volta.
A mãe então se levantou e a fitou bem dentro dos olhos.
— Você não foi se encontrar com aquele filósofo de novo, foi?
— Na verdade fui. Eu não tinha dito que ele gosta de caminhar?
— E ele vem à festa?
— Sim, ele está animado.
— E eu também, Sofia. Estou contando os dias.
Aquele tom de voz tinha um quê de malicioso. Por garantia Sofia disse:
— Fiquei feliz de ter chamado os pais de Jorunn também. Senão ia ficar meio chato.
— Ah! Mas não importa o que aconteça, eu vou ter uma conversinha a sós com esse tal de Alberto, de adulto para adulto.
— Pode usar o meu quarto para isso. Tenho certeza de que você vai gostar dele.
— Mas tem outra coisa. Chegou uma carta para você.
— Chegou?
— Com um carimbo do "Batalhão da ONU".
— Então é do irmão do Alberto.
— Basta, Sofia!
Sofia pensou rápido. Depois de um ou dois segundos ela conseguiu se sair com uma resposta passável. Foi como se tivesse conseguido buscar inspiração num espírito que estivesse ali para ajudá-la.
— Eu contei a Alberto que estou colecionando selos raros. E o irmão dele quis ajudar. Por aí você vê como um irmão pode ser útil.
Com isso ela conseguiu acalmar a mãe.
— A comida está na geladeira — disse ela, num tom de voz mais amistoso.
— Onde está a carta?
— Grudada na geladeira.

Sofia entrou correndo em casa. O carimbo era do dia 15 de junho de 1990. Ela rasgou o envelope e tirou dali um pequeno bilhete:

De que vale, afinal, o eterno criar,
se toda criação se desfaz no ar?

Não, para essa pergunta Sofia não tinha resposta. Antes de comer, pôs o bilhete no maleiro junto com todas as outras coisas que havia reunido nas últimas semanas. Ela logo saberia por que mais essa pergunta fora feita a ela.

Na manhã seguinte Jorunn chegou para vê-la. Depois de jogarem um pouco de badminton, retomaram o planejamento da festa filosófica. Elas precisavam ter algumas surpresas na manga caso a festa não estivesse muito animada.

Quando sua mãe voltou do trabalho, elas continuaram a combinar os detalhes. Uma frase a mãe não se cansou de repetir: "Não, não precisam economizar em nada". E agora ela não estava sendo nada irônica.

Era como se ela achasse que uma "festa filosófica no jardim" era exatamente o que Sofia estava precisando para pôr os pés de volta no chão, depois de tantas semanas atribuladas de um curso intensivo de filosofia.

Antes de cair a noite, elas já tinham tudo acertado: do *kransekake* às lanternas japonesas para decorar o jardim e até mesmo um concurso com perguntas e respostas filosóficas que teria como prêmio um livro de filosofia para jovens — se é que tal livro existia. Sofia não estava tão certa disso.

Na quinta-feira 21 de junho — apenas dois dias antes da véspera de São-João —, Alberto voltou a telefonar.

— Sofia.
— Alberto.
— Como vai tudo?
— Tudo ótimo. Acho que encontrei uma saída.
— Saída para quê?
— Você sabe muito bem. Para longe desta prisão intelectual em que já ficamos tempo demais.

— Ah, isso...

— Mas não posso dizer nem uma palavra sobre o plano antes de ele estar em execução.

— Não será tarde demais então? Eu não deveria saber antes o que tenho que fazer?

— Não, não seja ingênua. Tudo que dizemos aqui está sendo vigiado. O mais sensato é ficarmos calados.

— É grave assim?

— Naturalmente, minha cara. O mais importante deve ocorrer quando não estivermos conversando.

— Ah...

— Vivemos nossa vida numa realidade fictícia por trás das palavras de uma narrativa enorme. Cada simples letra aqui é datilografada pelo major numa máquina de escrever barata. Nada do que é escrito escapa à sua atenção.

— Não, eu compreendo. Mas como conseguiremos nos esconder dele?

— Psiu!

— Quê?

— Algo se passa nas entrelinhas também. É aí que eu tento me infiltrar, valendo-me de toda a minha astúcia.

— Compreendi.

— Mas precisamos aproveitar juntos todo o tempo que tivermos hoje e amanhã. No sábado tudo já terá começado a acontecer. Você pode vir aqui agora mesmo?

— Estou indo.

Sofia deu comida para os pássaros e para os peixes, uma folha grande de alface para Govinda e despejou uma lata de ração no comedouro de Sherekan, que pôs perto da escada antes de sair de casa.

Em seguida atravessou a sebe e saiu andando pela trilha do outro lado. Depois de ter caminhado um pouco, se deparou com uma grande escrivaninha bem no meio dos arbustos. Atrás dela estava sentado um homem idoso. Parecia que fazia contas. Sofia se aproximou e perguntou como ele se chamava.

Ele mal se deu o trabalho de erguer os olhos.

— Scrooge — respondeu, e logo voltou aos seus papéis.

— Meu nome é Sofia. O senhor é comerciante?

Ele concordou com a cabeça.
— E podre de rico. Não posso desperdiçar uma coroa sequer. Por isso preciso me concentrar nas contas.
— Que horror!
Sofia se despediu e seguiu seu caminho. Andou alguns metros e avistou uma garota sentada sozinha debaixo de um dos pinheiros mais altos da redondeza. Ela vestia andrajos, estava suja, tinha o rosto pálido e aparentava estar doente. Quando Sofia chegou mais perto, ela enfiou a mão num saquinho e tirou dali uma caixa de fósforos.
— Quer comprar fósforos? — perguntou ela.
Sofia apalpou os bolsos procurando algum trocado — sim, num deles havia uma coroa.
— Quanto é?
— Uma coroa.
Sofia entregou a moeda à garota, que lhe deu a caixa de fósforos.
— Você é a primeira a comprar alguma coisa de mim em mais de cem anos. Às vezes passo fome, outras quase congelo de tanto frio.
"Também pudera", pensou Sofia. Uma floresta não era o melhor lugar para alguém vender fósforos. Mas aí ela se lembrou do comerciante rico que vira pouco antes. Não fazia sentido uma garotinha passar fome se havia alguém com tantos recursos ali ao lado.
— Venha cá — disse Sofia.
Ela pegou a garotinha pela mão e a levou até o homem rico.
— O senhor deveria ajudar esta garota a levar uma vida melhor — disse ela.
O homem afastou os papéis e respondeu:
— Isso custa dinheiro, e eu já lhe disse que não posso desperdiçar uma coroa sequer.
— Mas é muito injusto que o senhor seja tão rico e esta garota seja tão pobre — insistiu Sofia.
— Que nada! Só existe justiça entre iguais.
— O que o senhor quer dizer com isso?
— Eu trabalhei muito para chegar até aqui, e meu trabalho rendeu frutos. O nome disso é progresso.
— Sinceramente! — replicou Sofia.

— Se ninguém me ajudar, eu vou morrer de fome — disse a garota.

O comerciante voltou a examinar seus papéis. Depois deixou cair a caneta sobre a escrivaninha.

— Seu nome não consta na minha contabilidade. Por que não procura um orfanato?

— Se não me ajudar, vou pôr fogo nesta floresta — disse a pobre garota.

Imediatamente o homem se levantou, mas a garota já tinha acendido um fósforo. Ela o aproximou de um monte de grama seca que logo pegou fogo.

O homem rico agitou os braços.

— Socorro! — gritou ele. — O galo vermelho cantou!

A garotinha o encarou com um sorriso desafiador.

— Você não sabia que eu era comunista.

No instante seguinte tanto a garota quanto o homem e a escrivaninha desapareceram. Sofia ficou sozinha enquanto o fogo consumia a mata seca. Ela conseguiu debelar o incêndio pisando nas chamas, e logo depois tudo voltou ao normal.

Graças a Deus! Sofia olhou para as cinzas e para o solo chamuscado. Na mão dela havia uma caixa de fósforos.

Será que fora ela que pusera fogo na mata?

Quando encontrou Alberto diante da cabana, contou tudo que tinha se passado.

— Scrooge era o capitalista ganancioso de *Um conto de Natal*, de *Charles Dickens*. E a garota com os fósforos certamente lhe trará à memória o conto de autoria de Hans Christian Andersen.

— Não é muito estranho que eu os tenha encontrado bem aqui na floresta?

— De jeito nenhum. Esta não é uma floresta qualquer, e vamos falar de *Karl Marx*. E agora talvez você tenha uma ideia melhor de como eram enormes as diferenças sociais em meados do século XIX. Mas vamos entrar. Além do mais, aqui dentro ficamos mais distantes dos ouvidos do major.

Novamente eles sentaram diante da mesa junto à janela com

vista para o lago. Sofia ainda tinha na mente a visão que tivera do lago depois de ter bebido o líquido azul.

Os dois frascos, o azul e o vermelho, agora estavam no console da lareira. Em cima da mesa havia uma miniatura de um templo grego.

— O que é isso? — perguntou Sofia.

— Uma coisa de cada vez, minha querida.

E então Alberto se pôs a falar sobre Marx:

— Quando Kierkegaard chegou a Berlim em 1841, talvez tenha sentado ao lado de Karl Marx durante uma conferência qualquer proferida por Schelling. Kierkegaard tinha escrito uma tese de mestrado sobre Sócrates, e Karl Marx, na mesma época, escrevera seu doutorado sobre Demócrito e Epicuro, ou seja, sobre o materialismo na Antiguidade. Com isso ambos já haviam traçado o curso que suas próprias filosofias iriam tomar.

— Então quer dizer que Kierkegaard virou um filósofo existencialista e Marx um materialista?

— Marx tornou-se o que chamamos de *materialista histórico*. Mas voltaremos a isso logo mais.

— Prossiga!

— Cada um a sua maneira, tanto Kierkegaard quanto Marx adotaram como ponto de partida a filosofia de Hegel. Os dois são influenciados pelo seu modo de pensar, mas os dois se afastam do "espírito do mundo", ou do que chamamos também de idealismo hegeliano.

— Devia ser algo muito vago para eles.

— Completamente. De maneira bem geral dizemos que a era dos grandes sistemas filosóficos chegou ao fim com Hegel. Depois dele a filosofia toma uma direção inteiramente nova. Em vez de grandes sistemas especulativos, tivemos uma "filosofia da existência" ou uma "filosofia da ação". Foi o que Marx constatou quando disse: "Os filósofos apenas interpretam o mundo. Cabe agora modificá-lo". Essas mesmas palavras marcaram uma importante inflexão na história da filosofia.

— Depois de ter visto Scrooge e a garota dos fósforos não tenho nenhuma dificuldade em entender o que Marx queria dizer.

— O pensamento de Marx também tem um objetivo prático e

político. Devemos notar que ele não era apenas filósofo. Era historiador, sociólogo e economista.

— E se destacou em todas essas áreas?

— Pelo menos nenhum outro filósofo adquiriu tamanho significado para a prática política. Por outro lado, devemos ter cuidado ao identificar com o pensamento de Marx tudo que é tido como "marxista". Diz-se que o próprio Marx só se tornou "marxista" em meados da década de 1840, mas mesmo depois disso ele achava necessário ressaltar que não era "marxista".

— Jesus era cristão?

— Isso obviamente também é objeto de discussão.

— Prossiga.

— Desde o início seu amigo e colega *Friedrich Engels* colaborou para o que seria depois chamado de "marxismo". No século XIX, Lênin, Stálin, Mao e muitos outros deram sua contribuição ao marxismo, ou "marxismo-leninismo".

— Então eu sugiro que fiquemos só com Marx mesmo. Você disse que ele foi um "materialista histórico"...

— Ele não foi um "filósofo materialista" nos termos dos antigos atomistas e dos materialistas mecanicistas dos séculos XVII e XVIII. Mas ele achava que as relações materiais na sociedade eram as principais responsáveis por determinar como pensamos. Essas relações materiais também eram decisivas para a evolução da história.

— Isso é bem diferente do "espírito do mundo" de Hegel.

— Hegel dizia que a evolução histórica decorre da tensão entre opostos, que eram solucionados por uma mudança súbita. Marx leva esse pensamento adiante. Mas segundo ele o bom Hegel enxergava as coisas de cabeça para baixo.

— O tempo inteiro?

— Hegel resolveu chamar de "espírito do mundo" a força que alavanca a história. É isso que para Marx era inverter as coisas. Ele queria demonstrar que as transformações materiais é que são determinantes. Também não seriam, portanto, os "pressupostos espirituais" que criariam as transformações materiais, mas o contrário. As transformações materiais é que permitem o surgimento de novos pressupostos espirituais. Marx dava especial importância às forças econômicas da sociedade e às transformações que possibilitam, dessa forma fazendo girar a roda da história.

— Você não teria como dar um exemplo?
— A filosofia e a ciência da Antiguidade tinham um objetivo puramente teórico. Naquela época não se estava preocupado em saber se o conhecimento adquirido seria capaz de gerar melhorias na vida prática.
— É?
— Isso tinha a ver com a própria estrutura da ordem econômica de então. Em grande medida a produção era baseada no trabalho escravo. Os cidadãos mais ricos não tinham necessidade de melhorar os meios de produção com inovações práticas. Isso é um exemplo de como as relações materiais determinam a reflexão filosófica de uma sociedade.
— Entendi.
— A tais relações materiais, econômicas e sociais de uma sociedade Marx chamou de *bases* dessa sociedade. A maneira como as pessoas se inserem nela, as instituições políticas que ela possui, as leis vigentes e também a religião, moral, arte, filosofia e ciência de uma sociedade são denominadas por Marx de *superestrutura*.
— Base e superestrutura, então.
— E agora talvez você possa me alcançar aquele templo grego ali.
— Aqui está.
— É uma miniatura exata do antigo Partenon, na Acrópole. Você já teve oportunidade de conhecê-lo.
— Em vídeo, você quer dizer.
— Observe que a construção possui um teto elegante e trabalhado. Talvez o teto e a fachada sejam as primeiras coisas a nos chamar a atenção. E a isso podemos nomear "superestrutura". Mas o teto não pode flutuar no ar.
— Ele depende das colunas.
— O prédio inteiro depende de fundamentos sólidos (ou da base) que sustentam toda a construção. Da mesma forma Marx dizia que as relações materiais são como um sustentáculo de todas as ideias e pensamentos existentes na sociedade. Assim, a superestrutura no edifício da sociedade é o reflexo da sua base.
— Você quer dizer que a teoria das ideias de Platão é um reflexo da produção das olarias e videiras de Atenas?

— Não, não é assim tão simples, Marx chama bem a atenção para isso. Há uma influência mútua entre a base e a superestrutura da sociedade. Se tivesse negado isso, Marx teria sido um "materialista mecanicista". Mas, pelo fato de ele ter antevisto que existe uma relação mútua, ou *relação dialética*, entre a base e a superestrutura, dizemos que ele é um *materialista dialético*. Aliás, é bom você saber que Platão nunca exerceu o ofício de oleiro nem de viticultor.
— Compreendi. Você ainda vai falar do templo?
— Sim, mais um pouquinho. Observe bem a base, talvez você possa descrevê-la para mim.
— As colunas são alicerçadas numas plataformas que consistem em três níveis, ou degraus.
— Podemos também identificar três níveis na base da sociedade. O mais "basilar" é o que chamamos de "condições de produção". Ele vai determinar as relações ou recursos naturais existentes na sociedade. Aqui eu me refiro às relações que têm a ver com o clima e com as matérias-primas disponíveis. Só isso já estabelece as paredes que dividem a sociedade, e essas paredes estabelecem fronteiras bem claras para o tipo de produção que essa sociedade pode ter. E com isso estarão estabelecidas também fronteiras igualmente claras para o tipo de sociedade e de cultura que vai prosperar ali.
— Não se pode, por exemplo, viver da pesca de arenque, um peixe do Ártico, no Saara. Nem é possível cultivar tâmaras do deserto no norte da Noruega.
— É esse o ponto. Mas também o modo de pensar de um povo nômade no deserto é bastante diverso daquele de uma colônia de pescadores no Ártico. O degrau seguinte consiste nas "forças produtivas" que existem na sociedade. Aqui Marx está se referindo aos tipos de ferramentas, equipamentos e máquinas disponíveis.
— Antigamente a pesca era feita manualmente em pequenos barcos a remo, mas hoje em dia se pesca com redes de arrasto em traineiras gigantescas.
— E aqui você acaba de passar para o próximo degrau da base social, ou seja, quem possui os meios de produção. A organização do trabalho, como ele é dividido, as relações com os proprietários, Marx chamou de *relações de produção* da sociedade.
— Estou entendendo.

— Até aqui podemos concluir que é o *modo de produção* de uma sociedade que determina o tipo de relações políticas e ideológicas que existirão nessa sociedade. Não é por acaso que hoje pensamos um pouco diferente, e temos uma moral ligeiramente diferente, das pessoas que viviam numa antiga sociedade feudal.

— Então Marx não acreditava num direito natural válido em qualquer época.

— Não, a pergunta sobre o que é moralmente certo é, segundo Marx, um produto da base da sociedade. Não é por acaso que eram os pais que determinavam com quem as crianças iriam se casar na antiga sociedade agrária. Era uma questão de quem herdaria as terras. Numa metrópole moderna as relações sociais são outras. Pode-se encontrar o futuro cônjuge numa festa ou numa boate, e apenas se ambos estiverem realmente dispostos é que vão morar juntos.

— Eu não consigo nem imaginar meus pais dizendo com quem eu deveria me casar...

— Não, porque você também é um produto da sua época. Marx enfatiza ainda que, em geral, a classe dominante da sociedade é quem determina o que é certo ou errado. Pois toda a história é a história da luta de classes. O que significa que à primeira vista a história se refere a quem detém os meios de produção.

— Mas os pensamentos e ideias dos homens não podem transformar a história?

— Sim e não. Marx estava convencido de que as relações na superestrutura da sociedade poderiam influenciar a sua base, mas ele negava que a superestrutura tivesse uma história independente. O que movimentara a história, desde a escravidão da Antiguidade até a sociedade industrial do seu tempo, fora primeiramente determinado pelas mudanças na base da sociedade.

— Isso você já disse.

— Em todas as fases da história houve conflitos entre duas classes sociais dominantes, dizia Marx. Na *sociedade escravocrata* da Antiguidade havia o conflito entre os cidadãos livres e os escravos; na *sociedade feudal* medieval, entre os senhores feudais e os vassalos, e mais tarde entre nobres e plebeus. Mas na época em que Marx viveu, naquela que denominou de *sociedade burguesa* ou *capitalista*, o conflito existe primeiramente entre capitalistas e trabalhadores

ou proletários. São os conflitos entre aqueles que detêm ou não os meios de produção. E, porque a "classe superior" não quer abrir mão da sua hegemonia, uma mudança só poderá ocorrer através de uma revolução.
— E com relação à sociedade comunista?
— Marx se dedicou sobretudo a estudar a passagem de uma sociedade capitalista para uma comunista. Ele produziu uma análise detalhada do modo de produção capitalista. Mas, antes de nos deter nisso, vamos falar um pouco da visão de Marx sobre o *trabalho* humano.
— Vamos!
— Antes de se tornar comunista, o jovem Marx queria saber o que acontecia com as pessoas quando elas trabalhavam. Isso foi algo que Hegel também analisou. Hegel acreditava que existe uma relação mútua ou "dialética" entre o homem e a natureza. Quando o homem altera a natureza, o próprio homem é alterado. Ou, dito de um modo um pouco diferente: ao trabalhar, o homem interfere na natureza e deixa nela a sua marca. Mas nesse processo a natureza também interfere no ser humano e deixa marcas na sua consciência.
— Diz-me que trabalho tens e eu te direi quem és.
— Muito resumidamente esse é o argumento de Marx. O modo como trabalhamos influencia nossa consciência, mas nossa consciência também influencia o modo como trabalhamos. Você pode até dizer que há uma relação indissociável entre "palma" e "alma".* Dessa maneira o conhecimento de alguém está intrinsecamente relacionado ao trabalho que esse alguém exerce.
— Então deve ser horrível ficar desempregado.
— Sim, alguém que não possui um ofício de certa forma fica vazio. Hegel já havia alertado para isso. Tanto para Hegel quanto para Marx o trabalho representa algo positivo, é algo que está intimamente relacionado à condição humana.
— Então é uma coisa positiva ser trabalhador.
— Em princípio, sim. Mas é exatamente aqui que Marx lança sua crítica aguda ao modo de produção capitalista.
— Conte!

---

* No original, *hånd* e *ånd*, "mão" e "espírito", duas palavras que rimam.

— No capitalismo o trabalhador trabalha para outra pessoa. Portanto, o trabalho torna-se algo externo à sua pessoa, ou algo que não lhe pertence. O trabalhador se aliena em relação ao seu próprio trabalho, e assim aliena a si mesmo. Ele perde sua condição humana. Marx recorre a uma expressão hegeliana para dizer que o trabalhador fica *alienado*.

— Eu tenho uma tia que passou mais de vinte anos no chão de uma fábrica embalando doces, então não tenho dificuldade nenhuma em entender o que você quer dizer. Ela diz que odeia se levantar de manhã para ir ao trabalho.

— Mas alguém que odeia o que faz, Sofia, então de certa forma odeia a si mesmo.

— Pelo menos ela odeia doces.

— Na sociedade capitalista o trabalho é organizado de maneira a que cada trabalhador realize na verdade um trabalho escravo para outra classe social. Com isso o trabalhador transfere sua força de trabalho (e com ela toda a sua condição humana) para a burguesia.

— É grave assim?

— Estamos falando de Marx. Então precisamos partir do princípio das relações sociais na Europa em torno de 1850. E nesse caso a resposta seria um sonoro sim. O trabalhador poderia ter que cumprir uma jornada de doze horas numa fábrica sob um frio glacial. O salário era tão baixo que com frequência crianças e grávidas tinham que trabalhar. Isso levou a diferenças sociais indescritíveis. Em muitos lugares parte do pagamento era aguardente barata, e mulheres se viam forçadas a se prostituir para ganhar algum dinheiro. Seus clientes eram os respeitáveis "senhores da cidade". Em suma: aquilo que deveria ser um símbolo da dignidade humana, o trabalho, transformara o trabalhador num animal.

— Estou furiosa.

— E Marx também ficou. Enquanto isso, os filhos dos burgueses tocavam violino na sala de estar bem aquecida, após um banho revigorante. Ou podiam sentar-se ao piano antes de uma lauta refeição de quatro ou mais pratos. Ou talvez piano e violino fossem deixados para depois de um passeio a cavalo ao cair da tarde.

— Quanta injustiça!

— Marx também achava. Em 1848, ele publicou junto com Engels o *Manifesto comunista*. A primeira frase do manifesto é a seguinte: "Um espectro ronda a Europa: o espectro do comunismo".

— Fiquei até com medo!

— Os burgueses também. Agora os proletários começavam a reagir. Quer ouvir como termina o manifesto?

— Sim!

— "Os comunistas recusam-se a ocultar seus pensamentos e intenções. Eles divulgam abertamente que seu objetivo só poderá ser alcançado mediante uma revolução capaz de abalar toda a ordem social vigente. Que as classes dominantes tremam diante da revolução comunista. Os proletários não têm nada a perder além de seus grilhões. Eles têm um mundo a ganhar. *Proletários de todo o mundo, uni-vos!*"

— Se as condições eram tão ruins como você diz, acho que eu assinaria embaixo desse manifesto. Mas as relações de trabalho são bem diferentes hoje em dia, não são?

— Na Noruega, sim, mas não em todos os lugares. Muitas pessoas ainda vivem hoje em condições desumanas. E ao mesmo tempo são obrigadas a fabricar produtos que deixam os capitalistas cada vez mais ricos. É isso que Marx chama de *exploração*.

— Você pode explicar melhor o que quer dizer com isso?

— Quando o trabalhador produz uma mercadoria qualquer, essa mercadoria tem um determinado valor de venda.

— E?

— Se você subtrair os salários e outros custos de produção do valor de venda de uma mercadoria, ainda restará uma certa quantia. Essa quantia Marx chamou de *mais-valia* ou lucro. Isso significa que o capitalista se apropria de um valor que na verdade foi criado pelo trabalhador. Isso é "exploração".

— Entendi.

— E assim o capitalista pode investir parte do lucro num novo capital, por exemplo, na modernização da linha de produção. Isso ele faz na esperança de produzir mercadorias ainda mais baratas. E de que seus lucros aumentem.

— É lógico.

— Sim, pode parecer lógico. Mas, tanto nesse caso quanto em

outros, as coisas não ocorrem exatamente como o capitalista tinha previsto.

— Como assim?

— Marx apontava uma série de contradições inerentes ao modo de produção. O capitalismo é um sistema econômico que destruirá a si mesmo, pois carece de um controle racional.

— De certa forma isso é bom para os oprimidos.

— Sim, está implícito no sistema capitalista que sua própria destruição está em curso. Dito assim, o capitalismo é um sistema *progressista*, aponta para o futuro, mas apenas como um estágio no caminho para o comunismo.

— Você pode dar um exemplo de como o capitalismo é autodestrutivo?

— Mencionamos o capitalista que se apropria de uma boa parcela do excedente de dinheiro e emprega parte desse lucro na modernização de sua indústria. Mas parte disso ele usa no seu lazer com violinos. E também para cobrir as despesas cada vez maiores do estilo de vida de sua mulher.

— E?

— Ele compra novas máquinas e não precisa mais, portanto, dispor de tantos empregados para operá-las. Ele faz isso para melhorar sua competitividade diante da concorrência.

— Sei.

— Mas ele não é o único a pensar assim. Isso significa que toda a cadeia produtiva vai constantemente sendo estabilizada. As fábricas vão ficando cada vez maiores e passando para as mãos de uns poucos donos. E o que acontece então, Sofia?

— Hã...

— Logo haverá cada vez menos necessidade de mão de obra. E, assim, mais e mais pessoas perderão seus empregos. Haverá crescentes problemas sociais, e tais *crises* são o prenúncio de que o capitalismo se aproxima do seu fim. Mas há outros sintomas autodestrutivos no capitalismo, segundo Marx. Quando lucros cada vez maiores precisam ser atrelados ao controle da produção sem que possibilitem criar uma reserva para manter essa produção funcionando a preços competitivos...

— Sim?

— O que faz o capitalista, então? Você pode adivinhar?

— Acho que não.

— Pense que você é dona de uma fábrica. E as contas não estão fechando. Você está ameaçada de falir, fechar sua fábrica. E agora eu pergunto: como fará para economizar dinheiro?

— Talvez eu reduza os salários dos empregados.

— Espertinha, não? Sim, isso seria o mais sensato a fazer. Mas, se todos os capitalistas fossem tão espertos quanto você, e eles são, os trabalhadores ficariam tão empobrecidos que não teriam mais condições de comprar nada. O poder aquisitivo cairia, o consumo afundaria, como dizemos. E aí estaríamos no meio de um círculo vicioso. "A propriedade privada capitalista tem as horas contadas", diz Marx. Estamos muito perto de uma situação revolucionária.

— Sei.

— Para resumirmos bem, ela termina com os proletários se revoltando e tomando o poder dos meios de produção.

— E o que aconteceria então?

— Durante um período teríamos uma nova "sociedade de classes", na qual o proletariado detentor do poder subjugaria a classe burguesa. Seria o que Marx chamou de *ditadura do proletariado*. Mas, depois de um período de transição, a ditadura do proletariado se dissolveria numa *sociedade sem classes*, ou *comunismo*. Nessa sociedade os meios de produção seriam propriedade de todos, da coletividade. E tal sociedade permitiria a cada um "trabalhar segundo sua capacidade" e "ganhar segundo sua necessidade". O trabalho pertenceria ao povo e a alienação capitalista chegaria ao fim.

— Tudo isso parece muito lindo, mas acabou dando em quê? Alguma revolução por acaso aconteceu?

— Sim e não. Hoje em dia os economistas dizem que Marx estava errado em vários aspectos, sobretudo na sua análise das crises do capitalismo. Marx também não dedicou atenção à exploração da natureza, que hoje acompanhamos com mais e mais preocupação. Mas... e aqui é um "mas" bem grande...

— O quê?

— Depois de Marx o movimento socialista se dividiu em duas correntes principais. De um lado os *sociais-democratas* e do outro os *leninistas*. A social-democracia, que pretende uma aproximação gradual e pacífica do socialismo, foi o caminho adotado pela Europa, no que chamamos de "a lenta revolução". O leninismo, que manteve a crença de Marx em que apenas a revolução poderia combater a antiga sociedade de classes, teve grande expressão na Europa Oriental, na Ásia e na África. Cada um a seu modo, os dois movimentos lutaram contra a pobreza e a opressão.

— Mas com isso não se criou uma nova forma de opressão? Por exemplo, na antiga União Soviética e na Europa Oriental?

— Claro, e aqui novamente podemos ver como em tudo que o ser humano põe a mão existe um misto de bem e mal. Por outro lado não seria razoável responsabilizar Marx pelo lado negativo e opressor dos chamados países socialistas cinquenta ou cem anos depois da sua morte. Mas talvez ele não tenha se dado conta de que o socialismo seria administrado também por seres humanos. Jamais encontraremos o paraíso aqui na Terra. O ser humano sempre encontrará novos problemas para resolver.

— Sem dúvida.

— E aqui vamos pôr um ponto final, Sofia.

— Espere um pouco! Você não disse algo sobre a justiça só existir entre iguais?

— Não, foi Scrooge quem disse.

— Como você sabe que foi ele?

— Veja bem, eu e você somos fruto da imaginação do mesmo autor. Portanto, estamos muito mais conectados um ao outro do que possa parecer.

— Seu maldito irônico!

— Ironia em dobro, Sofia. Essa foi uma ironia dupla.

— Mas de volta à questão da justiça. Você disse ao menos que Marx achava que a sociedade capitalista era injusta. Como você definiria uma sociedade justa?

— Um filósofo da moral de inspiração marxista, John Rawls, tentou expressar algo sobre isso com o seguinte exemplo: imagine que você fizesse parte de um alto conselho cuja missão fosse elaborar todas as leis de uma futura sociedade.

— Eu teria muita vontade de participar de um conselho assim.

— Os legisladores do conselho deveriam pensar em absolutamente tudo, pois, assim que eles chegassem a um consenso e promulgassem as leis, imediatamente cairiam mortos.

— Que horrível!

— Mas logo em seguida iriam despertar naquela sociedade cujas leis haviam elaborado. Mas a questão é que não teriam a menor ideia da *posição* que iriam ocupar naquela sociedade.

— Compreendi.

— Uma sociedade assim seria uma sociedade justa, pois cada homem estaria no meio de iguais.

— E cada mulher também!

— Claro, mulheres incluídas, sem dúvida. Os legisladores não teriam como saber se acordariam homens ou mulheres. Como as chances eram de cinquenta por cento, aquela sociedade deveria ser igualmente boa para homens e mulheres.

— Parece muito inteligente.

— Mas agora me diga: a Europa de Marx era uma sociedade assim?

— Não!

— Então talvez você pudesse citar uma sociedade assim nos dias de hoje.

— Bem... aí depende.

— Pense bem nisso. Por ora chega de Marx.

— O que você disse?

— Fim desta seção!

Darwin

... um barco que navega pela vida com um carregamento de genes...

Na manhã de domingo Hilde acordou com um barulho. Era o fichário que havia caído no chão. Ela ficara até tarde lendo o que Sofia e Alberto falavam sobre Marx, mas adormecera com o fichário no colo. O abajur tinha ficado aceso a noite inteira.

O despertador sobre a mesa de cabeceira mostrava 8h59 em algarismos verdes.

Ela sonhara com enormes fábricas e cidades poluídas. Uma garota sentada numa esquina vendia fósforos. Gente bem-arrumada, de fraque e vestido longo, se limitava a passar ao largo.

Assim que Hilde se levantou da cama, ela se lembrou dos legisladores que iriam acordar na sociedade que teriam concebido. Hilde pelo menos estava feliz por acordar em Bjerkely.

Ficaria feliz da mesma maneira se tivesse que acordar na Noruega sem saber exatamente onde?

Mas não era apenas a questão do *lugar*. Será que ela não poderia acordar em outra época? Na Idade Média, por exemplo — ou numa sociedade da Idade da Pedra de dez ou vinte mil anos atrás? Hilde tentou se imaginar na entrada de uma caverna, limpando um animal abatido.

Como teria vivido uma garota de quinze anos antes que existisse algo chamado cultura? Como seria sua forma de pensar?

Hilde pôs um suéter, apanhou o fichário e sentou-se para continuar a leitura das páginas que o pai escrevera para ela.

Logo que Alberto anunciou o "fim da seção", alguém bateu na porta do Chalé do Major.
— Nós não temos escolha, temos?
— Acho que não — murmurou Alberto.
Na entrada da casa havia um senhor muito idoso, de barba e compridos cabelos brancos. Na mão direita segurava um cajado e na esquerda um pôster bem grande de um barco apinhado de animais de todos os tipos possíveis.
— E quem é o ancião? — perguntou Alberto.
— Meu nome é Noé.
— Eu já desconfiava.
— Seu antecessor, meu garoto. Será que já saiu de moda lembrar-se dos parentes distantes?
— O que o senhor está segurando nessa mão? — perguntou Sofia.
— É uma imagem dos animais que foram salvos do dilúvio universal. Pegue, minha filha, é para você.
Sofia recebeu o pôster e olhou para o ancião, que disse:
— Agora é melhor eu ir para casa regar as videiras...
Ele deu um salto, bateu os calcanhares e disparou pela floresta até sumir de vista, feliz como só os velhos de bem com a vida sabem ser.
Sofia e Alberto entraram e voltaram a sentar. Ela começou a examinar o pôster mais de perto, mas logo Alberto o arrancou das suas mãos com um movimento brusco.
— Vamos nos concentrar no principal.
— Então pode começar.
— Nós nos esquecemos de dizer que Marx viveu os últimos trinta e quatro anos da sua vida em Londres. Ele se mudou para lá em 1849 e morreu em 1883. Durante todo esse tempo vivia nos arredores de Londres um homem chamado *Charles Darwin*. Ele morreu em 1882 e foi sepultado com honras na abadia de Westminster como um dos filhos mais ilustres da Inglaterra. Mas não é apenas no

tempo e no espaço que as pegadas de Marx e Darwin se cruzam. Marx dedicou a Darwin um exemplar da sua grande obra, *O capital*, e, quando Marx morreu, um ano depois de Darwin, seu amigo Friedrich Engels comentou: "Da mesma forma que Darwin descobriu as leis para a evolução da natureza orgânica, Marx descobriu as leis para a evolução da história humana".

— Sei.

— Outro pensador importante que está relacionado a Darwin é o neurologista *Sigmund Freud*. Ele também viveu seus últimos dias em Londres. E dizia que a teoria da evolução de Darwin bem como a psicanálise da qual Freud é considerado fundador haviam sido a pá de cal no "autoconhecimento ingênuo" que o ser humano tinha até então.

— Espere um pouco que agora tem gente demais aí. Nós estamos falando de Marx, Darwin ou Freud?

— Se alargarmos nossa abordagem, podemos falar de uma corrente naturalista que começa em meados do século XIX e avança até o século XX. Por "naturalismo" entendemos uma concepção da realidade que não reconhece nenhuma outra realidade a não ser a natureza e o mundo sensorial. Assim, um naturalista toma o homem como uma parcela da natureza. Acima de tudo ele vai desenvolver sua pesquisa com base em premissas construídas sobre fatos naturais, portanto sem nenhum tipo de especulação racionalista nem de revelação espiritual.

— E isso não vale apenas para Marx, Darwin e Freud.

— Absolutamente não. As palavras de ordem do século XIX eram "natureza", "ambiente", "história", "evolução" e "crescimento". Marx dizia que a ideologia era um produto das bases materiais da sociedade. Darwin mostrou que o homem é o resultado de uma longa evolução biológica. E o estudo de Freud sobre o inconsciente revelou que as ações humanas frequentemente têm origem em certas pulsões ou instintos "animais".

— Acho que entendi mais ou menos o que você quer dizer com naturalismo, mas não é melhor falarmos de uma coisa de cada vez?

— Vamos falar de Darwin, Sofia. Talvez você ainda lembre que os pré-socráticos queriam encontrar explicações naturais para os processos da natureza. Do mesmo modo que queriam se libertar das antigas explicações mitológicas, Darwin queria se libertar da visão religiosa sobre a criação dos homens e animais.

— Mas ele era filósofo?

— Darwin era biólogo e pesquisador da natureza. Mas foi o cientista contemporâneo que questionou a visão bíblica acerca do lugar do homem na criação.

— Então, por favor, me conte um pouco da teoria da evolução de Darwin.

— Vamos começar com o próprio Darwin. Ele nasceu no lugarejo de Shrewsbury em 1809. Seu pai, o doutor Robert Darwin, um renomado médico local, era muito rígido em relação à educação do filho. Quando Charles ingressou no liceu de Shrewsbury, o diretor da escola o considerava um jovem disperso, que gostava de vadiar, não dizia nada de útil e não levava nada a sério. Para o diretor, "útil" era saber a conjugação de verbos gregos e latinos. Na sua opinião Charles "vadiava" porque, entre outras coisas, colecionava besouros de várias espécies.

— Ele na certa se arrependeu de ter dito isso.

— Enquanto Darwin fazia o curso de teologia, sua atenção se voltava mais para a captura de pássaros e insetos. Logo, suas notas não eram boas. Mas, paralelamente aos estudos de teologia, ele conseguiu relativo sucesso como pesquisador da natureza, interessando-se inclusive por geologia, talvez a ciência que mais se desenvolvia naquela época. Assim que obteve êxito na sua prova de teologia em Cambridge, em abril de 1831, ele fez uma viagem pelo norte do País de Gales para estudar formações rochosas e procurar fósseis. Em agosto do mesmo ano, recebeu uma carta que iria indicar o rumo do resto da sua vida...

— Que carta foi essa?

— A carta era do seu amigo e professor John Steven Henslow. John escreveu: "Fui consultado para recomendar um pesquisador da natureza ao capitão Fitzroy, que recebeu do governo a incumbência de cartografar a metade sul da América. Devo dizer que reconheço em você a pessoa mais qualificada possível para essa missão. Não faço a menor ideia de quanto será a remuneração. A viagem durará dois anos...".

— Você sabe tudo isso de cor e salteado?!
— Mas isso não é nada, Sofia.
— E Darwin aceitou?
— Ele queria muito, mas naquele tempo os jovens não faziam nada sem o consentimento dos pais. Depois de conversar bastante com seu pai, ele ouviu um sim como resposta, e foi o pai de Darwin que teve que arcar com os custos da viagem. Quanto à "remuneração", descobriu-se mais tarde que ela não existiria.
— Oh...
— O navio era a fragata *H.M.S. Beagle*, da Marinha real, que zarpou de Plymouth em 27 de dezembro de 1831 rumo à América do Sul e não retornaria à Inglaterra antes de outubro de 1836. Os dois anos se transformaram em cinco, e a viagem para a América do Sul foi na verdade uma volta ao mundo. Dizemos que essa foi a expedição científica mais importante do nosso tempo.
— Eles deram a volta ao mundo literalmente?
— Literalmente. Da América do Sul a viagem prosseguiu pelo Pacífico até a Nova Zelândia, Austrália e África do Sul. De lá navegaram novamente para a América do Sul pelo lado oposto e voltaram para a Inglaterra. Darwin mesmo escreveu: "A viagem com o *Beagle* foi decisivamente o acontecimento mais significativo na minha vida".
— Imagino que não devia ser tão fácil pesquisar a natureza em pleno oceano...
— Mas nos primeiros anos o *Beagle* contornou a costa inteira da América do Sul. Isso permitiu a Darwin familiarizar-se com o continente, tanto com o mar quanto com a terra. Além do mais, foram de importância decisiva suas várias incursões às ilhas Galápagos, no Pacífico, a oeste da América do Sul. Ele pôde assim coletar muitas amostras que depois foram enviadas à Inglaterra. As reflexões que fez sobre a natureza e sobre a história da vida ele guardava para si. Quando voltou para casa, contando apenas vinte e sete anos, já se tornara um famoso pesquisador da natureza. E também já tinha uma ideia bem nítida do que um dia seria sua teoria da evolução. Mas muitos anos se passariam ainda até que ele publicasse sua obra-prima. Pois Darwin era cauteloso, Sofia. Exatamente como um pesquisador da natureza deve ser.

— Qual foi essa obra-prima?

— Bem, foram várias. Mas o livro que provocou os debates mais acalorados na Inglaterra foi *A origem das espécies*, publicado em 1859. O título completo é *On the Origin of Species by Means of Natural Selection or the Preservation of Favoured Races in the Struggle for Life*. Esse título comprido é na verdade um resumo da teoria de Darwin.

— Melhor você falar na nossa língua então.

— *Sobre a origem das espécies por meio da seleção natural, ou A preservação das raças mais favorecidas na luta pela vida.*

— De fato um título de bastante conteúdo.

— Mas vamos por partes. Na *Origem das espécies* Darwin estabeleceu duas teorias ou teses principais. Primeiro ele concluiu que todas as plantas e animais existentes descendem de formas anteriores, mais primitivas. Ele indicou assim a existência de uma evolução biológica. E concluiu também que essa evolução se deve a uma "seleção natural".

— Porque os mais fortes sobrevivem, não é isso?

— Mas vamos nos concentrar na teoria da evolução primeiramente. Ela não era tão original. Em determinados círculos, desde cerca de 1800 já existia uma crença de que havia uma evolução biológica. O mais preeminente adepto dessa ideia era o zoólogo francês *Lamarck*. Antes de Darwin, seu próprio avô, *Erasmus Darwin*, dizia que plantas e animais tinham se desenvolvido a partir de espécies mais primitivas. Mas nenhum deles deu uma explicação convincente de como esse desenvolvimento ocorria. Consequentemente, eles não enfrentaram nenhuma oposição mais aguerrida de parte da Igreja.

— Mas Darwin enfrentou.

— E não poderia ser diferente. Tanto clérigos como vários círculos científicos se aferravam à antiga teoria bíblica de que as diversas espécies de plantas e animais eram imutáveis. A ideia era que cada espécie de animal havia sido criada uma vez, num ato de criação específico. Essa visão cristã se harmonizava com as ideias de Platão e de Aristóteles.

— Como assim?

— A teoria das ideias de Platão dizia exatamente que as espécies animais eram imutáveis porque haviam sido criadas segundo um modelo correspondente a uma forma ou ideia eterna. A imutabilidade das espécies animais também era pedra de toque da filosofia de Aristóteles. Mas exatamente durante a época de Darwin novas observações e descobertas puseram em xeque essa ideia.

— Que observações e descobertas foram essas?

— Primeiramente, a descoberta frequente de fósseis e, depois, a descoberta de esqueletos de animais extintos. Darwin ficava extasiado com a descoberta de esqueletos de animais marinhos no alto de montanhas. Na América do Sul ele mesmo encontrou alguns na Cordilheira dos Andes. Mas o que animais marinhos estariam fazendo no alto da Cordilheira dos Andes, Sofia? Você pode me dizer?

— Não.

— Alguns diziam que pessoas ou mesmo outros animais os carregaram lá para cima. Havia também quem dissesse que Deus tinha criado tais fósseis e vestígios de animais marinhos apenas para confundir os incrédulos.

— E o que a ciência dizia?

— A maioria dos geólogos era adepta de uma "teoria catastrófica", que dizia que a Terra havia sido varrida diversas vezes por dilúvios colossais, terremotos e demais cataclismos que extinguiam toda vida existente. A Bíblia menciona catástrofes desse gênero. Refiro-me aqui ao dilúvio universal e à arca de Noé. Em cada catástrofe Deus renovava a vida na Terra criando plantas e animais novos e mais completos.

— E então os fósseis eram restos de antigas formas de vida, que tinham desaparecido depois dessas catástrofes avassaladoras?

— Exatamente. Foi dito, por exemplo, que os fósseis eram vestígios de animais que não conseguiram entrar na arca de Noé. Mas, quando Darwin partiu em sua jornada com o *Beagle*, levava consigo a primeira edição dos *Princípios de geologia*, do geólogo inglês Charles Lyell. Este dizia que a atual geografia da Terra, com picos altos e vales profundos, era o resultado de uma transformação constante e gradual. A ideia era que as alterações mais mínimas poderiam representar enormes transformações geográficas se esse processo fosse examinado na perspectiva de um intervalo temporal bastante elástico.

— A que tipo de alterações ele se referia?
— Ele se referia às mesmas forças atuantes hoje em dia: clima, vento, derretimento de gelo, terremotos, alterações no relevo. Conhecemos o ditado "Água mole em pedra dura tanto bate até que fura". Lyell dizia que mudanças pequenas e graduais, ao longo de enormes intervalos de tempo, seriam capazes de afetar toda a natureza. Somente isso seria o bastante para explicar como Darwin encontrara fósseis de animais marinhos na Cordilheira dos Andes. E Darwin sempre levou em conta que, com o passar do tempo, *mudanças pequenas e graduais* podem levar a alterações dramáticas.
— E achou que a mesma explicação valeria para a evolução dos animais?
— Sim, ele especulava sobre isso. Mas, como dissemos, Darwin era cauteloso. Ele formulava as perguntas bem antes de ousar tentar respondê-las. Desse modo ele utilizava os mesmos métodos dos verdadeiros filósofos: é importante perguntar, mas não é necessário pressa para responder.
— Entendi.
— Um fator definitivo na teoria de Lyell era a idade terrestre. Em amplos círculos de estudiosos da época de Darwin, a idade da Terra desde sua criação por Deus era estimada em seis mil anos. Chegou-se a esse número contando-se todas as gerações de Adão e Eva até hoje.
— Que ingenuidade!
— É fácil dizer isso *agora*. Darwin achava que a idade da Terra seria de trezentos milhões de anos. Mas uma coisa ao menos estava evidente: nem a teoria de Lyell sobre as mudanças geológicas graduais nem a própria teoria da evolução darwiniana fariam sentido se não fossem consideradas em intervalos de tempo gigantescos.
— Qual a idade da Terra?
— Hoje em dia, calcula-se que a Terra tem mais de quatro bilhões de anos.
— Puxa!
— Até aqui nos concentramos em apenas um dos argumentos de Darwin sobre a existência de uma evolução biológica: a descoberta de *camadas de fósseis* em diferentes formações rochosas. Outro argumento era a *divisão geográfica* das espécies vivas. Aqui a

pesquisa de Darwin rendeu um material novo e incalculavelmente rico. Ele viu com seus próprios olhos que espécies diferentes de uma região podiam ter mínimas diferenças entre si. Para tanto, as ilhas Galápagos, no oeste do Equador, foram palco de observações interessantíssimas.

— Conte!

— Estamos falando de um grupo de ilhas vulcânicas bem próximas umas das outras. Portanto, elas não abrigavam muitas variações de plantas e animais. Mas foram exatamente as pequenas variações que chamaram a atenção de Darwin. Ele viu que em todas as ilhas havia tartarugas gigantes com *pequenas* características diferentes de ilha para ilha. Deus teria realmente criado uma raça diferente de tartarugas gigantes para habitar cada uma das ilhas?

— Duvido.

— Mais importante ainda foram as observações de Darwin sobre os pássaros das Galápagos. Havia variações nas espécies de tentilhões que habitavam cada ilha, sobretudo no formato dos seus bicos. Darwin demonstrou que essas variações estavam relacionadas com a dieta dos tentilhões em cada uma das ilhas. Os tentilhões-de-bico-afiado alimentavam-se de sementes de pinhas, os tentilhões-canoros eram insetívoros, mas uma variação dessa espécie se alimentava de insetos de troncos e galhos, e não de insetos terrestres... Cada uma das espécies isoladamente possuía um bico perfeitamente adequado ao seu tipo de dieta. Seria possível que todos esses viessem de uma única espécie de tentilhão? Seria possível então que essa espécie tivesse, com o correr dos anos, alterado suas características em cada uma das ilhas, de maneira a permitir o surgimento de várias novas espécies?

— Foi essa a conclusão a que ele chegou, não?

— Sim, talvez tenha sido exatamente nas Galápagos que Darwin se tornou "darwinista". Ele também reparou que a vida animal nas ilhas mais a leste era bem similar a muitas espécies que tinha visto no continente sul-americano. Será que Deus havia criado essas espécies levemente diferentes entre si ou teria havido uma evolução? Cada vez mais ele duvidava que as espécies eram imutáveis. Mas ainda não tinha nenhuma explicação razoável sobre como uma eventual evolução ou adaptação poderia ocorrer. Ainda assim ele supunha que todos os animais da Terra eram aparentados entre si.

— E?

— Isso tinha a ver com a *evolução dos embriões* dos mamíferos. Se você comparar os ancestrais de um cachorro, um morcego, um coelho e um homem num estágio embrionário, não notará muitas diferenças entre eles. Somente num estágio bem avançado do desenvolvimento é que poderá marcar as diferenças entre um embrião humano e um embrião de coelho. Não seria isso um sinal de uma familiaridade distante entre eles?

— Mas então ele ainda não tinha encontrado nenhuma explicação para o modo como a evolução se dava.

— Ele refletia muito sobre a teoria de Lyell a respeito das mudanças ínfimas que se tornariam grandes com o passar do tempo. Mas não conseguia encontrar evidências que pudessem valer como um princípio universal. Ele conhecia a teoria do zoólogo francês Lamarck, que havia dito que as diferentes espécies de animais evoluíram segundo as suas necessidades. As girafas, por exemplo, têm o pescoço enorme porque geração após geração precisaram esticá-lo para alcançar as folhas na copa das árvores. Lamarck dizia também que as características individualmente adquiridas eram transmitidas às espécies descendentes. Mas Darwin rejeitava a hipótese de que "características adquiridas" seriam hereditárias, simplesmente porque Lamarck não apresentara evidências das suas ousadas postulações. E assim Darwin passou a se ocupar de algo muito mais palpável. Você pode dizer que o mecanismo por trás da evolução das espécies estava diante do nariz dele.

— Estou louca para saber.

— Mas eu quero que você descubra esse mecanismo sozinha. Portanto, eu lhe pergunto: se você tem três vacas, mas tem condições de manter somente duas, o que faz com a terceira?

— Talvez eu possa abater a terceira?

— Sim... Mas qual das vacas você vai abater?

— Eu abateria a que desse menos leite.

— É mesmo?

— Sim, é lógico.

— E é exatamente o que os homens vêm fazendo há séculos.

Mas não vamos largar as outras duas vacas assim. Digamos que uma delas esteja prenhe. Qual delas deveria dar à luz uma bezerrinha?
— A que desse mais leite. Porque então a bezerra seria uma ótima leiteira também.
— Então você preferiu a que dava mais leite. Mas ainda temos outro exercício. Se você fosse uma caçadora, tivesse dois cães perdigueiros e precisasse se desfazer de um, com qual dos cães ficaria?
— Eu ficaria obviamente com o que tivesse um faro mais apurado para rastrear os animais que eu quisesse caçar.
— Então você favoreceria o cão mais esperto, não é? E assim, Sofia, assim os homens têm feito com a criação de animais por mais de dez mil anos. Não foi sempre que as galinhas puseram cinco ovos por semana, que as ovelhas produziram tanta lã e que os cavalos foram rápidos e fortes assim. Os homens promoveram uma *seleção artificial*. E o mesmo vale para o reino vegetal. Não se plantam batatas ruins se temos a oportunidade de plantar batatas melhores. Nem nos importamos em arar a terra para plantar um milho incapaz de produzir. O argumento de Darwin é que nem as vacas, nem as espigas de milho, nem os cachorros, nem os tentilhões são exatamente iguais. A natureza exibe um enorme leque de variações de raças e espécies. Nem sequer dentro de uma mesma espécie um indivíduo é idêntico a outro. Foi algo que você sentiu quando bebeu o líquido azul.
— Sim, bem claramente.
— Aí Darwin teve que se perguntar se não haveria um mecanismo correspondente na natureza. Será que a natureza não seria capaz de promover uma *seleção natural* dos indivíduos que sobreviveram? E, mais importante: um mecanismo assim, depois de um longo período, poderia criar novas espécies de plantas e animais?
— Aposto que a resposta é sim.
— Ainda assim Darwin não era capaz de esclarecer como essa "seleção natural" se processaria. Mas em outubro de 1838, precisamente dois anos depois de retornar para a Inglaterra com o *Beagle*, ele casualmente esbarrou num livro de um especialista em demografia chamado *Thomas Malthus*. O livro se intitulava *An Essay on*

the Principles of Population.* A ideia desse livro foi inspirada em Benjamin Franklin, norte-americano que entre outras coisas inventou o para-raios. Franklin tinha dito que, se não houvesse fatores limitantes na natureza, o planeta inteiro seria habitado por uma única espécie de animal ou planta. Mas, como existem várias espécies, elas se colocam em permanente estado de confronto.

— Entendi.

— Malthus desenvolveu essa teoria e a adaptou à questão populacional do planeta. Ele dizia que a capacidade de reprodução humana é tamanha que sempre nascem mais crianças do que as que têm possibilidade de sobreviver. Como a capacidade de produção de alimentos jamais poderá acompanhar a velocidade do crescimento demográfico, ele achava que uma grande quantidade de pessoas estaria fadada a sucumbir na luta pela existência. As que não morressem, e em seguida levassem essa luta adiante, seriam justamente as mais aptas na luta pela sobrevivência.

— Parece lógico.

— Porém, Darwin ainda estava em busca do princípio universal. A explicação de como a evolução se processa lhe ocorreu de repente. A *seleção natural* é a responsável pela luta pela sobrevivência: quem melhor se adapta às condições naturais vai sobreviver e se reproduzir. Essa foi a segunda teoria a que ele chegou no livro *A evolução das espécies*. Darwin escreveu: "O elefante é de todos os animais o que se forma mais lentamente, mas, se todos os seus filhotes conseguissem sobreviver, depois de um período de setecentos e cinquenta anos estariam vivos quase dezenove milhões de elefantes descendentes de apenas um único casal".

— Isso para não mencionar os milhares de ovas de um bacalhau-fêmea.

— Darwin afirmou em seguida que a luta pela sobrevivência é mais acirrada entre espécies mais próximas entre si. Elas evidentemente precisam lutar pelo mesmo alimento. E é aí que as pequenas diferenças, isto é, as pequenas variações positivas inexistentes na média dos indivíduos, mostram na prática o seu valor. Quanto mais dura a batalha pela existência, mais rápido é o surgimento de novas

---

* "Um ensaio sobre os princípios populacionais", em inglês.

espécies. Somente os mais aptos vão sobreviver. Os demais serão eliminados.

— Quer dizer que, quanto menos comida e mais descendentes houver, mais rápida será a evolução?

— Não estamos falando apenas de comida. Tão importante quanto isso é evitar ser presa de outro animal. Pode ser mais vantajoso, por exemplo, ter a capacidade de se camuflar, de ser mais veloz, de enxergar melhor as ameaças, ou na pior das hipóteses ter um gosto horrível ao paladar dos predadores. As plantas exibem suas cores maravilhosas e exalam seu aroma doce para atrair insetos que contribuem para sua polinização. Pela mesma razão, na reprodução, os pássaros gorjeiam suas belas melodias. Um touro acomodado e melancólico que não se interessa por vacas não tem a menor importância para a história reprodutiva da sua raça. Tais características indesejáveis vão desaparecer quase que instantaneamente. Pois a única tarefa desse indivíduo ao atingir a maturidade reprodutiva é dar prosseguimento à sua raça. É como uma grande corrida de revezamento. Aquele que por uma ou outra razão não consiga passar o bastão adiante será desclassificado. Assim a raça estará em constante processo de aperfeiçoamento. As variantes sobreviventes, além disso, terão adquirido características imunológicas importantes.

— Tudo sempre vai ficando melhor então?

— A seleção constante permite que os que se adaptaram melhor a determinado meio, ou a determinado nicho ecológico, por mais tempo criem ali seus descendentes. Mas o que é uma vantagem num determinado ambiente não é necessariamente vantajoso em outro. Para alguns dos tentilhões das Galápagos a capacidade de voar era uma vantagem determinante. Mas não é tão importante sair do chão quando a comida brota do chão e não há predadores por perto. Exatamente porque há tantos nichos diferentes na natureza é que o tempo tratou de gerar tantas e tão diversas espécies de animais.

— Mas existe apenas uma espécie humana.

— Sim, porque os homens possuem uma capacidade fantástica de se adaptar a diferentes condições de vida. Isso foi algo que deixou Darwin boquiaberto: ver como os índios que habitavam a Terra do Fogo conseguiam sobreviver aos rigores do frio. Mas isso não significa que todos os homens sejam iguais. Os que habitam as regiões equatoriais têm pele mais escura do que os que habitam as latitudes mais altas, pois peles mais escuras são mais resistentes ao sol. Pessoas brancas que se expõem muito ao sol estão mais sujeitas a desenvolver câncer de pele.

— E para nós, que moramos aqui no Extremo Norte, é vantajoso ter a pele branca?

— Sem dúvida, do contrário só haveria pessoas de pele escura no mundo. Com a pele mais clara podemos aproveitar melhor as vitaminas quando nos expomos ao sol, que aqui brilha menos e por menos tempo. Hoje isso não tem mais tanta importância, porque já ingerimos vitaminas suficientes na nossa dieta. Mas nada na natureza é por acaso. Tudo se deve às pequenas mudanças que vêm ocorrendo ao longo de incontáveis gerações.

— Na verdade é fantástico pensar assim.

— É mesmo. Então, que tal fazermos um resumo da teoria da evolução de Darwin e tirarmos algumas conclusões?

— Topo!

— Podemos dizer que a "matéria-prima" ou o material por trás do surgimento e da manutenção da vida são as *constantes variações* entre indivíduos pertencentes à mesma espécie, e também o grande número de descendentes que geram, de modo que apenas um contingente menor possa sobreviver. O próprio "mecanismo" ou força motriz por trás da evolução é a seleção natural na luta pela sobrevivência. Essa seleção permite que sempre os mais fortes ou "mais aptos" sobrevivam.

— Acho isso tão lógico quanto uma conta de somar. Como o livro sobre a "evolução das espécies" foi recebido?

— Foi um verdadeiro rebuliço. A Igreja protestou veementemente, e o meio científico da Inglaterra dividiu-se em dois. Na verdade já se esperava que isso ocorresse. Darwin afastara Deus para bem longe da criação. Mas houve quem tivesse observado que seria ainda mais grandioso criar seres com capacidade própria de evoluir do que criar todas as coisas, uma de cada vez, nos seus mínimos detalhes.

De repente Sofia pulou da poltrona onde estava sentada.

— Olhe ali! — ela gritou, apontando para a janela.

Junto ao lago um homem e uma mulher passeavam de mãos dadas. E estavam completamente nus.

— São Adão e Eva — disse Alberto. — Eles tiveram o mesmo destino de Chapeuzinho Vermelho e Alice no País das Maravilhas, e vieram parar aqui.

Sofia chegou mais perto da janela para vê-los, mas eles logo desapareceram entre as árvores.

— Mas Darwin também dizia que os homens descendiam dos animais?

— Em 1871 ele publicou o livro *The Descent of Man*, ou *A descendência do homem*, no qual afirma que a maior semelhança entre homens e animais está no fato de que humanos e primatas devem ter um ancestral comum. Os primeiros fósseis de crânios humanoides foram descobertos nesse ínterim, primeiro numa pedreira em Gibraltar e anos depois no vale do Neandertal, na Alemanha. Curiosamente os protestos foram menores em 1871 do que em 1859, quando foi lançado *A origem das espécies*. No entanto, a relação próxima entre homens e animais já estava implícita no primeiro livro. E, como afirmamos: quando morreu, em 1882, Darwin foi sepultado com honras de Estado pelo seu pioneirismo científico.

— No fim ele obteve fama e reconhecimento?

— No fim da vida, sim. Mas primeiro chegou a ser considerado "o homem mais perigoso de toda a Inglaterra".

— Que horror!

— "Esperemos que as coisas não sejam assim", disse uma representante da nobreza da época. "Mas, se assim for, esperemos que elas não sejam disseminadas por toda parte." Um cientista desconhecido expressou-se de forma semelhante: "Uma descoberta humilhante, da qual quanto menos se falar melhor".

— Com essas palavras eles não deixam dúvidas de que o homem é parente das avestruzes, que enterram a cabeça na areia para não ver o que se passa ao seu redor.

— É, pode ser. Mas de novo é fácil para nós dizer isso agora, depois do acontecido. Talvez muita gente tenha se sentido ameaçada por ter que rever sua visão sobre a criação do mundo segundo a Bíblia. Sobre isso o jovem escritor, desenhista e crítico *John Ruskin* escreveu: "Se ao menos os geólogos pudessem me deixar em paz!

No final de cada versículo da Bíblia eu escuto a batida dos seus martelos".

— E essa batida era a dúvida sobre a palavra de Deus.

— Pelo menos foi o que ele quis dizer. Pois não era apenas a interpretação literal da criação segundo a Bíblia que vinha por terra. A essência da teoria darwiniana era que variações absolutamente *casuais* eram responsáveis, ao fim e ao cabo, pelo surgimento da humanidade. E mais ainda: Darwin transformara o homem num produto de algo tão sem emoção quanto uma "luta pela sobrevivência".

— Darwin mencionou algo sobre como surgem essas "variações casuais"?

— Você agora toca num dos pontos mais fracos da sua teoria. Darwin possuía apenas noções bem vagas sobre hereditariedade. Alguma coisa deveria ocorrer no cruzamento. Um pai e uma mãe nunca produzem duas crianças idênticas. Só isso já representa uma certa variação. Por outro lado, pode ser difícil surgir algo novo dessa maneira. Além do mais, também existem vegetais e animais que se reproduzem por germinação ou por simples divisão celular. No que se refere à dúvida sobre como as variações ocorrem, o chamado neodarwinismo completou a teoria de Darwin.

— Me diga como!

— Toda e qualquer vida e toda a reprodução se trata, no fim das contas, de divisões celulares. Quando uma célula se divide em duas, surgem duas novas células idênticas, com a mesma carga hereditária. Mas a divisão celular não significa que uma célula copie a si mesma.

— Não?

— Algumas vezes existem pequenas falhas nesse processo, de tal sorte que a célula copiada não fica idêntica à célula-mãe. A moderna biologia chama isso de mutação. Tais mutações podem ser completamente irrelevantes, mas também podem determinar características marcantes do novo indivíduo. Elas podem ser extremamente nocivas, e nesse caso as células "mutantes" são eliminadas nos descendentes. Muitas doenças também surgem devido a essas mutações. Mas algumas vezes uma mutação pode dar a um indivíduo exatamente a característica positiva de que ele precisa para se sair melhor na luta pela sobrevivência.

— Pescoços compridos, por exemplo?

— A explicação de Lamarck sobre o porquê de as girafas terem o pescoço tão longo era que elas sempre tiveram que esticá-lo. Mas segundo o darwinismo tais características adquiridas assim não seriam hereditárias. Darwin dizia que foi ocorrendo uma variação natural do pescoço dos ancestrais da girafa. O neodarwinismo completa isso ao apontar uma causa evidente que leva a tais variações.

— E essa causa seriam as mutações.

— Sim. Algumas mutações inteiramente casuais levaram um ancestral da girafa a ter um pescoço mais comprido que o da média. Quando a comida estava escassa, isso pode ter representado uma diferença fundamental. Quem alcançava as folhas mais altas nas árvores se saía melhor. Podemos também imaginar que algumas dessas "pré-girafas", ou girafas primordiais, desenvolveram a capacidade de cavar a terra em busca de comida e se transformaram numa nova espécie. E assim, depois de um longo tempo, a tal "pré-girafa", uma espécie já extinta, se tornou um ancestral comum para duas espécies diferentes.

— Sei.

— Vamos ver alguns exemplos mais recentes de como funciona a seleção natural, sabendo que ela é um princípio muito simples.

— Vamos, sim!

— Na Inglaterra vive uma determinada espécie de mariposa chamada "pintora-das-bétulas". Como o nome indica, ela costuma pousar nos galhos claros dessas árvores. Se retrocedermos ao século XVIII, observaremos que a maioria dessas mariposas também tinha um tom esbranquiçado. Por que será, Sofia?

— Para não serem facilmente avistadas por pássaros famintos.

— Mas de vez em quando acontecia de alguns exemplares nascerem mais escuros. Isso por conta de mutações ocasionais. O que você acha que aconteceu com essas variantes mais escuras?

— Como era mais fácil para os pássaros famintos avistá-las, elas se tornavam presas fáceis para eles.

— Pois nesse meio, isto é, nos galhos claros das bétulas, a cor escura era uma característica indesejável por ser desvantajosa para os indivíduos que a tivessem. Por isso as mariposas esbranquiçadas sempre eram maioria. Mas algo ocorreu com aquele ambiente. Devido à industrialização, em vários locais os galhos claros das bétulas ficavam escuros porque acumulavam fuligem. O que você acha que aconteceu com essas mariposas agora?

— Agora eram os exemplares mais escuros que se davam melhor.

— E não tardou muito para que se tornassem maioria. De 1848 até 1948, o número de exemplares escuros das pintoras-das-bétulas passou de 1% para 99% em vários locais. O ambiente foi modificado, e a aparência mais clara deixou de ser uma vantagem na luta pela sobrevivência. Pelo contrário! Os indivíduos esbranquiçados agora eram os "perdedores" e se tornavam um alvo fácil quando pousavam nas bétulas. Mas novamente ocorreu uma mudança importante. Passou-se a utilizar menos o carvão, e novas técnicas de produção nas fábricas contribuíram para despoluir o ambiente.

— E os galhos voltaram a ficar claros.

— E as mariposas também voltaram a adquirir uma coloração mais clara. Chamamos isso de *adaptação*, uma lei natural.

— Compreendi.

— Mas existem vários exemplos de como o homem intervém no ambiente.

— No que você está pensando exatamente?

— Por exemplo, quando tentamos combater pragas com diferentes tipos de pesticidas e venenos. À primeira vista eles podem apresentar um resultado satisfatório. Mas aí vamos pulverizar uma lavoura ou um pomar com agrotóxicos e causamos uma verdadeira catástrofe ecológica para os insetos e ervas daninhas que pretendemos combater. Por conta de diversas mutações é possível que um grupo de indivíduos fique mais resistente, ou mesmo imune, ao veneno que é utilizado. E agora os "vitoriosos" dessa luta têm um caminho livre diante de si, e assim, justamente pela tentativa de eliminá-los dessa maneira, cada vez mais pragas agrícolas vão se tornando mais difíceis de combater. As variantes mais resistentes são exatamente as que sobrevivem.

— É assustador.

— Precisamos refletir muito sobre isso. E também dentro do nosso corpo tentamos combater invasores nocivos. Estou me referindo às bactérias.

— Tomamos penicilina ou qualquer outro antibiótico para combatê-las.

— O tratamento com penicilina é exatamente uma catástrofe ecológica para esses pequenos diabos. Assim que a penicilina passa a agir matando as bactérias, automaticamente ela tornará algumas delas mais resistentes. E assim teremos criado um determinado grupo de bactérias que será bem mais difícil de eliminar do que antes. Precisaremos utilizar antibióticos cada vez mais fortes, só que no final...

— No final as bactérias vão sair espumando pela nossa boca? Vamos precisar abatê-las a tiros, é isso?

— Também não precisa exagerar. Mas é claro que a medicina moderna criou um dilema sério. Não apenas porque uma simples bactéria se torna mais forte do que antes. Antigamente muitas crianças não conseguiam chegar à vida adulta porque sucumbiam a um sem-número de doenças. Sim, com frequência apenas uma minoria conseguia sobreviver. A medicina moderna de certo modo deixou a seleção natural obsoleta. Mas o que hoje ajuda um indivíduo a superar esses limites pode, no longo prazo, estar enfraquecendo as defesas naturais do ser humano contra diversos tipos de doenças. Se não assumirmos nossa responsabilidade diante daquilo que chamamos de "higienização das espécies", podemos estar a caminho de uma "degeneração" da humanidade. Com isso me refiro ao enfraquecimento do potencial hereditário da humanidade para combater doenças graves.

— É uma perspectiva muito triste.

— Mas um filósofo genuíno não se deixa esmorecer se precisar combatê-la com sua verdade. Vamos tentar fazer um resumo do que falamos.

— Por favor!

— Podemos comparar a vida com uma grande loteria na qual apenas os ganhadores são visíveis.

— O que você quer dizer com isso?

— Quem perdeu a luta pela sobrevivência, claro, não está mais entre nós. Em cada espécie de planta e de animal sobre a Terra ocultam-se milhares de anos em que os "sorteios" dessa loteria determinaram seus ganhadores. E os "perdedores" só são conhecidos numa única oportunidade. Não existe uma única espécie de planta ou animal hoje em dia que não possa ser chamada de ganhadora na grande loteria da vida.

— Pois somente os melhores prevalecem.

— Pode-se dizer que sim. E agora você pode me alcançar aquele pôster que... que aquele pastor de ovelhas trouxe?

Sofia lhe estendeu o pôster. De um lado havia a imagem da arca de Noé, mas do outro havia um desenho de uma árvore genealógica de diversas espécies animais. Era esse lado que Alberto queria lhe mostrar agora.

— Este gráfico mostra a divisão de diversas espécies vegetais e animais. Você pode ver como cada espécie pertence a diferentes grupos, classes e ordens.

— Sim.

— Junto com os macacos, gorilas, chimpanzés e bonobos, o homem pertence à ordem dos primatas. Os primatas são mamíferos, e todos os mamíferos são vertebrados, que por sua vez são animais multicelulares.

— Estou me lembrando de Aristóteles.

— Exatamente. Mas este gráfico não mostra apenas como se dá a divisão das diferentes espécies no presente. Ele diz algo sobre a história da evolução da vida. Você pode ver, por exemplo, que os pássaros se separam dos répteis em algum lugar do passado, e num outro momento foram os répteis que se separaram dos anfíbios, que por sua vez se separaram dos peixes.

— Sim, isso é evidente.

— Cada vez que as linhas se dividem em duas, houve mutações que levaram ao surgimento de novas espécies. E assim, com o passar dos anos, surgiram as diferentes classes e ordens de animais. Mas este gráfico é extremamente simplificado. Na realidade mais de um milhão de espécies habitam o mundo hoje, e esse milhão é apenas uma pequena fração de todas as espécies que habitaram a Terra. Você pode ver que um grupo de animais chamado de trilobitas está completamente extinto.

— E aqui bem no rodapé temos os animais unicelulares.

— Alguns desses talvez não tenham se modificado em alguns bilhões de anos. E talvez você possa reparar que uma linha tem

origem diretamente nesses animais unicelulares e se estende até o reino vegetal. Porque até as plantas descendem provavelmente da mesma célula ancestral comum a todos os animais.
— Estou vendo. Mas estou pensando numa coisa.
— Pois não?
— De onde veio essa célula ancestral. Darwin teria alguma resposta para isso?
— Eu já mencionei que Darwin era cauteloso. Mas nesse ponto ele se deu ao luxo de fazer um pouco de especulação. Ele escreveu assim:

> [...] se (e como é enorme esse "se") pudéssemos imaginar um ou outro pequeno tanque de água tépida, onde também houvesse todo tipo de sais de amônia e fósforo, luz, calor, eletricidade etc., dando lugar a reações químicas que permitiriam o surgimento de uma cadeia de proteínas que pudesse, ela mesma, sofrer alterações cada vez mais complexas...

— E o que mais?
— Era sobre isso que Darwin filosofava. Se a primeira célula viva poderia ter surgido de matéria inorgânica. E de novo talvez ele esteja coberto de razão. A ciência de hoje especula exatamente se a primeira forma de vida primitiva teria surgido de um "tanque de água tépida" parecido com o que Darwin imaginou.
— Conte mais!
—Vamos fazer um esboço bem superficial. E lembre-se de que agora estamos deixando Darwin para trás. Estamos avançando para as pesquisas mais recentes sobre o surgimento da vida na Terra.
— Estou ansiosa. Ninguém ainda sabe ao certo como a vida surgiu?
— Provavelmente não, mas muita gente vem colocando peças novas nesse quebra-cabeça e completando uma imagem de como a vida *poderia* ter surgido.
— Continue!
— Primeiramente vamos partir do princípio de que toda a vida na Terra (tanto vegetais quanto animais) é composta exatamente das mesmas substâncias. A definição de vida, considerando-se a vida

mais rudimentar, é: tudo aquilo que possui metabolismo e é capaz de se dividir em duas partes inteiramente iguais, isto é, se reproduzir. Esse processo é controlado por algo que chamamos de DNA. Por DNA, ou ácido desoxirribonucleico, compreendemos os cromossomos, ou o material hereditário existente em todas as células vivas. Também dizemos *moléculas de DNA*, pois o DNA é na verdade uma molécula complexa, ou macromolécula. A questão é como a primeira molécula de DNA teria surgido.

— E?

— O planeta Terra surgiu junto com o sistema solar, há mais de quatro bilhões de anos. Originalmente era uma massa incandescente, mas com o passar do tempo sua crosta foi esfriando. A ciência moderna admite que a vida surgiu há cerca de três ou quatro bilhões de anos.

— Isso soa completamente improvável.

— Você não devia dizer isso até ouvir o resto. Primeiramente você deve compreender que o planeta era algo muito diferente daquilo que conhecemos hoje. Como não havia vida, também não existia oxigênio na atmosfera. O oxigênio só foi liberado a partir da fotossíntese das primeiras plantas. E aqui a ausência de oxigênio é de fundamental importância. É inconcebível que os elementos constituintes da vida, que permitem o surgimento do DNA, possam ter aparecido numa atmosfera com oxigênio.

— Por quê?

— Porque o oxigênio é uma substância altamente reagente. Na presença de oxigênio, uma molécula grande como a do DNA, que é uma espécie de tijolo na construção da vida, não poderia ser formada porque oxidaria, ou "enferrujaria".

— Sei.

— Portanto, sabemos com certeza que na Terra oxigenada de hoje não é possível surgir nenhuma forma de vida, nem mesmo uma bactéria ou um vírus. *Toda* a vida da Terra tem exatamente a mesma idade. Um elefante possui os mesmos ancestrais, tão antigos quanto os de uma simples bactéria. Podemos até afirmar que um elefante, ou mesmo um homem, não passa de um agrupamento de colônias de animais unicelulares. Pois em cada célula do corpo possuímos exatamente o mesmo material hereditário. A receita completa de quem somos está bem guardada dentro de cada mínima célula do nosso corpo.

— Que coisa estranha...

— Um dos maiores enigmas da vida é como as células de um animal multicelular adquirem a capacidade de se especializar em determinada função. Pois as características hereditárias não estão ativadas em todas as células. Em algumas elas estão "ligadas", em outras, "desligadas". Uma célula hepática possui proteínas diferentes de um neurônio ou uma célula epitelial. Mas tanto na célula hepática como no neurônio e na célula epitelial encontramos a mesma molécula de DNA, que contém a receita completa do organismo de que estamos falando.

— Pode prosseguir!

— Quando não havia oxigênio na atmosfera, também não havia uma camada de ozônio protegendo o planeta. Quer dizer, nada conseguia impedir a radiação proveniente do espaço de atingir a Terra. E isso foi muito importante, pois essa radiação deve ter desempenhado um papel crucial na criação das primeiras moléculas complexas. Essa radiação cósmica era a fonte de energia que faltava para que as diversas substâncias químicas existentes na Terra começassem a se combinar para formar as complexas macromoléculas.

— O.k.

— Serei mais preciso: para que surgissem essas moléculas complexas nas quais se baseia a vida, era necessário que duas precondições fossem satisfeitas: *não poderia haver oxigênio na atmosfera* e a *radiação cósmica proveniente do espaço teria que ter livre acesso ao planeta.*

— Compreendi.

— No "pequeno tanque de água tépida", ou "sopa primordial" como a ciência costuma se referir a isso hoje, em algum momento se formou uma macromolécula extremamente complexa, que tinha a propriedade maravilhosa de se dividir em dois pedaços idênticos. E a partir daí se deu a longa evolução até os nossos dias, Sofia. Se pudermos abreviar um pouco, diremos que agora estamos falando do primeiro material hereditário, do primeiro DNA ou da primeira célula viva. Ela se dividiu uma, duas, três vezes, mas desde a primeira divisão ocorreram mutações constantes. Depois de um enorme intervalo de tempo aconteceu de organismos simples, unicelulares, se juntarem para formar organismos multicelulares mais complexos. Foi assim que surgiram as plantas e com elas a fotossíntese e, com isso, uma atmosfera rica em oxigênio. Isso teve um significado duplamente importante: primeiro, essa atmosfera possibilitou a evolução de animais capazes de respirar com pulmões. E também passou a proteger a vida contra a radiação espacial. Pois essa mesma radiação, que talvez tenha sido a "centelha" crucial para o nascimento da primeira célula, é extremamente nociva para todas as formas de vida.

— Mas você acha que tudo isso aconteceu assim de repente?

— Não, eu não disse isso. O pôster mostra muito bem que a evolução é demorada e que aponta numa *direção*. Ao longo de centenas de milhões de anos foram surgindo novos animais, com sistemas nervosos cada vez mais complexos, e cérebros cada vez maiores. Eu mesmo acho que isso tudo foi obra do acaso. O que você acha?

— Não acho que o olho humano, por exemplo, seja produto do acaso. Você não acha que o fato da gente poder ver tudo que existe à nossa volta tem um significado?

— O desenvolvimento do olho, aliás, era algo que deixava Darwin maravilhado. Ele também não conseguia aceitar que um órgão tão sofisticado pudesse ser apenas um produto da seleção natural.

Sofia ficou olhando para Alberto. Ela estava pensando como era estranho estar viva ali, naquele instante, apenas durante aquela existência, para depois nunca mais voltar a viver. De repente ela disse:

— "De que vale, afinal, o eterno criar, se toda criação se desfaz no ar?"

Alberto lançou-lhe um olhar severo:

— Você não devia falar assim, minha cara. Essas palavras são do diabo!

— Do diabo?

— Ou Mefistófeles, no *Fausto*, de Goethe. "Was sol uns denn das ew'ge Schaffen! Geschaffenes zu nichts hinwegzuraffen!"

— Mas o que elas significam exatamente?

— Fausto está prestes a morrer, revê toda a sua vida em perspectiva e diz, triunfante:

Tu, ó belo instante, tarda mais!
O rastro dos meus dias
não se esvai na eternidade.
Eis aqui, ante os meus olhos,
o gozo imenso da felicidade.

— Que bonito!
— Mas agora é a vez do diabo. Mal Fausto morre, o diabo comemora:

O fim!, palavra em vão.
Por que o fim?
Fim e nada nada são!
De que vale, afinal, o eterno criar,
se toda criação se desfaz no ar?
"É o fim", mas o que representa?
Nada jamais existiu,
mas da vida não se ausenta.
Prefiro eu o eterno vazio.

— Muito pessimista. Prefiro a primeira citação. Embora fosse o fim da vida dele, Fausto enxergou um significado nos rastros que deixou para trás.
— Mas não seria uma consequência da teoria de Darwin nos darmos conta de que fazemos parte de algo maior, em que cada mínima forma de vida tem um significado importante numa perspectiva mais ampla? Nós somos este planeta vivo, Sofia! Somos o grande navio que veleja ao redor do Sol neste universo. Mas cada um de nós é também um barco que navega pela vida com um carregamento de genes. Se conseguirmos desembarcar essa carga num porto adiante, nossa vida não terá sido em vão. *Bjørnstjerne Bjørnson* expressou a mesma coisa no poema "Salmo II", do qual vou citar algumas estrofes:

Honra a glória da vida
que a tudo e todos cria!
Somente a forma fenece:
amanhã é um novo dia.

Filhos geram filhos,
num milagre incessante.
Espécie gera espécie,
assim é todo instante:
mundos vêm e vão.

Soma-te ao gozo da vida,
qual sol em pleno verão,
celebra o breve infinito.
Da tua frágil condição,
apaixonada e humana,
usufrui cada momento.

Na eternidade de um dia
não cabe nenhum lamento.

— Que maravilhoso!
— Pois agora não vamos falar mais. Só direi: "Fim desta seção!".
— Acho bom você parar com essas ironias.
— "Fim desta seção", eu disse. E é bom você me escutar!

Freud

... o desejo mesquinho e egoísta oculto dentro dela...

Hilde Møller Knag saltou da cama com o fichário pesado nas mãos. Deixou-o sobre a escrivaninha, tirou a roupa e, depois de tomar uma ducha em não mais que dois minutos, se vestiu rapidamente. Em seguida, desceu correndo para o térreo.

— O café está pronto, Hilde.
— Antes eu tenho que sair um pouco para espairecer.
— Hilde, volte aqui!

Ela cruzou o jardim, soltou o bote que estava amarrado ao píer e começou a remar. Deu voltas e mais voltas ao redor da baía, remando num ritmo frenético, que foi ficando mais lento com o passar do tempo.

"Nós somos este planeta vivo, Sofia! Somos o grande navio que veleja ao redor do Sol neste universo. Mas cada um de nós é também um barco que navega pela vida com um carregamento de genes. Se conseguirmos desembarcar essa carga num porto adiante, nossa vida não terá sido em vão..."

Hilde havia decorado esse trecho. Afinal, fora escrito para ela. Não para Sofia, mas para ela. Tudo que estava no fichário era uma carta do pai para Hilde.

Ela desprendeu os remos das presilhas e os colocou dentro do bote, que ficou à deriva na água, ao sabor das marolas da baía.

Assim como aquele bote boiando no espelho d'água de uma pequena baía em Lillesand, ela mesma era uma casca de noz flutuando na superfície da vida.

Em que lugar estariam Sofia e Alberto naquele quadro? Sim, onde estariam Alberto e Sofia?

Hilde não conseguia aceitar que eles fossem apenas "impulsos eletromagnéticos" do cérebro de seu pai. Ela se recusava a admitir que não passavam de papel impresso pela fita da máquina de escrever do pai. Se assim fosse, poderia muito bem dizer que ela própria era apenas um monte de proteínas amalgamadas que um dia brotaram de um "pequeno tanque de água tépida". Mas ela era mais do que isso. Ela era Hilde Møller Knag.

Era óbvio que aquele arquivo havia sido um fantástico presente de quinze anos. E também era óbvio que com ele seu pai conseguira falar ao seu coração e ao seu cérebro. Mas ela não tinha gostado nem um pouco do modo abusado como ele tratava Sofia e Alberto de vez em quando.

Ele iria receber uma lição ainda no caminho de casa. E isso se devia àqueles dois personagens. Hilde já podia até imaginar o pai dando voltas feito um bobo pelo aeroporto de Kastrup, em Copenhague.

Mais calma, ela remou de volta para o píer e amarrou bem o bote. Depois, sentou-se à mesa do café da manhã na companhia da mãe. Ela bem que gostaria de dizer que o ovo cozido estava delicioso, mas na verdade o tinha achado mole demais.

Somente no fim da noite é que ela foi retomar a leitura. Já não havia muitas páginas para ler.

Novamente bateram na porta.

— Vamos nos fazer de surdos? — perguntou Alberto. — Talvez parem de bater.

— Não, vamos ver quem é — disse Sofia.

Alberto a acompanhou até a porta.

Na entrada havia um homem nu. Sua pose era cerimoniosa, mas a única coisa que ele usava era uma coroa na cabeça.

— E agora? — perguntou ele. — Que acham da roupa nova do imperador?

Alberto e Sofia não deram um pio de tão espantados que estavam. E o homem nu se sentiu um tanto ofendido.

— Vocês não fizeram nenhuma reverência! — queixou-se ele.

Alberto tomou a palavra.

— É verdade, mas o imperador está nu em pelo.

O homem nu permaneceu parado na mesma pose cerimoniosa. Alberto se inclinou e sussurrou no ouvido de Sofia.

— Ele acha que está vestido decentemente.

Agora a expressão do homem era de contrariedade.

— Nesta casa se acham no direito de me censurar por algo?

— Infelizmente — disse Alberto. — Aqui nós temos juízo e nossos olhos enxergam muito bem. Na condição indecente em que o imperador se encontra no momento, não poderá passar da soleira desta porta.

Sofia achou aquele homem cerimonioso porém nu tão hilário que de repente desatou a rir. Como se isso fosse a senha para que ele caísse em si, o homem que usava apenas uma coroa na cabeça se deu conta de que estava sem roupa. Num reflexo ele tentou tapar o sexo com ambas as mãos e saiu correndo em direção à floresta, para desaparecer entre as árvores. Talvez até tenha cruzado com Adão e Eva, Noé, Chapeuzinho Vermelho e o Ursinho Pooh por ali.

— Vamos nos sentar de novo. Vou contar um pouco a respeito de Freud e sua teoria sobre o inconsciente — disse Alberto.

— Já são quase duas e meia, e ainda tenho que acertar muitos detalhes da festa no jardim — retrucou Sofia.

— Eu também. Vamos apenas dizer algumas palavras sobre *Sigmund Freud*.

— Ele era filósofo?

— Podemos dizer que foi um filósofo da cultura. Freud nasceu em 1856 e estudou medicina na Universidade de Viena. Lá viveu a maior parte da sua vida, exatamente durante o período em que Viena experimentava um enorme florescimento cultural. Ele se especializou num ramo da medicina denominado *neurologia*. No fim do século XIX, e por anos a fio já no século XX, ele desenvolveu o que chamou de "psicologia profunda" ou "psicanálise".

— Acho melhor você explicar direito.

— Por "psicanálise" entendemos tanto a descrição da mente ou da psique humana em toda a sua complexidade quanto um método de tratamento para transtornos nervosos e psíquicos. Não pretendo aqui explicar detalhadamente nem Freud nem a sua obra. Mas saber algo de sua teoria sobre o inconsciente é absolutamente necessário para a compreensão do que o homem é.

— Você já conseguiu despertar o meu interesse. Pode continuar!

— Freud dizia que sempre há uma tensão subjacente entre um homem e suas circunstâncias. Mais precisamente, existe uma tensão, ou um conflito, entre os instintos e necessidades humanas e as condições em que se vive. Não seria exagero dizer que Freud descobriu a vida instintiva das pessoas. E isso o fez um legítimo expoente das correntes naturalistas que se destacavam tanto no fim do século XIX.

— O que você quer dizer com "vida instintiva" das pessoas?

— Não é sempre a razão a responsável por reger nossas ações. Os homens não são seres tão racionais como imaginaram os racionalistas do século XVIII. Frequentemente são os impulsos irracionais que determinam o que pensamos, o que sonhamos e o que fazemos. Tais impulsos irracionais podem ser a expressão para instintos ou necessidades profundamente enraizadas. O instinto sexual do homem, por exemplo, é tão fundamental quanto a necessidade que um recém-nascido tem de mamar.

— Sei.

— Isso em si não foi nenhuma descoberta. Mas Freud demonstrou que essas necessidades básicas podem ser "disfarçadas" ou "moldadas" e assim controlar nossas ações sem que sequer nos demos conta. Além disso, ele mostrou que crianças pequenas também possuem uma espécie de sexualidade. E a afirmação de que existe uma "sexualidade infantil" provocou fortes reações dos vetustos cidadãos vienenses contra Freud, tornando-o uma pessoa extremamente impopular.

— Não me admiro.

— Estamos falando da "era vitoriana", quando tudo que estava ligado a sexo era tabu. Freud descobriu a pista da sexualidade infantil através da sua prática como psicoterapeuta. Ele também dispunha de uma fundamentação empírica para fazer suas afirmações. Sua experiência apontava que muitas formas de neurose ou transtornos psíquicos estavam relacionadas a conflitos ocorridos na primeira infância. Com o tempo ele desenvolveu um método de tratamento que podemos denominar de "arqueologia da alma".

— O que quer dizer isso?

— Um arqueólogo tenta encontrar vestígios de um passado remoto escavando as diversas camadas de terra. Talvez ele encontre uma faca do século XVIII. Mais no fundo talvez ache um pente do século XIV, e mais no fundo ainda um pote do ano 400...

— E?

— Da mesma forma, o psicanalista pode, com a ajuda do paciente, penetrar a sua consciência para "desenterrar" experiências passadas que deram origem aos seus transtornos psíquicos. Pois, segundo Freud, as memórias do passado estão guardadas bem fundo no nosso ser.

— Agora compreendi.

— Desse modo então ele talvez pudesse descobrir uma experiência ruim que, com o passar dos anos, o paciente procurou esquecer mas ainda está latente dentro dele, drenando os seus recursos. Ao trazer uma "experiência traumática" para a luz da consciência, e por assim dizer exibi-la diante do paciente, este poderia "acertar as contas com ela" e finalmente se curar.

— Parece lógico.

— Mas eu me adiantei demais. Vamos primeiro ver como Freud descreve a psique humana. Você sabe como se comporta uma criancinha, não?

— Eu tenho um primo de quatro anos.

— Quando vêm ao mundo, os bebês buscam satisfazer suas necessidades de maneira muito direta e desinibida. Se sentem fome, abrem o berreiro. Talvez também chorem quando estão com as fraldas molhadas. São expressões muito diretas daquilo que sentem, ou de quando querem contato físico ou calor humano. Esse "princípio instintivo" ou "princípio do prazer" que existe em todos nós, Freud chamou de *id*. Quando crianças, somos quase que inteiramente uma representação do id.

— Continue!

— O id ou princípio instintivo segue conosco por toda a vida, inclusive quando somos adultos. Mas com o tempo aprendemos a controlar nossos desejos e, por assim dizer, nos adaptar às nossas circunstâncias. Freud dizia que construímos um *ego*, um eu capaz de desempenhar essa função reguladora. Ainda que desejemos algo, não podemos mais rolar no chão e chorar para que um pai venha nos tranquilizar e satisfazer nossas necessidades.

— Claro que não.

— Mas aí pode ocorrer de desejarmos algo ardentemente, por exemplo, algo que o meio em que estejamos inseridos não vá jamais aceitar. Pode ocorrer de sermos obrigados a *reprimir* nossos desejos. Com isso, quero dizer que tentamos esquecê-los ou varrê-los para debaixo do tapete.

— Sei.

— Pois Freud ainda contava com uma terceira "instância" na psique humana. Desde a primeira infância somos confrontados com os padrões morais dos nossos pais e da sociedade em que vivemos. Quando fazemos algo de errado, nossos pais dizem "Não, assim não pode!", ou "Isso é muito feio!". Mesmo depois que crescemos, trazemos conosco tais julgamentos e padrões morais. É como se as expectativas morais da sociedade tivessem se apossado de uma parte de nosso ser. A isso Freud chamou de *superego*.

— Seria assim como a consciência?

— Aquilo que ele chamou de superego abrange a consciência. Mas Freud dizia que o superego nos envia mensagens também quando desejamos algo "sujo" ou "inadequado". Isso vale sobretudo para desejos de natureza erótica ou sexual. E, como dissemos, Freud indicou que tais desejos inadequados ou "impróprios" surgem bem cedo na infância.

— Pode explicar!

— Hoje em dia sabemos que crianças pequenas tocam em seus órgãos genitais. Podemos observar isso, por exemplo, em piscinas ou na praia. Na época de Freud, qualquer criança de dois ou três anos que ousasse aproximar um dedo das suas partes genitais tomaria um tapa na mão. Talvez a mãe até a repreendesse: "Feio!", "Não pode!" ou "Não, você tem que pôr as mãos para fora do cobertor!".

— Completamente doentio!

— Dessa forma surge um sentimento de culpa relacionado aos órgãos sexuais e a tudo que tenha a ver com a sexualidade. Como esse sentimento de culpa fica alojado no superego, muitas pessoas, segundo Freud a maioria delas, carregam esse "peso" em relação ao sexo. Ao mesmo tempo ele apontava que os desejos e necessidades sexuais são naturais e representam uma importante etapa da natureza humana. E assim, minha querida Sofia, está estabelecido um conflito entre desejo e culpa que pode durar a vida inteira.

— Você não acha que esse conflito diminuiu desde a época de Freud?

— Sem dúvida. Mas muitos dos pacientes de Freud experimentavam esse conflito de maneira tão forte que desenvolveram o que ele chamou de *neuroses*. Uma de suas pacientes, por exemplo, nutria uma paixão secreta pelo cunhado. Quando sua irmã morreu doente, ela pensou: "Agora ele está livre e pode se casar comigo!". Esse pensamento estava ao mesmo tempo em rota de colisão com seu superego. Era algo tão terrível que ela o reprimiu, como Freud dizia, isto é, o enterrou bem fundo no inconsciente. Freud escreveu: "A jovem adoeceu e passou a apresentar sintomas histéricos, e, quando comecei a tratá-la, revelou-se que ela esquecera por completo aquela cena no leito de morte da irmã, bem como o desejo mesquinho e egoísta oculto dentro dela. Contudo, ao longo do tratamento ela se recordou dele, reproduziu aquele instante patogênico por meio de intensos e turbulentos pensamentos, e ficou curada".

— Agora estou compreendendo melhor o que você quis dizer com "arqueologia da alma".

— Podemos então tentar explicar de modo genérico como é a nossa psique. Depois de sua longa experiência com o tratamento de pacientes, Freud chegou à conclusão de que a consciência é apenas uma pequena parte da mente humana. Ela é somente a ponta de um iceberg sobre a superfície. Debaixo dela, isto é, sob o limiar da consciência, está o *subconsciente*, ou *inconsciente*.

— O inconsciente seria aquilo que está dentro de nós mas não lembramos ou não reconhecemos?

— Não temos como guardar permanentemente em nossa consciência todas as nossas experiências. Mas Freud chamou de "pré-consciente" as experiências e pensamentos dos quais podemos nos lembrar apenas "pondo a mente para funcionar". Ele utilizava a expressão "inconsciente" apenas para aquilo que "reprimimos". Isto é, coisas que vivenciamos e que procuramos esquecer porque são "desconfortáveis", "inadequadas" ou "terríveis". Se tivermos desejos ou prazeres que são intoleráveis para nossa consciência, ou para nosso superego, então os entulhamos no porão da nossa mente, como se pensássemos assim: vou já me livrar deles!

— Compreendi.

— Esse mecanismo funciona em todas as pessoas sãs. Mas para algumas pode ser tão estressante conter pensamentos desconfortáveis ou proibidos a ponto de gerar transtornos nervosos. O que se tenta reprimir dessa maneira volta à tona da consciência. Algumas pessoas precisam, portanto, se esforçar cada vez mais para manter tais impulsos sob a crítica da consciência. Quando Freud esteve nos Estados Unidos em 1909 para proferir palestras sobre a psicanálise, ele citou um exemplo clássico de como funciona esse mecanismo de repressão.

— Pode contar!

— Ele disse: "Vamos supor que aqui nesta sala um indivíduo se comporte inadequadamente, me distraindo com suas risadas inconvenientes, falando alto e batendo os pés no chão. Eu digo que não posso continuar minha exposição dessa forma, e em instantes alguns seguranças bem fortes o expulsam da sala, depois de uma breve resistência. Ele foi, portanto, 'reprimido' e eu posso continuar minha palestra. Para que o incidente não volte a ocorrer, os mesmos senhores que o expulsaram sem que eu tivesse pedido, aproximam suas cadeiras da porta e criam uma espécie de barreira ou cordão de isolamento para que o indivíduo não retorne. Se imaginarem agora esses dois ambientes, aqui na sala 'o consciente' e lá fora, do outro lado da porta, 'o inconsciente', terão uma boa metáfora do funcionamento do mecanismo de repressão".

— Concordo que foi uma boa metáfora.

— Mas aquele "elemento perturbador" vai *continuar querendo* entrar, Sofia. Do mesmo modo que os impulsos e pensamentos reprimidos. Nós vivemos sob a "pressão" constante de pensamentos reprimidos que desejam deixar o inconsciente. É comum dizermos ou fazermos coisas sem que tivéssemos a "intenção" de dizê-las ou fazê-las. Assim as reações inconscientes podem controlar nossos sentimentos ou ações.

— Você teria algum exemplo?
— Freud menciona vários mecanismos. Um deles é chamado de *ato falho*. Algo que dizemos ou fazemos involuntariamente a partir de algo reprimido antes. Ele mesmo cita o exemplo de um trabalhador que deveria erguer um brinde numa reunião em que se comemorava o aniversário do chefe. Tudo bem se o chefe não fosse um sujeito muito impopular.
— E?
— O trabalhador se pôs de pé, ergueu a taça e em tom solene disse: "Vamos desejar vida curta ao chefe".
— Não entendi.
— Nem o pobre do trabalhador. Ele queria dizer "vida longa", evidentemente. Mas acabou deixando escapar o que de fato pensava. Quer ouvir outro exemplo?
— Quero, sim.
— A família de um pastor, pai de meninas finas e educadas, iria receber a visita de um bispo. Esse bispo tinha um nariz muito, mas muito, grande. O pastor recomendou às filhas que não dissessem nada sobre aquele nariz enorme. É bem comum que crianças pequenas deixem escapar comentários sobre as características físicas das pessoas, exatamente porque o mecanismo de repressão delas não é tão forte.
— E?
— O bispo chegou na paróquia e as encantadoras meninas se esforçaram para não fazer nenhum comentário. Mais ainda: tentaram nem olhar para o nariz, como se fosse possível esquecer que havia um nariz enorme ali. Mas aí coube à caçula levar o açucareiro para o bispo quando foi servido o café. Ela lhe perguntou: "O senhor quer um pouco de açúcar no *nariz*?".
— Nossa!
— Algumas vezes pode acontecer de *racionalizarmos*. Tentamos provar para os outros e para nós mesmos que temos alguns motivos para agir de uma determinada maneira, sendo que os motivos reais são outros. E exatamente porque eles são incômodos ou constrangedores é que tentamos ocultá-los.
— Um exemplo, por favor.
— Posso hipnotizá-la para que abra uma janela. Durante a hip-

nose, digo que, quando eu começar a bater com os dedos na mesa, você terá que se levantar e abrir a janela. Eu bato com os dedos na mesa, e você abre a janela. Então eu lhe pergunto por que você abriu a janela. Talvez você diga que estava abafado. Mas essa não é a razão verdadeira. Você não quer admitir para si mesma que agiu sob sugestão hipnótica. Então você está racionalizando, Sofia.

— Sei.

— Quase diariamente isso ocorre nas nossas relações, quando fazemos essa "comunicação dupla".

— Eu falei do meu primo de quatro anos. Ele não tem com quem brincar, então fica muito contente quando eu vou visitá-lo. Certa vez eu disse que precisava voltar para casa porque minha mãe estava me esperando. Sabe o que ele disse?

— O quê?

— "Ela é uma chata!"

— Sim, esse é um belo exemplo do que queremos dizer com racionalização. O garoto não quis dizer isso. O que ele quis dizer foi que era muito chato que você tivesse que ir embora, mas isso talvez fosse difícil para ele admitir. Outras vezes acontece de nós *projetarmos*.

— É bom você traduzir.

— Com projeção queremos dizer que transferimos a outras pessoas características que tentamos reprimir em nós mesmos. Uma pessoa especialmente avarenta, por exemplo, é pródiga em chamar os outros de avarentos. Alguém que não queira admitir que é obcecado por sexo talvez seja o primeiro a apontar outras pessoas como dependentes de sexo.

— Sei.

— Freud dizia que pululam exemplos de tais comportamentos na nossa vida cotidiana. Acontece com frequência de esquecermos o nome de uma determinada pessoa, talvez tenhamos o hábito de enrolar uma ponta da roupa nos dedos ou fiquemos mudando a posição dos objetos na estante. Podemos também tropeçar nas palavras e dizer coisas desconexas que à primeira vista parecem totalmente inocentes. O argumento de Freud é que esse comportamento e essas confusões não são nem tão ocasionais nem tão inocentes quanto acreditamos. Para ele, são como "sintomas". Tais "atos fa-

lhos" ou "ações ocasionais" podem justamente ser a eloquente revelação de segredos mais íntimos.
— De agora em diante vou prestar atenção em cada palavra que eu disser.
— De qualquer forma você não vai jamais escapar dos seus impulsos inconscientes. O segredo é não se estressar demais ao empurrar as coisas desagradáveis para o inconsciente. É como querer tapar os buracos que uma toupeira faz. Pode ter certeza de que eles vão aparecer em outros locais do jardim. É perfeitamente sadio deixar entreaberta a porta entre o consciente e o inconsciente.
— E, se trancarmos essa porta, poderemos sofrer com distúrbios psíquicos?
— Sim, um neurótico é alguém que gasta uma energia excessiva tentando manter "o desconfortável" longe da consciência. Esse "desconfortável" em geral se refere a experiências específicas que precisam ser reprimidas com mais urgência. Freud chamou essas experiências de *traumas*. A palavra "trauma" vem do grego e significa "ferida".
— Sei.
— Para Freud tornou-se importante, no tratamento dos pacientes, tentar abrir com cuidado essas portas fechadas, ou talvez abrir outras. Ao trabalhar em parceria com o paciente, ele tentava resgatar as experiências reprimidas. O paciente, claro, não percebe o que reprime. Ainda assim pode, com a ajuda do médico, revelar os seus traumas ocultos.
— E como o médico deve proceder?
— Freud desenvolveu um método que chamou de *livre associação de ideias*. Ele deixava os pacientes se deitarem numa postura bem relaxada e dizerem as coisas que lhes ocorressem, não importa quão insignificantes, aleatórias, desconfortáveis ou mesmo aflitivas elas fossem. Esse é o segredo para abrir a "fechadura" e quebrar o "controle" sobre as experiências traumáticas. Pois são justamente os traumas que ocupam os pacientes o tempo inteiro, só que eles não percebem isso conscientemente.
— Quanto mais nos esforçamos para esquecer algo, mais pensamos nisso inconscientemente?
— Exatamente. Por isso é importante ouvir os sinais do inconsciente. O "caminho real" para o inconsciente, segundo Freud, são

os nossos *sonhos*. Sua mais importante obra, *A interpretação dos sonhos*, foi publicada em 1900. Nela, ele demonstrou que nossos sonhos não são casuais. Através dos sonhos nossos pensamentos inconscientes tentam se infiltrar na consciência.

— Continue!

— Depois de anos estudando casos de pacientes, e mesmo analisando seus próprios sonhos, Freud afirmou categoricamente que todos os sonhos são a *realização de desejos*. Isso é algo que se pode observar bem entre crianças, diz ele. Elas sonham com sorvete e cerejas, vamos resumir assim. Em adultos, porém, ocorre com frequência de esses desejos que seriam realizados nos sonhos estarem disfarçados. Pois também enquanto dormimos entra em ação uma censura muito forte para nos dizer o que podemos ou não nos permitir. Quando dormimos, é precisamente essa censura, ou mecanismo de repressão, que fica enfraquecida em relação ao nosso período de vigília. Mas ainda assim é algo forte o suficiente para camuflar desejos ocultos que não nos permitimos reconhecer como nossos.

— É por esse motivo que os sonhos têm que ser interpretados?

— Freud mostra que devemos distinguir a memória recente que temos dos sonhos, assim que acordamos, do seu real significado. As imagens oníricas, aqueles "filmes" ou "vídeos" que assistimos ao sonhar, ele chamou de *conteúdos manifestos do sonho*. O significado "aberto" desses sonhos sempre se refere a acontecimentos recentes. Mas os sonhos possuem significados mais profundos, ocultos à consciência. Freud denominou esses significados de *pensamentos latentes do sonho*, e esses pensamentos ocultos aos quais se relacionam os sonhos estão diretamente conectados a um passado bem remoto, por exemplo, passagens da nossa primeira infância.

— Precisamos então analisar bem os sonhos antes de podermos compreender do que eles tratam.

— Sim, e os doentes devem fazer isso junto com um terapeuta. Mas não é o médico que interpreta o sonho. Isso ele só pode fazer com a ajuda do paciente. Nessas condições o médico age apenas como uma "parteira" socrática, que está ali para ajudar naquele procedimento.

— Compreendi.

— Freud chamou de *trabalhar o sonho* o ato de transformar

"pensamentos latentes" em "conteúdos manifestos" desse sonho. Podemos falar de um "mascaramento" ou "codificação" do assunto a que o sonho realmente se refere. Na interpretação dos sonhos temos que fazer o processo inverso. Precisamos "desmascarar" ou "decodificar" o "motivo" do sonho para descobrir qual é o seu "tema".

— Você pode dar algum exemplo?

— Os livros de Freud estão repletos de exemplos. Mas vamos nós aqui inventar um exemplo bem simples e bem freudiano. Se um jovem sonha que ganhou da sua prima duas bexigas...

— Sim?

— Não, tente você interpretar esse sonho.

— Hum... O "conteúdo manifesto" é isso mesmo que você disse: ele ganhou duas bexigas da sua prima.

— Continue!

— Você também disse que o enredo dos sonhos é inspirado em acontecimentos recentes. Talvez ele tenha ido a um parquinho dias antes, ou talvez tenha visto no jornal uma foto de bexigas.

— Sim, é possível, mas ele poderia apenas ter lido a palavra "bexigas", ou algo que pudesse fazê-lo lembrar-se de bexigas.

— Mas qual seria o "pensamento latente", isto é, o verdadeiro assunto do sonho?

— É você quem está interpretando, você que tem que dizer.

— Talvez ele simplesmente esteja realizando o desejo de ter um par de bexigas.

— Não, não pode ser. Você tem razão quando diz que o sonho é a realização de um desejo. Mas um adulto não iria desejar logo um par de bexigas. Mesmo que desejasse, não precisaria sonhar com isso.

— Então acho que já sei: ele na verdade estaria desejando sua prima, as duas bexigas seriam os seios dela.

— Sim, essa seria uma interpretação razoável. A premissa seria ele achar esse sonho um tanto embaraçoso.

— Quer dizer que nossos sonhos dão voltas por caminhos tortuosos, com bexigas e coisas assim?

— Sim, Freud dizia que os sonhos são uma "realização disfarçada de desejos reprimidos". Mas o que realmente disfarçamos pode ter se modificado bastante desde que Freud exercia o ofício da medicina em Viena. Porém, apesar disso o mecanismo de camuflagem do conteúdo dos sonhos permanece intacto.

— Entendi.

— A psicanálise de Freud teve uma grande importância na década de 1920, primeiramente no tratamento de pacientes psiquiátricos. Sua teoria sobre o inconsciente teve também um grande significado para a arte e para a literatura.

— Você quer dizer que os artistas passaram a se ocupar mais da vida mental inconsciente do homem?

— Correto. Embora deva ficar claro que isso já era manifesto na literatura nas décadas finais do século XIX, antes de a psicanálise freudiana se tornar conhecida. Isso significa que não foi um acontecimento fortuito o surgimento da psicanálise por volta de 1890.

— Quer dizer que ela já pairava no tempo?

— Freud não afirmava haver "descoberto" fenômenos como a repressão, o ato falho ou a racionalização. Ele apenas foi o primeiro a trazer essas experiências para o reino da psiquiatria. Ele também foi muito sagaz ao ilustrar sua teoria com exemplos literários. Porém, como se disse, a psicanálise de Freud teve uma influência direta na arte e na literatura a partir de 1920.

— Como?

— Poetas e pintores tentaram utilizar as forças do inconsciente na criação das suas obras. Isso vale especialmente para os chamados *surrealistas*.

— Surrealistas? O que significa?

— "Surrealismo" é uma palavra de origem francesa que pode ser traduzida como "além da realidade". Em 1924, *André Breton* publicou o *Manifesto surrealista*, no qual diz que a verdadeira arte se desenvolve a partir do inconsciente, pois nele o artista pode encontrar a liberdade necessária para buscar nas imagens dos seus sonhos a inspiração para produzir. Dessa forma, ele conseguiria transpor as barreiras entre sonho e realidade. Para um artista deve ser de fato muito importante banir a censura da consciência para que palavras e imagens possam fluir livremente.

— Sei.

— Freud tinha de certo modo deixado uma prova de que todas as pessoas são artistas em potencial. Um sonho é uma pequena obra de arte, e criamos um por noite. Para interpretar os sonhos de seus pacientes, Freud com frequência precisava abrir caminho em meio a um denso emaranhado de símbolos, quase como fazemos para interpretar uma imagem ou um texto literário.

— E nós sonhamos mesmo todas as noites?

— As pesquisas mais recentes mostram que sonhamos cerca de vinte por cento do tempo que dormimos, ou seja, de duas a três horas por noite. Se formos despertados nessa fase do sono, ficamos nervosos e irritados. Isso significa que todas as pessoas têm uma necessidade inata de expressar sua condição existencial de maneira artística. Pois é disso que tratam os sonhos. Somos nós que os dirigimos, somos nós a inspiração para seu enredo, somos nós que fazemos o seu roteiro e desempenhamos todos os papéis. Alguém que diga que não se vê refletido na arte é certamente alguém que se conhece muito pouco.

— Compreendi.

— Além disso, Freud deixou uma prova impressionante de como a consciência humana é fantástica. Seu trabalho com os pacientes o convenceu de que nós conservamos todas as nossas experiências num local bem íntimo da nossa consciência. Todas as impressões que tivemos podem, por conseguinte, ser recuperadas e trazidas à tona de novo. Toda vez que experimentamos aquele "branco" momentâneo nos nossos pensamentos, ou em seguida temos aquilo "na ponta da língua", ou mais adiante simplesmente "topamos com aquela ideia", estamos falando exatamente de algo que estava latente no inconsciente e de repente se infiltrou por uma porta entreaberta no reino da consciência.

— Mas às vezes isso demora muito para acontecer.

— Os artistas sabem disso muito bem. Mas de repente é como se todas as portas e gavetas dos arquivos do inconsciente fossem abertas. Tudo passa a fluir espontaneamente, e aí podemos selecionar as palavras e imagens que queremos. Isso ocorre sempre que não "passamos a chave" na porta do inconsciente. Podemos chamar isso de inspiração. É algo que nem parece brotar de dentro do nosso ser.

— Deve ser uma sensação maravilhosa.

— Mas seguramente você já sentiu isso alguma vez. Uma condição dessas é muito fácil de ser observada em crianças pequenas quando estão exaustas. Costuma acontecer de caírem no sono e balbuciarem palavras que nem aprenderam ainda. Mas são palavras que já estavam "latentes" na sua consciência e que então, com as crianças relaxadas e livres de toda censura, começam a emergir. Para um artista também é importante não permitir que a razão e a racionalidade assumam um controle maior do que o mínimo necessário para a manifestação do inconsciente. Posso lhe contar uma pequena história que ilustra muito bem isso?

— Claro!

— É uma história muito séria e também muito triste...

— Conte, por favor!

— Era uma vez uma centopeia que era uma dançarina fantástica, sabia como ninguém usar aquelas cem pernas. Quando dançava, todos os bichos da floresta se reuniam para assistir. E todos ficavam impressionados com aquela dança nunca vista. Somente um animal não gostava da dança da centopeia. Era um jabuti...

— Devia ter inveja, isso sim.

— "Como vou fazer para que a centopeia pare de dançar?", perguntava-se o jabuti. Ele podia simplesmente dizer que não gostava da dança. Ele não podia afirmar que dançava melhor que ela, pois ninguém iria achar razoável. Então ele bolou um plano diabólico.

— Que plano?

— Ele decidiu enviar uma carta para a centopeia. "Ó, incomparável centopeia!", escreveu. "Há tempos sou fã incondicional da sua admirável dança. E gostaria muito de saber como você faz para dançar. Primeiro levanta a perna esquerda número 28 e em seguida a perna esquerda número 59? Ou começa a dançar levantando a perna direita número 26 antes de levantar a perna esquerda número 49? Estou ansioso pela resposta. Cordialmente, Jabuti."

— Que filho da mãe!

— Quando leu a carta, a centopeia se pôs imediatamente a refletir sobre como fazia de fato para dançar. Que perna ela levantava primeiro? Qual ela levantava em seguida? E sabe o que aconteceu?

— Acho que a centopeia nunca mais dançou na vida.

— Sim, a história termina assim. E é dessa mesma maneira que as fantasias são sufocadas pela racionalidade dos pensamentos.

— Concordo com você, é uma história bem triste.

— Para um artista pode ser fundamental "soltar-se das amarras" da racionalidade. Os surrealistas procuraram fazê-lo colocando-se numa posição em que tudo parecia brotar espontaneamente. Se tivessem uma folha em branco diante de si, começariam a preenchê-la sem se preocupar com o conteúdo. Chamavam isso de *escrita automática*. A expressão é na verdade emprestada do espiritismo, em que um "médium" acredita que o espírito de um morto que ele incorporou é que conduz a caneta. Mas sobre isso em particular é melhor falarmos amanhã de manhã.

— Acho bom!

— O artista surrealista é de certa forma um "médium", isto é, um meio ou um intermediário. Ele é um intérprete da sua própria consciência. Mas talvez haja um elemento qualquer do inconsciente em todo processo criativo. Pois o que é mesmo que chamamos de "criatividade"?

— Não é quando criamos algo novo?

— É. E isso acontece exatamente como resultado de uma interação sutil entre a fantasia e a razão. Acontece com frequência de a razão sufocar a fantasia. E isso é muito sério, porque sem fantasia nada realmente novo pode ser criado. Eu mesmo acho que a fantasia é um sistema darwinista.

— Sinto muito, mas *essa* eu não consegui entender.

— O darwinismo diz que cada mutação que ocorre na natureza deriva de outra. Mas apenas algumas dessas mutações podem ser aproveitadas pela natureza. Algumas poucas apenas têm futuro.

— E daí?

— E daí que também é assim quando pensamos, quando nos inspiramos para produzir uma miríade de novas ideias. Um atrás do outro, inúmeros "pensamentos mutantes" vão brotando na consciência. Isto é, desde que não nos imponhamos uma autocensura muito forte. Mas apenas alguns desses pensamentos têm serventia. É aí que a razão faz o seu papel. Pois ela também desempenha uma função importante. Quando colocamos o produto da pescaria sobre a mesa, não devemos nos esquecer de escolher os peixes.

— Essa foi uma comparação interessante.

— Imagine se tudo que nos ocorresse (todos os nossos insights) conseguisse escapulir por entre os nossos lábios! Ou então saltar dos nossos cadernos de apontamentos ou das gavetas das nossas escrivaninhas! O mundo seria assolado por eles. Não haveria nenhuma "seleção", Sofia.

— E a razão é que seleciona as ideias e pensamentos "mais aptos"?

— Sim, você não acha? Talvez a fantasia crie o novo, mas não é ela própria quem faz a seleção. Não é a fantasia que "compõe". Uma composição, como qualquer outra obra de arte, consiste numa maravilhosa parceria entre a fantasia e a razão, ou entre a mente e a reflexão. Pois sempre haverá um componente ocasional em todo processo criativo. Em determinada fase pode ser importante não represar esses componentes aleatórios. As ovelhas precisam primeiro ser soltas para que alguém possa começar a pastoreá-las.

Alberto ficou em silêncio e fixou o olhar na janela. Sofia também olhou na direção do lago, e o que ela viu passeando pela margem foi uma profusão de personagens de Walt Disney, em todas as cores, formas e tamanhos.

— Olhe o Pateta — disse ela. — Donald e os sobrinhos... E Margarida... E Tio Patinhas. Está vendo Tico e Teco? Está me ouvindo, Alberto? Lá estão também Mickey e o Professor Pardal!

Alberto olhou para ela:

— Sim, é triste, minha querida.

— Como assim?

— Cá estamos e somos como vítimas indefesas quando o major solta suas ovelhas. Mas isso é naturalmente culpa minha. Fui eu quem começou a falar em libertar os pensamentos aleatórios.

— Não precisa se culpar.

— Eu queria enfatizar que a fantasia é importante para nós, filósofos. Para imaginar o novo, é preciso que ousemos e nos libertemos. Mas acho que me expressei de uma maneira muito vaga.

— Não precisa pegar tão pesado.

— Queria falar da importância de refletir tranquilamente sobre os pensamentos. Mas aí me vem essa parada de personagens de Disney. Ele devia se envergonhar!

— Você está sendo irônico agora?

— Ele que é irônico, não eu. Mas eu tenho um consolo, e é nele que reside o núcleo do meu plano.

— Não estou entendendo mais nada.

— Nós conversamos sobre os sonhos. E nisso há também um traço de ironia. Porque o que somos nós além de imagens dos sonhos do major?

— É...
— Mas há uma coisa de que ele não se deu conta.
— E o que seria?
— Talvez ele esteja dolorosamente consciente dos seus próprios sonhos. Ele sabe tudo que dizemos e fazemos, assim como o sonhador se recorda do conteúdo manifesto do seu sonho. Pois é ele que está com a caneta na mão. Mas, embora ele seja capaz de se lembrar de tudo que dizemos um ao outro, ele ainda não está totalmente acordado.
— O que você quer dizer com isso?
— Ele não sabe do conteúdo latente do sonho, Sofia. Ele esquece que tudo isto é um sonho disfarçado.
— Que estranho.
— O major também acha. Isso porque ele não consegue entender a linguagem do seu próprio sonho. E nós devemos estar felizes por isso. Isso nos dá um mínimo de margem de manobra. Com essa liberdade vamos poder abrir caminho pela consciência lamacenta do major, assim como uma toupeira cava em direção à superfície para aproveitar o calor do sol de verão.
— Você acha que vamos conseguir?
— Nós precisamos conseguir. Daqui a dois dias eu vou presenteá-la com um novo horizonte. E aí o major jamais saberá para onde a toupeira foi nem onde ela surgirá novamente.
— Mas, embora nós sejamos figuras de um sonho, eu também sou a filha da minha mãe. E já são cinco horas. Então tenho que ir logo para a Curva do Capitão e cuidar dos preparativos para a minha festa no jardim.
— Hum... Você pode me fazer um pequeno favor no caminho?
— O que seria?
— Tente prestar atenção redobrada no que vê. Tente fazer com que o major a acompanhe nos menores passos pelo caminho. Tente pensar nele quando chegar em casa, e ele também pensará em você.
— Mas para que isso?
— Porque assim eu estarei mais tranquilo para dar prosseguimento ao meu plano secreto. Vou dar um mergulho no inconsciente do major, Sofia. E vou ficar por lá até que possamos nos encontrar novamente.

Nosso próprio tempo
... o homem está condenado a ser livre...

O relógio marcava 23h55. Deitada, Hilde tinha o olhar perdido no teto. Ela tentava deixar os pensamentos fluírem livres, fazendo todas as associações possíveis. Cada vez que uma sequência de pensamentos era interrompida, ela se punha a pensar por que isso havia ocorrido.

Devia ser algo que ela tentava reprimir.

Se ela apenas conseguisse evitar qualquer censura, talvez começasse a sonhar acordada. Era uma possibilidade um tanto assustadora.

Quanto mais tentava relaxar e deixar fluir as imagens na mente, mais tinha a sensação de estar no Chalé do Major, próximo ao lago, com a floresta ao seu redor.

O que Alberto estaria tramando? Quer dizer, o que naturalmente o seu pai estaria tramando para que Alberto estivesse tramando? Será que ele mesmo já sabia qual seria o plano de Alberto? Será que ele não estaria dando asas à imaginação para que o plano se revelasse uma surpresa até para ele?

Não faltavam muitas páginas para o fim. Será que ela devia dar uma espiada na última página? Não, seria trapacear. Mas havia algo mais: Hilde já não estava tão convencida assim de que o fim desta aventura estaria determinado na última página.

Não era um pensamento estranho esse? O fichário estava bem ali, seu pai não conseguiria jamais acrescentar algo de novo. A não ser que Alberto conseguisse. Uma surpresa...

Hilde, por sua vez, estava de fato tramando uma ou duas surpresas. Sobre ela seu pai não tinha nenhum controle. Mas será que *ela própria* tinha controle sobre si?

O que era a consciência, afinal? Não seria esse um dos maiores enigmas do universo? O que era a memória? O que fazia com que fôssemos capazes de "recordar" tudo que vimos e vivemos?

Que mecanismo seria esse que nos fazia continuar a criar essas aventuras noite após noite?

Enquanto pensava, Hilde fechava os olhos e tornava a abri-los, mantendo o olhar fixo no teto. Por fim, esqueceu-se de abrir os olhos novamente.

Ela adormecera.

Quando acordou, com os gritos estridentes de uma gaivota, o relógio marcava 6h66. Não era um número estranho? Hilde se levantou e caminhou até a janela para admirar a baía, como de hábito, fosse inverno ou verão.

Enquanto estava ali, foi como se uma profusão de cores explodisse dentro da sua cabeça. Ela se lembrou do que havia sonhado. Fora algo mais que um simples sonho. Era tão vívido em cores e formas...

Ela sonhou que seu pai voltara do Líbano e o sonho todo fora como uma sequência do sonho de Sofia, quando ela encontrou no píer a cruz de ouro que pertencia a Hilde.

Hilde estava sentada lá, exatamente como Sofia. Então ouviu um sussurro: "Meu nome é Sofia", disse a voz. Hilde não se mexeu, tentando descobrir de onde vinha a voz. Que continuou repetindo aquelas palavras num sussurro. Era como se um inseto estivesse dizendo para ela: "Você deve estar cega e surda, menina!". No instante seguinte seu pai apareceu no jardim vestido com o uniforme da ONU. "Hildinha!", ele gritou. Hilde correu na sua direção e se pendurou no pescoço dele. E assim terminou o sonho.

Ela se lembrou de uma estrofe de um poema de *Arnulf Øverland*:

*De um sonho magnífico
certa noite despertei.
Ao longe, um murmúrio,
como um rio subterrâneo —
me levantei: o que quereis?*

Hilde ainda estava diante da janela quando sua mãe surgiu na porta do quarto.
— Olá! Já está acordada?
— Não sei direito...
— Eu estarei de volta às quatro horas, como sempre.
— Ótimo.
— Aproveite bem seu dia de férias, Hilde.
— Tchau!
Quando Hilde escutou sua mãe sair de casa, pulou de volta na cama, levando consigo o fichário.
"... Vou dar um mergulho no inconsciente do major, Sofia. E vou ficar por lá até que possamos nos encontrar novamente."
Bem ali. Ela continuou a leitura. Podia sentir com seu indicador direito que restavam apenas poucas páginas.

Ao sair da cabana, Sofia continuou enxergando os personagens de Disney na margem do lago, mas eles iam desaparecendo à medida que se aproximava. Quando chegou perto do bote, eles já haviam sumido por completo.
Enquanto remava, e também quando estava amarrando o bote na outra margem, Sofia fazia caretas e agitava os braços. Foi a forma que encontrou para atrair a atenção do major, a fim de que Alberto ficasse esquecido na cabana.
Percorrendo a trilha de volta para casa, Sofia deu alguns gritos. Depois passou a caminhar como se estivesse presa por fios, tal qual um fantoche. Para não correr o risco de que o major se entediasse com aquilo, vez por outra ela também entoava algumas canções.

Em determinado instante ela se deteve e começou a imaginar o que Alberto estaria planejando. Cogitou estar sendo usada por ele, mas ficou com a consciência tão pesada que resolveu subir numa árvore para espairecer.

Subiu o mais alto que pôde. Quando já estava bem no topo, chegou à conclusão de que não saberia descer sozinha. Ela tentaria de novo mais tarde, e até lá ficaria bem quietinha. Mas talvez o major se cansasse dela e fosse espiar o que Alberto estaria fazendo.

Sofia balançou então os dois braços, tentou cacarejar como uma galinha, e por fim passou a cantar à tirolesa. Era a primeira vez em seus quinze anos de vida que fazia aquilo. Ainda assim, ficou bem satisfeita com o resultado.

Novamente ela tentou descer, mas não conseguiu. Foi então que um ganso enorme apareceu e pousou num galho vizinho daquele onde Sofia estava. Depois de ter visto uma turma de personagens de Walt Disney, Sofia nem se abalou ao ver um ganso falante.

— Meu nome é Morten — disse o ganso. — Na verdade eu sou um ganso doméstico, mas estou aqui hoje depois de retornar do Líbano com um bando de gansos selvagens. Parece que você está precisando de ajuda para descer desta árvore.

— Você é muito pequenino para me ajudar — disse Sofia.

— Uma conclusão muito apressada, minha jovem. Você é que é muito grande.

— Não dá na mesma?

— Você devia saber que eu já carreguei um jovem camponês da sua idade pela Suécia inteira. O nome dele é Nils Holgersson.

— Eu tenho quinze anos.

— E Nils tinha catorze. Uma diferença de um ano não quer dizer nada.

— E como você conseguiu transportá-lo?

— Eu lhe dei uma bofetada, ele desmaiou... Quando acordou, estava do tamanho de um polegar.

— Talvez você possa me dar uma bofetada também, porque não posso ficar presa aqui a eternidade inteira. No sábado vou ser anfitriã de uma festa filosófica no jardim de casa.

— Muito interessante. Então imagino que este seja um livro de filosofia. Quando voei com Nils Holgersson sobre a Suécia, fizemos uma escala em Mårbacka, em Värmland. Lá Nils encontrou uma senhora que planejava escrever um livro sobre a Suécia para crianças em idade escolar. Tinha que ser um livro instrutivo, mas também divertido. Quando ouviu o que Nils tinha para lhe contar, ela decidiu escrever um livro sobre o que ele vira quando estava voando agarrado no meu dorso.

— Que maravilha!

— Na verdade isso foi um pouco de ironia. Porque nós já éramos parte do livro.

Sofia sentiu algo acertar seu queixo. No instante seguinte ela estava minúscula. A árvore parecia agora uma floresta inteira, e o ganso havia ficado do tamanho de um cavalo.

— Pronto, pode subir.

Sofia abriu caminho entre os galhos e montou no ganso. As penas eram muito macias, mas, como ela estava bem pequena, começaram a pinicá-la.

Assim que ela montou no ganso, ele levantou voo. Bem alto, sobre as árvores. Sofia conseguiu avistar o lago e o Chalé do Major. Lá dentro Alberto devia estar maquinando seu plano.

— Muito bem, terminamos aqui nosso passeio — disse o ganso, e bateu bem as asas.

Ele aterrissou no pé da árvore que Sofia tinha escalado. Assim que tocou no solo, Sofia escorregou pelo seu dorso e fincou os pés na terra, não antes de dar umas cambalhotas na relva. De repente ela constatou que voltara ao seu tamanho original.

Grasnando, o ganso deu algumas voltas ao redor dela.

— Muito obrigada pela ajuda — disse Sofia.

— Não foi nada. Você disse que este é um livro de filosofia?

— Não, você que disse.

— Bem, tanto faz, na verdade. Se dependesse de mim, eu gostaria muito de ter voado com você por toda a história da filosofia, assim como voei com Nils Holgersson através da Suécia. Teríamos sobrevoado Mileto, Atenas, Jerusalém, Alexandria, Roma, Florença, Londres, Paris, Jena, Heidelberg, Berlim, Copenhague...

— Muito obrigada. Um voo só foi o bastante.

— Mas, mesmo para um ganso tão irônico quanto eu, voar através dos séculos teria sido fascinante. Cruzar a Suécia de ponta a ponta é muito mais fácil.

Depois disso o ganso tomou impulso correndo e batendo as asas, e decolou novamente.

Sofia estava exausta, mas, quando atravessou a sebe em direção ao jardim, teve certeza de que Alberto ficaria satisfeito com sua manobra para distrair o major. Ele seguramente não teria tido tempo de pensar em Alberto naquele período. A não ser que fosse um caso muito sério de dupla personalidade.

Sofia mal entrara em casa quando sua mãe chegou do trabalho. Isso a poupou de explicações sobre como um ganso falante a ajudou a descer do alto de uma árvore.

Depois de almoçar, as duas continuaram a trabalhar nos preparativos da festa. Elas carregaram o tampo de uma mesa de cerca de quatro metros e o puseram no jardim. Em seguida, voltaram ao sótão para buscar os pés onde apoiariam o tampo.

Elas queriam colocá-la debaixo das árvores frutíferas. A mesa fora usada pela última vez na comemoração dos dez anos de casamento dos seus pais. Sofia tinha apenas oito anos, mas se lembrava muito bem daquela grande festa e dos convidados, parentes e amigos, que compareceram.

A previsão do tempo era a melhor possível. Desde a última tempestade na véspera do aniversário de Sofia, não caíra uma só gota de chuva. Mas a decoração da festa em si teria de esperar até a manhã do sábado. Ainda assim sua mãe achou bom pôr a mesa no lugar desde já.

À noite elas assaram pãezinhos e roscas. Iriam servir também frango e salada. E refrigerantes. Sofia temia que algum garoto da sua classe trouxesse cerveja. Se havia algo que ela não queria de jeito nenhum era confusão provocada por gente bêbada.

Antes de se deitar, a mãe de Sofia novamente lhe perguntou, só por garantia, se Alberto viria à festa.

— Claro que virá. Até porque ele me prometeu que vai apresentar um número filosófico.

— Número filosófico? O que seria?

— Olha só... Se ele fosse mágico, certamente apresentaria um número de magia. Talvez tirasse um coelho branco de uma cartola preta...

— Outra vez isso?

— ... mas, como ele é filósofo, vai fazer um número filosófico. É uma festa filosófica no jardim, não é mesmo?
— Ah, como matraqueia essa menina!
— Você já pensou que podia fazer algo especial também?
— Claro que sim, Sofia. Alguma coisa eu vou fazer.
— Um discurso?
— Não, e não vou contar agora. Boa noite!

Bem cedo na manhã seguinte Sofia foi despertada por sua mãe, que subiu até o quarto para se despedir antes de ir para o trabalho. Ela deu à filha uma pequena lista com as coisas que faltava comprar para a festa. Sofia teria que ir até a cidade.
Assim que a mãe saiu de casa, o telefone tocou. Era Alberto. Parecia até que ele adivinhava quando Sofia estava sozinha.
— Como é que vai seu plano secreto?
— Psiu! Nem uma palavra! Ele que fique especulando sobre isso.
— Eu acho que me saí muito bem atraindo a atenção dele ontem.
— Ótimo.
— Ainda temos filosofia para estudar no curso?
— Foi por isso que eu liguei. Já chegamos no nosso século xx. De agora em diante você já deveria ser capaz de se orientar sozinha. Os fundamentos mais importantes para isso você já tem. Mas ainda precisamos nos encontrar para uma breve conversa sobre o nosso próprio tempo.
— Mas eu tenho que ir até a cidade...
— Vem bem a calhar. Eu disse que vamos falar do nosso próprio tempo.
— E?
— Então é ótimo que nos vejamos lá, eu quis dizer.
— A gente se encontra na sua casa?
— Não, aqui não. Eu estou revirando a casa inteira em busca de microfones ocultos.
— Ah...
— Abriu um café do lado da Grande Praça. Café Pierre. Sabe onde fica?
— Sim. A que horas nos vemos?

— Pode ser ao meio-dia?
— Meio-dia, no café.
— O.k.
— Até mais.

Dois minutos antes do meio-dia Sofia entrou no Café Pierre. Era um desses lugares da moda, com mesas redondas, cadeiras pretas, garrafas de bebidas com bicos dosadores, baguetes e saladas em porções individuais.

O local não era nada amplo, e a primeira coisa que Sofia notou foi que Alberto não estava lá. Por assim dizer, foi a única coisa que ela notou. Havia muitas pessoas sentadas ao redor das mesas, mas nenhum daqueles rostos era o de Alberto.

Ela não estava habituada a entrar sozinha num café. Talvez devesse dar meia-volta e sair para voltar mais tarde, quando Alberto já tivesse chegado.

Sofia foi até o balcão de mármore e pediu uma xícara de chá com limão. Pegou a xícara e sentou-se a uma das mesas disponíveis. Ficou olhando para a porta. Muita gente entrava e saía, mas nada de Alberto.

Se ao menos ela tivesse trazido um jornal para ler.

Ela não pôde evitar de olhar ao redor. Algumas vezes percebeu que também era observada e por um instante se sentiu como uma jovem mulher. Tinha apenas quinze anos, mas podia muito bem se passar por alguém de dezessete — ou pelo menos de dezesseis e meio.

O que todas aquelas pessoas sentadas no café pensavam da vida? Parecia que elas sempre estiveram ali, ou que estavam ali apenas porque tinham de estar. Falavam bastante, gesticulavam, mas suas conversas não pareciam ser muito sérias.

Sofia se lembrou de Kierkegaard, para quem a característica marcante das multidões era o discurso vazio. Todas aquelas pessoas estariam vivendo no estágio estético? Ou haveria algo existencialmente importante para elas?

Numa das primeiras cartas que escreveu, Alberto mencionou uma semelhança entre crianças e filósofos. Novamente Sofia sentiu um certo medo de se tornar adulta. E se ela fosse se acomodar bem no fundo da pelagem do coelho que tinha sido tirado da cartola preta do universo?

Durante o tempo em que esteve ali sentada pensando, ela não desgrudou os olhos da porta. Então de repente Alberto surgiu apressado. Embora fosse verão, ele tinha uma enorme boina na cabeça. Além disso, vestia um casacão cinza com um padrão "espinha de peixe". Ele logo a avistou e correu até onde ela estava. Sofia se deu conta de que era algo inteiramente novo encontrá-lo em público.

— Você está quinze minutos atrasado, seu bobalhão.

— Isso se chama quarto de hora acadêmico. Posso oferecer à jovem senhorita algo para comer?

Ele sentou e olhou nos olhos dela. Sofia deu de ombros.

— O mesmo que você for comer. Um sanduíche, talvez.

Alberto foi até o balcão. Logo estava de volta trazendo uma xícara de café e duas enormes baguetes com presunto e queijo.

— Foi caro?

— De jeito nenhum, Sofia.

— Você não tem uma desculpa por ter se atrasado?

— Não, não tenho, porque foi de propósito. E já vou explicar direitinho o motivo.

Ele deu algumas dentadas na baguete e disse:

— Vamos falar do nosso próprio século xx.

— Ele teve alguma importância filosófica?

— Muita, tanto que há correntes se espraiando em todas as direções. Primeiramente vamos dizer algo sobre uma corrente bem importante, que é o *existencialismo*, uma aglomeração de várias correntes filosóficas que têm como ponto de partida a situação existencial do homem. Estamos falando da filosofia existencial do século xx. Muitos filósofos existenciais, ou existencialistas, inspiraram-se em Kierkegaard, mas também em Hegel e em Marx.

— Compreendi.

— Outro importante filósofo que teve grande significado para o século xx foi o alemão *Friedrich Nietzsche*, que viveu de 1844 até 1900. Nietzsche também reagiu à filosofia de Hegel e ao "historicismo" alemão. Sua própria vida contrastava com o que considerava um interesse anêmico pela história e com aquilo que chamou de "moral escrava" cristã. Ele pretendia uma "revalorização de todos os valores", de tal sorte que a condição de vida dos mais fracos não sucumbisse à dos mais fortes. Segundo Nietzsche tanto o cristianismo como a tradição filosófica haviam se afastado do mundo real e apontavam para "o céu" e para o "mundo das ideias". Mas exatamente este que se julgava o mundo "real" era, na verdade, um mundo superficial, epidérmico. "Sê fiel à Terra", dizia ele. "Não dês ouvidos a quem te prometer esperanças para além deste mundo."

— Sei...

— Outro que foi muito influenciado por Kierkegaard e também por Nietzsche foi o filósofo existencial alemão *Martin Heidegger*. Mas vamos nos concentrar no existencialista francês *Jean-Paul Sartre*, que viveu de 1905 a 1980. Ele foi o filósofo existencialista por excelência, ao menos para o grande público. Seu existencialismo se desenvolveu especialmente na década de 1940, logo após a Segunda Guerra. Mais tarde ele se aliou ao movimento marxista na França, mas jamais chegou a fazer parte de algum partido.

— Foi por isso que nos encontramos num café francês?

— Não foi por acaso, não. Sartre era um frequentador assíduo de cafés. Em cafés como este ele encontrou sua parceira de toda a vida, *Simone de Beauvoir*. Ela também foi uma filósofa existencialista.

— Uma filósofa!

— Exatamente.

— Acho que estou aliviada ao ver a humanidade finalmente começando a se civilizar.

— Embora nosso tempo seja também uma época de muitas preocupações novas.

— Você devia estar falando do existencialismo.

— Sartre disse que "o existencialismo é humanismo". Com isso quis dizer que os existencialistas não partem de outro princípio além do próprio homem. Talvez pudéssemos acrescentar que se trata de um humanismo com uma perspectiva bem mais sombria da condição humana que a perspectiva do humanismo que encontramos na Renascença.

— Por quê?

— Tanto Kierkegaard quanto todos os filósofos existenciais do século XX eram cristãos. Mas Sartre pertence ao que podemos chamar de ateísmo existencialista. Sua filosofia pode ser retratada como uma análise inclemente da condição humana depois da morte de Deus. A célebre expressão "Deus está morto" é de Nietzsche.

— Continue!

— A palavra-chave da filosofia de Sartre é, assim como para Kierkegaard, a palavra "existência". Mas com isso não queremos dizer "estar vivo". Animais e plantas também estão vivos, portanto também existem, mas são poupados do incômodo de refletir sobre essa implicação. O homem é o único ser vivo que tem consciência da própria existência. Sartre dizia que as coisas físicas apenas são "em si mesmas", mas o homem também é "por si mesmo". Ser humano é algo inteiramente diferente de ser uma coisa.

— Concordo com isso.

— Sartre prossegue afirmando que a existência humana precede sozinha qualquer sentido. O fato de ser é anterior *àquilo* que sou. "A existência precede a essência", disse ele.

— Que coisa complicada!

— Com "essência" queremos dizer aquilo que está contido em algo, a natureza de uma coisa ou ser. Mas, segundo Sartre, o homem não possui algo como uma "natureza" inata. O homem precisa, portanto, criar a si mesmo. Ele deve criar sua própria natureza, ou "essência", porque ela não lhe é dada de antemão.

— Acho que entendi.

— Ao longo de toda a história da filosofia os filósofos bem que tentaram responder à questão do que é um ser humano, ou de qual seria a natureza do homem. Mas Sartre dizia que o homem não possui algo como uma "natureza" eterna para se aferrar. Portanto, não adianta especular qual o "significado" da vida em toda a sua dimensão. Em outras palavras, estamos condenados a improvisar. Somos como atores num palco, mas entramos em cena sem que tivéssemos oportunidade de decorar nosso papel, sem um roteiro definido e sem alguém para nos soprar nossas falas. Nós próprios devemos escolher como queremos viver.

— De certa forma isso é verdade. Se fosse possível consultar a Bíblia, ou um livro didático de filosofia, para descobrir como deveríamos viver, até que seria muito bom.

— É essa a ideia. Mas, quando o homem se dá conta de que existe e que um dia vai morrer, e sobretudo quando não vê nenhum apoio onde possa se firmar, então emerge nele a *angústia*, diz Sartre. Talvez você lembre que a angústia também era uma característica da descrição de um ser humano numa condição existencial segundo Kierkegaard.

— Lembro, sim.

— Sartre vai além e diz que o ser humano se sente estranho, ou *alienado*, num mundo sem significado. Quando descreve a "alienação humana", Sartre recorre a ideias centrais de Hegel e Marx. O sentimento humano de alienação no mundo dá origem a uma sensação de desespero, tédio, náusea e absurdidade.

— É bem comum ouvirmos que alguém está "deprê" ou que está "de saco cheio".

— Sim, Sartre está descrevendo o homem urbano do século XX. E você deve se lembrar dos humanistas da Renascença, quase triunfantes, apontando a liberdade e independência do homem. Sartre achava que a liberdade humana era quase uma maldição. "O homem está condenado a ser livre", dizia ele. "Condenado porque ele não criou a si, e ainda assim é livre. Pois, tão logo é atirado ao mundo, torna-se responsável por tudo que faz."

— Nós não pedimos a ninguém que nos criasse indivíduos livres.

— É isso que diz Sartre. Mas somos indivíduos livres assim mesmo, e nossa liberdade faz com que sejamos condenados a fazer escolhas por toda a nossa vida. Não existem valores nem normas eternas com as quais podemos contar. E isso apenas torna nossas escolhas ainda mais importantes. Porque não temos como nos furtar à responsabilidade por aquilo que fazemos. Sartre chama a atenção exatamente para este ponto: o homem não pode se esquivar da responsabilidade por seus atos. Por isso não é possível nos eximirmos da nossa responsabilidade e das nossas próprias escolhas dizendo que "temos" que trabalhar ou "temos" que nos pautar por determinada expectativa de vida burguesa. Quem age assim acaba se fundindo numa massa anônima e se torna parte impessoal dela. É alguém que foge de si próprio e se refugia numa vida de mentiras. A liberdade do homem, no entanto, nos impele a nos tornarmos alguma coisa, a uma existência "autêntica" e verdadeira.

— Compreendi.

— Isso não é menos verdade no que diz respeito às escolhas éticas que fazemos. Não podemos jamais culpar "a natureza humana", "as vicissitudes humanas" ou coisas semelhantes. Às vezes ocorre de homens maduros se comportarem como verdadeiros porcos e culparem o "velho Adão" que habita dentro deles. Só que não existe esse "velho Adão". Ele é apenas uma imagem a que recorremos para tentar nos esquivar da responsabilidade por nossas ações.

— Devia haver um limite para toda essa culpa que recai sobre os ombros do homem.

— Embora Sartre advogue que a vida não possui um sentido inerente, isso não significa que ele deseja que ela seja assim. Ele não é o que chamamos de "niilista".

— E o que é isso?

— Alguém que diz que nada tem significado e tudo é permitido. Sartre diz que a vida *deve* ter um significado. É um imperativo. Mas somos nós que devemos criar esse significado para nossa própria vida. Existir é criar sua própria existência.

— Você pode aprofundar um pouco isso?

— Sartre tentou provar que a consciência não é nada em si mesma antes de poder ter sentido alguma coisa. Pois consciência sempre é consciência *de* algo. E esse "algo" depende tanto de nós quanto do meio em que estamos inseridos. Nós mesmos determinamos o que sentimos ao escolher o que é importante e significativo para nossa vida.

— Você não poderia dar um exemplo?

— Duas pessoas podem estar num mesmo local e experimentá-lo de modo completamente diferente. Isso porque usamos nossa própria opinião, ou nossos próprios interesses, para sentir o mundo ao nosso redor. Uma mulher grávida, por exemplo, pode achar que está vendo mulheres grávidas aonde quer que vá. Isso não quer dizer que antes não havia mulheres grávidas por perto, mas apenas que a gravidez adquiriu um novo sentido para ela. Alguém que esteja doente talvez veja ambulâncias com mais frequência...

— Entendi.

— Nossa própria existência é que determina como percebemos as coisas no espaço. Se algo é insignificante para mim, eu simplesmente o ignoro. E agora eu talvez possa contar por que cheguei atrasado.

— Você não disse que foi de propósito?

— Primeiro me diga o que você viu quando chegou ao café.

— A primeira coisa que vi foi que você não estava aqui.

— Não é estranho que a primeira coisa que você viu tenha sido algo que não estava aqui?

— Talvez, mas é que eu vim aqui para encontrar com você.

— Sartre utiliza exatamente uma ida a um café como este para mostrar como "eliminamos" aquilo que não tem importância para nós.

— Foi apenas para demonstrar isso que você se atrasou?

— Foi para que você compreendesse um ponto importante na filosofia de Sartre, sim. Pode considerar isso um exercício didático.

— Puxa!

— Se você está apaixonada, esperando por um telefonema do seu amado, talvez "ouça" a noite inteira que ele não ligou. Exatamente o fato de ele não ligar é o que você registra naquela noite. Se você vai buscá-lo na estação ferroviária e lá está tão apinhado de gente que você não consegue encontrá-lo, pode estar certa de que você não vai nem enxergar essas outras pessoas. Elas apenas estão no meio do caminho, são insignificantes para você. Talvez você até as considere simplesmente horríveis ou nojentas. Estão ali lotando o ambiente. A única coisa que você registra é que ele *não* está lá.

— Entendo bem.

— Simone de Beauvoir tentou aplicar o existencialismo às questões de gênero. Sartre mesmo disse que as pessoas não têm uma "natureza" eterna à qual se aferrar. Nós é que criamos aquilo que somos.

— E?

— Isso vale também para a descoberta dos sexos. Simone de Beauvoir indicou que não existe uma natureza "feminina" nem "masculina" eterna, embora isso seja o que tradicionalmente somos levados a crer. É comum considerar "transcendente" a natureza masculina, afirmar que ela rompe barreiras. Por isso o homem vai procurar fora do lar um significado ou um propósito para sua vida. Sobre a mulher costuma-se afirmar o contrário. Ela teria uma orientação de vida "imanente", isto é, quer estar onde está. Dessa forma poderia se dedicar mais à família, à natureza e às coisas próximas de si. Hoje em dia talvez digamos que a mulher está mais propensa do que os homens a se ocupar de valores "mais suaves".

— Ela estava falando sério?

— Não, você não entendeu direito. Simone de Beauvoir defendia exatamente que *não* existe tal coisa como uma natureza "feminina" ou "masculina". Ao contrário: ela dizia que mulheres e homens devem se libertar de preconceitos e ideais arraigados assim.

— Estou inteiramente de acordo.

— Seu livro mais importante foi publicado em 1949 e se intitula *O segundo sexo*.

— O que ela queria dizer com isso?

— Ela se referia à mulher. Na nossa cultura era como se a mulher tivesse sido transformada num "segundo sexo". Somente o homem se destaca como sujeito. A mulher é transformada em objeto masculino. E assim lhe tiram a responsabilidade pela própria vida.

— E?

— Essa responsabilidade ela precisa reconquistar. Ela precisa se reencontrar consigo mesma e não apenas atrelar sua identidade à de um homem. Não é apenas o homem que reprime a mulher. A própria mulher se reprime ao não assumir a responsabilidade pela própria vida.

— Na verdade então somos exatamente tão livres e independentes quanto decidimos ser?

— Pode-se dizer que sim. O existencialismo também influenciou a literatura da década de 1940 até os dias de hoje. Isso é especialmente verdade também no que se refere ao teatro. Sartre mesmo escreveu romances e peças de teatro. Outros nomes importantes são o francês *Albert Camus*, o irlandês *Samuel Beckett*, o romeno *Eugène Ionesco* e o polonês *Witold Gombrowicz*. É marcante neles, assim como em muitos autores contemporâneos, uma característica que chamamos de *absurdismo*. O termo é empregado para descrever o "teatro do absurdo".

— Sei.

— Você compreende o que quero dizer com a palavra "absurdo"?

— Não é algo que não faz sentido ou não é racional?

— Correto. O "teatro do absurdo" surgiu como oposição ao "teatro realista". O objetivo era exibir no palco a falta de significado da vida para que o público reagisse. Não se pretendia exaltar essa falta de sentido. Ao contrário: ao ver o absurdo existente no nosso dia a dia abordado e encenado no palco, o público passaria a procurar para si uma existência mais verdadeira e autêntica.

— Continue.

— O teatro do absurdo em geral aborda situações bem triviais. Ele pode ser chamado, portanto, de "hiper-realismo". O ser humano é representado exatamente como é. Mas, se você exibir no palco de um teatro o que acontece num banheiro qualquer, numa casa qualquer, numa manhã qualquer, o público acabará rindo. Esse riso pode ser entendido como um mecanismo de defesa do público contra o fato de se ver retratado com tamanha fidedignidade em cena.

— Sei.

— O teatro do absurdo pode também conter traços surrealistas. Com frequência os personagens são inseridos em situações irracionais e delirantes. Ao aceitar isso candidamente, sem se espantar, eles fazem com que o público se espante com a não reação deles. Isso é bem típico nos filmes mudos de *Charles Chaplin*. O lado cômico desses filmes é justamente o conformismo do personagem Carlitos às situações absurdas em que é enredado. Dessa forma o público se sente compelido a pensar no modo como ele próprio reage ou não a determinadas situações.

— Pode ser muito estranho ver o que as pessoas são capazes de aceitar sem esboçar reação.

— Às vezes é plausível pensar que precisamos sair de determinada situação, ainda que não saibamos direito onde é a saída.

— Se minha casa pegar fogo, tenho que primeiro escapar dali, ainda que não tenha outro lugar para morar.

— Sim. Você aceita outra xícara de chá? Ou um refrigerante?

— Pode ser, obrigada. Ainda continuo achando você um bobalhão por ter chegado atrasado.

— Eu acho que consigo conviver com isso.

Alberto logo voltou trazendo uma xícara de café e um refrigerante. Nesse ínterim Sofia se deu conta de que havia começado a gostar daquele ambiente. Ela não estava mais tão convencida de que os diálogos nas mesas vizinhas eram tão insignificantes assim.

Alberto bateu com o fundo da garrafa de refrigerante na mesa, fazendo um barulho que atraiu vários olhares dos que estavam ao redor.

— E com isso chegamos ao fim da nossa jornada — disse ele.
— Você quer dizer que a história da filosofia termina com Sartre e o existencialismo?
— Não, seria um exagero dizer isso. A filosofia existencial teve um significado muito importante para pessoas de todo o mundo. Como vimos, ela tem raízes no passado, em Kierkegaard e até em Sócrates. Dessa forma o século xx marcou um florescimento e uma renovação das correntes filosóficas que abordamos antes.
— Você poderia citar alguns exemplos?
— Uma corrente é o *neotomismo*, um pensamento que pertence à tradição estabelecida por Tomás de Aquino. Outra é a chamada *filosofia analítica* ou *empirismo lógico*, com raízes em Hume e no empirismo britânico, mas também na lógica de Aristóteles. E naturalmente o século xx foi marcado pelo que chamamos de *neomarxismo* e seu leque abrangente de tendências de diversos tipos. Já mencionamos o neodarwinismo. E também falamos da importância da psicanálise.
— Já.
— Uma última corrente deve ser mencionada: é o *materialismo*, que também possui raízes estendidas na história. A ciência moderna tem traços que apontam diretamente para os esforços dos pensadores pré-socráticos. Ainda continuamos nossa busca incessante pela "partícula elementar" indivisível de que tudo é constituído. Ninguém ainda chegou a uma resposta conclusiva sobre o que a "matéria" é. A moderna ciência da natureza (por exemplo, a física nuclear e a bioquímica) é tão fascinante que se incorporou à visão de mundo de muita gente.
— O novo e o velho convivendo lado a lado, não é assim?
— Podemos dizer que sim. E as mesmas perguntas que fizemos quando começamos este curso continuam sem resposta. É importante nos atermos à observação de Sartre sobre as questões existenciais: elas podem não ser as mesmas para todas as pessoas. Uma questão filosófica é, por definição, algo que cada nova geração, sim, cada ser humano, deve se colocar constantemente.
— É quase desanimador pensar desse modo.
— Não sei se concordo muito com isso. Não é exatamente ao fazermos perguntas assim que sentimos que estamos vivos? Além

do mais, essa tem sido uma constante. Quando nos esforçamos para encontrar respostas para as grandes questões é que, ao mesmo tempo, chegamos às respostas claras e definitivas para as pequenas questões. A ciência, a tecnologia e a pesquisa têm como ponto de partida a reflexão filosófica. Por acaso, não foi o encantamento do homem com o universo que acabou nos levando até a Lua?

— Sim, isso é verdade.

— Quando *Neil Armstrong* pôs os pés na Lua, ele disse: "Um pequeno passo para o homem, um grande salto para a humanidade". Dessa forma ele resumiu o pensamento de toda a humanidade, inclusive dos que viveram antes dele, sobre o fato de o ser humano pisar na Lua pela primeira vez. Não era apenas uma conquista individual.

— Claro que não.

— Nosso próprio tempo também trouxe uma nova gama de problemas. Na pauta do dia estão os grandes problemas ambientais. Uma importante corrente filosófica do nosso século xx tem sido, portanto, a *ecofilosofia*. Muitos ecofilósofos ocidentais têm apontado que a civilização ocidental está trilhando um caminho totalmente equivocado, sim, numa rota de colisão com o que este planeta é capaz de suportar. Suas pesquisas tentam ir além da mera constatação das consequências danosas da poluição e da devastação ambiental. Isso quer dizer que há algo errado com a maneira de pensar do Ocidente.

— E eu acho que eles têm razão.

— Os ecofilósofos têm questionado, por exemplo, a ideia que temos de evolução e progresso. Ela se baseia na própria crença de que o ser humano está no "topo", ou seja, de que nós somos os senhores da natureza. É exatamente essa crença que pode representar um perigo para toda a vida existente no planeta.

— Eu fico furiosa só de pensar nisso.

— Na sua crítica a esse modo de pensar muitos ecofilósofos recorrem a ideias de outras culturas, por exemplo, a cultura hindu. Eles também estudaram pensamentos e costumes dos assim chamados "povos da natureza", ou povos "primitivos", como os índios, para encontrar ali algumas ideias que deixamos para trás.

— Entendi.

— Também nos meios científicos se tem afirmado ultimamente que todo o nosso modo de pensar está diante de uma "mudança de paradigma". Isso pode representar uma alteração fundamental no próprio pensamento científico. Em diversas outras áreas essa mudança já está apresentando resultados. Temos muitos exemplos de "movimentos alternativos" que dão importância a uma abordagem holística e trabalham pela adoção de um novo estilo de vida.

— Isso é ótimo.

— Mas ao mesmo tempo, como em tudo que o homem faz, é preciso separar o joio do trigo. Alguns dizem que estamos entrando numa nova era, a chamada "New Age". Mas nem tudo que é novo é necessariamente bom, e nem tudo que é velho deve ser descartado. Entre outras coisas, foi isso mesmo que me motivou a lhe dar este curso de filosofia. Agora você já dispõe de um background filosófico capaz de norteá-la na vida.

— Muito obrigada pela consideração.

— Acho que muito do que você vai encontrar por aí sob o rótulo de "New Age" não passa de baboseira. Boa parte do que chamamos de "nova religiosidade", "neo-ocultismo" ou "superstição moderna" tem merecido grande destaque no mundo ocidental nas últimas décadas. É uma verdadeira indústria. Na esteira da dissolução do cristianismo, as novas ofertas que surgiram nesse mercado de visões de mundo têm tido uma enorme procura.

— Você não teria alguns exemplos?

— A lista é tão extensa que nem ouso começar a falar. Além do quê, nem sempre é fácil descrever nossa própria época. Mas agora eu acho que podíamos dar uma volta pela cidade. Tem algo que gostaria de lhe mostrar.

Sofia deu de ombros.

— Não posso me demorar muito. Você não se esqueceu da festa no jardim amanhã, esqueceu?

— De jeito nenhum. E algo maravilhoso vai acontecer ali. Vamos apenas concluir o curso de filosofia de Hilde. O major não pensou em nada para depois disso. E é assim que ele vai perder o controle da situação.

Novamente Alberto levantou a garrafa de refrigerante, agora vazia, e bateu forte com o fundo dela na mesa.

* * *

Eles saíram pela rua. Pessoas atarefadas zanzavam para todos os lados, como formigas entrando e saindo de um formigueiro. Sofia ficou imaginando o que Alberto queria lhe mostrar.

Logo eles estavam diante da vitrine de uma grande loja de eletroeletrônicos. Vendiam de tudo, de aparelhos de TV a antenas parabólicas, celulares e computadores.

Alberto apontou para a enorme vitrine e disse:

— Aqui você pode ver o século xx, Sofia. Da Renascença até aqui podemos ver que o mundo explodiu. Com as grandes descobertas os europeus começaram a viajar pelo planeta. Hoje é o contrário. Uma explosão ao contrário.

— O que você quer dizer com isso?

— Quero dizer que o mundo inteiro está sendo interligado numa única rede de comunicação. Não faz tanto tempo assim, os filósofos precisavam de cavalos e carruagens para se locomover na sua descoberta do mundo, ou para se encontrar com outros pensadores. Hoje, não importa onde estejamos, podemos ter acesso a toda a experiência humana através de um computador.

— É fantástico pensar assim. Aliás, chega a ser assombroso.

— A pergunta é se a história se aproxima de seu fim, ou se, ao contrário, estamos vendo o horizonte de um novo tempo. Não somos mais moradores de uma cidade, nem mesmo de um Estado ou país. Vivemos numa civilização planetária.

— É verdade.

— A evolução tecnológica, sobretudo no que se refere à comunicação, talvez tenha sido mais dramática nesses últimos trinta ou quarenta anos do que em toda a história da humanidade até então. E ainda assim talvez estejamos apenas no começo...

— Era isso que você queria me mostrar?

— Não. Vamos ali do outro lado daquela igreja.

Estavam saindo da frente da vitrine quando a TV passou a exibir imagens de soldados da ONU.

— Olha lá! — disse Sofia.

Agora, era a imagem em close de um dos soldados. Ele tinha uma barba quase igual à de Alberto. De repente ele mostrou um pedaço de papel para a câmera no qual estava escrito: "Estou chegando, Hilde!". Ele acenou com a mão e se afastou.

— Que sujeitinho! — deixou escapar Alberto.

— Era o major?

— Não vou nem responder.

Eles cruzaram a praça diante da igreja e deram numa rua principal. Alberto estava um tanto irritado ao apontar para uma livraria. O nome dela era Libris, e era a segunda maior livraria da cidade.

— É aqui que está o que você quer me mostrar?

— Vamos entrar.

Na livraria Alberto apontou para a maior estante na parede. Ela se dividia em três seções: NEW AGE, ESTILO DE VIDA ALTERNATIVO e MISTICISMO.

Nas prateleiras havia livros com títulos intrigantes: *Vida após a morte?*, *Segredos do espiritismo*, *Tarô*, *O fenômeno dos OVNIs*, *Curas*, *O retorno dos deuses*, *Você já esteve aqui antes*, *O que é astrologia?*, e vários outros. Centenas de títulos diferentes. Empilhados no chão, viam-se muitos outros livros semelhantes.

— Isto aqui também é o nosso século XX, Sofia. Este é o templo da nossa época.

— Você não acredita nessas coisas, acredita?

— Aqui tem um monte de baboseira, é verdade. Mas vende tanto quanto pornografia. Muita coisa aqui talvez possa até ser classificada como um tipo de pornografia. Nesta livraria a geração contemporânea pode comprar o que lhe interessar. Mas a relação entre a filosofia e esses livros é a mesma existente entre o verdadeiro amor e a pornografia.

— Mas que comparação!

— Vamos nos sentar ali na praça.

E deixaram a livraria. Defronte à igreja encontraram um banco vazio. Pombos ciscavam debaixo das árvores, entre eles havia um ou outro pardal.

— Chamam de percepção extrassensorial ou parapsicologia — disse ele. — Chamam de telepatia, clarividência, premonição, psicocinese. Cada um escolhe um nome...

— Mas me diga de uma vez: você acha que tudo isso é uma baboseira só?

— Naturalmente não seria adequado a um filósofo de verdade pôr tudo isso num mesmo saco. Mas eu não gostaria de excluir a hipótese de que todas essas palavras que mencionei tracem um mapa detalhado de lugares que não existem. São, na melhor das hipóteses, muito do que Hume teria chamado de "sofismas, frutos somente da imaginação" e teria atirado às chamas. Em muitos desses livros não se acha nem sequer uma experiência verdadeira.

— Como é então que pode haver tantos livros desse tipo?

— Trata-se do assunto mais vendável do mundo. É isso que muitas pessoas estão buscando.

— E por que será? O que você acha?

— Claro que isso expressa uma espécie de nostalgia de algo "místico" ou "diferente" da monotonia da nossa entediante vida material. Mas o exagero é evidente.

— Explique melhor.

— Cá estamos nós no meio desta aventura fantástica que é a vida. Diante de nós há o milagre da criação acontecendo à luz do dia, Sofia! Não é incrível?

— Claro que é.

— Por que então recorrer a tendas ciganas ou aos pátios das academias para experimentar uma sensação "extasiante" ou "transcendente"?

— Você acha que quem escreve esse tipo de livro é um farsante?

— Não, eu não disse isso. Mas aqui também estou me valendo de uma explicação um tanto "darwinista".

— Pode explicar!

— Pense em tudo que acontece num único dia. Tome um dia da sua vida e pense em tudo que você passa.

— O.k.

— Algumas vezes você passa por experiências bem estranhas. Você vai a uma loja e compra uma coisa que custa, vamos dizer, vinte e oito coroas. Mais tarde aparece Jorunn e lhe devolve as vinte e oito coroas que um dia você havia emprestado para ela. Vocês vão ao cinema e você senta na cadeira número 28.

— É, seriam coincidências bem misteriosas.

— Seriam, em todo caso, coincidências. A questão é que as pessoas parecem *colecionar* coincidências assim. Colecionam experiências místicas, ou inexplicáveis. Quando finalmente são descritas todas juntas num livro, podem com o tempo dar a impressão de que formam um material convincente. E é um material que aumenta a cada dia. É uma loteria, e dessa loteria só os números sorteados são visíveis.

— Então não existem pessoas sensitivas ou "médiuns"?

— Claro que sim, e, se deixarmos de lado os embustes, pura e simplesmente, vamos encontrar uma explicação importante para tais "experiências místicas".

— E qual é ela?

— Você se lembra de que tratamos da teoria de Freud sobre o inconsciente?

— Quantas vezes ainda vou ter que dizer que não sou uma pessoa esquecida?

— Freud já dizia que atuamos como uma espécie de "médium" do nosso próprio inconsciente. Podemos subitamente nos pegar pensando ou fazendo determinada coisa sem saber exatamente por quê. A razão para isso são as infinitas experiências, pensamentos e situações que habitam dentro de nós, no nosso próprio inconsciente.

— E?

— Pode ocorrer de uma pessoa caminhar e falar enquanto dorme. Podemos classificar isso como um tipo de "automatismo anímico". Também sob hipnose as pessoas podem dizer ou fazer coisas "sem querer". E você se recorda dos surrealistas e da sua "escrita automática". Eles tentavam agir como "médiuns" de seu próprio inconsciente.

— Sim, eu lembro.

— Com grande frequência, no nosso próprio século xx temos notícias de "encontros mediúnicos". A ideia é que um "médium" pode entrar em contato com alguém que já morreu. Talvez falar com a voz daquele morto ou ainda psicografá-lo, isto é, expressar seu pensamento por meio de uma escrita involuntária ou automática, de pessoas mortas recentemente ou mesmo há centenas de anos. Isso tem sido tomado como evidência de que há vida depois da morte, ou de que as pessoas podem viver muitas vidas.

— Sei.

— Não digo que todos esses médiuns sejam charlatões. Alguns

agem realmente de boa-fé. Eles são de fato "médiuns", mas médiuns apenas do seu próprio inconsciente. Temos vários exemplos de médiuns numa espécie de transe, demonstrando conhecimentos que nem eles nem as demais pessoas imaginam onde adquiriram. Uma mulher que não tinha o menor conhecimento de hebraico, por exemplo, começava de repente a falar nessa língua. Portanto, tinha que ter vivido antes. Ou então devia ter entrado em contato com um espírito.

— O que você acha?

— Provou-se que essa mulher tivera uma babá judia quando era pequena.

— Ah...

— Você ficou desapontada? Mas você não vê como é fantástica a capacidade de armazenar no inconsciente tantos conhecimentos de experiências passadas?

— Compreendo o que você quer dizer.

— E até muitos acontecimentos fortuitos do nosso cotidiano podem ser explicados pela teoria do inconsciente de Freud. Se eu receber o telefonema de um amigo que não vejo há muitos anos justamente quando estou procurando o telefone dele para ligar...

— Me deu até arrepio.

— A explicação pode ser que eu e esse amigo talvez tenhamos ouvido uma música no rádio, uma música antiga que costumávamos ouvir juntos. A questão é que não percebemos a relação oculta entre as coisas.

— Seriam embustes... ou esse tal "efeito loteria"... ou seria só "o inconsciente"?

— De qualquer forma é saudável olhar para essas estantes com um certo ceticismo. Isso é válido principalmente para um filósofo. Na Inglaterra existe até uma associação de céticos. Há muitos anos eles prometeram um valioso prêmio em dinheiro para a primeira pessoa que comprovasse uma experiência sobrenatural. Não precisava ser um milagre espetacular, um simples caso de telepatia bastava. Mas até agora ninguém sequer se inscreveu para concorrer ao prêmio.

— Entendi.

— Agora, outra coisa completamente diferente são os eventos

que não conseguimos compreender. Talvez porque não conheçamos todas as leis da natureza. No século XIX muitas pessoas consideravam fenômenos como o magnetismo e a eletricidade uma espécie de feitiço. Eu arriscaria dizer que minha bisavó ficaria com os olhos bem arregalados se eu lhe contasse sobre a televisão ou sobre o computador.

— Mas você não acredita que exista nada sobrenatural?

— Já falamos sobre isso. O próprio "sobrenatural" é um tanto curioso. Não, eu acho que só existe uma natureza. Em compensação, ela é absolutamente magnífica.

— Mas e as coisas misteriosas que estão contidas neste livro e você me mostrou?

— Um filósofo de verdade deve manter os olhos bem abertos. Ainda que não tenhamos avistado um corvo branco, não devemos jamais parar de procurá-lo. Até que um dia mesmo um cético como eu seja obrigado a aceitar um fenômeno do qual antes duvidava. Se não mantivesse abertas as portas para essa possibilidade, eu seria um dogmático. Não seria um filósofo de verdade.

Alberto e Sofia ficaram em silêncio. Os pombos continuavam a ciscar, arrulhando orgulhosos com o pescoço erguido e de vez em quando voando assustados com algum movimento.

— Melhor eu ir para casa preparar a festa — disse finalmente Sofia.

— Mas, antes de nos despedirmos, vou lhe mostrar um desses corvos brancos. Ele está bem mais perto de nós do que imaginamos.

Ele se levantou do banco e fez um sinal para que ela novamente o seguisse até a livraria.

Dessa vez passaram batido pelos livros sobre fenômenos sobrenaturais. Nos fundos da livraria, Alberto parou diante de uma estante estreita, identificada por uma placa bem pequena em que estava escrito FILOSOFIA.

Alberto apontou para um livro, e Sofia tremeu dos pés à cabeça quando leu o título: O MUNDO DE SOFIA.

— Quer que eu compre para você?

— Nem sei o que dizer.

Logo em seguida, ela estava a caminho de casa; numa das mãos, levava o livro e, na outra, a sacola de compras para a festa no jardim.

A festa no jardim
... *um corvo branco*...

Hilde mais parecia uma pedra afundada na cama. Seus braços estavam dormentes e as mãos, que seguravam o grande fichário, tremiam.

O relógio marcava quase onze horas. Ela lera por mais de duas horas seguidas. De vez em quando tirava os olhos do fichário e ria alto, mas também acontecia de virar o rosto para o lado e dar uns bocejos. Que bom que não havia mais ninguém em casa.

Ela lera tanta coisa naquelas duas horas! Começara com Sofia tentando atrair a atenção do major no caminho de volta da cabana. Por fim ela ficou presa no alto de uma árvore, mas o ganso Morten apareceu como um anjo salvador vindo do Líbano.

Embora já fizesse bastante tempo, Hilde jamais se esquecera de seu pai lendo para ela *As maravilhosas aventuras de Nils*. Durante muito tempo depois os dois continuaram se comunicando numa linguagem secreta que tinha tudo a ver com o livro. E agora o ganso na história a fazia relembrar isso.

Então quer dizer que Sofia debutara indo a um café sozinha! Hilde tinha adorado a explicação de Alberto sobre Sartre e os existencialistas. Ele quase conseguira convertê-la — assim como acontecera muitas vezes antes.

Um dia, havia muito tempo, Hilde comprara um livro sobre astrologia. Noutra ocasião ela chegara em casa com um baralho de tarô. Seu pai sempre a advertia, mencionando termos como "razão" e "superstição", mas só agora a ficha parecia ter caído. Finalmente as advertências dele surtiam efeito. Parecia evidente que sua filha não deveria se tornar uma adulta sem ter sido bem orientada em relação a isso. Mas, por uma questão de segurança, ele até arranjou uma maneira de acenar para ela através de uma tela de TV na vitrine de uma loja de eletroeletrônicos. Se bem que podia ter se poupado disso...

O que a deixara mais maravilhada, entretanto, fora aquela garota de cabelos escuros.

Sofia, Sofia... quem é você? De onde você vem? Por que invadiu a minha vida?

Por fim Sofia tinha nas mãos um livro sobre si mesma. Seria o mesmo livro que estava diante de Hilde agora? Era apenas um fichário, claro. Mas o que aconteceria se Sofia começasse a ler aquelas páginas?

O que aconteceria agora? O que *poderia* acontecer agora?

Hilde sentiu com a ponta dos dedos que não faltava muito para o livro terminar.

Sofia encontrou sua mãe no ônibus de volta para casa. Que coisa! O que ela iria dizer quando visse o livro que trazia nas mãos?

Sofia tentou escondê-lo na sacola com as serpentinas e bexigas que havia comprado para a festa, mas não conseguiu.

— Oi, Sofia! Pegamos o mesmo ônibus? Muito bom.
— Oi...
— Você comprou um livro?
— Não, não foi bem assim.
— *O mundo de Sofia*. Que interessante.

Sofia sentiu que não teria a mínima chance de contar uma mentira.

— Eu ganhei de Alberto.
— Ah, claro. Como já disse, estou muito feliz de poder conhecer esse homem. Posso ver?

— Você não pode, por favor, esperar até chegarmos em casa, pelo menos? O livro é meu, mamãe.
— O.k., o livro é seu. Queria só dar uma olhada na primeira página, tudo bem? Espere aí... "Sofia Amundsen voltava da escola para casa. O primeiro trecho do caminho ela fez com Jorunn. Elas conversavam sobre..."
— É isso mesmo que está aí?
— Sim, é isso mesmo que está aqui, Sofia. O autor é alguém que se chama Albert Knag. Deve ser um estreante. Qual é o sobrenome do seu Alberto, por falar nisso?
— Knox.
— Então esse sujeitinho fantástico escreveu um livro inteiro sobre você, Sofia. E pelo visto usou um pseudônimo.
— Não foi ele, mamãe. Pode desistir. Você não tem a menor noção do que está acontecendo.
— Não, não tenho mesmo. Amanhã teremos nossa festa no jardim. E aí vamos esclarecer tudo isto, tim-tim por tim-tim, você vai ver.
— Albert Knag vive em outra realidade. Por isso este livro é um corvo branco.
— Não, espere aí. Não era um coelho branco?
— Melhor deixar para lá.
O diálogo entre mãe e filha continuou até a parada no começo da rua Kløver. Elas se defrontaram com uma passeata de protesto.
— Nossa! — exclamou Helene Amundsen. — Eu tinha certeza de que nestas redondezas não haveria protestos políticos.
Não eram mais que dez ou doze gatos-pingados. Nos cartazes estava escrito: O MAJOR ESTÁ CHEGANDO, POR UMA COMIDA DECENTE NA FESTA DE SÃO-JOÃO e MAIS PODER PARA A ONU.
Sofia chegou a se compadecer da mãe.
— Não se incomode com eles — disse.
— Mas é uma passeata muito estranha essa, Sofia. Diria até que é absurda.
— É só bobagem.
— O mundo está mudando cada vez mais rápido. Na verdade eu não estou nem um pouco surpresa.
— Você devia pelo menos ficar surpresa com o fato de não ter ficado surpresa.

— De jeito nenhum. Eles são pacíficos. Só espero que não tenham pisado nos nossos canteiros de rosas. É impossível que alguém ache preciso fazer uma passeata de protesto num jardim. Vamos apressar o passo para chegar logo em casa e então veremos.
— Era uma passeata filosófica, mamãe. Filósofos de verdade não pisam em roseiras.
— Sabe do que mais, Sofia? Não sei se continuo acreditando em filósofos de verdade. Nos dias de hoje tudo é artificial e sintético.

O fim da tarde e a noite foram reservados para os últimos preparativos. Que continuaram na manhã seguinte, com a decoração e arrumação das cadeiras no jardim. Jorunn veio ajudar.
— Puxa vida! — disse ela. — Mamãe e papai também vão vir, e a culpa é toda sua, Sofia.
Meia hora antes de começarem a chegar os convidados, tudo estava no seu lugar e o jardim estava tinindo. As árvores tinham sido decoradas com serpentinas e lanternas japonesas, ligadas por uma extensão à tomada do porão. O portão, as árvores que ladeavam a trilha de pedriscos e a fachada da casa estavam enfeitados com bexigas coloridas. Sofia e Jorunn passaram a tarde anterior soprando.
Sobre a mesa havia travessas com frango e salada, pães e roscas. Na cozinha tinha ficado a sobremesa: pães doces, torta de creme, docinhos e bolo de chocolate, mas um enorme *kransekake* com vinte e quatro anéis já fora colocado bem no meio da mesa. No topo havia uma bonequinha em trajes típicos noruegueses, usados na crisma. Era o modo como a mãe de Sofia assegurara que a festa seria um pouco parecida com um aniversário de quinze anos comum. Sofia estava convencida de que a bonequinha só estava lá porque sua mãe não tinha aceitado plenamente o fato de que ela não queria se crismar. Para sua mãe era como se a crisma fosse o próprio bolo.
— É, realmente não economizamos em nada — ela repetiu duas ou três vezes na meia hora antes de começarem a aparecer os convidados.
E eles vieram. Primeiro foram três colegas de classe — vestidas com blusas de verão e jaquetas leves de tricô, saias compridas e

uma maquiagem bem vistosa nos olhos. Logo depois Jørgen e Lasse passaram pelo portão fazendo uma certa pose, num misto de timidez e arrogância juvenil típica de garotos da sua idade.

— Parabéns!

— Então quer dizer que agora você é adulta?

Sofia percebeu que Jorunn e Jørgen estavam olhando um para o outro. Era algo que estava no ar. E era véspera de São-João,* afinal.

Todos trouxeram presentes, e, já que se tratava de uma festa filosófica, muitos convidados procuraram se inteirar um pouco do que era filosofia. Embora não tivessem conseguido achar nenhum presente filosófico, a maioria quebrou a cabeça para escrever uma dedicatória filosófica no cartão que acompanhava o presente. Sofia ganhou um dicionário de filosofia e um diário com fechadura em cuja capa estava escrito MINHAS ANOTAÇÕES FILOSÓFICAS PESSOAIS.

Conforme os convidados chegavam, era servido suco de maçã em taças altas, próprias para champanhe. A mãe de Sofia fazia as vezes de garçonete.

— Bem-vindos... E como se chama este jovem...? Você aqui eu acho que não conheço... Que bom que você veio, Cecilie!

Logo que os jovens se sentiram mais à vontade — cada um se acomodando debaixo das árvores do pomar com sua taça na mão —, a Mercedes branca dos pais de Jorunn estacionou diante do portão da casa. O secretário de Finanças vestia um terno cinza bem cortado com uma gravata fina. Sua esposa, um tailleur num tom vivo de vermelho, bordado com lantejoulas da mesma cor. Sofia tinha certeza de que ela comprara uma Barbie vestida assim numa loja de brinquedos e depois pedira a uma costureira que fizesse um vestido igual. Claro que essa era apenas uma possibilidade. A outra seria o secretário de Finanças ter comprado a boneca e levado a um feiticeiro para que este a transformasse numa mulher de carne e osso. Sofia acabou descartando essa possibilidade, por considerá-la muito improvável.

Os dois desceram da Mercedes e entraram no jardim, para espanto dos jovens, que ficaram de olhos arregalados com o que viram. O próprio secretário de Finanças, cheio de cerimônia, entre-

---

* A data marca o solstício de verão no hemisfério Norte.

gou nas mãos de Sofia um pacote comprido e fino, presente da família Ingebritsen. Sofia percebeu só de pegar que era... isso mesmo: uma boneca Barbie! Jorunn ficou fora de si:

— Vocês estão malucos ou o quê? Sofia não brinca mais de boneca!

A sra. Ingebritsen, com as lantejoulas do vestido reluzindo, tentou remediar a situação:

— Mas ela pode usar a boneca para *decorar* o quarto, você não está entendendo...

— De qualquer maneira eu agradeço. Muito obrigada — emendou Sofia, toda cheia de dedos. — E assim eu posso economizar na decoração.

As pessoas começaram a se achegar à mesa.

— Só falta o Alberto — disse então a mãe de Sofia, num tom de voz que tentava esconder uma ponta de preocupação. Os boatos sobre aquele convidado especial já haviam se espalhado entre os convidados.

— Ele prometeu que iria aparecer, então ele vem com toda a certeza.

— Mas já podemos ir sentando, não?

— Podemos, sim, vamos.

Helene Amundsen começou a mostrar os lugares aos convidados ao redor da mesa. Ela procurou deixar uma cadeira vazia entre Sofia e ela. Disse algumas palavras sobre a comida, comentou que o tempo estava ótimo e que Sofia já parecia uma mulher adulta.

Meia hora depois de todos terem tomado seus lugares à mesa, um homem de meia-idade, de cavanhaque preto e boina, surgiu caminhando pela rua Kløver e cruzou o portão do jardim. Ele trazia nas mãos um enorme buquê com quinze rosas vermelhas.

— Alberto!

Sofia se levantou e correu para encontrá-lo. Ela se atirou no seu pescoço e pegou o buquê. Ele, por sua vez, enfiou a mão no bolso e de lá tirou umas bombinhas de São-João, que acendeu e foi jogando ao redor de si. Ao chegar à mesa, acendeu também uma vela do tipo estrelinha e a enfiou no topo do bolo, antes de ocupar o lugar vazio entre Sofia e sua mãe.

— Estou muito feliz de estar aqui — disse ele.

Os convidados estavam embasbacados. A sra. Ingebritsen lançou um olhar atônito para o marido. A mãe de Sofia estava tão aliviada de finalmente poder encontrar aquele homem que seria capaz de perdoar qualquer coisa que ele tivesse feito. E a aniversariante teve que se conter para não deixar escapar uma sonora gargalhada.

Helene Amundsen deu umas batidas na taça e disse:

— Gostaria então de dar as boas-vindas a Alberto Knox nesta festa filosófica. Ele não é meu novo namorado, pois, embora meu marido passe muito tempo viajando, eu não tenho namorado. Além disso, esta pessoa misteriosa é o novo professor de filosofia de Sofia. Ele é capaz de fazer mais do que simplesmente acender fogos de artifício. Este homem pode, por exemplo, tirar um coelho branco de uma enorme cartola preta. Ou seria um corvo branco, Sofia?

— Obrigado, obrigado — disse Alberto, tomando seu lugar à mesa.

— Saúde! — disse Sofia, erguendo a taça cheia de suco de maçã para um brinde.

Assim, por um bom tempo, todos ficaram à mesa, comendo frango e salada. De repente, Jorunn se levantou, caminhou decidida na direção de Jørgen e lhe deu um cinematográfico beijo na boca. Ele correspondeu tentando abraçá-la para poder retribuir melhor o beijo.

— Acho que vou desmaiar — exclamou a sra. Ingebritsen.

— Não aqui na mesa, crianças! — foi o único comentário que a sra. Amundsen fez.

— Por que não? — perguntou Alberto, virando-se para ela.

— Que pergunta estranha essa sua.

— Para um filósofo de verdade nunca é errado perguntar.

Dois garotos que não haviam ganhado nenhum beijo começaram a jogar ossos de frango no telhado, o que também mereceu um comentário da mãe de Sofia:

— Não façam isso, por favor. Vai ser muito chato ter que tirar ossos de frango das calhas.

— Desculpe — disse um dos garotos. Em seguida, passaram a jogar os ossos por cima da cerca viva.

— Talvez seja a hora de recolher os pratos e servir a sobremesa — disse a sra. Amundsen por fim. — Quantos vão querer café?

O casal Ingebritsen, Alberto e outros dois convidados levantaram a mão.

— Sofia e Jorunn talvez possam me ajudar...
Enquanto iam até a cozinha, as garotas aproveitaram para conversar.
— Por que você o beijou?
— Eu fiquei olhando para a boca dele, aí me bateu uma vontade... Ele não é irresistível?
— E que gosto tem?
— É um pouco diferente do que eu imaginava, mas...
— Foi a primeira vez então?
— Mas não vai ser a última.
Logo depois o café e os doces estavam na mesa. Alberto distribuiu bombinhas entre os garotos, e a mãe de Sofia bateu com a colherinha na xícara de café indicando que faria um discurso.
— Não vou falar muito — disse ela. — Mas tenho só uma filha, e hoje faz precisamente uma semana e um dia que ela completou quinze anos, uma ocasião única. Como vocês podem ver, quisemos fazer uma senhora festa. O *kransekake* tem vinte e quatro anéis, pelo menos um anel para cada um. Quem se servir primeiro pode até pegar dois anéis. Como começamos do topo, os anéis vão ficando maiores até chegar na base. Assim também é a nossa vida. Quando Sofia era bem pequena, ensaiava seus primeiros passinhos aqui onde estamos agora, fazendo pequenos círculos. Agora esses círculos foram se ampliando, e as voltas que ela dá sozinha alcançam até a Cidade Velha. E, como seu pai está sempre viajando pelo mundo, ela dá voltas pelo mundo, telefonando para ele em cada porto onde ele esteja. Parabéns pelos seus quinze anos, Sofia!
— Que encantador! — exclamou a sra. Ingebritsen.
Sofia tinha dúvidas se ela estava se referindo à sua mãe, ao discurso ou ao bolo.
Os convidados bateram palmas e um dos garotos jogou uma bombinha no alto da pereira. Agora Jorunn se levantou e tentou puxar Jørgen da cadeira. Ele se deixou levar e logo os dois estavam se beijando e rolando pela grama. Depois de um tempo já haviam rolado para trás dos arbustos de groselheiras.
— Hoje em dia são as garotas que tomam a iniciativa — disse o secretário de Finanças.
Depois ele se levantou e foi até os arbustos estudar aquele fe-

nômeno de perto. Isso atraiu a atenção dos outros convidados, que o seguiram. Somente Sofia e Alberto permaneceram sentados. Os demais faziam um semicírculo em volta de Jorunn e Jørgen, que tinham deixado para trás a etapa dos beijinhos inocentes e agora estavam num verdadeiro amasso.

— Não dá para separá-los? — perguntou a sra. Ingebritsen, sem conseguir disfarçar o orgulho.

— Não, é o chamado da natureza pela perpetuação da espécie — disse o seu marido.

Em seguida olhou em volta, tentando receber algum elogio por ter dito palavras que considerava tão sábias, mas, quando viu que em vez disso as pessoas simplesmente concordavam balançando a cabeça, acrescentou:

— Não há nada a fazer aqui.

De longe Sofia conseguiu registrar que Jørgen tentava desabotoar os botões da blusa branca de Jorunn, a essa altura cheia de grama. Ela já estava tentando desafivelar o cinto dele.

— Por favor, cuidado para não ficarem resfriados — disse a sra. Ingebritsen.

Sofia olhou para Alberto, aflita.

— Isso está indo mais rápido do que eu pensava — disse ele. — Temos que sair daqui o mais rápido possível. Quero apenas dizer umas poucas palavras.

Sofia bateu palmas para chamar a atenção dos convidados.

— Vocês podem voltar aos seus lugares? Alberto vai fazer um discurso.

Todos, exceto Jorunn e Jørgen, voltaram resignados.

— Nossa! Quer dizer que o senhor vai mesmo fazer um discurso? É muito amável da sua parte — disse Helene Amundsen.

— Muito obrigado pelo comentário.

— Também soube que o senhor gosta de caminhar! Como é importante se manter em forma, não é mesmo? E acho extremamente simpático ter um cão para fazer companhia nessas ocasiões. Ele não se chama Hermes?

Alberto se levantou e bateu com a colherinha na xícara.

— Querida Sofia — disse ele. — Antes de tudo eu devo lembrar a todos que esta é uma festa filosófica. Portanto, vou fazer um discurso filosófico.

Mal começou e já foi interrompido por uma salva de palmas.

— Não é uma pitada de razão que vai quebrar o clima tão divertido desta festa. Mas antes de tudo não vamos nos esquecer de homenagear a aniversariante pelos seus quinze anos.

Assim que acabou de falar, ouviu-se o ruído de um avião se aproximando. Ele veio por trás das árvores e deu um rasante sobre o jardim. Na cauda do avião havia uma enorme faixa onde se lia: "Parabéns pelos 15 anos".

Isso levou a uma nova salva de palmas, ainda mais forte que a primeira.

— Como vocês podem ver — disse a sra. Amundsen —, este homem pode fazer muito mais do que soltar bombinhas de São-João.

— Muito obrigado. Isso não foi nada. Ao longo das últimas semanas, Sofia e eu empreendemos uma grande pesquisa filosófica. E, aqui e agora, queremos compartilhar as conclusões a que chegamos. Vamos compartilhar com vocês os segredos mais íntimos da nossa existência.

Os convidados fizeram um silêncio tão profundo que era possível até ouvir o canto dos pássaros. Era possível ouvir também uns gemidos provenientes de trás dos arbustos.

— Continue! — pediu Sofia.

— Depois de aprofundadas reflexões, que se estenderam desde os primeiros filósofos gregos até os dias de hoje, concluímos que vivemos nossa vida na consciência de um major. Ele presta serviços atualmente no Líbano como observador da ONU, mas também escreveu um livro sobre nós para presentear sua filha, que mora em Lillesand. Ela se chama Hilde Møller Knag e completou quinze anos no mesmo dia em que Sofia faz aniversário. Ela encontrou o livro sobre nós em cima da sua mesa de cabeceira, no dia 15 de junho, de manhã bem cedo; não exatamente um livro, mas páginas perfuradas num fichário bem grande. Neste exato instante ela está percebendo com a ponta dos dedos que falta pouco para terminar a leitura.

Um burburinho de vozes nervosas começou a se espalhar ao redor da mesa.

— Nossa existência é mais ou menos uma espécie de atração de aniversário da festa de Hilde Møller Knag. Todos nós fomos criados como uma espécie de moldura para a lição de filosofia que o major procura ensinar à sua filha. Isso significa que aquela Mercedes branca estacionada na porta vale tanto quanto cinco centavos de coroa. Quer dizer, não vale nada. Vale tanto quanto qualquer Mercedes branca dando voltas pela mente do pobre do major, que neste instante, aliás, deve estar sentado à sombra de uma árvore tentando se proteger do sol escaldante. Os dias são quentes no Líbano, meus amigos.

— Que loucura! — exaltou-se o secretário de Finanças. — Isso não faz o menor sentido.

— A palavra é franqueada a todos, naturalmente — prosseguiu Alberto, sem se abalar. — Mas a verdade é que esta festa é que não faz o menor sentido. A única porção de razão nesta festa inteira é este breve discurso.

O secretário de Finanças agora se levantou e disse:

— As pessoas aqui põem o melhor de si em tudo que fazem. Onde quer que estejam, tentam também ser precavidas e previdentes. Mas aí vem um vagabundo desses tentar pôr tudo de pernas para o ar com suas pretensas "afirmações filosóficas".

Alberto concordou com a cabeça.

— Realmente não é possível fazer um seguro contra esse tipo de afirmação filosófica. Estamos falando de algo muito pior que uma catástrofe natural. Como o senhor deve muito bem saber, seguros também não cobrem esse tipo de sinistro.

— Isso não é nenhuma catástrofe natural.

— Não, é uma catástrofe existencial. Pode ir dar uma olhada atrás dos arbustos e vai entender o que eu quero dizer com isso. Não temos como fazer um seguro contra o desmoronamento dos alicerces da nossa vida. Não podemos também fazer um seguro contra o resfriamento do Sol.

— Será que temos que ficar aqui ouvindo isso? — perguntou o pai de Jorunn à esposa.

Ela balançou a cabeça, e o mesmo fez a mãe de Sofia.

— É triste — disse ela. — E nós aqui não economizamos um tostão para dar esta festa.

Os jovens, por sua vez, não desgrudavam os olhos de Alberto. É o que costuma acontecer: pessoas mais jovens são mais abertas a novas ideias do que as que já viveram alguns anos a mais.

— Nós queremos ouvir mais — disse um garoto de óculos e cabelos louros cacheados.
— Muito obrigado, mas não há muito mais para ser dito. Quando nos damos conta de que não passamos de uma imagem na consciência sonolenta de outra pessoa, acho que o mais adequado é calar-se. Mas posso concluir recomendando aos jovens um pequeno curso de história da filosofia. Dessa forma vocês poderão desenvolver uma visão crítica do mundo em que vivem. Mais importante ainda: poderão também criticar os valores da geração dos seus pais. Se tentei transmitir algo a Sofia, foi exatamente que ela tivesse um pensamento crítico. Algo que Hegel chamou de "pensamento negativo".

O secretário de Finanças ainda estava de pé. Ele ficou o tempo inteiro tamborilando os dedos na mesa.

— Esse agitador agora tenta destruir os conceitos sadios que nós, junto com a escola e a Igreja, tentamos incutir nos nossos jovens. São eles que têm o futuro diante de si e um dia herdarão as nossas propriedades. Se ele não deixar esta festa imediatamente, vamos ligar para o advogado da família. Ele será processado.

— Um processo a esta altura não quer dizer nada, porque o senhor não passa de uma sombra. Além disso, Sofia e eu vamos abandonar esta festa logo, logo. O curso de filosofia não era um projeto puramente teórico. Ele também tem um lado prático. Quando a hora chegar, vamos fazer nosso número de mágica e sumir. E assim conseguiremos escapar do alcance da consciência do major.

Helene Amundsen segurou no braço da filha.

— Você não vai me abandonar, não é, Sofia?

Sofia pôs o braço em torno dos ombros dela e olhou para Alberto.

— Mamãe vai ficar triste...

— Não, isso é bobagem. Você não vai justo agora esquecer tudo que aprendeu. É desse tipo de bobagem que queremos escapar. Sua mãe é tão doce e adorável quanto Chapeuzinho Vermelho carregando sua cesta cheia de comida para a vovozinha. E vai ficar tão triste quanto o combustível de que aquele aviãozinho que passou por aqui há pouco precisa para voar.

— Acho que entendi o que você quer dizer — admitiu Sofia.

Virou-se para a mãe e disse: — Tenho que fazer como ele falou, mamãe. Um dia mesmo eu ia ter que sair de casa.

— Vou sentir saudade de você — disse a mãe. — Se houver mesmo um céu além desse, você deve voar até lá. Prometo cuidar bem da Govinda. Ela come uma ou duas folhas de alface por dia?

Alberto pôs a mão no ombro da mãe de Sofia:

— Nem a senhora nem ninguém mais aqui vai sentir nada, e a razão para isso é que ninguém aqui existe. É simples assim. Portanto, vocês não têm nem como sentir saudade.

— Essa foi a maior grosseria que já ouvi de alguém — disse a sra. Ingebritsen.

O secretário de Finanças concordou com a cabeça.

— Seja como for, vamos processá-lo por injúria. Mas note que ele é comunista. Quer tirar de nós tudo aquilo que possuímos. Esse homem é um velhaco. É um tarado, um depravado...

Depois disso Alberto e o secretário de Finanças sentaram-se. O secretário estava roxo de raiva. Logo em seguida Jorunn e Jørgen voltaram para a mesa. Suas roupas estavam sujas e amarrotadas. Os cabelos louros de Jorunn estavam entranhados de grama e terra.

— Mamãe, vou ter um bebê! — anunciou ela.

— Muito bem, mas de qualquer forma você precisa esperar até chegarmos em casa.

Ela recebeu o apoio instantâneo do marido.

— Ela tem que esperar, sim. E, se tivermos que batizar alguém, precisamos a partir desta noite mesmo ir cuidando dos preparativos.

Alberto olhou bem sério para Sofia.

— Chegou a hora.

— Você não pode fazer um pouco mais de café para nós antes de partir? — perguntou a mãe.

— Claro que sim, mamãe. Já vou fazer.

Ela pegou a garrafa térmica que estava na mesa. Na cozinha ajustou a cafeteira. Enquanto esperava o café ficar pronto, deu comida para os pássaros e para os peixes. Passou pelo banheiro e deu uma folha de alface para Govinda. Não viu o gato, mas abriu uma lata grande de ração, que esvaziou num prato fundo e pôs diante da porta. Sentiu os olhos marejados.

Quando voltou com o café, o jardim parecia mais o cenário de uma festa infantil que o de uma festa de quinze anos. As garrafas de refrigerante estavam tombadas, fatias do bolo de chocolate tinham sido esfregadas sobre a mesa e a bandeja com os pãezinhos doces estava caída no chão, de cabeça para baixo. Assim que Sofia chegou, viu um dos garotos colocar uma bombinha dentro da torta de creme, que explodiu espirrando o recheio em todos os convidados. A maior parte foi parar no tailleur de lantejoulas vermelhas da sra. Ingebritsen.

O mais curioso era que ela e todos os demais aceitavam com a maior tranquilidade o que se passava. Jorunn pegou uma enorme fatia de bolo de chocolate e esfregou na cara de Jørgen. Imediatamente depois ela se pôs a lambê-lo.

Sua mãe e Alberto haviam ido sentar no balanço, um pouco mais distante daquilo tudo. Os dois acenaram para Sofia.

— Parece que finalmente vocês puderam conversar um pouco a sós — disse Sofia.

— E você estava coberta de razão — disse a mãe, aliviada e feliz. — Alberto é uma pessoa formidável. Estou deixando você aos cuidados dele.

Sofia sentou-se entre eles.

Dois garotos haviam conseguido subir no telhado da casa. Uma das garotas saiu estourando todas as bexigas com uma fivela. Agora era um penetra que chegava na casa dirigindo uma motoneta. No compartimento de bagagem ele trazia uma caixa de cerveja e uma bebida destilada. Foi recebido com alegria por várias pessoas dispostas a ajudá-lo com a carga.

O secretário de Finanças se levantou. Ele bateu palmas e disse:
— Vamos brincar, crianças?

Ele se apossou de uma cerveja, bebeu-a num só gole e pôs a garrafa de pé na grama. Depois foi até a mesa e pegou os anéis da base do *kransekake* para mostrar aos demais como arremessá-los e acertar no gargalo.

— São as contrações, as dores do parto — disse Alberto. — Precisamos sair logo daqui, antes que o major ponha um ponto final nisto tudo e Hilde feche o fichário de uma vez.

— Acho que você vai ter que arrumar esta bagunça sozinha, mamãe.

— Não tem problema, minha querida. Esta aqui, afinal, não é a sua vida. Se Alberto puder lhe proporcionar uma existência melhor, ninguém vai ficar mais feliz do que eu. Você não disse que ele tinha um cavalo branco?

Sofia olhou ao redor. O jardim estava irreconhecível. A grama estava coberta de garrafas, ossos de frango, restos de pão, doces e bexigas.

— Era uma vez o meu pequeno paraíso — disse ela.

— E agora você foi expulsa dele — disse Alberto.

Um garoto conseguiu entrar na Mercedes branca e ligar o motor. O carro arrancou, destruiu o portão e avançou sobre o gramado.

Sofia sentiu um puxão no braço. Alguém a arrastava para o esconderijo. Então ouviu a voz de Alberto:

— Agora!

Nesse mesmo instante a Mercedes batia contra uma macieira. Maçãs rolavam sobre o capô.

— Assim já é demais — gritou o secretário de Finanças. — Vou querer uma reparação financeira à altura.

Ele recebeu o apoio imediato da sua adorável esposa:

— É tudo culpa do depravado. Onde ele está?

— Eles desapareceram como se o chão os tivesse engolido — disse Helene Amundsen, com um certo orgulho na voz.

Ela se levantou, limpou as mãos no vestido e começou a arrumar a bagunça que restou da festa filosófica no jardim.

— Alguém aceita mais um cafezinho?

Contraponto

... duas ou mais melodias ressoando ao mesmo tempo...

Hilde se levantou da cama. Aqui terminava a história sobre Sofia e Alberto. Mas o que exatamente teria acontecido?

Por que seu pai escrevera este último capítulo? Apenas para demonstrar o poder que tinha sobre o mundo de Sofia?

Imersa nesses pensamentos, Hilde foi até o banheiro e trocou de roupa. Depois de um rápido café da manhã, saiu apressada para o jardim e sentou no balanço.

Ela concordava com Alberto: a única coisa sensata de toda aquela festa tinha sido o seu breve discurso. Será que seu pai achava que o mundo em que habitava era tão caótico quanto a festa no jardim de Sofia? Ou talvez que no fim seu mundo terminaria num colapso semelhante àquele?

E ainda havia Sofia e Alberto. Que fim levou o plano secreto deles?

Ficaria a cargo de Hilde prosseguir com a história? Ou eles teriam conseguido escapar daquela trama?

Mas onde estariam agora?

Algo de repente lhe ocorreu: se Alberto e Sofia tivessem conseguido escapar da trama, não poderiam estar em página alguma daquele fichário. Seu pai tinha plena noção de tudo que estava escrito ali.

Será que haveria algo nas entrelinhas? Algo parecido fora dito com todas as letras. Sentada no balanço, Hilde chegou à conclusão de que precisaria ler a história mais algumas vezes.

Assim que a Mercedes branca invadiu o jardim, Alberto arrastou Sofia para o esconderijo. Em seguida, saíram correndo pela trilha em direção ao Chalé do Major.
— Rápido! — gritou Alberto. — Precisamos conseguir antes que ele comece a nos procurar.
— Já estamos fora do limite da atenção do major?
— Estamos bem no limite dela.
Eles remaram pelo lago e entraram na cabana. Uma vez lá dentro, Alberto abriu o alçapão do porão e lá se enfiou junto com Sofia. A escuridão era total.

Nos dias que se seguiram, Hilde continuou trabalhando no seu próprio plano. Ela enviou várias cartas para Anne Kvamsdal em Copenhague, e telefonou para ela novamente um par de vezes. Em Lillesand ela contou com a ajuda de amigos e conhecidos. Quase metade dos seus colegas de classe foi envolvida.

Nesse ínterim, ela ia relendo *O mundo de Sofia*. Não era uma história para ser lida apenas uma vez. Frequentemente ela se via descobrindo novas ideias sobre o que poderia ter acontecido a Sofia e Alberto depois de terem escapado da festa no jardim.

No sábado 23 de junho, ela acordou num sobressalto por volta das nove da manhã. Ela sabia que seu pai já tinha deixado o quartel no Líbano. Agora era preciso apenas esperar. O restante do seu dia havia sido planejado nos mínimos detalhes.

Ao longo da tarde ela começou a preparar a festa de São-João junto com a mãe. Hilde não tirava da cabeça os preparativos que Sofia e sua mãe teriam feito para a festa delas.

Mas isso já era passado. Àquela altura a mesa já estaria até posta.

Sofia e Alberto sentaram-se na relva diante de dois edifícios enormes, cujos horríveis dutos de ventilação ficavam à mostra na fachada. Uma jovem mulher e um jovem rapaz saíram de um dos prédios, ele carregando uma pasta marrom, ela com uma mochila vermelha nas costas. Um carro atravessou uma ruela atrás dos edifícios.

— Que aconteceu? — perguntou Sofia.
— Conseguimos!
— Mas onde estamos?
— Majorstua* é o nome disto aqui.
— Mas... Majorstua?
— Em Oslo.
— Tem certeza?
— Claro. Aquele prédio ali se chama Château Neuf, que significa "castelo novo". É uma escola de música. O outro é a Faculdade Paroquial, onde ensinam teologia. Mais acima nesta alameda fica a faculdade de ciências naturais, e bem acima estão os cursos de literatura e filosofia.
— Estamos fora do livro de Hilde e longe do controle do major?
— Sim para as duas coisas. Ele jamais vai nos encontrar aqui.
— Mas então onde estávamos nós, quando corríamos pela floresta?
— Enquanto o major estava ocupado colidindo o carro do secretário de Finanças contra uma macieira, conseguimos nos esconder na sebe. Ali ficamos numa espécie de estágio embrionário, Sofia. Pertencíamos tanto ao antigo quanto ao novo mundo. Mas o major jamais imaginaria que poderíamos nos esconder ali.
— Por que não?
— Porque não teria nos deixado escapar tão facilmente. Foi quase como num sonho. Se bem que talvez alguém possa dizer que ele fez vista grossa para isso.
— Como assim?
— Foi ele que deu a partida na Mercedes branca. Talvez estivesse tão atarefado com toda aquela confusão que nos perdeu de vista. Ele devia estar exausto depois de tudo aquilo que aconteceu...

---

* Majorstua é um bairro de Oslo, capital da Noruega, e significa literalmente "Chalé do Major".

Agora o jovem casal estava a apenas alguns metros deles. Sofia se sentia um pouco envergonhada por estar sentada ali na grama com um homem muito mais velho que ela. Ela também queria que alguém pudesse confirmar o que Alberto dissera.

Ela se levantou e saiu correndo atrás deles.

— Vocês podem, por favor, me dizer como é o nome deste lugar?

Mas eles não responderam e nem sequer lhe dirigiram um olhar.

Sofia ficou tão indignada que tornou a correr atrás deles.

— Dar uma resposta para uma simples pergunta é tão difícil assim?

O rapaz estava visivelmente ocupado em explicar algo para a jovem:

— A fórmula da composição contrapontística é trabalhada em duas dimensões: horizontal, ou melódica, e vertical, ou harmônica. Trata-se de duas ou mais melodias ressoando ao mesmo tempo...

— Desculpem interromper, mas...

— As melodias se combinam de tal modo que se desenvolvem independentemente da maneira como ressoam juntas. Mas também é preciso haver uma harmonia. E a isso chamamos de contraponto. Na verdade, significa nota contra nota.

Que estúpidos! Pois não eram cegos nem surdos. Sofia ainda tentou uma terceira vez, e agora se pôs no meio do caminho e tentou impedir a passagem do casal.

Ela foi simplesmente empurrada para o lado.

— Acho que está começando a ventar — disse a jovem mulher.

Sofia olhou de volta para Alberto.

— Eles não me ouvem! — disse ela, e, assim que acabou de falar, lembrou-se do sonho com Hilde e a cruz de ouro.

— É o preço que temos de pagar, sem dúvida. Quando conseguimos escapar de um livro, não devemos esperar que tenhamos o mesmo status do seu autor. Mas estamos bem aqui. De agora em diante não vamos envelhecer um dia sequer além da idade que tínhamos quando abandonamos a festa filosófica no jardim.

— E também nunca faremos contato com as pessoas ao nosso redor aqui?

— Um filósofo de verdade nunca diz "nunca". Você tem horas?
— São oito.
— Exatamente como quando deixamos a Curva do Capitão, sim.
— É hoje que o pai de Hilde volta do Líbano.
— Por isso precisamos nos apressar.
— Mas... o que você pretende com tudo isso?
— Você não está curiosa para saber o que vai acontecer quando o major voltar para sua casa em Bjerkely?
— Claro, mas...
— Venha, então!

Eles começaram a caminhar em direção ao centro da cidade. Várias vezes passaram por outras pessoas, que os ignoraram como se fossem feitos de vento.

Ao longo do caminho havia diversos carros estacionados um atrás do outro. De repente Alberto se deteve diante de um carro esporte vermelho conversível.

— Acho que podemos utilizar este aqui. Precisamos apenas nos assegurar de que é nosso.
— Não estou entendendo mais nada.
— Então vou explicar. Não podemos pegar um carro comum, que pertença a algum morador da cidade. O que você acha que as pessoas iriam dizer se vissem um carro rodando sem motorista? Além do quê, jamais conseguiríamos ligá-lo.
— E este carro esporte?
— Acho que o estou reconhecendo de um filme antigo.
— Desculpe, mas acho que estou começando a ficar irritada com todo esse mistério.
— Este é um carro de fantasia, Sofia. Precisamente igual a nós. As pessoas na cidade só estão enxergando uma vaga na rua. É disso mesmo que precisamos ter certeza antes de partir.

Eles ficaram parados, esperando. Instantes depois um garoto de bicicleta surgiu do outro lado. Ele cruzou a rua e atravessou por dentro do carro.

— Está vendo? É o nosso.

Em seguida Alberto abriu a porta do carona:

— Por favor, queira entrar! — disse ele, e Sofia tomou seu lugar.

Alberto deu a volta e também entrou. A chave já estava no contato. Ele a girou e o motor começou a funcionar.

Atravessaram a rua Kirke e logo alcançaram a rua Drammen. Cruzaram Lysaker e Sandvika, sempre passando por várias festas de São-João, especialmente depois de terem deixado para trás a cidade de Drammen.

— É o apogeu do verão, Sofia. Não é maravilhoso?

— E que tal o vento refrescante neste carro conversível? Mas é sério que ninguém consegue nos ver?

— Somente os nossos semelhantes. Talvez até possamos encontrar alguns. Que horas são?

— Nove e meia.

— Acho que é bom tomarmos alguns atalhos. Não podemos perder mais tempo atrás desse caminhão.

Ele desviou o carro para um vasto trigal na lateral da pista. Sofia se virou para trás e o que viu foi um rastro de hastes de trigo retorcidas pelo chão.

— Amanhã vão dizer que foi o vento que soprou na plantação — disse Alberto.

O major Albert Knag já havia aterrissado no Kastrup. O relógio marcava quatro e meia da tarde de sábado 23 de junho. Era um dia longo. A penúltima etapa da sua viagem começara horas antes dentro de um avião, em Roma.

Ele passou pelo controle de passaportes vestido com o uniforme da ONU, o qual sempre teve orgulho de usar. Ele não representava apenas a si próprio, muito menos ao seu país. Albert Knag representava a ordem internacional, uma tradição centenária que englobava todo o planeta.

Ele levava uma pequena mochila nas costas; o resto da bagagem fora despachado em Roma. Precisava apenas ter à mão seu passaporte norueguês vermelho.

"Nothing to declare."*

O major Albert Knag dispunha de quase três horas no aeroporto de Kastrup antes de o avião prosseguir para Kristiansand. Ele conseguiu comprar algumas lembranças para a família. O

---

* "Nada a declarar", em inglês.

maior presente da sua vida ele enviara a Hilde duas semanas antes. Marit, sua esposa, o pusera na sua mesa de cabeceira para que ela o abrisse ao acordar na manhã do seu aniversário. Ele e Hilde não se falavam desde o último telefonema, no fim daquela noite.

Alberto comprou jornais noruegueses, sentou-se a uma mesa e pediu uma xícara de café. Ele mal conseguira ler as manchetes quando ouviu a seguinte mensagem no sistema de som do aeroporto:

— Mensagem pessoal para o senhor Albert Knag. Pede-se a gentileza de entrar em contato imediatamente com o pessoal da SAS no aeroporto.

Que seria aquilo? Albert sentiu uma onda de frio invadir sua espinha. Teria sido ele enviado de volta ao Líbano? Será que havia algo de errado em casa?

Logo ele estava diante do balcão de informações.

— Pois não? Eu sou Albert Knag.

— Veja aqui, por favor, é urgente.

Ele abriu o envelope imediatamente. Dentro havia outro envelope, menor. Nele estava escrito: "Major Albert Knag, a/c Balcão de informações da SAS, aeroporto de Kastrup, Copenhague, Dinamarca".

Albert podia sentir seu nervosismo aflorando. Ele abriu o envelopinho e encontrou um bilhete:

Querido papai,

Seja bem-vindo de volta do Líbano. Como pode perceber, não aguentei esperar até você chegar em casa. Desculpe ter feito anunciarem seu nome pelo alto-falante. Era mais fácil assim.

PS. Infelizmente chegou uma cobrança do secretário de Finanças Ingebritsen referente a uma colisão de um automóvel Mercedes roubado.

PS. PS. Talvez eu esteja aqui no jardim quando você chegar. Mas talvez você ouça falar de mim antes.

PS. PS. PS. Estou com um pouco de receio de ficar aqui no jardim por muito tempo. É muito fácil ser engolida pelo chão em lugares como este.

Um beijo,
Hilde, que teve muito tempo para preparar suas boas-vindas.

O major Albert Knag primeiro teve que conter uma risada. Mas não apreciou nada ser manipulado daquela forma. Ele era alguém que sempre gostava de ter o controle da situação. Mas aí aquela fedelha em Lillesand vinha tentar controlar seus passos no aeroporto de Kastrup! Como ela teria conseguido?

Ele enfiou o envelope no bolso da camisa e resolveu dar um passeio pelo enorme shopping do aeroporto. Quando estava prestes a entrar numa loja de comida típica dinamarquesa, bateu os olhos num pequeno envelope colado na vitrine ampla. MAJOR KNAG, estava escrito com pincel atômico bem grosso. Albert arrancou o envelope da vitrine e o abriu:

> *Mensagem pessoal para o major Albert Knag, a/c Loja de comida dinamarquesa, aeroporto de Kastrup.*
>
> *Querido papai,*
>
> *Gostaria muito que você trouxesse um enorme salame dinamarquês, de preferência pesando dois quilos. Mamãe certamente adoraria um salsichão ao conhaque.*
>
> *PS. Um vidrinho de caviar Limfjord até que não seria uma má ideia.*
>
> *Beijos,*
> *Hilde.*

Albert olhou ao redor. Será que ela estava nas redondezas? Ela teria ganhado uma viagem de Marit apenas para encontrá-lo em Copenhague? A letra era de Hilde...

Mas o observador da ONU logo passou a se sentir observado. Era como se alguém vigiasse de longe tudo que fazia. Ele se sentiu como um boneco nas mãos de uma criança.

Entrou na loja e comprou um salame de dois quilos, um salsichão ao conhaque e três vidros de caviar Limfjord. Depois continuou andando pelos corredores do aeroporto. Estava determinado a comprar para Hilde também um presente de aniversário comum. Talvez uma calculadora? Ou um walkman — sim, era isso.

Quando chegou à loja de artigos eletrônicos, constatou que também ali havia um envelope grudado na vitrine. "Major Albert

Knag, a/c A loja mais interessante de Kastrup." Num bilhete dentro do envelope ele encontrou a seguinte mensagem:

> Querido papai,
> Sofia manda lembranças e agradece pelo aparelho de TV com rádio FM que ela ganhou de aniversário do seu generoso pai. Foi, claro, um presente estupendo, mas por outro lado não foi nada de mais. Devo acrescentar, porém, que compartilho com Sofia o gosto por objetos sem importância como esse.
> PS. Se você ainda não tiver passado por lá, as instruções mais próximas daí estão na loja de comida e no free shop, na seção de bebidas e cigarros.
> PS. PS. Eu ganhei um pouco de dinheiro de presente de aniversário e posso contribuir com trezentas e cinquenta coroas para a compra da minha TV portátil.
> Lembranças,
> Hilde, que já recheou o peru e preparou a salada Waldorf.

A TV portátil custava novecentas e oitenta e cinco coroas dinamarquesas. Era uma verdadeira pechincha. O que não estava saindo barato era o fato de Albert Knag se sentir levado de um lugar para outro pelos truques da própria filha. Afinal, ela estava lá no aeroporto ou não?

Ele começou a olhar cuidadosamente para todos os lugares por onde passava. Sentia-se ao mesmo tempo um espião e uma marionete. Não era assim que se restringia a liberdade de uma pessoa?

Ele teve que ir até o enorme free shop também. Lá estava mais um envelope com seu nome. Era como se o aeroporto inteiro tivesse sido transformado numa tela de computador e ele fosse o cursor do mouse. No bilhete estava escrito:

> Major Knag, a/c O grande free shop do Kastrup.
> Tudo que eu tenho vontade agora é de um saco de jujubas e algumas caixas de marzipã Anthon Berg. Lembre-se de que essas coisas são muito mais caras aqui na Noruega. Pelo que sei, mamãe gosta muito de Campari.

PS. Fique de olhos bem abertos até chegar em casa. Será que você não deixou passar alguma mensagem importante?
Um beijo da sua filha, que aprende as coisas bem rápido,
Hilde.

Albert engoliu em seco, mas acabou tendo que entrar na loja e se ater ao que estava escrito na "lista de compras" que a filha lhe mandara. Carregando agora três sacolas plásticas além da mochila, dirigiu-se ao portão 28 para aguardar a hora do embarque. Se houvesse outros bilhetes, eles deveriam estar por lá.

E não é que numa coluna do portão 28 estava pendurado um envelope branco? "Para o major Knag, a/c Portão 28, aeroporto de Kastrup." Era a letra de Hilde, sem dúvida, mas o número do portão não teria sido escrito com outra letra? Não era fácil afirmar, não havia letras para comparar, apenas números.

Ele sentou numa cadeira com o espaldar bem rente a uma parede. Pôs as sacolas no colo. Nem parecia o orgulhoso major Knag, mas uma criança pequena que viajava de avião pela primeira vez. Se ela estivesse ali, ele não lhe daria o gostinho de vê-lo naquela situação.

Examinava cada um dos passageiros que chegavam ao portão de embarque. Por um instante, sentiu-se como se estivesse sendo fortemente vigiado, uma perfeita ameaça à segurança nacional. Quando os passageiros começaram a embarcar no avião, respirou mais aliviado. Ele foi o último a pôr os pés a bordo.

Depois que entregou o cartão de embarque, ainda teve tempo de arrancar um último envelope, que estava colado na lateral do balcão.

Sofia e Alberto haviam cruzado a ponte de Brevik, e logo em seguida a saída para Kragerø.

— Você está a cento e oitenta! — observou Sofia.

— Já são quase nove horas. Não vai demorar muito até ele pousar no aeroporto de Kjevik. Mas acho que nós não vamos ser parados pela polícia rodoviária.

— E se a gente bater em alguma coisa?

— Se for um carro normal, não vai significar nada. Mas, se for um dos nossos...
— Sim?
— Aí precisamos tomar cuidado. Você não viu que nós passamos pelo Il Tempo Gigante?
— Não.
— Ele estava estacionado em algum lugar de Vestfold.
— Também não vamos conseguir ultrapassar o ônibus de turistas aí na nossa frente. Aqui é tudo rodeado por mata bem fechada.
— Isso não quer dizer nada, Sofia. Você precisa aprender logo isso.

Ele deu uma guinada em direção à floresta e seguiu dirigindo, cortando caminho no meio das árvores.

Sofia respirou aliviada.
— Você me assustou.
— Nós não teríamos sentido nada nem se atravessássemos uma parede de aço.
— Quer dizer que em relação a tudo isso que nos rodeia não passamos de espíritos etéreos?
— Não, você inverteu as coisas. É a realidade ao redor que é como uma aventura etérea para nós.
— Melhor você explicar direito.
— Então preste bem atenção. Existe um grande mal-entendido. As pessoas costumam achar que o espírito é mais "etéreo" que o vapor d'água. Mas é o oposto. O espírito é mais sólido que o gelo.
— Nunca pensei nisso.
— Vou lhe contar uma história. Era uma vez um homem que não acreditava em anjos. Mas assim mesmo um belo dia ele foi visitado por um anjo enquanto estava trabalhando no meio da floresta.
— E?
— Eles caminharam juntos um bom trecho. Por fim o homem se virou para o anjo e disse: "Sim, agora eu admito que anjos existem. Mas vocês não são propriamente iguais a nós". "O que você quer dizer com isso?", perguntou o anjo. E o homem respondeu assim: "Quando nos aproximamos de um rochedo, eu tive que desviar, mas reparei que você atravessou bem no meio dele. E, quando tivemos que passar por um tronco enorme caído no meio do cami-

nho, eu precisei escalar o tronco, e você o atravessou sem problemas". Essa resposta deixou o anjo surpreso. O anjo disse: "Você não reparou que tivemos que passar sobre um pântano? Atravessamos juntos a névoa que pairava sobre ele. E fizemos isso porque a nossa consciência é muito mais sólida que a névoa".

— Ah...

— Assim também é conosco, Sofia. O espírito pode cruzar uma porta de aço. E não há tanques blindados nem bombardeios que possam destruir o que é feito de espírito.

— É estranho pensar assim.

— Já vamos passar por Risør, e não faz uma hora que partimos de Majorstua. Estou começando a ficar louco por um café.

Quando chegaram a Fiane, pouco antes de Søndeled, avistaram um pequeno restaurante na beira da estrada, do lado esquerdo da pista. Chamava-se Cinderella. Alberto fez uma curva e estacionou o carro num gramado.

Lá dentro Sofia tentou tirar uma garrafa de refrigerante da geladeira, mas não conseguiu sequer movê-la do lugar. Era como se a garrafa estivesse colada na prateleira. Um pouco mais adiante, Alberto tentava tirar café da máquina num copo de papelão que havia encontrado no carro. Era só apertar um botão, mas, por mais que usasse toda a sua força, ele não conseguia.

Isso o deixou tão furioso que ele se voltou para os demais clientes e implorou ajuda. Como ninguém deu a mínima, ele gritou tão alto que Sofia precisou tapar os ouvidos.

— Eu quero café!

Ele não estava zangado de verdade, pois, assim que parou de gritar, caiu na gargalhada.

— Eles não conseguem nos ouvir. E nós também não conseguimos nos servir num restaurante que pertence a eles.

Eles estavam prestes a dar meia-volta e sair do local, mas uma velha senhora se levantou de onde estava sentada e caminhou na direção deles. Ela usava um vestido de um tom vivo de vermelho, um casaco de tricô cor de gelo e tinha um lenço branco na cabeça. As cores da roupa e mesmo os contornos da mulher pareciam mais vibrantes que os das outras pessoas presentes no restaurante.

— Como você grita, meu filho!

531

— Desculpe.

— Você não disse que queria café?

— Sim, mas...

— Nós temos um pequeno estabelecimento aqui perto.

Eles deixaram o local com a senhora e seguiram por uma trilha que começava atrás do restaurante. Enquanto caminhavam, ela disse:

— Talvez vocês sejam novos por aqui.

— Devemos admitir que sim — respondeu Alberto.

— Sim, sim. Bem-vindos à eternidade, crianças.

— E a senhora?

— Eu venho de um conto dos irmãos Grimm escrito há quase duzentos anos, sabe? E de onde vêm os recém-chegados?

— Viemos de um livro de filosofia. Eu sou professor de filosofia, Sofia é minha aluna.

— É mesmo? Isso é novidade por estas bandas.

Pouco tempo depois eles chegaram a uma clareira atrás da mata. Lá havia um conjunto de casas marrons, que pareciam bem aconchegantes. Num espaço entre elas ardia uma enorme fogueira de São-João, ao redor da qual se via uma profusão de personagens em cores vivas. Muitos deles Sofia conseguiu identificar. Branca de Neve e alguns anões, Sherlock Holmes, Peter Pan e Píppi. Chapeuzinho Vermelho e a Gata Borralheira também. Em torno da fogueira havia ainda muitos personagens sem nome: gnomos, elfos, faunos, feiticeiras, anjos e diabinhos. Sofia viu até um troll de verdade.

— Que baita festa! — disse Alberto.

— Mas não é véspera de São-João? — retrucou a velha senhora. — A última vez que fizemos uma festa parecida foi na noite de Valpúrgis. Estávamos na Alemanha. Eu mesma só vim até aqui para uma rápida visita. Você não falou em café?

— Sim, obrigado.

Só agora Sofia notou que as casas eram feitas de biscoito, pão de mel e glacê. Muitos dos personagens estavam se deliciando com pedaços das paredes, mas sempre havia um confeiteiro por perto para reparar os danos. Sofia experimentou um pedacinho de telhado. Era o biscoito mais doce e mais saboroso que ela jamais provara.

A velha senhora logo estava de volta com o café.

— Muito obrigado — disse Alberto.
— E como os convidados vão pagar pela xícara de café?
— Como assim, "pagar"?
— Nós costumamos pagar contando uma história. Por um café, um conto estaria de bom tamanho.
— Nós poderíamos contar a incrível história da humanidade. Mas o problema é que temos pouquíssimo tempo. Podemos pagar numa outra ocasião?
— Naturalmente. Mas por que tão pouco tempo assim?

Alberto relatou tudo aquilo por que passaram, e no final a senhora disse:

— É mesmo, vocês são caras novas aqui nestas paragens. Mas precisam cortar logo o cordão umbilical que os une ao mundo carnal de onde vieram. Aqui não precisamos mais ter sangue correndo nas veias. Somos parte do "povo invisível".

Pouco depois Alberto e Sofia estavam de volta ao restaurante Cinderella e ao carro esporte vermelho. Do lado do carro uma mãe apressada ajudava o filhinho a fazer xixi.

Eles trilharam alguns atalhos, passando por arbustos e rochedos, e não demoraram a chegar em Lillesand.

O voo SX 876 proveniente de Copenhague aterrissou em Kjevik no horário previsto, 21h35. Enquanto o avião taxiava ainda em Copenhague, o major abriu o envelope que estava colado no balcão de embarque. Num bilhete estava escrito:

Ao major Knag, assim que tiver entregado o cartão de embarque na véspera de São-João, 1990.

Querido papai,

Talvez você tenha pensado que eu apareceria do nada em Copenhague. Mas o controle que tenho sobre seus movimentos é mais intrincado que isso. Estou observando você em todo lugar, papai. Eu até consultei uma tradicional família de ciganos, que muito, muito tempo atrás vendeu um espelho mágico para minha bisavó. Agora eu tenho até uma bola de cristal. Agora mesmo eu posso ver que você acabou de sentar no assento do avião. Aliás, é bom que afivele o cinto de segurança e mantenha o encosto da cadeira na posição vertical até que se apaguem os avisos para apertar os cintos. Assim que o avião tiver decolado, pode reclinar a cadeira e tirar um cochilo. É bom que você esteja bem descansado quando chegar em casa. O tempo em Lillesand está maravilhoso, mas a temperatura é de alguns graus a menos do que no Líbano. Desejo que faça uma ótima viagem.

Lembranças da sua filha meio bruxinha, Rainha do Espelho e santa padroeira da ironia.

Albert ainda não tinha descoberto se estava furioso, apenas cansado, ou se só entregara os pontos. Mas de repente ele começou a rir. Riu tão alto que os passageiros ao redor olharam para ele. E aí o avião decolou.

Ele apenas tinha provado do próprio veneno. Mas será que não havia uma diferença importante nesse caso? Suas cobaias eram primeiramente Alberto e Sofia. E — bem... — eles não passavam de uma fantasia.

Mas agora ele decidiu seguir a recomendação de Hilde. Só foi acordar mesmo quando atravessou o controle de passaportes e seguiu até o desembarque do aeroporto de Kjevik. Ao sair, foi recebido por uma passeata de protesto.

Eram oito ou dez pessoas, a maioria da idade de Hilde. Nos cartazes estava escrito BEM-VINDO DE VOLTA, PAPAI; HILDE ESTÁ ESPERANDO NO JARDIM, e A IRONIA CONTINUA.

O pior era que ele não conseguia simplesmente sair dali e pegar um táxi. Precisava esperar a bagagem ser despachada. Enquanto isso, os amigos de Hilde se aproximaram dele e começaram a repetir os dizeres dos cartazes, inúmeras vezes. Só quando uma das garotas lhe entregou um buquê de flores foi que o coração dele se derreteu. Ele agradeceu aos manifestantes dando a cada um uma barrinha de marzipã. Restaram apenas duas para Hilde. Depois, um rapaz retirou sua bagagem da esteira e se apresentou como emissário da Rainha do Espelho, dizendo ter ordens para conduzi-lo até Bjerkely. Os demais manifestantes sumiram na multidão.

Eles seguiram pela autovia E18. Em todas as pontes e entradas de túneis havia cartazes com os dizeres "Bem-vindo de volta", "O peru está esperando", "Estou vendo você, papai".

Albert Knag respirou aliviado quando finalmente desceu do carro. Em gratidão, deu ao motorista uma nota de cem coroas e três latas de cerveja Carlsberg Elephant.

Sua mulher, Marit, o esperava na frente de casa. Depois de lhe dar um abraço bem apertado, ele perguntou:

— Onde ela está?

— Sentada lá no píer, Albert.

Alberto e Sofia estacionaram o carro esporte vermelho na praça em Lillesand, defronte ao Hotel Norge. Eram quinze para as dez. Dava para avistar uma grande fogueira queimando numa das ilhas do arquipélago ao longe.

— Como vamos encontrar Bjerkely? — perguntou Sofia.

— Vamos ter que procurar. Você se lembra do quadro no Chalé do Major, não?

— Precisamos nos apressar. Quero estar lá antes que ele chegue.

Eles seguiram por estradas secundárias, passando por rochedos e atravessando penhascos. Um detalhe importante era que Bjerkely ficava à beira-mar.

De repente Sofia deu um grito:

— Ali! Achamos!

— Acho que sim, mas você não precisava gritar tanto.

— Ninguém vai ouvir mesmo...

— Querida Sofia, depois desse longo curso de filosofia eu fico um pouco decepcionado ao vê-la tirando conclusões tão precipitadas.

— Mas...

— Será que você não percebe que este lugar é povoado por trolls, duendes, fadas, espíritos da floresta?

— Ah, desculpe!

Eles atravessaram o portão e seguiram pela trilha de pedriscos que levava à entrada da casa. Alberto estacionou o carro num platô ao lado do balanço. A alguns metros dali havia uma mesa posta para três pessoas.

— Eu posso vê-la! — sussurrou Sofia. — Ela está sentada lá no píer, exatamente como no meu sonho.

— Você reparou como o jardim se parece com o seu jardim na rua Kløver?

— É verdade. Com balanço e tudo. Posso ir lá encontrá-la?

— Claro. Vou ficar esperando aqui.

Sofia correu até o píer. Quase esbarrou em Hilde. Por fim, conseguiu sentar bem calmamente ao seu lado.

Hilde tinha os pensamentos perdidos enquanto alisava com a ponta dos dedos a corda que prendia o bote ao píer. Na mão esquerda ela segurava uma folha de papel. Era evidente que estava esperando alguém. Ficava olhando o relógio a todo instante.

Sofia a achou muito bonita. Tinha cabelos louros encaracolados e olhos de um verde profundo. Usava um vestido leve de verão. Achou-a ligeiramente parecida com Jorunn.

Sofia tentou falar com ela, mesmo sabendo que não adiantaria.

— Hilde! É Sofia!

Ela não esboçou reação.

Sofia ajoelhou e tentou gritar bem perto do seu ouvido:

— Está me ouvindo, Hilde? Ou você por acaso ficou cega e surda?

Será que ela havia arregalado os olhos? Era um sinal de que tinha ouvido alguma coisa, por mais fraca que fosse, ou foi só impressão?

Então ela se virou para o lado e olhou bem dentro dos olhos de Sofia. Mas seu olhar estava fixo num ponto distante e parecia atravessá-la.

— Não tão alto, Sofia!

Era Alberto, encostado no carro esporte.

— Não quero o jardim invadido por sereias.

Sofia se aquietou. Era bom estar tão perto de Hilde.

Em seguida ela ouviu uma voz grave masculina:

— Hildinha!

Era o major, de uniforme e boina azul, na parte superior do jardim.

Hilde deu um salto e correu para encontrá-lo. Eles se abraçaram entre o balanço e o carro esporte. Ele a levantou no alto e saiu girando com ela nos braços.

* * *

Hilde tinha ido ao píer para esperar o pai. A cada minuto depois que ele aterrissara, ela tentava imaginar onde ele estava e o que estava pensando daquilo que ela havia aprontado. Tomara nota de tudo numa folha de papel, da qual não se desgrudara um segundo.

Será que ele estava zangado? Ele que não achasse que as coisas ficariam exatamente como antes, agora que tinha escrito para ela aquele livro cheio de mistérios...

Ela olhou novamente para o relógio. Eram dez e quinze. Ele chegaria a qualquer minuto.

Mas o que era aquilo? Teria ela escutado um sussurro, exatamente como no sonho com Sofia?

Ela se virou de súbito. Havia alguém ali do lado, disso ela não tinha dúvida.

Ou era apenas um sonho de uma noite de verão?

Por uns segundos ela sentiu até medo de estar ouvindo coisas.

— Hildinha!

Agora precisou se virar para o outro lado. Era seu pai! Estava no alto do jardim.

Hilde deu um salto e correu para encontrá-lo. Eles se abraçaram diante do balanço. Ele a levantou no alto e saiu girando com ela nos braços.

Hilde começou a chorar, e o major teve dificuldade para conter as lágrimas.

— Você está uma mulher linda, Hilde.

— E você, um belo de um escritor.

Ela enxugou as lágrimas na barra do seu vestido amarelo.

— E então, estamos quites? — perguntou Hilde.

— Estamos.

Eles sentaram à mesa. Primeiro de tudo, Hilde quis que ele descrevesse exatamente como fora a chegada no Kastrup e a viagem para casa. Foi uma gargalhada atrás da outra.

— Você não encontrou o envelope na lanchonete do aeroporto?

— Nem tive tempo de sentar para comer, sua danadinha. E agora estou morrendo de fome.

— Coitadinho do papai.
— Quer dizer que aquela história de peru recheado era mentirinha?
— De jeito nenhum! Eu que preparei tudo, sabia? Mamãe já vai servir.
Então eles conversaram sobre o fichário e a história de Sofia e Alberto nos mínimos detalhes.
Enquanto o pai falava sobre Platão, ele foi bruscamente interrompido por Hilde:
— Psiu!
— Que foi?
— Você não ouviu? Não ouviu um barulhinho?
— Não.
— Mas eu tenho certeza de que ouvi alguma coisa. Vai ver que era um camundongo.
A última coisa que seu pai disse antes de a mãe ir buscar vinho foi:
— Mas o curso de filosofia não acabou ainda.
— Como assim?
— Hoje à noite vou lhe contar um pouco sobre o espaço sideral.
Antes de começarem a ceia em família, ele disse:
— Hilde está muito crescidinha para sentar no meu colo. Mas você não!
Abraçou Marit e a pôs no colo. E lá ela ficou um bom tempo antes de poder comer alguma coisa.
— E pensar que você logo vai completar quarenta anos...

Depois que Hilde correu ao encontro do pai, Sofia sentiu as lágrimas querendo brotar dos seus olhos.
Ela jamais conseguiria falar com ela.
Sofia sentia uma ponta de inveja de Hilde, por ela ser uma pessoa comum, de carne e osso.
Depois que Hilde e o major sentaram à mesa, Alberto tocou a buzina.
Sofia olhou na direção do carro. Não teria Hilde feito o mesmo?

Ela correu até lá e sentou no banco da frente, ao lado de Alberto.

— Vamos ficar aqui um instante e ver o que acontece.

Sofia balançou a cabeça.

— Você estava chorando?

Ela balançou novamente a cabeça.

— Mas o que aconteceu?

— Ela tem a sorte de ser uma pessoa comum... Ela vai crescer e se tornar uma mulher como todas as outras. Certamente vai poder ter filhos como todas as outras também.

— E netos, Sofia. Mas tudo na vida tem dois lados. Foi algo que procurei lhe ensinar desde o começo do nosso curso de filosofia.

— O que você está querendo dizer?

— Quero dizer que concordo com você. Ela é uma pessoa de sorte por isso. Mas quem tira a sorte na loteria da vida também tem que tirar a sorte na loteria da morte. Pois a loteria da vida é a morte.

— Mesmo assim. Não é melhor ter vivido um dia do que nunca poder viver?

— Jamais poderemos viver como Hilde... Ou, pelo mesmo motivo, como o major. Em compensação, jamais vamos morrer. Você não se lembra do que aquela velha senhora nos disse na floresta? Pertencemos ao "povo invisível". Ela disse também que tinha quase duzentos anos de idade. Mas na festa de São-João eu vi alguns personagens que tinham mais de três mil anos.

— Talvez eu inveje Hilde especialmente porque ela tem... uma vida em família.

— Você também tem uma família. Não tem um gato, um par de passarinhos, uma tartaruga...?

— Aquela realidade nós já deixamos para trás.

— De jeito nenhum. Quem a deixou para trás foi o major. Ele é que colocou o ponto final, minha querida. E jamais vai nos encontrar novamente.

— Você está dizendo que podemos voltar para lá?

— Tantas vezes quantas quisermos. Mas também podemos encontrar novos amigos no caminho, no restaurante Cinderella, na beira da estrada em Fiane.

A família Møller Knag estava à mesa prestes a se servir. Por um instante Sofia temeu que a refeição tivesse o mesmo desfecho da festa filosófica no jardim, na rua Kløver. O major fez menção de derrubar Marit em cima da mesa. Mas ele só queria que ela sentasse no seu colo.

O carro ficou um bom tempo estacionado à distância. Somente de vez em quando Sofia e Alberto conseguiam ouvir o que a família conversava. Ficaram admirando a paisagem da baía e tiveram tempo suficiente para rememorar tudo que se passara naquela infeliz festa no jardim.

Por volta da meia-noite a família se retirou da mesa. Hilde e o major foram para o balanço, acenando para a mãe, que seguia para a porta de entrada.

— Pode ir se deitar, mamãe. Nós temos muito que conversar.

A grande explosão
... nós também somos poeira estelar...

Hilde se aconchegou no balanço ao lado de seu pai. Já era quase meia-noite. Eles ficaram juntinhos assim, olhando a paisagem enquanto as primeiras estrelas reluziam no céu. Na baía, marolas se sucediam lavando as pedras sob o píer.

Coube ao pai romper o silêncio:

— É estranho pensar que habitamos um pequeno planeta neste universo.

— É...

— A Terra é apenas um dos muitos planetas que orbitam o Sol. Mas somente o nosso é um planeta que tem vida.

— E talvez seja o único em todo o espaço, não é?

— Sim, é possível. Mas pode ser também que a vida pulse no universo. Porque o universo é incomensurável. As distâncias são tão grandes que precisam ser medidas em "minutos-luz" ou "anos-luz".

— O que significa isso exatamente?

— Um minuto-luz é a distância que a luz consegue percorrer no intervalo de um minuto. E ela é grande, pois no espaço sideral a luz percorre trezentos mil quilômetros em apenas um segundo. Um minuto-luz, em outras palavras, é trezentos mil vezes sessenta, isto é, dezoito milhões de quilômetros. Um ano-luz corresponde a cerca de dez trilhões de quilômetros.

— E qual a distância daqui até o Sol?

— Pouco mais que oito minutos-luz. Os raios do Sol que aquecem nossa face num dia quente de verão viajaram oito minutos pelo universo antes de nos alcançar.

— Continue!

— A distância até Plutão, que é o planeta mais afastado do nosso sistema solar, é de meras cinco horas-luz desde o nosso próprio planeta. Quando um astrônomo observa Plutão na objetiva do seu telescópio, na verdade está retrocedendo cinco horas no tempo. Podemos dizer de outra forma: que a imagem de Plutão leva cinco horas para se mover até aqui.

— É difícil imaginar uma coisa assim, mas, para dizer a verdade, eu acho que compreendo o que você quer dizer.

— Que bom, Hilde. Mas até agora nós só começamos a nos orientar no espaço. Nosso próprio Sol é apenas uma entre os quatrocentos bilhões de estrelas numa galáxia que chamamos de *Via Láctea*. Essa galáxia se assemelha a um grande disco com vários braços em forma de espiral, num dos quais está o nosso Sol. Quando observamos o céu claro de uma noite de inverno, podemos ver um largo cinturão de estrelas. Isso porque estamos olhando diretamente para o centro da Via Láctea.

— É por isso que a Via Láctea se chama "Rua do Inverno" em sueco.

— A distância até nossa vizinha mais próxima na Via Láctea é de quatro anos-luz. Talvez seja aquela estrela ali, brilhando acima daquela ilha lá longe. Imagine que agora mesmo lá existe um astrônomo amador com um telescópio bem potente apontado para Bjerkely: ele está enxergando a Bjerkely de quatro anos atrás. Talvez ele esteja vendo uma garota de onze anos se balançando aqui.

— Incrível!

— Mas essa é apenas a estrela vizinha mais próxima. A galáxia inteira, ou "nebulosa" como também a chamamos, possui noventa mil anos-luz de largura. Essa é a quantidade de anos de que a luz precisaria para ir de uma extremidade a outra. Quando vemos o brilho de uma estrela da Via Láctea que está a cinquenta

mil anos-luz de nosso próprio Sol, estamos olhando para cinquenta mil anos no passado.
— É uma ideia muito grande para uma cabeça pequena como a minha.
— A única maneira de enxergarmos o universo é justamente olhando de volta no tempo. Não sabemos jamais como *é* o universo lá fora. Só conseguimos saber como ele *era*. Quando olhamos para uma estrela que está a milhares de anos-luz de distância, na verdade estamos retrocedendo milhares de anos na história do universo.
— Isso é completamente inimaginável.
— Tudo que vemos chega aos nossos olhos através da luz, que se locomove em ondas. E essas ondas precisam de tempo para viajar pelo espaço. Podemos fazer uma comparação com o trovão. Ouvimos o trovão um tempo depois de termos visto o relâmpago ou o raio. Quando ouço o trovão, estou ouvindo o barulho de algo que aconteceu no passado, ainda que recente. Assim é também com as estrelas. Quando olho para o alto e vejo uma estrela que se encontra a milhares de anos-luz daqui, estou "vendo o trovão" de algo que aconteceu num passado remoto, há milhares de anos.
— Compreendi.
— Mas até aqui só falamos da nossa própria galáxia. Os astrônomos dizem que existem cerca de cem bilhões de galáxias iguais à nossa no universo, e cada uma delas consiste em cerca de cem bilhões de estrelas. A galáxia mais próxima da Via Láctea se chama *nebulosa de Andrômeda*. Ela está a dois milhões de anos-luz da nossa galáxia. Como vimos, isso quer dizer que a luz dessa galáxia precisa de dois milhões de anos para nos alcançar. Isso significa que estamos enxergando dois milhões de anos no passado quando vemos a nebulosa de Andrômeda despontar no céu. Se nessa nebulosa houver um astrônomo amador, talvez um garotinho apontando seu telescópio para a Terra neste exato momento em que conversamos, ele não vai conseguir nos ver. Na melhor das hipóteses vai conseguir ver uns hominídeos cujo cérebro era bem pouco desenvolvido.
— Estou chocada.
— As galáxias mais distantes de que temos notícia hoje estão

a cerca de dez bilhões de anos-luz de nós. Quando descobrimos sinais dessas galáxias, estamos contemplando dez bilhões de anos da história do universo. É quase o dobro da idade do nosso próprio sistema solar.

— Chego a ficar tonta só de pensar.

— Compreender como é vislumbrar um passado tão remoto pode ser bem difícil para nós. Mas os astrônomos descobriram algo que tem um significado ainda maior para nossa visão de mundo.

— Conte!

— Ao que tudo indica, nenhuma galáxia do universo está parada. Todas as galáxias se movem pelo espaço e se afastam umas das outras numa velocidade inimaginável. Quanto mais distantes de nós, mais rápido parecem se afastar. Quer dizer, a distância entre as galáxias só aumenta.

— Estou tentando imaginar como seria isso.

— Se você pegar uma bexiga e pintá-la toda com bolinhas pretas, elas vão se afastar umas das outras à medida que você for enchendo a bexiga de ar. Assim é com as galáxias no universo. Dizemos que o universo está se expandindo.

— Como pode ser?

— A maioria dos astrônomos é unânime em afirmar que a expansão do universo só pode ter uma explicação: certo dia, há cerca de quinze bilhões de anos, tudo que existe no universo estava condensado numa área bem pequena. A matéria era tão densa que a força da gravidade fez com que a temperatura se elevasse ao extremo. Por fim, o calor e a densidade assumiram uma proporção tal que aquilo tudo explodiu, num fenômeno a que demos o nome de *Big Bang*, em inglês, ou *grande explosão*.

— Só de pensar eu fiquei toda arrepiada.

— A "grande explosão" fez com que todas as coisas do universo fossem lançadas por todos os lugares, e, à medida que aquilo foi se resfriando, foram formadas as estrelas e galáxias, as luas e planetas...

— Mas você disse que o universo continua a se expandir...

— E a razão disso é exatamente essa explosão que ocorreu bilhões de anos atrás. O universo não possui limites geográficos.

O universo é um evento. O universo é uma explosão. As galáxias continuam a viajar no espaço com uma rapidez enorme.
— E assim vai ser por toda a eternidade?
— É uma possibilidade. Mas existem outras também. Você lembra que Alberto contou para Sofia sobre as duas forças que levam os planetas a girar constantemente em torno do Sol?
— Não seriam a gravidade e a inércia?
— Sim. Pois a relação entre as galáxias é semelhante. Embora o universo continue a se expandir, a gravidade age no sentido oposto. E um dia, daqui a alguns milhões de anos, talvez a ação da gravidade faça com que os corpos celestes sejam novamente comprimidos, à medida que a resultante daquela enorme explosão comece a perder força. Teríamos então uma explosão oposta, uma "implosão". Porém, estamos falando de distâncias tão grandes que isso deverá acontecer numa espécie de câmera lenta. Podemos comparar isso ao que ocorre quando deixamos o ar escapar de uma bexiga.
— Todas as galáxias serão sugadas para o centro novamente?
— É, pelo visto você compreendeu. Mas o que vai acontecer em seguida?
— Talvez então haja uma nova "explosão" que faça o universo se expandir novamente. Pois as mesmas leis da natureza continuarão em vigor. E dessa forma novas estrelas e galáxias vão surgir.
— Seu raciocínio está correto. No que se refere ao futuro do universo, os astrônomos costumam falar em duas possibilidades: ou o universo continuará a se expandir indefinidamente e a distância entre as galáxias ficará cada vez maior, ou ele vai se contrair novamente. O que vai acontecer depende da densidade, ou da quantidade de matéria presente no universo. E sobre isso os astrônomos ainda não chegaram a nenhuma conclusão.
— Mas, se o universo é denso o bastante para começar a se contrair, talvez ele tenha se contraído e se expandido muitas outras vezes, não?
— É a conclusão mais óbvia. Mas aqui também os pesquisadores se dividem em duas correntes. Pode ser que a expansão do universo só ocorra esta única vez. Mas, se o universo continuar a

se expandir por toda a eternidade, então se torna ainda mais premente a pergunta sobre como tudo começou.
— Sim, pois como surgiu tudo isso que um dia de repente explodiu?
— Para os cristãos, a "grande explosão" é obviamente o instante da criação. A Bíblia diz que Deus disse "Faça-se a luz!". Alberto disse, talvez você lembre, que o cristianismo possui uma visão "linear" da história. Para a fé cristã, portanto, convém conceber o universo como algo para sempre em expansão.
— Que mais?
— No Oriente predomina uma visão "cíclica" da história. Quer dizer, a história se repete por toda a eternidade. Na Índia, por exemplo, existe uma antiga teoria de que o mundo está num processo constante de expansão e contração. É a alternância daquilo que os hindus chamam de "dia e noite de Brahma". Essa ideia se harmoniza melhor, evidentemente, com a expansão e contração contínuas do universo num processo cíclico e eterno. Eu imagino um enorme coração cósmico pulsando e pulsando e pulsando...
— Eu acho que as duas teorias são igualmente intrigantes e emocionantes.
— E podem ser comparadas ao grande paradoxo da eternidade sobre o qual Sofia certa vez se pôs a refletir no seu jardim: será que o universo sempre existiu ou será que surgiu do nada de repente?
— Ai!
Hilde acertou a testa com a palma da mão.
— Que foi?
— Acho que fui picada por um mosquito.
— Vai ver foi Sócrates tentando despertar você da letargia...

Sofia e Alberto tinham ficado no carro esporte vermelho ouvindo o major falar do universo para Hilde.
— Já pensou que os papéis estão completamente invertidos? — perguntou Alberto depois de um tempo.
— O que você quer dizer com isso?
— Primeiro eram eles que ficavam ouvindo nossa conversa e

não podíamos nem vê-los. Agora somos nós que os ouvimos e eles não podem nos ver.

— E mesmo assim tem outra coisa.

— No que você está pensando?

— No começo nós não sabíamos que existia outra realidade onde vivem Hilde e o major. Agora são eles que desconhecem a nossa realidade.

— Doce vingança...

— Mas o major podia invadir o nosso mundo...

— Nosso mundo é que estava ao alcance dele.

— Eu não vou deixar de lado a esperança de que um dia também possamos interferir no mundo deles.

— Mas isso é totalmente impossível, você não viu? Não lembra como foi no restaurante Cinderella? Eu vi você se esforçando sem conseguir tirar do lugar aquela garrafa de refrigerante.

Sofia ficou quieta um instante, contemplando a paisagem, enquanto o major continuava falando da "grande explosão". Foi então que teve uma ideia inspirada nessa expressão. Começou a revirar o carro procurando alguma coisa.

— Que foi? — perguntou Alberto.

— Nada.

Abriu o porta-luvas e lá encontrou uma chave inglesa. Desceu do carro com ela na mão. Foi até o balanço e ficou parada bem diante de Hilde e seu pai. Primeiro tentou atrair o olhar de Hilde, mas era impossível. Então ergueu a chave inglesa sobre a cabeça dela e a golpeou bem no meio da testa.

— Ai! — disse Hilde.

Sofia golpeou também a testa do pai de Hilde, mas ele não reagiu.

— Que foi? — perguntou o major.

Hilde olhou para ele.

— Acho que fui picada por um mosquito.

— Vai ver foi Sócrates tentando despertar você da letargia...

Sofia se agachou na grama e tentou empurrar o balanço, mas ele era sólido como uma rocha. Ou teria ela conseguido fazê-lo se mover um milímetro apenas?

— Está soprando um vento frio vindo do chão.

— Não, o clima está até bem agradável.
— Mas não é só isso. Tem alguma coisa aqui.
— Somente nós dois e esta linda noite de verão.
— Não, tem algo no ar.
— E o que seria?
— Você se lembra do plano secreto de Alberto?
— Sim, como iria me esquecer?
— Então quer dizer que eles apenas escaparam da festa no jardim. Foi como se tivessem sido engolidos pelo chão...
— Mas...
— "engolidos pelo chão..."
— A história tinha que terminar de algum jeito. E foi só uma coisa que eu escrevi.
— Sim, mas não disse o que aconteceu depois. Imagine se eles estiverem aqui...
— Você acha?
— Eu sinto, papai.
Sofia correu de volta para o carro.
— Impressionante — reconheceu Alberto, quando ela entrou com a chave inglesa na mão. — Essa garota tem habilidades especiais.

O major tinha posto o braço nos ombros de Hilde.
— Está ouvindo como é maravilhoso o barulho das ondas?
— Estou.
— Amanhã vamos pôr o barco na água.
— Mas você não está ouvindo como é estranho o sussurro do vento? E como balançam as folhas dos álamos?
— Este é um planeta cheio de vida...
— Você escreveu algo sobre existir alguma coisa "nas entrelinhas".
— Sim?
— Talvez exista alguma coisa "nas entrelinhas" aqui no jardim também.
— A natureza é mesmo cheia de enigmas. E agora estamos falando das estrelas no céu.
— Logo, logo vão aparecer estrelas na água também.

— Sim, e era assim que você chamava o brilho das algas na superfície da água quando era pequena. De certa forma você estava certa. Tanto as algas quanto todos os demais organismos são feitos de matéria que um dia estava se fundindo dentro de uma estrela.

— Nós também?

— Sim, nós também somos poeira estelar.

— Que bonito dito assim.

— Quando os radiotelescópios capturam a luz das galáxias a milhares de anos-luz de distância, nos mostram como o universo era em tempos primordiais, logo depois da "grande explosão". Tudo que uma pessoa consegue enxergar no céu são fósseis cósmicos de milhares e milhões de anos atrás. A única coisa que um astrólogo pode prever é como era o passado.

— Porque as estrelas de uma constelação já se afastaram umas das outras antes de sua luz chegar até nós, certo?

— Há apenas dois mil anos as constelações tinham uma aparência totalmente diferente da que têm hoje.

— Não sabia disso.

— Se for uma noite clara, podemos ver milhões... muito bem, bilhões de anos atrás na história do universo. De certa forma é como se virássemos a proa do nosso barco em direção ao porto de onde partimos.

— Melhor você explicar isso.

— Você e eu surgimos na "grande explosão". Todas as coisas no universo são uma só unidade orgânica. Num passado remotíssimo, toda a matéria estava condensada numa bola que era tão infinitamente maciça que um pedaço dela do tamanho da cabeça de um alfinete pesava vários bilhões de toneladas. Esse "átomo primordial" explodiu por conta da sua enorme força gravitacional. Foi como se tudo se partisse em pedaços. Quando levantamos os olhos para o céu, é como se procurássemos um caminho de volta àquilo que um dia fomos.

— É um jeito bem estranho de contar uma história.

— Todas as estrelas e galáxias no espaço sideral são feitas da mesma matéria. Algumas se condensaram aqui, outras ali. Pode haver bilhões de anos-luz separando uma galáxia de outra. Mas todas possuem a mesma origem. Todas as estrelas e planetas são da mesma estirpe.

— Sei.

— O que é a matéria que compõe o mundo? O que explodiu há bilhões de anos? De onde veio?

— Esse é o grande mistério.

— Mas é algo que diz respeito a todos nós, profundamente. Pois somos, nós mesmos, feitos dessa matéria. Somos a centelha da enorme fogueira que foi acesa muitos bilhões de anos atrás.

— Isso também é muito bonito.

— Mas não vamos exagerar na importância de todos esses números. Basta segurar uma pedra na mão. O universo seria igualmente incompreensível se não passasse de uma pedra do tamanho de uma laranja. A pergunta seria igualmente fascinante: de onde vem essa pedra?

De repente Sofia ficou em pé no assento do carro esporte vermelho e apontou para a baía.

— Me deu vontade de remar naquele bote — disse.

— Ele está amarrado. Além disso, não conseguiríamos remar.

— Vamos tentar? Afinal, é São-João...

— Podemos pelo menos ir até a água.

Eles desceram do carro e saíram correndo pelo jardim.

Ao chegar ao píer, tentaram desamarrar a corda que estava bem atada a um anel de aço. Mas não conseguiram nem mexer nela.

— Parece que está pregada aí.

— Mas temos todo o tempo do mundo.

— Um filósofo de verdade jamais desiste. Se ao menos... conseguíssemos... desamarrar...

— Surgiram mais estrelas no céu — disse Hilde.

— Sim, é uma noite de verão das mais escuras.

— Mas no inverno as estrelas brilham mais. Você lembra quando foi para o Líbano? Era noite de Ano-Novo.

— Foi quando eu decidi escrever um livro de filosofia para

você. Tinha estado numa enorme livraria em Kristiansand, e também tinha visitado a biblioteca. Mas não encontrei nada que fosse adequado para alguém da sua idade.

— É como se estivéssemos agarrados bem na ponta dos pelinhos do coelho branco.

— Fico aqui pensando se não haveria alguém lá longe, a anos-luz desta noite.

— O bote se soltou!

— É mesmo...

— Não é possível. Eu estive lá embaixo e amarrei direitinho a corda pouco antes de você chegar.

— Verdade?

— Lembrei agora que Sofia pegou emprestado o bote de Alberto. Você lembra que ele ficou à deriva no lago?

— Vai ver é ela que agora está aprontando alguma por aqui.

— Você está querendo me assustar. Eu bem que senti que havia algo estranho por aqui a noite toda.

— Um de nós vai ter que nadar para pegar o bote.

— Vamos nós dois, papai.

Índice remissivo

Aasen, Ivar, 382
Abraão, 171, 173, 183
absurdo, absurdismo, 102, 412, 494-5
Academia de Platão, 97-8, 108, 121, 188, 191
Acrópole, 87-91, 102, 141, 178-9, 200, 278, 318-9, 425
Adão e Eva, 173, 449, 463
adaptação, 443, 452
adivinhação, adivinhos, 61, 66, 221
afetos, 270
agnósticos, 78, 295
Agostinho, Santo, 193-8, 253, 261
Alá, 170
Aladim, 384
Alcorão, 170
alegoria da caverna *ver* caverna, mito da
Alemanha, 133, 189, 204, 247, 269, 340, 374, 376, 379, 382, 390, 449, 532
Alexandre, o Grande, 144, 148
Alexandria, 146, 152, 180, 191, 484
Aliança Abraâmica *ver* Pacto Abraâmico
Alice no País das Maravilhas, 404, 449
alma, 27, 43, 59-60, 92, 94, 96, 103-5, 107, 109, 116-8, 123-4, 131, 146, 151-6, 170, 172, 177, 194-5, 204, 244, 251-2, 255-6, 260-3, 275, 295, 306, 320, 323, 343, 356, 358, 364, 378-82, 386-7, 405, 428, 465, 467; "alma do mundo", 378, 382
alta cultura *ver* cultura
Alta Idade Média *ver* Idade Média
"alternativos, movimentos", 498
América, 221, 438-9, 441; América do Sul, 439, 441
amizade, 150, 289
amor, 24, 51-2, 104, 118, 175, 177, 201, 268, 289, 301, 320, 378, 500
anatomia, 219
Anaxágoras, 51-2, 60, 76
Anaxímenes, 46, 50
Andersen, Hans Christian, 25, 382, 407, 422
Andrômeda, nebulosa de, 543
angústia, 146, 195, 334, 414, 490
animal, animais, 14, 29, 36, 43, 50, 52, 58, 60, 75, 95, 102, 105-6, 109, 112, 114, 118-9, 124, 127-31, 135-7, 150, 153, 200, 202-3, 210, 231, 243-4, 251, 255, 261-2, 273-4, 280, 285,

289, 321, 364, 396, 429, 435-8, 440-50, 453-8, 476
anjos, 203, 252, 261, 290-2, 530, 532
anos-luz, 541-4, 549, 551
antibióticos, 453
Antigo Testamento, 170, 172, 194; *ver também* Novo Testamento
Antiguidade, 36, 43, 76, 91, 122, 146, 152, 181-2, 189-90, 192-4, 212, 216, 218-20, 225, 233, 254, 341, 393, 423, 425, 427; Antiguidade Tardia, 145-6, 152, 193-4
antítese, 395
Apolo, 39, 67, 69
árabes, 191-2, 198, 218, 250, 384
Areópago, 89, 178-9, 269, 278, 319
Aristipo de Cirene, 150
aristocracia, 133, 248, 340
Aristófanes, 89
Aristóteles, 45, 108, 114, 120-37, 144, 146-7, 182, 191-2, 198-200, 202-3, 221-2, 228, 244, 254-5, 257, 269, 282, 321-2, 343, 358, 380, 393, 440-1, 454, 496
Armstrong, Neil, 497
Arquimedes, 336
arte, artistas, 172, 216, 219-20, 233, 247-8, 259, 374-5, 381, 382, 400, 414, 425, 474-8
Asbjørnsen, P. Christian, 382
ascese, 170
Asclépio, 39
Åsgard, 35-7
Ásia, 39, 45, 47, 52, 145, 152, 433
astrologia, astrólogos, 62, 67, 500, 506, 549
astronomia, astrônomos, 24, 52, 146, 191, 217, 232, 543-5
"asura", 168
ateísmo, ateístas, 52, 155, 295, 343, 489
Atena (divindade), 39
Atenas, 52, 76, 77-8, 80-1, 83-5, 87-93, 97-8, 108, 144, 146-8, 150, 177-80, 184, 188, 191, 196, 200, 254, 278-9, 318-20, 400, 425, 484
atenienses, 77-8, 80, 84, 88-9, 121, 178, 269, 278

atmosfera, 456-8
átomos, 57-60, 62, 99-100, 151, 244, 317, 549
Atos dos Apóstolos, 178-9
atributos, 271-2, 275, 293
autômatos, 261-3
aventuras, 382-4, 406-7, 481, 501, 530

Babilônia, 173
Bach, J. S., 374
Bacon, Francis, 222, 241
bactérias, 452-3, 456
Balder, 39
Barroco, 233, 236, 246-51, 373-4, 382
base, 257, 425, 426-7
Basílica de São Pedro, 220
Beauvoir, Simone de, 489, 493-4
Beckett, Samuel, 494
Beethoven, L. van, 374-5, 382
beleza, 98-9
bem, o, 34, 36, 48, 69, 84, 98, 127, 150-1, 168, 193, 195, 197, 221, 225, 241, 249
bem-estar, 301-2
beneditinos *ver* Ordem Beneditina
Berkeley, George, 112, 163, 184, 254, 279, 281-2, 288, 304-8, 320, 329, 333, 346, 350-1, 383, 386-7
Berlim, 390, 409, 423, 484
Bíblia, 133, 141, 170, 173, 193, 195-6, 198-202, 204, 232-3, 268, 441, 449-50, 490, 546; *ver também* Antigo Testamento; Novo Testamento
Big Bang, 544
biologia, 146, 450
Bizâncio, bizantino, 191-2, 218
Bjørnson, Bjørnstjerne, 459
Böhme, Jacob, 378
Bohr, Niels, 398
Brahma, 546
Breton, André, 474
Bruno, Giordano, 221, 239, 378
bruxas, 189, 221
Buda, budismo, 155, 169, 294-5, 410
burguesia, burgueses, 218, 378, 429-30

Calderón de La Barca, Pedro, 249
camada de ozônio *ver* ozônio

Camus, Albert, 494
caos, 66
capitalismo, capitalista, 422, 427-33
características: "adquiridas", 444, 451; primárias, 285; "qualitativas" e "quantitativas", 260; secundárias, 285
Carlos Magno, 189
"Carpe diem", 247
castas, sistema de, 107-8
cativeiro babilônio, 173
"causa e efeito", 299
causa interna, 273
causa primeira, 200, 358
caverna, mito da, 105-6, 109, 122-3, 141, 153
células, 52, 450, 456-7; divisão celular, 450
cena, cenário, 89
censura, 157, 162, 313, 326, 344, 472, 474, 476, 480
ceticismo, céticos, 77, 255, 340, 360, 503-4
céu/paraíso celeste, 195, 204, 220, 292, 489, 517
Chapeuzinho Vermelho, 135, 359, 371, 382, 449, 463, 516, 532
Chaplin, Charles, 495
Chuang-Tsé, 250
Cícero, 82, 149
cidade-Estado, 78, 146
ciência, científico, 19, 26, 40, 45, 51, 54, 58, 68, 77, 107, 122, 127, 129, 132-3, 145-7, 191, 198-9, 216, 219-21, 232, 236, 251, 254-5, 299-300, 305, 329, 332, 341, 374, 425, 438, 441, 448-9, 455-7, 496-8
cínicos, 147-52
clarividência, 500
classes sociais, 248, 427-9, 432-3; luta de classes, 427; sociedade sem classes, 432
"Cogito, ergo sum", 258
cognição, cognitivo, 375, 378
Coleridge, Samuel Taylor, 376
comédias, 89
comedimento, 220; *ver também* pudor

comércio, 190, 218
compaixão, 175, 301
completude/experiência do todo, 356
"comunicação dupla", 470
comunismo, comunista, 422, 428, 430-2, 517
Condorcet, marquês de, 344
conhecimento, filosofia do, 202
consciência, 16, 26, 59, 67, 74-5, 81, 83-4, 118, 124, 140, 142, 154-5, 201, 220, 251, 256, 260, 281-4, 290-2, 294, 298, 306-7, 320-1, 330, 336-7, 351-4, 362, 378-80, 385-6, 388, 393, 400, 405, 410-1, 428, 465-8, 471-2, 474-7, 479, 481, 483, 490, 492, 514, 516, 531; "consciência cósmica", 154-5, 378
Constantino, imperador romano, 188
Constantinopla, 188, 191, 326
conteúdo dos sonhos *ver* sonhos
contos, 189, 381-3
contraponto, 523
Copérnico, Nicolau, 224, 353
Corão *ver* Alcorão
corpo humano, 50, 52, 96, 104, 107, 123, 132, 152, 204, 219, 244, 255-6, 261-2, 275, 452, 456-7
corpos, 52, 223-5, 228-31, 251, 545
"corvo branco", 299, 504-5, 507, 511
cósmico, 268, 546, 549
cosmopolitas, 149
credo cristão, 180
"credo quia absurdum", 412
crenças, 47, 49, 62, 66, 70, 72, 84, 142, 146, 167, 170-1, 174, 177, 180, 190, 196, 199, 204, 219, 222, 231, 284, 290, 295, 300, 305, 343, 358, 412, 433, 440, 497
crescimento populacional, 446
crianças, 18, 28, 30-2, 48, 56, 58, 74-5, 83, 107, 133, 204, 274, 289-90, 293, 297-8, 316, 338, 341-2, 355, 363, 401, 427, 429, 446, 450, 453, 464-6, 469, 472, 475-6, 484, 487, 511, 518, 527, 529, 532
cristandade, 178, 180, 324
cristãos, 142, 146, 154, 171, 178, 180, 183,

190, 193-4, 216, 221, 232, 252, 295, 307, 350, 408-9, 415, 424, 489, 546
cristianismo, 35, 89, 144, 152, 155, 166, 170-2, 177, 178-81, 188-9, 193-4, 199, 268, 295, 339, 342-3, 358, 409, 411-2, 415, 498, 546
Cristina da Suécia, rainha, 254
Cristo *ver* Jesus Cristo
crítica social, 78
cromossomos, 456
culpa/sentimento de culpa, 172, 175, 177, 334, 466-7, 491-2
cultura, cultural, 25, 39, 43, 76-7, 122, 144-6, 148-9, 155, 167, 169-70, 173, 179, 190-2, 216, 218, 233, 374, 376-7, 381, 391, 393, 408, 426, 435, 463, 494, 497; alta cultura, 190
curinga, 82-3, 86, 213
curso da história *ver* História, histórico

Damaris, 179
Darwin, Charles, 231, 337, 435-51, 455, 458-9
Darwin, Erasmus, 440
darwinismo, 451, 477
Dass, Petter, 250
Davi, rei, 173-4
"De volta à natureza", 378
Debussy, Claude, 16
"degeneração" da humanidade, 453
deísmo, 343
Delfos, 67, 84, 141
democracia, 77, 133, 433
Demócrito de Abdera, 53, 55, 57-62, 76, 99-100, 129, 150-2, 182, 244, 251, 295, 317, 357, 388, 423
Descartes, René, 246, 252-64, 267, 270-1, 274, 281-2, 285-6, 291-3, 305, 335, 340, 343, 351, 357-8, 363, 378, 391, 395, 411
desejos, 107, 148, 151, 168, 262, 364, 461, 466-8, 472-3
destino, 61-2, 65-8, 70, 72, 140, 149, 196, 248, 375
Deus, 19, 25, 43, 48, 62, 68, 118, 127, 131, 141, 152-5, 169-80, 183, 194-205, 216, 219-21, 223, 231-3, 250-2, 254, 259-62, 267-73, 275, 281-2, 286, 292-3, 295, 305, 307-8, 320, 323, 326, 329-30, 341, 343, 356, 358, 364, 374-5, 379, 382-3, 386-7, 411-2, 415, 422, 441-3, 448, 450, 489, 546; "Deus está morto", 489; "Deus filosófico", 179, 343; existência de Deus, 199-200, 259, 286, 295, 307, 358-9, 412
deuses, 35-9, 45-6, 48, 61-2, 68-9, 76, 78, 81, 145, 147, 151, 167-8, 171-2, 273, 500; deus da fertilidade, 35; deusa da fertilidade, 36-7, 168
"deva", 168
dialética, dialético, 394-5, 398-9, 426, 428
diálogos filosóficos, 79-80, 98, 102, 106, 108, 178, 388
Dickens, Charles, 422
Dinamarca, 378, 403, 526
dinâmica, 228, 380, 392, 398
"Ding an sich", 354, 374, 375
dinheiro, 82, 91, 190, 218, 234, 243, 246, 321, 363, 421, 429, 431-2, 503, 528
Diógenes de Sínope, 147-8
Dioniso, 39, 89
Diotima, 108
Direitos: direitos femininos, 344-5; direitos humanos, 339, 343-4, 347; "direitos naturais", 148, 343-5
distúrbios psíquicos, 471
ditadura do proletariado, 432
divino, 48, 81, 84, 153, 156, 175, 177-8, 180, 194, 232-3, 307, 323, 378
divisão celular *ver* células
DNA, 456, 457
doenças, 36, 61-2, 66, 68-9, 149, 223, 450, 453
dor, 150-1, 156, 262, 272, 312, 414; *ver também* sofrimento
Dostoiévski, Fiódor, 414
doutrinas, 152, 170, 176, 178, 193-5, 199-200, 282, 286, 339, 341, 413
dualismo, dualista, 149, 261, 271, 398
Dyaus, 167

ecológico, ecológica, 447, 452-3
economia, 190, 218, 431

Édipo, 67, 89
Egito, 45, 144v5, 146, 173
ego, 466; *ver também* "eu", ideia de
eleatas, 47, 57, 394-5
elementos *ver* quatro elementos
elétrons, 58
Empédocles, 49-54, 60, 99, 388, 394-5
empirismo, empiristas, 282-3, 288, 300, 305-6, 329, 351, 353, 364, 395, 496; *ver também* método empírico
Engels, Friedrich, 424, 430, 437
Epicuro, epicuristas, 149-52, 178-9, 423
Erasmo de Roterdam, 232-3
Eros, 104
escambo, 190
Escandinávia, 35, 135, 167-8
escolhas, 361-2, 364, 410, 414-5, 491
escravidão, escravos, 39, 173, 344, 364, 392, 427
escrita automática, 477, 502
Esculápio, 69
espaço *ver* tempo e espaço
espaço sideral, 269, 538, 541, 549
Espanha, 145, 167, 191-2, 198, 218
espécies/origem das espécies, 438, 440-9, 451, 453-4
especulação, especulativo, 77, 169, 410, 437, 455
Espinosa, Baruch, 246, 252, 254, 267-75, 281-2, 305, 351, 357, 378-9, 391, 407
espiritismo, 477, 500
espírito, 52, 59-90, 109, 149, 193, 245, 252, 255-6, 262, 274, 306-8, 330, 378-9, 381, 384, 386, 388, 390-1, 393, 395, 399-401, 405, 409, 411, 418, 423-4, 428, 477, 503, 530, 531; "espírito do mundo", 378-9, 390, 393, 395, 399, 400-1, 423-4; "espírito vital", 255; espíritos, 46, 388, 530, 535; espiritual, 60, 69, 180, 184, 195, 244, 251, 256, 261, 271, 306, 325, 437
Ésquilo, 89
essência, 270, 490
estações do ano, 38, 169
Estado, 66-7, 81, 106-8, 132-3, 188, 196, 221, 287, 396, 399-400, 449, 499

Estados Unidos, 468
estático, 100, 380
estética, estético, 375, 413-5, 487
estilo de vida, 431, 498, 500
estoicismo, estoico, 148-52, 178, 193, 273, 341, 357
eternidade, 49, 103, 154-5, 229-30, 282, 359, 392, 459-60, 483, 532, 545, 546
ética, ético, 69, 90, 131-2, 147, 150, 155, 269-70, 273, 300, 341, 360, 363, 413-5
"eu", ideia de, 154, 293-5, 374, 378, 382, 385-6, 405
Eurípides, 89
Europa, 35, 89, 156, 167-8, 188-9, 191-2, 200, 212, 216-7, 247, 250, 253-4, 340, 342, 345, 374, 376, 382, 402, 408-9, 416, 429-30, 433-4
evangelhos, 268
evolução, teoria da, 437-42
existência, 31, 59, 78, 116, 130, 152, 180, 194, 220, 233, 251, 257, 260, 268-9, 276, 289-90, 410-4, 488-90
existência de Deus *ver* Deus
existencialismo, existencialistas, 337, 410, 423, 488-9, 493-4, 496, 505
experimentos, 222, 226
explicações naturais, 66, 68, 437
"extensão", 270
extrassensorial, percepção, 500

"faculdades", 189
fantasia, fantasias, 209, 245, 281, 283, 290, 366, 374, 383, 404, 476-8, 524, 534
fariseus, 176, 178
Fausto, 458-9
fé, 62, 141, 172, 178-80, 193-4, 199, 216, 221, 233, 251, 286, 295, 341, 343, 350, 358, 409, 411-2, 415, 503, 546
felicidade, 84, 131-2, 147, 148, 270, 275, 318, 342, 459
feminina, liberação, 108
feministas, 344
fenômenos, 99-101, 105-6, 123, 130, 251, 271, 350, 352, 474, 504
feudalismo, 190, 344, 427

557

Fichte, J. G., 383
Ficino, Marsílio, 219, 233
"Filho de Deus", 174-5, 177, 180
filósofo, filósofos, 22-32, 35-6, 39, 40-7, 49-55, 57, 60-3, 66, 68, 70, 72, 74-7, 79-80, 82-5, 87, 90, 95, 97-9, 101-2, 105-8, 113-6, 121-3, 132, 141, 144, 146, 148-51, 166, 178, 181, 191, 193, 197-9, 219-20, 222, 239-40, 246, 251-2, 255-7, 263-4, 267-8, 270, 281-91, 296, 298-300, 305, 317, 320, 322, 330, 334, 340-4, 350-1, 356-7, 372, 375, 378-80, 382-3, 388, 391, 393, 400, 404, 407, 409, 411, 415, 418, 423-4, 433, 438, 442, 453, 463, 478, 486-90, 499, 501, 503-4, 508, 511, 514, 524, 550
finito, 356
Finlândia, 168
física, leis da, 230-1, 361
força da gravidade *ver* gravidade
"forças do caos", 36, 168
forças naturais, 51
formas, 39, 42, 46, 56-8, 100, 103-6, 124-8, 131, 133, 135, 152, 178, 247, 262, 291, 353, 440-1, 459, 478, 481; "formas intuitivas", 352, 412
fósseis, 438, 441-2, 449, 549
França, 167, 247, 340, 345, 489
Franklin, Benjamin, 446
Freud, Sigmund, 337, 437, 461, 463-75, 502-3
Frøy, 168
Frøya, 37-9, 168

galáxias, 224, 337, 542-5, 549
Galileu Galilei, 222, 225-8, 230, 256
garota dos fósforos, 421, 423, 435
gêneros/sexos, 286, 493
genes, 435, 459, 461
gênios, 374-5, 381, 388
geocêntrica, visão, 223
ginástica, 98
glândula pineal, 262
Goethe, J. W., 181, 324, 378, 458
Gombrowicz, Gombrowich, Witold, 494
gótico, 198

Gouges, Olympe de, 345-9
"grande explosão" *ver* Big Bang
gravidade, 127, 226, 229-30, 251, 296, 544-5; gravitação universal, 229, 239
Grécia, 35, 39, 145, 167, 172, 192, 200, 240
gregos, 26, 35, 39-40, 44-5, 47, 50, 66-8, 70, 76, 78, 141, 145, 147, 150, 152, 166, 169, 176-7, 179, 181, 191, 193-4, 199, 219, 317, 324, 438, 514
Grimm, irmãos, 382, 532
Grundtvig, N. F. S., 314
Guerra dos Trinta Anos, 247
guerras, 18, 48, 67-8, 88, 162, 165, 184, 221, 237, 241, 247, 302, 325, 368
Guerras Persas, 141
Gustavo III, rei da Suécia, 248

hábitos, 29, 297-9, 353, 470
Hamlet, 249
Hamsun, Knut, 201
Händel, G. E., 374
Hefaísto, 39, 89
Hegel, G. W. F., 337, 366, 388-400, 404-5, 407-10, 412, 423-4, 428, 488, 491, 516
Heidegger, Martin, 489
Heidelberg, 381, 390, 484
Heimdal, 37, 135
helenismo, 138, 144-7, 166, 170, 180, 322, 336
heliocêntrica, visão, 224, 231
Hera, 39
Héracles, 39
Heráclito de Éfeso, 47-9, 59-60, 148, 152, 394-5
Hércules *ver* Héracles
Herder, J. G., 380-1
hereditário, hereditariedade, 444, 450-1, 453, 456-7
Hermes (divindade), 75-6,
Hermes (cachorro), 96-7, 110, 112-3, 120, 128-9, 144, 205, 210-2, 234, 236, 238-9, 243-5, 261, 280-1, 308, 320, 329, 513
Heródoto, 68
Hesíodo, 39

Hígia, 69
Hildegard von Bingen, 204, 325
hinduísmo, hindus, 155, 167-9, 546
Hipócrates, 68, 69
História, histórico, 39, 66, 68, 144-5, 169-71, 179, 181, 188, 196-7, 212, 214, 221, 228, 233, 250, 317, 332, 343, 345, 380, 381, 390-7, 408, 424, 427, 437, 496, 499, 546; curso da história, 61-2, 68, 171, 380, 391, 394-5; história da filosofia, 43, 78, 251, 350-1, 364, 423, 484, 490, 496, 516; historicismo, 408, 488
Hitler, Adolf, 133
Hobbes, Thomas, 251
Hod, 39
Hoffmann, E. T. A., 382
Holberg, Ludvig, 250
hologramas, 52
Homero, 39, 46
humanidade, 66-7, 79, 83, 166, 178, 180-1, 195, 228, 320, 332, 342, 346, 363, 391, 394, 412, 450, 453, 489, 497, 499, 533
humanismo, 149, 196, 216-9, 221, 233, 489
Hume, David, 254, 282, 288-302, 339-40, 351, 353-5, 360, 362, 378, 391, 393, 395-6, 501

Ibsen, Henrik, 383, 408, 414
Idade Média, 133, 144, 170, 181-2, 184-94, 196, 198, 202, 204-5, 211-2, 216, 218-20, 223, 232-3, 253, 282, 289, 325, 328, 341, 358, 375, 376, 393, 412, 435; Alta Idade Média, 198
"idé", 169
idealismo, 251, 423
ideias: falsas, 291; inatas, 123-4, 281; mundo das ideias, 99, 101, 104, 106, 109, 116, 124, 282, 320-1, 489; teoria das ideias, 101, 108, 121, 123-4, 152, 425, 440
Igreja, 133, 172, 177, 180, 188, 191, 193-8, 202, 205, 216-8, 221, 231-3, 328, 340, 342, 358, 408-9, 440, 448, 516
igualdade entre os sexos, 286, 396

Iluminismo, 250, 286, 288, 328, 337, 341, 342, 345, 348, 373-4, 376-8, 380, 393; filosofia iluminista, 341, 346
ilusão, 26, 47, 88, 155, 248-9, 252, 262, 383, 409
imagens, proibição das, 172
imaginação, 26, 62, 66, 280, 290, 336-7, 372, 387, 389, 405, 433, 480, 501
imanente, 493
imortalidade, imortal, 43, 59-60, 92, 96, 103-5, 116, 118, 146, 152, 168, 177, 195, 244, 295, 343, 356, 358
"implosão", 545
impulsos irracionais, 464
inato, 78, 361
inconsciente, 383, 437, 463-4, 467-8, 471, 474-7, 479, 482, 502-3
incunábulos, 217
Índia, 108, 144, 155, 167, 229, 250, 352, 546
índios, 447, 497
individualismo, individualista, 219, 232, 375, 399, 407
indo-europeus, 167-9, 171-2
indulgências, venda de, 232
inércia, lei da, 225, 230, 408, 545
infância, 108, 197, 212, 223, 265, 312-3, 342, 355, 465-6, 472
infelicidade, 195
infinito, 36, 156, 220-1, 231, 269, 294, 356, 380, 406, 460
Inglaterra, 167, 189, 340, 436, 439-40, 445, 448-9, 451, 503
insights, 108, 477
inspiração, 146, 219, 340, 379, 418, 433, 474-5
instante da criação, 546
instinto sexual, 464
inteligência, 52, 203, 218, 251, 262, 293, 379, 391
"interdição pictórica", 172
interpretação dos sonhos ver sonhos
intuição, intuitivo, 74, 258-9, 286, 353
inverdade, 413
Ionesco, Eugène, 494
Irã, 167
"ironia romântica", 383, 401, 409

559

"ironia socrática", 80
ironia, irônico, 80, 383, 401, 409, 413, 419, 433, 478, 484, 534
irracionalidade, irracional, 255, 261, 299, 342-3, 495
Isaías, profeta, 174
Islã, islamismo, 155, 170-2, 191; *ver também* muçulmanos
Israel, 172-4, 180-1
Itália, 39, 47, 167, 192, 198, 216, 240

Jena, 381, 390, 484
Jeová, 172
Jeppe på Bjerget, 250, 258
Jerusalém, 171, 174-5, 191, 292, 484
Jesus Cristo, 42, 79, 81-2, 89, 133, 141, 144, 166, 172, 174-80, 187-8, 191, 196, 199-200, 268, 324, 343, 409, 424
Jotunheim, 37-8
judaísmo, 155, 170-2, 180, 268
judeus, 166, 170-1, 173-5, 178, 180, 183, 205, 302, 324
Juízo Final, 171, 174
Júpiter (divindade), 167
justiça, 179, 421, 433

Kant, Immanuel, 254, 288, 337, 339, 348, 350-65, 368, 374-5, 378, 391, 393, 395, 415
Kepler, Johannes, 224-5, 228
Kierkegaard, Søren, 337, 366, 402, 407-15, 423, 487-91, 496

La Mettrie, Julien Offray de, 251
Lamarck, Jean-Baptiste de, 440, 444, 451
Landstad, M. B., 382
Laplace, Pierre S., 251
latente, conteúdo *ver* sonhos
latim, 167-9, 187, 198, 232-3, 438
lei da causa, 298
lei da gravidade *ver* gravidade
Lei Mosaica, 173, 180
lei natural, 59, 452
Leibniz, G. W., 252, 254, 282, 407
Lênin, V., 424
leninismo, 424, 433

Leonardo da Vinci, 233
liberdade, 106, 108, 261, 268, 272, 274-5, 286, 338, 344, 346, 357, 363-5, 394, 474, 479, 491, 528
libertação, 146, 170, 180, 268, 342
linear, visão da história, 171, 197, 546
literatura, 169, 220, 374, 474, 494, 522
livre-arbítrio, 62, 196, 252, 274-5, 335-6, 358, 363-4
livros, 24, 34, 40, 111, 113, 128, 134, 167, 214, 217, 253, 473, 500-1, 504
Locke, John, 254, 277, 282-7, 291, 300, 305, 340-1, 351
lógica, 90, 122, 127, 129, 202, 301, 496
"logos", 48, 148
Loke, 37-8
Londres, 37, 341, 436-7, 484
loteria, 119, 309, 331, 453-4, 502-3, 539
Lua, 26, 53, 126, 141, 218, 223, 225, 228-30, 260, 320, 497
lucro *ver* mais-valia
Luís XIV, rei da França, 245, 248, 287
Luís XVI, rei da França, 347
lutas: de classes *ver* classes sociais; feminista, 344-5; pela existência, 446
Lutero, Martinho, 232, 233
Lyell, Charles, 441-2, 444

"macrocosmo", 148
mais-valia, 430-1
mal, o, 34, 36, 38, 48, 82, 168, 193, 195, 197, 221, 241, 342
mal-estar, 301
Malthus, Thomas, 445-6
manifesto comunista, 430
manifesto, conteúdo *ver* sonhos
maniqueus, 193
manutenção da vida, 448
Maomé, 191
Marco Aurélio, imperador romano, 149
Marx, Karl, 337, 416, 423-37, 488, 491
marxismo, marxista, 424, 433, 489
massa humana *ver* multidão
matemática, matemático, 43, 90, 98, 103, 146, 191, 222, 241, 251, 257, 260, 270, 411

matéria, 153, 193, 236, 249, 251-2, 255-6, 260-2, 270, 306, 379-80, 455, 496, 544-5, 549-50; "matéria-prima", 448; materialismo, materialista, 59, 62, 251-2, 261, 305, 342, 357, 380, 423-4, 426, 496; "materialista histórico", 423-4
mecânica, visão de mundo, 59-60, 251-2, 255-6, 261-2, 275
"mecanismo corporal", 256
medicina, 68, 146, 191, 219, 453, 463, 473
meditação, 154, 170, 172, 189
"médium", 477, 502
Mefistófeles, 458
meio ambiente, 223, 302
"Memento mori", 247
mente, 19, 69, 119, 256, 291, 297-8, 467-8, 478, 480
Messias, 173-5, 178
método: científico, 216, 221, 222, 241; empírico, 222
"microcosmo", 148
Midgard, 35-6
Mileto, 45-7, 484
Mill, John Stuart, 286
Mirandola, Pico dela, 219
mistério/mistérios, 25, 30, 35, 77, 153, 194, 207, 216, 277, 313, 323, 370, 372, 376, 379, 399, 406, 524, 537, 550
misticismo, mística, místico, 152-6, 209, 378, 500-2
mistura de religiões ver sincretismo
mítica, visão de mundo, 76
mitologia, mitológica, 34-6, 39, 77, 122, 135, 168-9, 438; mitos, 34-5, 38-40, 45, 48, 66, 168, 382; mito da caverna ver caverna, mito da
modos de produção, 427-8, 431; ver também capitalismo; feudalismo
modus, 271-2, 275
Moe, Jørgen, 382
Moisés, 173
moléculas, 456-7
monarquia, 132
monges, 187-8, 191-2, 197-8, 205-6, 232, 325, 410

monismo, monista, 149, 271
monoteísmo, 171
Montesquieu, Charles de, 287, 340
moral, 98, 201, 270, 300, 341, 344, 358-64, 425, 427, 433, 488; lei moral, 348, 361-4, 415; "moral escrava", 488
morte, 17, 25, 141, 146, 149, 151, 173, 175, 177-8, 233, 295, 500, 502, 539; ver também vida após a morte
mosteiros, 189, 197, 247
muçulmanos, 142, 170-1, 183; ver também Islã, islamismo
"mudança de paradigma", 498
mulheres, 36, 37, 43, 69, 92, 96, 108, 133, 179, 204, 249, 322, 325, 344-5, 347, 396-7, 429, 434, 492, 494
multidão, 133, 175, 413, 534
mundo das ideias ver ideias, mundo das
"mundo dos sentidos" ver sentidos
música, 220, 349, 374, 382, 503, 522; popular, 382
mutação, mutante, 294, 397, 450, 477

nação, nacional, 68, 157, 175, 233, 381, 390, 529
"não ser", 307, 330, 398
narrativas mitológicas, 122, 169
Natal, 73, 95, 190, 314
naturalismo, naturalista, 437, 464
natureza, filosofia da, 76, 82, 98, 122, 202, 221, 380
natureza humana, 289, 356, 410, 467, 491
necessidade, 273, 296, 341, 432, 475
negação, 247, 394-5, 397, 399
neodarwinismo, 450-1, 496
"neo-ocultismo", 498
neoplatonismo, neoplatônico, 152, 192, 194-5
neotomismo, 496
neurologia, 463-4
neuroses, 464, 467
nêutrons, 58
New Age, 498
Newton, Isaac, 228-31, 239, 251, 340, 343

Nietzsche, Friedrich, 488-9
"niilista", 492
Nils Holgersson, 483-4
Njord, 168
Noé, arca de, 173, 436, 441, 454, 463
normas, 78, 99, 270, 341, 491
Noruega, 20, 31, 35-6, 66, 157, 161, 164-5, 182, 186, 189-90, 214, 242, 250, 264, 311, 314, 317, 319, 333, 336, 344-5, 378-9, 381-2, 408, 417, 426, 430, 435, 522, 528
"nova religiosidade", 498
Novalis, 375, 377, 379, 383
Novo Testamento, 170, 233, 268

obra de arte, 375
Ocidente, 146, 155, 172, 188, 192, 205, 497
ocultismo, 498
Odin, 36, 39
Olavo, Santo, 189
oligarquia, 133
ONU, 20, 138, 140, 161-2, 171, 236, 240-2, 264, 313, 317, 320, 322, 338, 346, 350, 368, 385, 387, 404, 418, 481, 499, 507, 514, 525, 527
oração normativa, 301
Oráculo de delfos, 67, 84, 141
órbitas planetárias, 224, 228
Ordem Beneditina, 188
ordem mundial, 368
orgânica, visão do mundo, 380
organismo, 255, 380-1, 457
Oriente, 144, 146, 170, 188, 191-2, 218, 336, 376, 546
otimismo cultural, 339, 342
Øverland, Arnulf, 482
oxigênio, 456-8
ozônio, camada de, 457

Pacto Abraâmico, 173
palco, 248-9, 294, 490, 494-5
Panacea, 69
panteísmo, panteísta, 169, 220, 269, 378, 405
"papa", 191
paraíso *ver* céu/paraíso celeste
parapsicologia, 500

Parmênides, 47-9, 53, 57, 365
Partenon, 425
partículas: de matéria, 251-2; "partículas elementares", 58, 496
parto, dores do, 333, 518
Paulo, apóstolo, 89, 177-80, 188, 195, 269, 278
paz, 48, 162, 174-5, 177, 193-4, 270, 317, 368
pecado, 172, 175, 195, 233, 332
pedagogia, pedagógico, 216, 341
Peer Gynt, 383, 414
Pégaso, 291
penicilina, 453
pensamento, pensamentos, 19, 21, 35, 40, 43-4, 53-4, 59-60, 62, 76-80, 92, 99, 139, 145, 147, 153, 167, 192, 197, 203, 217-9, 221, 240, 242, 251-2, 254, 256, 260-2, 270-2, 282-4, 286, 289-90, 292-3, 295, 300, 309, 315, 332, 335, 338, 340-1, 349, 364, 391-5, 397, 400, 423-5, 427, 430, 467-8, 472-3, 475-8, 480-1, 496-8, 502, 516, 520, 536
percepção, 261, 285, 290, 353, 397; extrassensorial, 500
perda, 69
"perder-se de si mesmo", 154
"perímetro cultural", 166-7, 170
Pérsia, 59
personalidade, 294-5, 485
pirâmides, 45, 88
Pítia, 67
planetas, 19-20, 25, 28-9, 53, 131, 137, 141, 156, 181, 223-5, 228, 230-1, 241, 294, 304, 308, 316, 336-7, 406, 446, 456-7, 459, 461, 497, 499, 525, 541-2, 544-5, 548, 550
Platão, 79, 90-92, 94-110, 113, 116-7, 121-4, 129, 132, 133, 141, 144, 146-7, 149, 152-3, 155, 166, 169-70, 177, 182, 188, 191-2, 194-5, 197-8, 200, 224, 250, 253-4, 256-8, 260, 278, 282, 320-1, 393, 425-6, 440, 538
Plotino, 152-3, 156, 166, 169, 195, 323, 378
poeira estelar, 541, 549

poemas, 122, 189, 312, 377, 380, 382
poesia, 374, 379, 382
politeísmo, 167
política, 39, 90, 132-3, 145, 149, 151, 173, 191, 248, 340, 344-5, 424
"ponto de vista da eternidade", 268, 275
pornografia, 500
"postulados práticos", 358-9
poupança, 31
povo, popular, 58, 135, 146, 173-6, 181, 216, 287, 362, 368, 374, 380-2, 408, 426, 432, 533, 539
prazer, prazeres, 69, 132, 150-1, 168, 219, 275, 413, 415, 465, 468; "princípio do prazer", 465
premonição, 500
pré-socráticos, 76, 98, 100, 152, 394, 437, 496
primatas, 181, 449, 454
primeira causa *ver* causa primeira
Primeira Guerra Mundial, 368
"princípio do prazer" *ver* prazer
"princípio vital", 255
"problema do mal", 193; *ver também* mal, o
processos naturais, 40, 44-5, 51, 59, 121, 126, 149, 380
profetas, 172, 174-5
projeção, 470-1
projeto filosófico, 82, 99, 121, 147, 255, 289, 351
proletariado, proletários, 428, 430, 432
propósito, 25, 126-7, 150, 170, 257, 380, 394, 400, 493
Protágoras de Abdera, 78
protestantismo, protestantes, 247, 358; *ver também* Reforma Protestante
prótons, 58
psicanálise, 437, 463, 468, 474, 496
psicocinese, 500
psicologia, 90, 463; "psicologia profunda", 463
psique, 464-7
pudor, 73-4, 78, 219-20

"qualidades primárias", 305
"qualidades secundárias", 285, 305

quatro elementos, 50-1
questões filosóficas, 25, 30, 35, 40, 43, 77, 96, 99, 116, 118, 257, 317, 320, 350, 356, 409, 496

racionalismo, racionalista, 47, 84, 107, 253, 260, 270, 281-2, 286, 289, 295-6, 300, 329, 339-41, 351, 353, 358, 361, 364, 395, 437, 464
racionalizar, 469-70
Radhakrishnan, Sarvepalli, 155
Raskolnikov, 414
Rawls, John, 433
razão, 40, 47-9, 51, 53-4, 59-60, 69, 80, 84, 96, 99, 102-4, 107-8, 123-4, 131, 141-2, 158, 177, 193-4, 196, 199-201, 216, 222-3, 244-5, 250, 253, 255, 257-8, 260-3, 281-2, 286, 289, 291, 295, 299-303, 306, 341, 342-3, 351-65, 368, 374, 377, 380, 390-3, 395-6, 398-9, 405, 409, 411-2, 464, 470, 476-8, 497, 502, 506, 514-5, 517; absoluta, 400; dinâmica, 398; objetiva, 400; razão primeira *ver* causa primeira; subjetiva, 400; "razão universal", 48, 148
realidade, 28, 47, 99, 101, 103, 116, 123-6, 149, 153, 260-1, 270, 286, 291-2, 305, 308, 352, 356-7, 370, 375, 378-9, 383, 394, 398, 400, 414, 420, 437, 474, 507, 530, 539, 547; exterior, 260, 285, 290, 305, 308; material, 261-2, 307
redenção, 178
reflexão filosófica, 100, 169, 255, 257, 270, 392, 409, 425, 497
Reforma Protestante, 196, 216, 232, 358; ver também protestantismo, protestantes
"Reino de Deus", 174-8, 196
religião, 45, 62, 137, 140, 143, 145-6, 151, 155, 167, 170, 172, 176-8, 180, 188, 193, 252, 268, 293, 295, 341-2, 344, 400, 409, 425; mundial, 178; religioso, religiosa, 36, 145, 146, 155, 166, 169-73, 190, 193, 198, 204, 216, 232-3, 247, 268, 343, 350, 358, 408, 412-5, 438

563

Renascença, 184, 189, 192, 205-6, 212-3, 215-21, 223, 231-3, 241, 247-8, 254, 328-9, 373, 375, 393, 489, 491, 499
responsabilidade, 108, 196, 313, 408, 453, 491-2, 494
"ressurreição da carne", 177
retórica, 77, 81
revelação, 199-201, 437, 471
Revolução Francesa, 340, 344-5, 347
rituais, 36, 146, 175, 190, 232, 233, 268
Robespierre, Maximilien de, 347
Roma, 145-6, 149, 152, 180, 188, 190-1, 193, 198, 220-1, 484, 525
romanos, 145, 166, 169, 175
Romantismo, românticos, 337, 364, 366, 370, 374-82, 384, 387-8, 390, 390, 399, 405, 407-9, 413
"roupa nova do imperador", 83
Rousseau, Jean-Jacques, 288, 340, 342, 374, 378
Ruskin, John, 449
Russell, Bertrand, 300

sabedoria, sábio, 67, 71-4, 83-5, 107, 148, 169, 191, 204, 220, 222, 250, 322, 326
sacerdotes, 67, 108
Salomão, rei, 173
salvação, 152, 174-6, 193, 196-7, 233
salvador, 166, 173-5, 177-8
sânscrito, 168-9
Sartre, Jean-Paul, 337, 489-96, 505
saúde, 48, 62, 66, 68-9, 147, 148, 342
Saul, rei, 173
Schelling, F. W. J., 379-80, 383, 386, 390, 393, 409, 423
Schiller, F., 375
Scrooge, 420, 422-3, 433
Segunda Guerra Mundial, 368, 489
seleção natural, 440, 445-6, 448, 451, 453, 458
semideuses, 180
semitas, semítico, 166, 170-2
Sêneca, 149
sensações, 262, 294, 307, 363, 413
sensorial, 104, 282, 284-5, 291, 293, 351, 354, 356, 415, 437

sentidos, 47-9, 102, 124, 131, 150, 152, 199-200, 221, 225-6, 250, 253, 257-8, 260, 282-5, 295, 321, 351, 353-6, 360, 363-5, 394-5, 413; "mundo dos sentidos", 99, 101-5, 117, 122-3, 152
sentimentos, 131, 148-9, 262, 265, 270, 273, 297, 301, 303, 360, 363, 374, 396, 468
ser, 16, 259-60, 275, 307, 330, 360, 398; "ser completo", 358; ser duplo, 152; "Ser ou não ser", 307, 330
Sermão da Montanha, 176
sexo, 464, 467, 470
sexos ver gêneros
sexualidade, 464, 466; infantil, 464
Shakespeare, William, 248-9
Silésio, Ângelo, 154
Sinai, monte, 173
sincretismo, 145
síntese, 199, 395
sistema solar, 230, 236, 456, 542, 544
"situação existencial", 414
Snorre Sturlason, 189
"sobrenatural", 296, 343, 376, 503-4
social-democracia, 433
socialismo, socialista, 395, 432-3
sociedade feudal ver feudalismo
sociedade sem classes ver classes sociais
Sócrates, 71, 76, 78-85, 88-92, 94, 96-9, 106, 108-9, 141-2, 144, 146-50, 152, 177, 182, 196, 200, 253-5, 260, 264, 269, 282, 300, 317, 341, 409, 414, 423, 496, 546-7
sofistas, 76-8, 82, 84, 98, 142, 148, 255
Sófocles, 89
sofrimento, 84, 148, 414
Sol, 52, 76, 223-4, 228, 230, 239, 260, 353, 459, 461, 515, 541-5
sombras, 105-6, 109, 123, 153, 387
sonhos, 236, 249, 252, 292, 472-5, 478-9; conteúdo dos sonhos, 473; conteúdo latente do sonho, 479; conteúdo manifesto do sonho, 473, 479; interpretação dos sonhos, 472, 473; sonho e realidade, 474

"sopa primordial", 457
Sophia, 204-5, 325-6
sorte, 66, 539
Stálin, Ióssif, 424
Steffens, Henrik, 379
substâncias, 42, 50-1, 53-4, 126, 153, 260, 270, 455, 457; substância primordial, 42, 44-7, 49-51, 54, 60, 394
Suécia, 248, 254, 483-4
superego, 466-8
superestrutura, 425-7
superstição, 62, 66, 151, 300, 341, 398, 498, 506; "superstição moderna", 498
surrealismo, surrealista, 474, 476-7, 495, 502

"tábula rasa", 283
Tales de Mileto, 45-6, 50, 388
teatro, 89, 105, 215, 234, 248-9, 291, 294, 382, 494-5
tecnologia, 241, 497
telepatia, 500, 503
tempo e espaço, 307, 352
teologia, 90, 152, 170, 196, 198, 201-2, 216, 232, 254, 390, 409, 438, 522; "teologia natural", 201
teoria da evolução *ver* evolução, teoria da
teoria das ideias *ver* ideias, teoria das
Terra, 19, 52-3, 62, 67, 101, 123, 127, 131, 171, 174, 178, 191, 223-5, 228-32, 239, 241, 251, 342, 353, 433, 441-2, 444, 447, 453-7, 489, 541, 543
"tese", 395, 397
tirania, 132
tolerância, 140, 268, 286
Tomás de Aquino, São, 198-200, 202-5, 216, 254, 261, 358, 496
Tor, 35-9
totalitário, 108
trabalho, trabalhadores, 15, 24, 27, 39, 182, 207, 218, 373, 419, 421, 425-30, 432, 475, 485-6
tragédia, 89, 174, 242
transcendente, 493, 501

transitoriedade, 247
transmigração das almas, 170, 172, 177
trauma, traumático, 465, 471
trolls, 36-8, 189, 532, 535
Trym, Trymskvida, 36-8
Tucídides, 68
Tyr, 167-8

unidade, 48, 153, 378, 549
unitária, filosofia, 405
Universo, 19-20, 25-6, 29-30, 32-3, 77, 88, 141, 146, 148-9, 156, 194-5, 213, 221, 223-4, 230-2, 251, 253, 269, 315, 332, 336-7, 343, 356-7, 360, 378-80, 399, 407, 459, 461, 481, 487, 497, 541-6, 549-50
"Uno, O", 152-3
Ursinho Pooh, 366-7, 370-1, 463
Utgard, 36
"utópico", 106

vaidade, 247, 414
valor de venda, 430
valores, 140, 143, 150, 219, 380, 488, 491, 493, 516
Vedas, 167
Vênus (divindade), 168
verdade, a, 25, 81, 105, 193, 199-200, 410, 412, 453; verdade eterna, 98; "verdades objetivas", 410; verdade real, 101-4; "verdade subjetiva", 391, 410-2
Via Láctea, 542-3
vida após a morte, 17, 25, 141, 151, 295, 500, 502
vídeo, 87, 89-92, 94, 95, 134, 184, 278, 318, 425
"video", 169
"vidya", 169
Vinje, Aasmund, 398
virtude, 98, 107, 216, 268, 298, 334, 377
vírus, 265, 456
visão, 169; feminina, 133; da natureza, 220; de mundo, 140-1, 146-7, 190, 223, 231, 247, 282, 305, 351, 353
"viten", 169

Vivekananda, Swami, 155
Voltaire, 288, 340

Welhaven, J. S., 377
Wergeland, Henrik, 271, 377, 379
"wise", 169

Xenófanes de Cólofon, 39
Xerxes, rei da Pérsia, 88

Zenão de Cítio, 148
Zeus, 39, 167

1ª EDIÇÃO [2012] 34 reimpressões

ESTA OBRA FOI COMPOSTA EM PALATINO E OPTIMA POR ACOMTE
E IMPRESSA EM OFSETE PELA LIS GRÁFICA SOBRE PAPEL PÓLEN DA
SUZANO S.A. PARA A EDITORA SCHWARCZ EM ABRIL DE 2025

A marca FSC® é a garantia de que a madeira utilizada na fabricação do papel deste livro provém de florestas que foram gerenciadas de maneira ambientalmente correta, socialmente justa e economicamente viável, além de outras fontes de origem controlada.